PAULLINA
SIMONS

Le secret de
Lily Quinn

ROMAN

ÉDITIONS
FRANCE
LOISIRS

*Qu'était-il advenu de l'amour ?
se demandait Lily. Aurait-il
disparu de l'univers ? Ou ne
l'avait-elle pas suffisamment
cherché ? Qu'était-il arrivé
à cet amour légendaire qui
déplaçait les montagnes. Plus
personne n'était-il capable
d'éprouver un sentiment d'une
telle force ? Ni de mourir en
son nom ?*

Le secret de Lily Quinn

PAULLINA SIMONS

Le secret de Lily Quinn

Traduit de l'anglais (États-Unis)
par Christine Bouchareine

ÉDITIONS
FRANCE
LOISIRS

Titre original : *The Girl in Times Square*.
Publié par HarperCollins*Publishers* Inc., New York.

Édition du Club France Loisirs,
avec l'autorisation des Éditions Robert Laffont.

Éditions France Loisirs,
123, boulevard de Grenelle, Paris.
www.franceloisirs.com

ISBN : Version reliée : 2-7441-9418-2
       Version brochée : 2-7441-9419-0

À ma sœur, Elizabeth,
qui cherche encore,
et à Melanie Cain,
qui connaît la chambre des larmes.

Quand le nouveau pape est élu, il se recueille un instant dans une pièce attenante à la chapelle Sixtine, baptisée « la chambre des larmes », car plus d'un pape s'y est abandonné à l'émotion devant l'ampleur de la tâche qui l'attend. Les meilleurs ont pleuré.

PEGGY NOONAN

Juste avant le commencement

Lily Quinn

Qu'était-il advenu de l'amour ? se demandait Lily. Aurait-il disparu de l'univers ? Ou ne l'avait-elle pas suffisamment cherché ? Qu'était-il arrivé à cet amour légendaire qui déplaçait les montagnes, comme celui que sa grand-mère avait éprouvé pour son Tomas, un demi-siècle plus tôt, dans un autre monde, une autre vie... Ou comme celui qui avait frappé son père quand il avait rencontré sa mère dans les Caraïbes. Plus personne n'était-il capable d'éprouver un sentiment d'une telle force ? Ni de mourir en son nom ?

En tout cas, pas ce soir.

Ce soir, Lily, sans un sou et le ventre creux, regardait, impuissante, Joshua faire ses paquets. Elle avait l'impression de n'être plus qu'une ombre sur le mur, avec ses yeux et ses cheveux ternes comme la cendre, toute de noir vêtue. Une tenue de circonstance : il ne reviendrait pas. Elle portait le deuil.

Pourtant il avait prétendu que ce serait temporaire. « Histoire de faire une coupure. Ça nous fera du bien. »

Elle aurait voulu dire quelque chose, tenter au moins de le dissuader. Mais c'était trop tard. Elle avait à peine la force de le regarder partir.

Joshua tourna ses yeux fuyants vers elle, passa la main dans ses cheveux roux dont il était si fier, et lui demanda si elle n'avait rien de mieux à faire que de rester piquée là à l'observer. Elle secoua la tête.

Pourquoi partait-il ? Elle aurait voulu le savoir. Il n'avait pas jugé bon de s'expliquer. Tant de choses restaient non dites entre eux. Son départ aurait été inconcevable il y a un an. Comment pouvait-elle le supporter aujourd'hui ?

Elle s'écarta du mur et avança vers lui. Il l'arrêta d'un geste, les yeux soudain rivés sur la télévision.

— C'est la finale de la Stanley Cup ! s'écria-t-il, prenant la télécommande pour monter le son... et ne plus entendre Lily.

Dire que, la semaine précédente, le professeur d'écriture créative leur avait donné comme devoir : *Que feriez-vous si aujourd'hui était le dernier jour de votre vie ?*

Elle détestait ce cours. Elle s'y était inscrite uniquement parce qu'il lui manquait une UV. Et si elle avait su, elle aurait choisi « Lectures avancées sur John Donne », le lundi matin, à huit heures, plutôt que celui-là, le mercredi, à midi. Quel étalage pitoyable de votre vie privée ! Votre premier souvenir, votre premier chagrin, votre expérience la plus mémorable, votre meilleur souvenir de vacances, votre testament ! Et maintenant, ça !

Tout ce qu'elle espérait avec ferveur en cet instant, c'était que cette rupture avec son petit ami ne serait pas le dernier jour de sa vie.

14

Son appartement était trop petit pour y jouer la grande scène du deux. On entrait directement dans le coin séjour. Dans la cuisine, le micro-ondes occupait la seule surface plane. L'égouttoir posé dessus leur servait aussi à ranger le pain. Ils ne prenaient pas de repas réguliers et mangeaient rarement chez eux. Il n'y avait que deux chambres, celle d'Emmy et la sienne.

Elle alla dans celle d'Emmy, s'allongea sur son lit et résista à l'envie de se rouler en boule.

Joshua passa la tête. Il profitait des publicités pour aller chercher à boire.

— Tu pourrais dormir avec Emmy ? Je dois reprendre mon lit. Faut bien que je dorme quelque part.

— Quoi, Shona n'a pas de lit ?

— Tu ne vas pas recommencer ! soupira-t-il en repartant vers le réfrigérateur.

Lily se roula en boule.

Même avec Joshua qui payait un tiers du loyer, elle était toujours fauchée. Elle se nourrissait de bretzels et de nouilles. Elle ne pouvait s'offrir un petit pain au fromage blanc que le dimanche. Et parfois, il lui fallait choisir entre le journal et le petit pain.

Et plus question de lire les nouvelles sur Internet, elle n'avait plus les moyens de payer les vingt dollars d'abonnement. Elle se passerait donc d'Internet, de petits pains, et bientôt de Joshua qui partait avec son lit et un tiers du loyer.

Si seulement elle avait eu des notes suffisantes pour entrer à l'université de New York au lieu du City College, sur la 116e Rue ! Elle aurait pu s'y rendre à pied et économiser ainsi quatre dollars par jour. Ce qui aurait fait vingt dollars par semaine, quatre-vingts dollars par mois, mille quarante dollars par an !

Combien de petits pains, de journaux et de cafés pouvait-on s'offrir pour ce prix-là ?

Lily payait presque cinq cents dollars de loyer par mois. En fait, c'était sa mère qui lui envoyait cette somme, à contrecœur, chaque mois. Et cette allocation cesserait le jour supposé de sa remise de diplôme, en mai. Sans Joshua, sa part monterait à sept cent cinquante dollars. Comment dégoterait-elle une somme pareille ? Elle servait déjà vingt-cinq heures par semaine dans un restaurant pour payer sa nourriture, ses livres, ses fournitures de peinture, ses films. Il faudrait qu'elle travaille plus, le double carrément. Et donc qu'elle se lève très tôt. Mais elle ne voulait pas y penser maintenant. À l'instar de Scarlett O'Hara, elle y songerait demain... plus tard... dans cinquante ans.

Le téléphone sonna.

— Alors, il est parti ?

C'était Rachel Ortiz, l'autre grande amie d'Emmy, une blonde aux manières un peu brusques ; on ne lui avait jamais expliqué que ce n'était pas parce qu'elle était l'amie d'Emmy qu'elle était aussi celle de Lily.

— Non, répondit Lily, sans oser ajouter que le fait de regarder la Stanley Cup n'accélérait pas le processus.

— Le salaud !

— Mais il ne va pas tarder.

— Emmy est là ?

— Non.

— Où est-elle ? Encore en balade ?

— Non, elle travaille, je crois.

— Eh bien, demain soir, pas question que tu restes toute seule. On sortira. Mon nouveau copain voudrait nous emmener à Brooklyn, dans un night-club de Coney Island.

— À Coney Island, un lundi ? Ce n'est pas possible. J'ai cours le lendemain.

— Arrête ! Je ne veux pas que tu restes toute seule. Tu viendras avec Tonio et moi.

Elle prononçait Tonio à l'italienne, en accentuant la première syllabe.

— Emmy devrait venir aussi, reprit-elle. Elle a un ami pour toi, un type de Bed-Stuy, avec un super petit cul.

— Oh, pour l'amour du ciel ! murmura Lily. Joshua est encore là.

— Le salaud ! répéta une dernière fois Rachel, avant de raccrocher.

— Quoi, on essaie déjà de te recaser ? s'enquit Joshua. C'était Rachel, je parie ? Elle me déteste.

Lily ne répondit pas.

Quand la Stanley Cup fut terminée, Joshua commença à porter ses caisses, ses cartons et ses sacs jusqu'au coin de l'Avenue C et de la 4e Rue, où il allait habiter chez leur ami commun, Dennis, le coiffeur. (Serait-il homo ? lui avait demandé Emmy. Et elle lui avait répondu : Tu n'as qu'à demander à Shona, la nana qu'il n'arrête pas d'appeler avec mon forfait.)

17

Qui lui couperait les cheveux désormais ? De quel droit Joshua la privait-il aussi de son coiffeur ? Enfin, peut-être que Paul, un autre copain d'Emmy, coloriste, pourrait prendre le relais.

Vers trois heures du matin, Joshua lui fit au revoir d'un signe de tête, son dernier carton sous le bras, et passa devant *La Fille de Times Square*, sa seule peinture sur toile : elle l'avait réalisée à vingt ans, bien avant de le connaître.

— Je ne peux plus te supporter, lui avait-il déclaré deux jours auparavant, quand il lui avait annoncé qu'il partait.

Si aujourd'hui devait être le dernier jour de ma vie, j'aimerais être comme la fille de la célèbre carte postale, sur Times Square, qui se fait embrasser à pleine bouche par un inconnu, à l'annonce de la fin de la guerre.

Non, ce n'est pas vrai. C'est le rêve d'une autre. D'Emmy peut-être. Mais pas de la véritable Lily.

La véritable Lily ferait la grasse matinée, au moins jusqu'à midi. Et ce jour-là, pas question de travailler ni d'aller à la fac. Comme il ferait beau et chaud, elle se rendrait au lac de Central Park. Elle s'achèterait un sandwich au thon, un thé glacé et un sac de chips. Et elle emporterait son carnet de croquis, ses crayons et le livre qu'elle relisait en ce moment, Sula, de Toni Morrison, décidée à prendre enfin le temps de le savourer.

Elle passerait l'après-midi à grignoter et à dessiner des bateaux ou l'Ajax de Sula (dont elle se plaisait à se croire amoureuse), à lire, et à réfléchir à ses futurs tableaux. Et en rentrant chez elle, le soir, elle passerait par Times Square et irait contempler, adossée à un mur, les écrans de publicité de toutes les couleurs, les tours illuminées, les feux qui passent du rouge au vert, les lumières clignotantes bleues des voitures de police et le jaune des taxis. Et aussi le cow-boy qui joue de la guitare au milieu du carrefour, vêtu seulement de son chapeau et de son caleçon, au milieu des familles, des enfants, des couples, jeunes ou vieux, tous amoureux, qui se photographient en riant.

Et cette fille de Times Square, elle, resterait dans l'ombre alors que les autres se détacheraient sur la lumière.

Lily se détourna de la porte et contempla la nuit par la fenêtre, assise, seule, sur le lit d'Emmy.

Allison Quinn

Une femme regardait par sa fenêtre le vert des palmiers, le rouge des rhododendrons, le bleu du ciel et de l'océan, l'ocre des falaises, les volcans noirs et le sable blanc. Elle attendait son mari : il était parti acheter des mangues. Il en mettait du temps ! Elle écarta le rideau et soupira au souvenir de sa jeunesse, quand elle rêvait de confort matériel, d'océan, de soleil.

Maintenant elle possédait tout ça. Et il était loin le temps où il mettait un disque sur un vieux phonographe et la faisait danser dans leur petite chambre. Il était beau, elle était belle et ils parlaient un autre langage. *Ton regard est rempli d'amour...*

À présent, il partait se promener seul sous les palmiers, le long de la plage, et réservait ses sourires à la fille qui se vantait de vendre les mangues les plus juteuses de l'île.

Elle s'écarta de la fenêtre. Il fuyait la maison. Non, c'était elle qu'il fuyait. Il ne supportait plus l'idée de rester seul avec elle, même une heure. Était-ce sa faute si elle avait du mal à se lever le matin ? Si elle ne se sentait pas la force d'aller nager ou de marcher sous ce soleil ? Si l'eau et le soleil déjà si chauds à huit heures du matin la déprimaient ? Ah, si seulement il pouvait pleuvoir, ne serait-ce qu'une fois ! Elle en avait assez de ce maudit océan. Assez de ce soleil. Assez de ces mangues, de ces sashimis de thon, et de cette cendre volcanique. Assez !

Et elle avait acheté des rideaux opaques qu'elle tirait pour cacher le jour, pour vivre dans l'illusion qu'il faisait nuit.

Elle ne vivait plus dans la réalité.

Mais que faisait-il ? Quand lui ferait-il la grâce de sa présence ? Ne savait-il pas qu'elle était malade, qu'elle avait faim ? Qu'elle devait se nourrir très souvent, par petites quantités ? Non, il s'en fichait. Il ne s'intéressait qu'à lui. Eh bien, elle ne mangerait plus rien. Et si elle s'évanouissait, si elle se cassait quelque chose, tant pis pour lui ! Ça lui apprendrait à aller se balader toute la matinée, alors que sa femme malade n'avait rien eu comme petit déjeuner. Elle était curieuse de voir quelle excuse il inventerait pour expliquer ça à sa mère, à leurs enfants. Oui, plutôt mourir que d'avaler la moindre bouchée.

La porte de sa chambre s'entrouvrit.

— Je suis rentré. Tu as mangé ?

— Bien sûr que non ! cracha-t-elle. Mais tu t'en moques ! Je peux crever comme un rat pendant que tu vas te pavaner dans ton cher Maui !

... un regard que le temps ne pourra jamais effacer...

Il referma la porte en silence. Et elle se retrouva dans sa chambre sombre aux rideaux tirés. Seule.

21

Un homme et une femme

On est vendredi soir. Ils sont allés dîner puis elle l'a invité à prendre un verre et à danser dans un bar à vins, à côté de chez elle. Il a refusé. Il refuse toujours. La danse, les bars à vins, ce n'est pas son truc. Mais il doit reconnaître qu'elle a de la suite dans les idées. Elle continue à proposer. Puis elle l'a ramené chez elle. Ils sont couchés. Il ne sait vraiment pas ce qu'elle lui trouve mais ils se voient tous les vendredis soir. Et quand chacun a obtenu de l'autre ce qu'il voulait, elle s'endort, satisfaite, au creux de son épaule, pendant que lui, à la lueur jaune bleuté qui monte de la rue, compte les carreaux au plafond et s'étonne à chaque fois de ne jamais trouver le même nombre.

N'est-ce pas contraire à l'ordre des choses que la femme dorme alors que l'homme contemple le plafond ?

Dès qu'elle sombre dans un sommeil profond, il se dégage, se lève sur la pointe des pieds, et va se rhabiller au salon.

Elle arrive quand il vient de remettre ses chaussures. Il a dû faire tinter ses clés. D'habitude, elle ne l'entend pas partir. Il fait sombre dans la pièce. Ils se dévisagent.

— Je ne comprends pas pourquoi tu t'en vas !
dit-elle.

— Je dois rentrer.

— Ta femme t'attend ?

— Arrête.

— Alors pourquoi ?

— Tu sais bien que je dois rentrer. Je rentre
toujours. À quoi bon faire des histoires ?

— Nous n'avons pas passé une bonne soirée ?

— Si, comme toujours.

— Alors, reste avec moi. On est vendredi.
Demain, je te ferai des gaufres au petit déjeuner.

— Je ne mange jamais le matin.

Il referme doucement la porte derrière lui. Elle
repousse bruyamment les verrous.

Il sort sur Amsterdam Avenue. On ne voit plus
que des taxis dans la rue. Les trottoirs sont vides,
à part quelques buveurs en goguette. Les feux
continuent à passer du vert à l'orange au rouge.
Avant de héler un taxi, il longe quelques bars
encore ouverts à trois heures du matin. Seul.

Première partie

Au commencement

> *Libre, c'est comme cela que tu t'appelles ? Libre de quoi ? Peu importe à Zarathoustra ! Mais que ton œil indique clairement : libre pour quoi ?*
>
> FRIEDRICH NIETZSCHE [1]

---

1. Traduction de Maël Renouard, éditions Rivages, 2002. *(N.d.T.)*

1

Il ne faut jamais se fier
aux apparences...

1, 18, 24, 39, 45, 49.
Et encore :
1, 18, 24, 39, 45, 49.
La réalité : « Caractère de ce qui est réel, de ce qui existe effectivement. »
L'illusion : « Quelque chose qui trompe l'esprit en lui faisant croire à tort à son existence, ou qui semble être une chose alors qu'elle en est une autre. »
Un miracle : « Un événement qui semble contraire aux lois de la nature. »
49, 45, 39, 24, 18, 1.
Lily fixa les six nombres publiés par le *Sunday Daily News*. Elle cligna les yeux. Se frotta les paupières. Se gratta la tête. Il y avait quelque chose qui clochait. Emmy n'était pas là, elle n'avait personne pour vérifier et sa vue lui jouait souvent des tours.
Elle sortit dans le couloir et se dirigea vers la porte de la vieille Colleen, au 5F. Colleen ne sortait jamais de chez elle. Hélas, elle ne voyait plus rien comme put le constater Lily quand elle lut 29 au lieu de 49, et 89 au lieu de 39. Du coup, Lily était encore moins sûre de ce qu'elle avait lu.

— Ce n'est pas grave, ma chérie, la consola Colleen. Tout le monde croit avoir le numéro gagnant.

Lily aurait voulu lui répondre non, pas moi, au contraire. Il m'arrive d'avoir des hallucinations mais pas au point d'imaginer un tel miracle.

Elle était américaine de la seconde génération et la plus jeune de quatre enfants. Sa mère, femme au foyer, avait toujours rêvé d'être économiste. Son père, journaliste au *Washington Post*, avait rêvé d'être écrivain. Passionné de sport, il ne s'était guère occupé de ses enfants. Certains l'auraient jugé dur et égoïste. Pas Lily.

Sa grand-mère aurait mérité un chapitre entier dans le résumé de la vie de Lily. Klavdia Roza Venkewicz était née à Dantzig et avait fui la Pologne occupée par les nazis avec son bébé, la mère de Lily, à travers l'Allemagne dévastée. Après des années en camps de réfugiés, elles avaient réussi à monter sur un bateau en partance pour New York. Klavdia avait aussitôt américanisé le nom de la petite Olenka en Allison et le sien en Claudia Rose Vail.

Lily avait passé toute sa vie à New York ou dans ses environs. Elle avait successivement habité Astoria, Woodside, Kew Gardens et, quand son père avait enfin réussi, Forest Hills, toujours dans le Queens. Elle rêvait de vivre à Manhattan, mais maintenant qu'elle avait réalisé ce vœu, elle se retrouvait sans un *cent*.

Quand son père, George Quinn, qui était correspondant du *Post* à New York, avait été muté à Washington, pour des raisons de restructuration interne, Lily avait refusé de suivre ses parents. Elle s'était donc installée chez sa grand-mère, à Brooklyn, tout en restant scolarisée au lycée de Forest Hills. Après une folle année de liberté, elle était entrée au City College de New York, à Harlem. D'abord parce que ses notes ne lui avaient pas permis d'aller ailleurs. Ensuite, parce que ses parents avaient dépensé toutes leurs économies pour envoyer leur fils aîné à Cornell. Sa mère, qui s'en voulait de ne pouvoir lui offrir ses études, payait son loyer.

Lily n'avait guère d'expérience de l'amour quand elle avait rencontré Joshua, qui rêvait d'être acteur et servait dans un restaurant en attendant. Ce n'étaient pas ses cheveux roux qui l'avaient attirée, mais ses souffrances passées et ses rêves d'avenir... deux domaines dans lesquels Lily avait quelques lacunes.

Lily aimait faire la grasse matinée et peindre. Avec une nette préférence pour la grasse matinée. Elle avait peint sur ses murs de grandes fresques où l'on voyait de l'eau et des bateaux. Elle espérait ne jamais devoir quitter cet appartement car elle n'aurait jamais le courage de les reproduire.

Elle lisait beaucoup, mais par foucades. Elle adorait Natalie Merchant et Sarah McLachlan. Mais elle aimait encore plus le chocolat : les barres de chocolat, les gâteaux au chocolat, les bonbons au chocolat... bref le chocolat sous toutes ses formes.

Une de ses sœurs était mère de famille modèle

avec quatre petites filles modèles et un mari modèle. L'autre sœur, Anne, une élégante jeune femme pleine d'avenir, analyste financière au *Knightridder*, ne connaissait que des liaisons aussi fréquentes qu'éphémères. Son frère Andrew, qui avait réussi, était député.

Lily vivait par personnes interposées. Elle adorait écouter Emmy, Paul, Rachel et Dennis raconter leur vie amoureuse plus ou moins chaotique, leurs voyages en auto-stop ou leurs délires à Miami Beach. Elle admirait la témérité. Mais en ce qui la concernait, elle préférait avoir une existence sans hauts ni bas. Elle s'appropriait les rêves d'Emmy, de Joshua, d'Andrew, elle allait au cinéma trois fois par semaine. Elle adorait flâner dans les rues de New York, lire le journal à St Mark's Square et vivre au jour le jour, en rêvant à l'avenir... sans savoir ce qu'elle en attendait. Oui, elle avait adoré sa vie décousue jusqu'à hier.

Hier, il y avait eu le départ de Joshua.

Et aujourd'hui ces six nombres.

1, 18, 24, 39, 45, 49.

Dix avantages d'avoir rompu avec Joshua :

10) Plus de télé allumée en permanence.

9) Plus besoin de partager mon petit pain et mon café avec lui.

8) Plus besoin de faire semblant d'aimer le hockey, les sushis, le golf, la quiche ou les acteurs.

7) Plus besoin de l'écouter se plaindre de l'injustice de la vie.

6) Plus besoin de l'écouter se plaindre de l'indifférence de son père et de l'inexistence de sa mère.

5) Plus besoin de me faire percer le nombril pour lui plaire.

4) Plus besoin de bavarder avec lui jusqu'à quatre heures du matin pour lui faire croire que nous partageons les mêmes intérêts.

3) Plus de serviettes mouillées sur mon lit.

2) Plus de rouleaux de papier vides dans les toilettes.

Et le meilleur de tout :

1) Finis les complexes pour mes petits seins.

Une bonne raison d'avoir rompu avec Joshua :
« Je ne peux plus te supporter. »

Dix inconvénients d'avoir rompu avec Joshua :
1 à 10) Sans lui, je ne pourrai pas payer le loyer.

Elle qui avait toujours eu les cheveux longs les avait fait couper court, la semaine dernière, après le départ de Joshua, comme le font souvent les filles quand elles rompent avec leur petit ami. Elle était fière de sa réaction. Ça prouvait qu'elle ne se laissait pas abattre. Et quelle économie de temps pour se coiffer !

Elle enfila une veste, décidée à se rendre à l'épicerie où elle avait acheté le billet de loto. Dans l'escalier, elle s'aperçut qu'elle avait oublié de mettre des chaussures et dut remonter. Quand elle arriva enfin à l'épicerie, au coin de la

10e Rue et de l'Avenue B, elle se rendit compte qu'elle avait oublié le ticket près du placard à chaussures.

Elle fit une grimace exaspérée au caissier, un Oriental sans humour, affublé en plus d'une sévère barbe noire, et rentra chez elle. Pas pour chercher le ticket. Non, cet oubli était un signe. Les numéros ne pouvaient pas être les bons, voyons !

Elle s'allongea sur le lit d'Emmy et fixa la fenêtre en essayant de faire le vide dans son esprit. La chambre donnait sur une cour intérieure entourée d'immeubles, avec quelques arbres et des allées étroites. La plupart des habitants ne fermaient jamais leurs stores. Ils considéraient sans doute cette verdure comme un écran contre le monde extérieur. Mais ça ne les protégeait pas des regards de Lily.

Elle adorait observer ses voisins. Notamment l'homme qui lisait le journal tous les matins. Lily l'avait croqué pour son cours de dessin. Et aussi la jeune femme qui, après sa douche, allait toujours s'appuyer à sa fenêtre et regarder dehors. Pour son cours d'improvisation, elle avait choisi ses préférés, un homme et une femme non mariés qui se promenaient nus le matin et qui faisaient l'amour le soir, stores levés et lumières allumées. Elle savait qu'ils n'étaient pas mariés car lorsque la femme était seule, elle lisait *Mariées d'aujourd'hui*, et se disputait avec lui chaque samedi soir, quand ils avaient bu.

Lily avait souvent dessiné leur chat. Mais

aujourd'hui elle griffonna distraitement une page entière de 49. Non, c'était impossible ! Ça ne pouvait être qu'une erreur colossale. Bien sûr ! Ou les nombres étaient corrects mais la date mauvaise. Ça arrivait souvent. Elle se leva d'un bond. Non, non. Les nombres correspondaient bien. La date aussi.

Elle revint dans la chambre d'Emmy. Elles devaient aller ensemble au cinéma, aujourd'hui. Mais Emmy n'avait pas donné de nouvelles. Elle n'avait pas dormi là, cette nuit.

Lily prit une douche. Puis se sécha les cheveux. Elle consulta le *Daily News* et choisit la séance de deux heures et quart de *The Butcher Boy* à l'Angelica.

En passant devant l'épicerie, elle décida d'entrer.

— Excusez-moi. Elle toussota dans sa main, gênée. Combien a rapporté le loto, au dernier tirage ?

Elle était rouge de honte. Sa question était ridicule.

— Pour combien de numéros ? demanda l'épicier.

— Tous, répondit-elle, les yeux fixés sur les barres à la pâte d'amande.

— Les six ? Voyons voir... Ah, oui, dix-huit millions de dollars. Enfin tout dépend du nombre de personnes à avoir les bons numéros.

— Bien sûr.

— Il y en a souvent plusieurs.

Silence.

— Vous les avez tous ?

— Non, non.

Lily ressortit en vitesse.

En tout cas, il y avait bien un 18. Et aussi un 1.

Depuis le départ de Joshua, Lily s'était juré de ne plus s'intéresser aux hommes, convaincue qu'il n'y en avait pas un seul de décent sur terre, à part Paul, mais il était incontestablement homo. Heureusement, Rachel et lui continuaient à la soutenir moralement, même si Rachel avait une fâcheuse tendance à jouer les entremetteuses. Ils allaient souvent au cinéma ensemble et passaient des heures à boire de la tequila et à casser du sucre sur le dos de Joshua pour essayer de lui remonter le moral. Effectivement, ça lui faisait du bien.

Lily avait décidé d'exposer son ticket de loto telle une œuvre d'art. Elle l'avait accroché, avec des punaises rouges, sur le tableau en liège où étaient fixés les petits fragments de sa vie : des photos d'elle avec son frère, d'autres de ses sœurs, de sa grand-mère, de ses six nièces, de son père, de son chat, mort cinq ans plus tôt d'une leucémie féline, d'Emmy. Il y avait aussi des dessins de ses voisins de la cour, des relevés de notes de la fac (pas très bons) et même du lycée (pas vraiment meilleurs). Et aussi des photos de Joshua dont elle avait effacé le visage, ne laissant parfois qu'un trou à la place.

Avant de partir voir sa grand-mère, elle alla frapper à la chambre d'Emmy. N'obtenant aucune réponse, elle entrouvrit la porte. Le lit était fait, le dessus-de-lit en patchwork blanc bien tendu, un gros cœur rouge posé au milieu.

Elle épingla une note sur sa porte : « Emmy, es-tu toujours d'accord pour aller voir *La Momie* ou *Matrix* demain ? Téléphone-moi chez ma grand-mère. Bisous, Lily. »

Elle s'arrêta à la librairie d'Astor Place pour acheter *Ladies Home Journal*, *Redbook*, *Cosmopolitan* (sa grand-mère aimait se tenir au courant de ce qui se faisait). Elle lui prit également *National Review*, *American Spectator*, *The Week*, *The Nation*, et *The Advocate*. En fait, sa grand-mère voulait tout savoir. Chez elle, la télévision était allumée en permanence, CNN en encart sur l'écran, C-Span dans le fond. Quand le Congrès siégeait, elle s'asseyait dans un bon fauteuil, ses journaux autour d'elle, ses lunettes sur le nez, et ne ratait aucun débat. « Je surveille ce que fait ton frère », disait-elle. Quand le Congrès ne siégeait pas, elle errait sans but pendant des semaines dans sa cuisine ou se lançait dans de grands nettoyages. Ou alors elle avalait des grands bols de café noir tout en lisant ses magazines et suivait à l'occasion sur C-Span les nouvelles du Parlement britannique. Si on lui avait demandé ce qu'elle faisait avant la naissance de C-Span, elle aurait répondu : « Je n'existais pas. »

Elle vivait à Brooklyn, sur Warren Street, entre Clinton et Court, dans un vieil immeuble en grès rouge, mal entretenu, plus défiguré par les barres fixées à ses fenêtres, du rez-de-chaussée au dernier étage, que par le délabrement de son entrée. Pour des raisons obscures, la vieille dame ne s'était plus aventurée hors de chez elle depuis six ans.

Lily sonna à sa porte.

— Qui est-ce ? aboya une voix à l'intérieur.

— C'est moi.

— Moi qui ?

— Ta petite-fille. Lily. Lily Quinn.

Quelques secondes plus tard, après de grands bruits de verrou et des cliquètements de chaîne, la porte s'entrouvrit enfin.

— Entre. Dépêche-toi.

Lily se glissa dans l'entrebâillement. À l'intérieur, il faisait frais et sombre et on avait l'impression que l'appartement n'avait pas été aéré depuis des semaines.

— Grand-mère, tu devrais ouvrir les fenêtres. Ça sent le renfermé ici.

— Ce n'est pas Memorial Day !

La vieille dame lui prit le sac des mains et l'emporta vivement vers la cuisine, à l'arrière de l'appartement.

Rien ne traînait, à part les journaux empilés sur la table ronde. Le *New York Times* sur le dessus, puis l'*Observer*, le *Wall Street Journal* et enfin la presse populaire, *Newsday*, le *Post* et *News*.

— Veux-tu une tasse de thé ?

— Non, je ne peux pas rester longtemps.

— Quoi ? Tu viens à peine d'arriver.

— C'est ma dernière semaine d'examens, grand-mère. Tu devrais le savoir.

— Bien sûr que je le sais. On nous en rebat les oreilles. Comment est le métro ce matin ?

— Ça va...

— Et tu fais bien attention à rester derrière la ligne jaune ?

Lily remit le lait dans le réfrigérateur.

— Je m'assois même sur le banc.

— Quoi ? Avec tous ces SDF crasseux qui se vautrent dessus ! Je préfère encore te payer le taxi !

— Si tu me disais plutôt comment tu vas ?

Claudia Vail secoua la tête.

— Tu me demandes comment je vais ? Alors qu'un enfant de la cité s'est tué en tombant du sixième étage ? Et un dimanche en plus ! Mais que faisaient ses parents ? Et lundi, une fillette de cinq ans a été poignardée par son grand frère de onze ans et un copain, alors qu'ils étaient censés la garder. Et la mère a déclaré : « Mais ça ne lui ressemble pas. C'est un garçon tellement gentil. » Et on nous apprend ensuite qu'il a déjà passé trois ans en maison de correction pour avoir frappé sa grand-mère. Comment la mère a-t-elle pu lui confier sa petite fille ?

— Grand-mère, je t'en prie ! protesta faiblement Lily, les mains tendues en avant comme pour se protéger.

— Et vendredi dernier, on a arrêté un couple de végétariens qui ne donnaient à leur bébé que du soja et du tofu depuis sa naissance. À seize mois, il pesait à peine cinq kilos, le poids d'un nourrisson de deux ou trois mois !

— Arrête ! protesta Lily, impuissante, coincée

entre la vieille dame et le réfrigérateur. Grand-mère, si tu n'es pas bien ici, pourquoi tu ne déménages pas ? Tu pourrais aller habiter à Bedford avec Amanda. Il ne se passe jamais rien là-bas.

— Qui a dit que je voulais partir ? Je suis parfaitement bien ici. Et tu es folle ! Tu voudrais que j'aille vivre avec Amanda et ses quatre filles ? Elle n'a pas mérité ça. Et moi non plus !

— José t'a apporté tes courses, cette semaine ? Les placards de la cuisine lui semblaient un peu vides.

— Non. Je l'ai renvoyé.

— Mais pourquoi ? s'affola Lily, en se demandant qui lui monterait à manger désormais.

— Parce que j'ai lu, dans le journal de samedi dernier, qu'une vieille dame comme moi avait été volée et violée par le livreur.

— C'était José ?

— Non, mais on n'est jamais trop prudent, n'est-ce pas, ma petite Lily ?

— Non, bien sûr.

— Et ta porte, tu la fermes bien à clé ? Je parle de la porte de ta chambre, bien sûr, poursuivit la vieille dame en secouant la tête. Tu habites toujours avec ces deux fainéants qui ne savent même pas faire la vaisselle ? Oui, ton père m'a dit que tu vivais dans une porcherie. Je veux que tu te trouves un autre logement, Lily. Cherche autre chose. Je paierai la commission de l'agence.

Lily regarda sa grand-mère avec inquiétude.

— Grand-mère. Il y a des années que je ne vis plus avec ces fainéants, comme tu les appelles. Maintenant j'habite avec Emmy, dans un autre appartement. Entre la 9e Rue et l'Avenue C, tu te souviens ?

— La 9e Rue... la 9e Rue..., répéta sa grand-mère, perdue dans ses pensées. Ça me rappelle quelque chose...

— Peut-être parce que j'y habite ?

— Non, non. Soudain son regard s'éclaira. Ah, oui ! Ça y est. J'ai lu ça dans le *Daily News* de samedi dernier. Il paraît que l'épicerie au coin de la 10e Rue et de l'Avenue B a vendu le billet gagnant du loto et que personne ne s'est encore présenté.

— Ah, oui ?

Lily se sentit tout à coup assourdie par l'eau qui gouttait au robinet et aveuglée par le soleil qui brillait dehors.

— Tu imagines ? continua sa grand-mère. Un gain de dix-huit millions de dollars ! Tu te rends compte ? Le *News* publie les numéros tous les jours dans l'espoir que quelqu'un les reconnaîtra. Du coup, je les connais par cœur. Ce sont des nombres que j'aurais très bien pu choisir moi-même. Quarante-neuf, l'année où je suis arrivée en Amérique, trente-neuf, l'année où mon Tomas est parti à la guerre. Quarante-cinq, ma Marche de la mort. Elle claqua la langue. Tu te sers dans cette épicerie ?

— Non, pas souvent.

— Peut-être que le billet est perdu. Qu'il est

tombé de la poche de son propriétaire et qu'il traîne au fond d'un caniveau. Regarde bien les trottoirs autour de chez toi. Un ticket de loto non signé, c'est comme un bon au porteur.

— Un quoi ?

— Un bon au porteur.

— Qu'est-ce que ça veut dire ?

— Ça veut dire que ça appartient à celui qui l'a. Si tu le trouves, il est à toi.

Lily éprouva une subite envie de rentrer chez elle et de signer son ticket.

— Et quelles chances a-t-on de trouver un ticket de loto gagnant, grand-mère ?

— Plus de chances que de gagner ! décréta la vieille dame d'un ton sans appel. Mais parle-moi plutôt de cette Emmy ? C'est elle que tu as amenée à Thanksgiving, à la place de ton bon à rien de petit ami ? Au fait, comment va-t-il ?

Lily n'eut pas le courage de lui demander si elle connaissait des hommes qui ne fussent pas des bons à rien. En tout cas, elle ne s'était pas trompée pour Joshua. Il était temps de le lui annoncer.

— Emmy va bien. Et... je ne suis plus avec Joshua. Il est parti le mois dernier.

— Il y a donc un Dieu, finalement ! jubila la vieille dame en levant les bras au ciel. Oh, allez, ajouta-t-elle, voyant que Lily ne partageait pas sa liesse. Tu devrais être heureuse d'être débarrassée de lui.

— Je le suis moins que toi.

— C'était un fainéant. Tu l'aurais entretenu

40

toute ta vie, comme ta sœur avec son vaurien. Et Emmy recevra son diplôme en même temps que toi ? enchaîna-t-elle dans le même souffle.

— Non, pas en même temps, éluda Lily, qui n'osa pas lui annoncer qu'Emmy serait la seule à se présenter à la cérémonie.

— Quand est-ce exactement ?

— Le 28 mai, je crois.

— Tu crois ?

— Tout va bien, grand-mère, ne t'inquiète pas.

— Viens au salon. Je voudrais te parler de quelque chose. Non, pas de la guerre. Je réserve ça au poker du samedi, ajouta-t-elle en souriant. Tu viendras ?

— Non, je dois travailler. Oh, grand-mère qu'est-ce que tu attends pour enlever le plastique de ton canapé ? soupira Lily en s'asseyant dessus.

— Je ne veux pas le salir. Après tout, c'est toi qui en hériteras à ma mort. Oui, oui, inutile de protester. Je te laisserai tous mes meubles. Tu n'en as aucun. Maintenant arrête de secouer la tête et regarde ce que j'ai pour toi.

Elle tenait un billet d'avion.

— Où tu m'envoies ?

— À Maui.

— Alors là, pas question !

— Voyons, Lily. Tu n'as pas envie de connaître Hawaii ?

— Non ! Enfin, si, mais pas maintenant.

— Je t'ai pris un billet open. Tu peux y aller quand tu veux, aussi longtemps que tu veux. Il vaudrait mieux ne pas trop tarder. Vas-y avant de te lancer vraiment dans la vie active. Ça te fera du bien.

— Je ne crois pas.

— Si. Tu as l'air épuisée. Comme si tu ne dormais pas. Va te faire bronzer.

— Je n'ai pas envie de dormir, ni de bronzer, ni d'y aller.

— Ça fera plaisir à ta mère.

— Et mon travail ?

— Le *Noho Star* n'est pas le seul restaurant de Manhattan.

— Je n'ai pas envie de travailler ailleurs.

Claudia lui pressa les doigts.

— Tu mérites mieux que ce boulot de serveuse, Lil, à présent que tu vas décrocher enfin ton diplôme. Il était temps, au bout de six ans ! Mais là, tout de suite, ta mère a besoin de toi, à Hawaii.

— Pourquoi dis-tu ça ?

— Je crois que la solitude lui pèse. Amanda est prise par sa famille, Anne est occupée à je ne sais quoi. Oh, je sais qu'elle se dit surmenée, dans ce cas, pourquoi est-elle toujours fauchée ? Ton frère est débordé, lui aussi. Enfin, comme il participe au gouvernement de notre pays, je ne vais pas lui reprocher de ne pas appeler sa mère assez souvent. Et ta mère se sent très seule.

— Mais elle a papa. Il a pris sa retraite pour s'occuper d'elle !

— Justement, je ne suis pas sûre que ce soit une bonne idée. Et tu connais ton père. Même quand il est là, il n'est jamais vraiment présent.

— Nous leur avions dit de ne pas aller s'installer à Hawaii. Qu'ils y seraient très isolés. Nous les avions prévenus.

— Et alors ? Toi, à vingt-quatre ans, tu n'écoutes rien. Tu crois qu'on écoute mieux, à soixante ?

— Pourtant nous avions raison.

— Oh, ma Lil, si on écoutait tous ceux qui ont raison, il n'y aurait plus de souffrance dans le monde. Veux-tu qu'on reparle de ton petit ami ?

— Non, non.

— Tu as souffert ?

— Oui, un peu.

— Alors va voir ta mère. Avant qu'elle ne souffre, elle aussi.

Lily se leva du canapé qui serait un jour à elle.

— C'est déjà trop tard, grand-mère.

Elle hésitait pour Hawaii comme elle hésitait pour tout. Et Emmy qui la harcelait pour qu'elle parte ! Paul, lui, pensait que c'était une bonne idée. Rachel aussi. Au *Noho Star*, Rick lui dit qu'il pouvait lui donner un mois, à condition que ce fût avant le rush de l'été.

Elle appela son frère, pendant le week-end, pour savoir ce qu'il en pensait. Ce fut sa femme qui décrocha.

— Oh, c'est toi... Andrew ! Ta sœur au téléphone ! Celle qui a toujours besoin d'argent.

Andrew s'approcha en riant.

— Miera, ça ne me dit pas laquelle !

Lily rit aussi.

— Andrew, ce n'est pas de l'argent que je veux te demander mais un avis.

— Ça, je peux t'en donner autant que tu voudras. Avec même quelques dollars en prime.

Elle souriait au simple son de sa voix. Comme toujours.

— Tu pourrais déjeuner avec moi, cette semaine ?

— Impossible. Le Congrès est en pleine session. Que se passe-t-il ? J'allais t'appeler. Tu n'imagineras jamais qui m'a rejoint à Washington.

— Qui ?

— Notre père, Lil.

— Non ?

— Si !

— Il est à Washington ? Mais pourquoi ?

— Tu es la digne fille de ton journaliste de père avec tes questions. Que veux-tu que j'en sache ? Il est arrivé de Maui avec deux grosses valises. Je crois qu'il envisage de quitter sa retraite. Attends... qu'est-ce qu'il m'a dit ? Ah, oui ! « T'inquiète pas, fiston. Je suis juste venu aider Greenberger à prendre mon relais. »

— Ce qui veut dire...

— En clair : « Je ne supporterai pas de rester un jour de plus avec ta mère. »

— Oh, mon Dieu ! Je comprends pourquoi grand-mère m'a acheté un billet pour Maui. Quelle roublarde ! Jamais elle ne dira en face ce qu'elle veut. Elle préfère nous manipuler.

— Oui, elle a l'art de nous faire exécuter ses quatre volontés.

— Là, elle croit au père Noël. Quand papa

44

pense-t-il repartir là-bas ? Je n'irai que lorsqu'il sera rentré.

— Tu risques d'attendre toute ta vie. Je ne crois pas qu'il y retournera.

— Arrête !

— Où es-tu, là ?

— Chez moi. Pourquoi ?

— Tu... tu es seule ?

— Oui.

— Alors écoute-moi bien. Pars. Pars tout de suite à Maui, Lil. Je t'assure, il faut vraiment que tu y ailles.

— Tu en as de bonnes, toi ! Tu n'as qu'à y aller toi-même !

— J'irais si je n'étais pas débordé. Ça me ferait suer, dans tous les sens du terme, mais j'irais.

— Tu parles !

Ils plaisantèrent quelques instants. Puis ils finirent par décider qu'Andrew ferait en sorte de renvoyer leur père à Maui pendant qu'elle partait en éclaireur calmer leur mère.

— Andrew, c'est vrai ce qu'Amanda m'a dit ? Tu vas te présenter au poste de sénateur, à New York, à l'automne ?

— J'y pense. Je ne me lancerai que si je suis sûr de gagner.

— Oh, Andrew ! Qu'est-ce que je peux faire pour t'aider ? Tu veux qu'on vienne encore militer pour toi, avec Emmy ?

— Non, vous serez bien trop prises par votre nouvelle vie. Il est temps de vous faire une situation maintenant que vous avez fini vos études. Merci quand même. Il faut que j'y aille.

45

Je t'appellerai à Maui. Tu veux que je t'envoie un mandat ?

— Oui, s'il te plaît. Mille dollars, ça irait ? Je te rembourserai.

— C'est ça. Le jour où tu gagneras au loto !

— Je n'y joue plus, tu sais. Je t'aime.

— Moi aussi, je t'aime, sœurette.

2

Hawaii

Hawaii, c'était l'opposé de la Pologne. Ça n'avait rien à voir avec les terres marécageuses du nord de Dantzig, cette région pluvieuse, froide et infestée de moustiques où Allison était née pendant la guerre. Et quand, deux ans auparavant, elle avait découvert Maui avec son mari, deux semaines leur avaient suffi pour tomber amoureux de l'île, si belle, si propre, si paisible, et de ses mangues juteuses, de son délicieux thon cru, et de son eau si douce. Convaincus d'avoir trouvé l'endroit idéal pour passer leur retraite, ils avaient aussitôt acheté un appartement de deux cent mille dollars !

Quand Lily arriva à l'aéroport Kahului, elle chercha en vain sa mère. Au bout d'une heure et demie d'attente, excédée, elle finit par l'appeler. Sa mère lui répondit d'une voix ensommeillée. Elle la réveillait ! Folle furieuse, Lily sauta dans un taxi. Et bien que la route étroite qui conduisait à travers la montagne vers Kihei et Wailea fût particulièrement spectaculaire, Lily resta insensible à ses charmes.

À son arrivée, elle sonna en vain à la porte avant de s'apercevoir qu'elle n'était pas fermée à clé. Elle entra, chercha sa mère, la trouva endormie sur son lit et ne put la réveiller.

Quand Allison émergea enfin de sa chambre, quelques heures plus tard, elle trouva Lily devant la télévision.

— Tu es déjà arrivée ? s'étonna-t-elle cramponnée à la rampe du petit escalier de deux marches qui menait du hall au salon.

— Tu devais venir me chercher à l'aéroport ! rétorqua Lily en se levant.

— Mais je croyais que tu n'arrivais que demain, répondit-elle d'une voix pâteuse.

À la vue de sa mère en robe de chambre, les cheveux grisonnants qui avaient bien besoin d'une teinture, le visage bouffi et les yeux tellement gonflés qu'on ne les voyait presque plus, Lily n'osa rien dire. Elle l'avait toujours connue tirée à quatre épingles. Elle détourna le regard vers la télévision.

Allison attendit quelques instants puis repartit d'un air offensé. Lily alla se coucher dans la chambre de son père. Sa grand-mère avait eu raison de l'envoyer. Même si dans l'ordre normal des choses, c'eût été à la mère de veiller sur son enfant, pas l'inverse.

Le lendemain matin, Allison apparut douchée, maquillée, coiffée, les sourcils épilés. Elle s'était même fait les ongles. Elle s'excusa du malentendu de la veille, prépara à Lily des œufs et du café tout en prenant de ses nouvelles. Lily en profita pour lui annoncer qu'elle n'obtiendrait pas son diplôme, cette année. Il lui manquerait sans doute encore quelques unités de valeur.

— Combien ? s'enquit Allison.

— Plusieurs.

— Quand ton père saura ça !

— Maman, inutile de me menacer. J'ai vingt-quatre ans.

— Au fait, tu sais qu'il n'est pas là ?

Lily toussa.

— Oui. Andrew m'a dit qu'il était à Washington.

Ce fut au tour d'Allison de tousser.

— Oui. Il voudrait soi-disant reprendre en free-lance. Andrew lui aurait demandé de l'aider à préparer sa campagne. Mais ce ne sont que des mensonges. C'est tout ce qu'ils savent faire, mentir.

Elle tourna les talons et repartit dans sa chambre. Quand Lily frappa pour demander si elle venait à la plage, Allison lui répondit qu'elle ne se sentait pas bien.

La plage lui fit oublier malgré elle sa rancœur. Elle s'imagina à Maui avec Joshua, de l'argent, une voiture. Ils feraient de la plongée, ils iraient voir les baleines, escaladeraient les volcans à vélo au lever du soleil, marcheraient dans la forêt tropicale, et se baigneraient dans des eaux qui ressemblaient à de l'or liquide. Cela suffit à lui mettre le moral à zéro.

Bizarrement, son abattement fut de courte durée. L'île lui semblait bénie des dieux. Elle n'avait jamais vu une eau si verte, un ciel si bleu, des rhododendrons si rouges. Elle tomba en arrêt devant un homme qui lisait dans son hamac, au bord de l'océan. L'image même du bonheur ! Mais comment pouvait-il lire avec un tel panorama devant lui ?

Elle n'avait pas chaud et quand elle entra dans l'eau elle n'eut pas froid. L'eau et l'air étaient à la même température. Quand elle ressortit après avoir nagé, elle n'eut pas l'impression d'être mouillée. Elle pensait ne pas prendre de coup de soleil par un temps aussi doux mais quand elle écarta la bretelle de son maillot, elle vit qu'elle était blanche en dessous et rouge autour. Cela lui fit un tel plaisir qu'elle revint chez sa mère d'excellente humeur, décidée à faire la paix.

Allison dormait encore dans l'appartement obscur. Pour ne pas la déranger, Lily alla dans sa chambre. Il était quatre heures de l'après-midi.

Elle fit un somme. Et quand elle se réveilla, à six heures, sa mère, toute pimpante, repassait une jupe au salon.

— Dis-moi, tu as quelque chose de joli à te mettre ? Je peux te prêter une tenue, sinon. Je voudrais t'emmener dans un merveilleux restaurant sur la plage que nous aimons beaucoup, ton père et moi. Mais c'est un endroit chic et tu ne peux pas y aller dans cette tenue.

— J'ai une robe.

— Alors, allons-y. Leur homard est un délice.

Elles se pomponnèrent et partirent. Son père avait raison, songea Lily en voyant sa mère entrer dans le restaurant si élégante, si mince, si grande sur ses hauts talons, puis toute souriante au bras du propriétaire qui l'escorta jusqu'à leur table à l'extérieur. Quand Allison était en forme, aucune femme, quel que fût son âge, ne pouvait rivaliser avec sa beauté. Anne, Amanda et Lily avaient hérité certains de ses traits remarquables, hélas, en partie seulement. Amanda avait ses cheveux auburn épais et bouclés et son nez royal, Anne, sa taille, sa minceur et ses pommettes hautes. Lily n'avait ni sa grandeur, ni ses pommettes, ni ses cheveux, ni ses étonnants yeux gris. Juste leur forme en amande et une certaine élégance dans la bouche, le cou et les bras.

— Je ne me sens pas bien, Lily, lui confia sa mère avant même de commencer le repas. Ce médicament que je prends pour l'estomac me rend malade.

— Alors pourquoi le prends-tu ?

— Pourquoi ? Parce que le médecin me l'a prescrit, voyons ! J'ai de gros problèmes d'estomac. Je suis très malade, tu le sais bien.

Lily regarda droit devant elle. Sa mère avait eu un ulcère, soit, mais ça remontait à dix ans !

— Tu ne me demandes pas des nouvelles de Joshua, maman ?

— Si, bien sûr. Comment va-t-il ?

— Nous avons rompu. Enfin, c'est lui qui est parti.

— Allons bon ! Pourquoi ? Vous aviez l'air si bien ensemble.

— Non, pas vraiment. La seule chose qui l'intéressait, c'était de parler de lui. Et je ne l'écoutais pas assez.

— Oh ! Tu en trouveras un autre. Tu es jeune. Pas comme moi, ajouta-t-elle avec un énorme soupir. Je suis tellement déprimée, Lily.

— Maman, comment peux-tu avoir des idées

51

noires dans un endroit pareil ? Regarde autour de toi.

— Je suis trop malheureuse pour voir quoi que ce soit.

— Mais pourquoi ? Tu mènes une vie de rêve. Tu n'as pas besoin de travailler. Tu n'as pas de soucis d'argent. Tu peux voyager, lire, nager, pêcher, plonger. Tu as toutes tes facultés, un mari qui t'aime...

Allison soupira à nouveau.

— Voyons, maman, papa t'adore.

— Oh, Lily, que tu es naïve ! C'est vrai que nous nous sommes aimés autrefois, ton père et moi. Mais ça fait longtemps que c'est terminé. Et ton père se montre parfois d'une cruauté inimaginable !

On leur servit le homard. Lily essaya de se remémorer ses seize premières années avec ses parents.

— Papa n'a jamais été cruel !

Il est trop faible pour ça, se retint-elle d'ajouter.

— Voilà pourquoi je dis que tu es naïve ! À quoi bon parler de ça si tu refuses de m'entendre ?

— Non, continue.

Lily aurait tout donné pour être ailleurs. Elle jouait avec son homard. Sa mère avait carrément repoussé son assiette.

— Ton père est très autoritaire. Et pas très gentil avec moi. Et il ne comprend pas que je suis dépressive, il ne voit pas que je suis malheureuse. Le pire, vois-tu, c'est qu'il s'en fiche ! Il est comme toi. Il se demande comment je peux déprimer.

— Et si tu essayais de répondre à cette question, maman ? Qu'est-ce qui te déprime ?

— Ma vie est un échec total, répondit Allison, les yeux soudain remplis de larmes.

— Mais pas du tout !

Lily s'en voulut de ne pas protester avec plus de ferveur. Mais ce n'était pas la première fois qu'elles avaient cette conversation. Et bientôt sa mère balaierait le fait qu'elle avait élevé avec succès quatre enfants, qui lui avaient donné six petits-enfants, que tous étaient heureux, qu'elle pouvait être fière d'avoir un fils député. Elle ne retiendrait que la situation qu'elle avait dû refuser parce qu'elle était enceinte de Lily ; comme si cet emploi aurait pu être la panacée à tous les tourments de la terre. Et elle terminerait par son mari à qui elle avait sacrifié sa vie entière.

— Il était l'arbre à l'ombre duquel nous avons tous vécu.

Allison venait-elle réellement de prononcer cette phrase ou Lily avait-elle rêvé ?

Elle dévisagea sa mère qui hocha la tête.

— Oui, oui, c'est vrai, toi aussi, tu es restée dans son ombre. Et dans celle de ton frère. Je ne comprends d'ailleurs pas pourquoi vous l'aimez tant, tes sœurs et toi. Il ne s'est jamais occupé de vous. Surtout toi. Tu te pâmais devant lui parce qu'il t'emmenait tous les trente-six du mois au cinéma. Pourquoi ? Moi, je passais mes journées entières à m'occuper de toi, à t'emmener dans les parcs, faire du vélo, du patin, au cinéma... et jamais tu ne m'as regardée avec un centième de l'amour que tu témoignais à ton frère. Et tu me demandes pourquoi je suis amère ?

— Je n'ai rien dit.

— Au fait, comment va-t-il ? Maintenant que son père est avec lui, il ne me donne plus signe de vie.

— Il n'appelle personne.

— Et toi, quelle excuse as-tu ? Et tes sœurs ? Aucun de mes enfants ne me téléphone. Finalement c'est Amanda, celle qui a la famille la plus nombreuse, qui m'appelle le plus. Et ça ne lui arrive pas souvent ! Vous verrez quand vous aurez mon âge. Je vous souhaite des filles aussi ingrates que vous !

— Maman, tu nous aurais vus toutes les semaines si vous étiez restés à New York. C'est toi qui as voulu t'installer à Maui. Que veux-tu faire ?

— Mourir. Mettre fin à ce calvaire, dit Allison en prenant la main de sa fille. Lily, Si je n'avais pas si peur de Dieu, je le ferais. J'y pense chaque jour.

Lily retira sa main.

— Tu te rends compte de ce que tu dis ?

Si seulement c'était la première fois ! Mais Lily se souvenait du jour, elle avait treize ans à peine, où sa mère l'avait entraînée dans sa chambre pour lui annoncer qu'elle n'avait plus que trois mois à vivre. Chaque fois qu'elle reparlait de suicide, elle ressentait le même choc que ce jour-là.

— Je ne veux pas te blesser, juste te préparer. Que tu ne sois pas surprise. Si ton père était différent, je n'en serais peut-être pas là. Il suffirait qu'il me montre un peu de compréhension, de compassion.

— Maman, papa a gagné notre pain pendant quarante ans, il nous a nourris, habillés, il a payé nos études.

— C'est à peine s'il a pu t'envoyer au City College. Il n'a rien gardé pour toi.

— Le City College me convient parfaitement.

— Et tu le remercies de sa gentillesse en ratant tes examens ! Tu sais que nous n'avons plus les moyens de t'entretenir. Nous devons payer ton appartement, celui de ta grand-mère, les impôts plus l'entretien de cette maison. Ces trois foyers nous ruinent.

— Je ferai davantage d'heures au *Noho Star*. Je m'en sortirai.

— Ça ne résout pas le problème de ta grand-mère.

— Que veux-tu qu'elle fasse ?

Allison ne répondit pas et fit semblant de se plonger dans la découpe de son homard.

— En plus, tu n'as toujours pas décroché ton diplôme ! Six années d'études pour rien ! Six années d'études pour te retrouver à faire la plonge dans un café ! Eh bien, j'espère au moins que tu laves bien la vaisselle. Avec un tel niveau d'instruction, tu dois être une championne !

Lily ne toucha plus à son assiette. Dire qu'Andrew l'avait envoyée à Maui calmer leur mère ! Quelle idée ridicule ! Elle était la dernière à pouvoir le faire.

Et le lendemain après-midi, quand elle lui demanda de l'accompagner à la plage, Allison refusa de se lever.

— Je connais. Je n'ai pas envie de sortir.

— Tu n'y es jamais allée avec moi. Allez, viens ! Ça te fera du bien.

— Laisse-moi tranquille. Tu es comme ton père. J'en ai assez de vos conseils.

Lily se résigna donc à aller seule à la plage, à déjeuner seule, à se promener seule sous les palmiers, à admirer seule les couchers de soleil.

Les jours passaient. Lily ne trouvait plus la concentration nécessaire pour dessiner. Elle griffonnait sans cesse les mêmes palmiers. Le fusain et l'aquarelle ne rendaient pas justice aux couleurs de Maui, et Lily n'avait ni peinture à l'huile ni toile. Tout ce qu'elle pouvait dessiner, c'était l'appartement sombre de sa mère ou les nombres 1, 18, 24, 39, 45, 49.

Pas de nouvelles d'Andrew. Ni d'Emmy. Ni de Joshua.

Lily passait des heures à songer au billet de loto. Elle se sentait maudite. Alors que la plupart des gens menaient une vie paisible, le malheur semblait s'acharner sur certaines familles : accidents de voiture, d'avion, d'escalade, de car, coups de couteau, noyades... Ce que craignait Lily ce n'était ni la vieillesse ni les maladies héréditaires, mais des forces surnaturelles qui pouvaient se déchaîner sur elle à tout instant.

Et Lily était convaincue que c'étaient ces

mêmes forces malfaisantes qui vous envoyaient des tickets de loto gagnants. Oui, les éclairs qui vous foudroyaient, les carambolages en série, et les avions qui s'écrasaient avaient la même origine que les 1, 18, 24, 39, 45, 49. Et le même but : votre anéantissement.

Et Lily s'était toujours vantée de ne jamais rien gagner. Même pas un paquet de cigarettes à une distribution publicitaire de Philip Morris. Même pas à la courte paille.

49 pour l'année où sa mère et sa grand-mère étaient arrivées en Amérique.

45 pour la fin de la guerre qui avait changé la face du monde.

39 pour son commencement.

24 pour son âge. L'an dernier, elle jouait le 23.

18 parce que c'était son nombre préféré.

1 parce que c'était le plus seul de tous les nombres.

Elle jouait au loto toutes les semaines depuis six ans, et cochait ces numéros chargés de signification, non parce qu'elle espérait gagner, mais afin de s'assurer que rien ne viendrait perturber son petit univers tranquille. Parce qu'elle croyait sincèrement que cette force qui empêchait ses numéros de sortir la protégeait aussi des accidents.

Comme elle était incapable de dessiner, Lily concentra tous ses efforts sur son bronzage. Elle avait trouvé un coin à l'abri des regards, au bout d'une petite plage, près de Wailea, où elle pouvait retirer son soutien-gorge. Au bout de trois semaines, elle avait des seins dignes d'une Brésilienne.

Au début du mois de juin, alors qu'elle se reposait dans le patio, au retour de la plage, et se demandait à quoi occuper le reste de sa journée, le téléphone sonna. Cela n'arrivait jamais. Elle courut décrocher.

— Allô ?

— Lilianne Quinn ? demanda un inconnu à la voix de baryton.

— Oui.

— Ici l'inspecteur O'Malley, de la police de New York. Je vous appelle au sujet de votre colocataire, Emmy McFadden.

L'excitation de Lily laissa aussitôt place à l'inquiétude.

— Mon Dieu ! Il lui est arrivé quelque chose ?

— Avez-vous de ses nouvelles ?

— Non. Que se passe t-il ?

— Elle a disparu.

Lily se sentit aussitôt soulagée.

— Ah bon ! Vous avez appelé sa mère ?

— C'est elle qui nous a signalé sa disparition. Et c'est pour cela que je vous appelle. Emmy n'a pas donné signe de vie à ses parents depuis trois semaines. Et ils n'arrivent pas à la joindre chez elle. Quand l'avez-vous vue pour la dernière fois.

— Je ne sais pas. Laissez-moi réfléchir...

Un long silence.

— Alors ?

— Je ne sais pas. Ça fait trois semaines que je suis là. J'ai dû la voir peu avant mon départ.

— Quand ça ?

— Je n'arrive pas à me souvenir. Je peux vous rappeler.

— Oui, mais rapidement.

— À moins que... Vous croyez que je devrais rentrer ? Vous préféreriez qu'on en parle de vive voix, peut-être ?

— Je ne sais pas. C'est à vous de voir.

— Oui, je pense qu'il vaut mieux que je rentre. Je pourrai vous donner plus de détails.

— Écoutez, c'est très gentil à vous, mademoiselle Quinn. La situation me paraît assez préoccupante.

Ça, Lily était loin d'en être convaincue !

— Vous voulez que je rentre tout de suite ? Le plus vite possible ?

— Eh bien...

— Évidemment. C'est une urgence. Je serai ravie de vous aider. Je pourrais prendre l'avion ce soir. Cela suffira ?

— Oui, bien sûr. Mais je ne sais pas si c'est la peine que vous rentriez...

— Si, si. J'y tiens. Ça ne me pose aucun problème. Et où dois-je me présenter ?

— Au commissariat du 9e, sur la 5e Rue, entre la Première et la Deuxième Avenue. Vous n'aurez qu'à me demander.

— Pouvez-vous me rappeler votre nom ?

— Inspecteur O'Malley. Spencer Patrick O'Malley.

Elle appela United Airlines. Il y avait un avion dans quatre heures. Quarante-cinq minutes lui suffirent à faire ses bagages puis elle appela un taxi.

Elle sortit sa lourde valise de sa chambre. Sa mère buvait un jus de canneberge en fumant une cigarette, dans le patio.

— Je dois rentrer. C'était la police qui m'appelait.

— La police ? Que se passe-t-il ? Qu'as-tu fait ?

— Rien, mais... Emmy a disparu. La police veut me parler.

— Elle ne peut pas te parler par téléphone ?

— Non. Ça doit être grave, ajouta Lily sans en croire un traître mot.

Elle ne se faisait pas de souci pour Emmy. Elle pensait que sa disparition n'était qu'une ruse du destin pour lui permettre de quitter Maui.

Elle s'engouffra dans le taxi avec un grand soulagement. Quand l'avion décolla, elle s'aperçut qu'elle respirait à fond pour la première fois depuis trois semaines. Elle était sûre qu'on aurait retrouvé Emmy avant son arrivée à New York.

3

Visite au commissariat

Emmy n'était pas rentrée. Mais la police avait dû la chercher jusqu'au fond du placard de Lily à voir l'état de leur appartement. Une copie de l'ordre de perquisition était collée sur le mur dans le couloir. La chambre d'Emmy était sens dessus dessous.

Sans prendre le temps de défaire ses valises ni de se changer, Lily partit au commissariat en minijupe en jean, avec un petit débardeur blanc sous un cardigan crème. Elle dut attendre dix minutes dans le hall avant qu'un gros homme essoufflé n'arrive.

— Inspecteur O'Malley ? demanda-t-elle en lui tendant la main.

— Non, mon collègue préfère m'envoyer pour me faire faire un peu d'exercice, haleta-t-il.

— Quelle prévenance de sa part !

Lily serra sa main moite et molle, soulagée de savoir que ce n'était pas à lui qu'elle aurait affaire. Elle le trouvait répugnant avec ses cheveux gras trop longs et son énorme bedaine qui passait par-dessus la ceinture de son pantalon et tendait à faire craquer sa chemise blanche.

— Inspecteur Harkman, se présenta-t-il avant de lui faire signe de le suivre.

Quand il passa près d'elle, elle reconnut aussitôt l'odeur aigre qu'il dégageait. Il devait avoir la goutte, comme feu son grand-père paternel. Elle retint inconsciemment sa respiration pendant qu'elle gravissait les trois étages derrière lui, et déboucha, à bout de souffle, dans une grande salle haute de plafond encombrée d'une douzaine de bureaux couverts de dossiers. Derrière l'un d'eux, elle aperçut un homme qui n'était ni obèse ni essoufflé.

— Lilianne Quinn.

Il se leva et lui serra la main.

— Je suis l'inspecteur O'Malley.

Elle le dévisagea en appréciant sa poignée de main, décontractée et assurée. Et sèche en dépit de la chaleur humide de la pièce.

Lily se trompait rarement sur l'âge des gens, mais elle n'arrivait pas à le situer. Il avait une allure jeune, un corps mince, il devait faire du sport ou surveiller sa ligne, cependant son regard était usé. Elle lui donnait dans les quarante ans. Elle enregistra d'un regard sa masse de cheveux châtain clair grisonnant sur les tempes, les lunettes de soleil à monture métallique qu'il avait retirées pour la saluer, la veste de son costume gris posée sur le dossier de sa chaise, sa cravate grise, passe-partout, desserrée, et le col de sa chemise blanche déboutonné. Toutes les fenêtres de la salle étaient grandes ouvertes et il en venait un vague courant d'air chaud. Il reboutonna sa chemise, resserra sa cravate et quand il remit sa veste, elle aperçut le gros pistolet noir dans son holster.

Il montra une porte sur laquelle était écrit Salle d'interrogatoire n° 1.

— Si vous voulez bien me suivre...

L'inspecteur Harkman haletant sur ses talons, elle entra dans la petite pièce, espérant qu'elle serait climatisée. Hélas, seul un gros ventilateur brassait l'air poisseux. Lily aurait volontiers retiré son cardigan, mais se sentit gênée à l'idée de se retrouver si peu vêtue devant les deux policiers.

L'inspecteur O'Malley remit ses lunettes noires et l'invita à s'asseoir, ce qu'elle fit, puis lui proposa à boire, ce qu'elle refusa, bien qu'elle mourût de soif. Il se laissa tomber sur une chaise, posa ses pieds sur une autre, et se mit à tapoter la table avec son stylo.

— Bon, alors dites-moi ce que vous savez.

— Euh... à quel sujet ?

— Où est Emmy ?

— Je ne sais pas.

— Et ça ne vous inquiète pas ? Sa mère est rongée d'angoisse. Emmy ne s'est pas présentée à la cérémonie de remise des diplômes. D'ailleurs, vous non plus, si j'ai bien compris ?

— Euh... non...

Pas question qu'elle donne des explications à cet étranger. Il savait qu'elle était à Hawaii, ça devrait lui suffire comme justification. Elle fronça les sourcils. Il lui répondit en écarquillant les yeux. Ils étaient très bleus. Elle eut l'impression qu'ils lisaient en elle.

— Pourquoi ?

Lily s'éclaircit la gorge.

— Parce que, contrairement à Emmy, je n'ai pas obtenu mon diplôme. Il me manque encore quelques UV.

— Je vois. Quel âge avez-vous, mademoiselle Quinn ?

— Vingt-quatre ans.

— Vous avez commencé vos études tardivement ?

— Non, j'ai juste un peu traîné en route.

— Pendant six ans ?

— Oui.

— Et vous n'avez toujours pas votre diplôme ?

— Pas tout à fait.

— Je vois. Vous n'êtes donc pas allée à la remise des diplômes parce que vous n'étiez pas concernée. C'est normal. Mais Emmy avait réussi, elle, et on ne l'y a pas vue non plus.

C'était étonnant, en effet. Mais Lily ne savait pas quoi dire.

— Emmy et vous étiez très proches ?

— Oui, nous l'étions. Enfin nous le sommes, je veux dire. Vous me perturbez.

— C'est bien involontaire, mademoiselle Quinn. Et que faisiez-vous à Hawaii ?

— Des bains de soleil, apparemment, répondit Harkman derrière elle.

L'inspecteur O'Malley ne dit rien mais elle surprit un regard, derrière ses lunettes noires, qui la fit rougir.

Elle resserra son cardigan sur elle et baissa les yeux vers la table en se mordillant les lèvres.

— Je suis allée voir mes parents... enfin ma mère.

— Quand êtes-vous partie ?

— Le jeudi matin, très tôt. Mon vol était à huit heures. J'ai pris un taxi pour l'aéroport Kennedy à six heures.

— Emmy était levée ?

— Non.

— Elle était là ?

— Je crois. Je ne suis pas allée voir dans sa chambre, si c'est ce que vous voulez savoir.

— Alors elle pouvait très bien ne pas y être ?

— Oui, mais...

— Donc la dernière fois que vous l'avez vue, c'était...

— Mercredi soir, le 12 mai.

— Vous avez eu le temps de retrouver les dates depuis notre coup de fil ?

Elle leva les yeux. L'inspecteur O'Malley la dévisageait sans ciller et elle eut soudain le sentiment que sa poignée de main assurée et décontractée était une ruse, et qu'elle devrait peser chacun de ses mots car il enregistrait la moindre syllabe.

— Oui. Elle croisa les bras. Sur le coup, j'ai été un peu surprise par votre appel.

— C'est compréhensible. Vous n'avez rien remarqué de spécial, ce mercredi ?

— Non. Elle était comme d'habitude.

— C'est-à-dire ?

— Je ne sais pas. Normale. Nous avons bu un verre en bavardant.

— De quoi ?

— De tout et de rien. De films. Des examens. Une conversation entre filles, quoi !

— De petits copains ?

Elle n'avait aucune envie de lui parler des déboires de sa vie amoureuse, et préféra éluder la question.

— De nos mères.

L'inspecteur O'Malley échangea un regard avec l'inspecteur Harkman qui se tenait toujours debout derrière elle.

— Puis vous êtes partie...

— Et je n'ai plus eu de nouvelles d'Emmy depuis ce jour-là.

— Vous n'avez pas appelé pour lui dire comment se passait votre séjour à Maui ?

— Si, une ou deux fois. J'ai laissé des messages sur le répondeur mais elle ne m'a jamais rappelée.

— Combien de fois l'avez-vous appelée, dites-vous ?

— Je ne sais pas. Trois fois peut-être.

— Trois fois ?

— Oui, à peu près.

— Pas plus ?

— Non, je ne crois pas.

Elle baissa la tête. Elle ne comprenait pas où il voulait en venir.

— Et elle avait un portable ?

— Non.

— Et vous ?

— Non. Je n'en ai pas les moyens. Elle, elle aurait pu.

— Vous l'avez donc appelée deux ou trois fois,

elle ne vous a pas rappelée et vous avez abandonné ?

— Non, j'avais l'intention d'essayer encore. Je pensais même téléphoner chez sa mère.

— Et...

— Je ne me suis plus souvenue de son numéro.

— Vous avait-elle fait part de son intention d'aller voir sa mère le week-end où vous êtes partie à Hawaii ?

— Non, je ne m'en souviens pas. Elle y est allée ?

— Non. À quelle heure l'avez-vous appelée ?

— Le soir, je crois.

— Le soir pour vous ?

— Pardon ? Oui, à minuit, heure d'Hawaii. Avant d'aller me coucher.

O'Malley marqua un silence.

— Hawaii a six heures de retard sur New York.

Lily marqua un silence à son tour.

— Oui.

— Donc il était six heures du matin à New York quand il était minuit pour vous.

— Oui, je n'y ai pas pensé.

— Enfin, quoi qu'il en soit, ce que je retiens, c'est qu'Emmy n'a pas décroché à six heures du matin.

— Elle était peut-être sortie.

— Pour aller où ?

— Je ne sais pas. Ou peut-être qu'elle dormait ?

— Et peut-être qu'elle aurait pu vous rappeler, mademoiselle Quinn ? Vous lui avez laissé neuf messages sur le répondeur. Le premier, le dimanche 16 mai. Le dernier, juste après notre conversation téléphonique, le 1er juin.

Lily, rouge de honte, ne dit plus rien. Était-ce un mensonge ? Elle avait bien appelé. Et elle avait bien laissé des messages. Mais neuf ? Elle se souvenait de certains d'entre eux. « Mon Dieu, Emmy, je n'en peux plus ! Ma mère me tue. Rappelle-moi vite, je t'en prie ! » « Emmy, j'ai l'impression d'être là depuis une éternité et que c'est moi qui ai soixante ans. Rappelle-moi pour me dire que je suis encore jeune. » « Emmy, bon sang où es-tu passée ? J'ai besoin de toi. Appelle-moi ! » « Je rentre. Je ne peux pas tenir une minute de plus. Mon père n'est pas là et ma mère est folle. Si je ne te parle pas, je vais finir comme elle. » « Emmy, au cas où tu l'aurais oublié, c'est ta colocataire et ta meilleure amie, Lily Quinn. L-I-L-Y Q-U-I-N-N. »

Elle était profondément embarrassée que ces deux étrangers, policiers de surcroît, aient écouté ses délires de gamine sur son répondeur !

Harkman renifla.

— Passons à autre chose, dit enfin O'Malley.

Bonne idée. Mais Lily ne savait pas quoi dire. Le regard d'Harkman lui brûlait la nuque. O'Malley la dévisageait au-dessus de ses deux mains jointes. Elle ne pouvait plus le supporter et baissa les yeux vers ses mains qu'elle tortillait nerveusement et s'aperçut qu'elle saignait.

— Vous vous êtes fait mal, mademoiselle Quinn ? Chris, tu peux aller chercher un mouchoir pour cette jeune fille. À moins que vous ne vouliez la trousse de secours ? Quand vous êtes-vous blessée ?

Lily aurait bien aimé lui répondre mais elle l'ignorait.

— C'est une vieille coupure, mentit-elle. Ce n'est pas grave.

Harkman revint avec du coton et un pansement. Lily tamponna la coupure. Elle se sentait ridicule.

— Vous devriez montrer ça à un médecin.

— Non, ce n'est rien.

— Ce n'est pas normal de saigner comme ça, tout à coup. Vous faites peut-être de l'anémie.

Elle laissa échapper un petit rire enroué.

— J'ai toujours été un peu anémique. Je n'ai jamais pu donner mon sang.

Il nota quelque chose sur son calepin.

— Bon, j'aurais encore quelques questions, si vous vous en sentez la force.

— Bien sûr.

— Dites-moi, Emmy avait-elle des ennemis ?

— Des ennemis ? Nous ne sommes que des étudiantes !

— La réponse est donc négative ? Vous n'avez qu'à dire non dans ce cas.

— Non, répéta-t-elle d'une toute petite voix.

— Et avait-elle un petit ami ?

— Non.

— Elle ne fréquentait personne ? Même occasionnellement ?

— Que voulez-vous insinuer ?

O'Malley leva les yeux vers elle.

— Rien, je vous demande juste de répondre à ma question. Passait-elle parfois la nuit ailleurs ?

— De temps en temps.

— À quelle fréquence ?

— Je serais incapable de vous le dire.

— Où allait-elle ?

— Je n'en sais rien non plus.

O'Malley échangea un nouveau regard avec Harkman. Que voulez-vous que j'en sache ? avait-elle envie de leur crier. Elle se retourna vers Harkman. Elle ne supportait plus ses petits yeux chafouins qui la transperçaient, bien qu'enfouis dans les plis de son visage bouffi.

— Comment avez-vous fait la connaissance d'Emmy, mademoiselle Quinn ?

— Nous allions au même cours de dessin, à la fac, il y a deux ans.

— Et vous êtes devenues amies ?

— Il le fallait pour partager un appartement, non ?

— Ne vous énervez pas. Je sais que la journée a été longue. Vous auriez pu la prendre comme colocataire pour des raisons financières. Et ensuite ne plus pouvoir la supporter. Je ne peux pas le savoir, c'est pour cela que je vous pose la question.

— Oui, nous sommes devenues amies, puis nous avons trouvé cet appartement. Et mon petit copain y a vécu avec nous quelques mois, ajouta-t-elle pour éviter tout malentendu.

O'Malley laissa échapper un petit sifflement

— Trois dans cet appartement minuscule ! Et

pourquoi Emmy avait-elle la chambre la plus grande ?

— Pourquoi ? Parce que lorsque nous avons emménagé, nous avons tiré la plus grande des chambres à la courte paille et j'ai perdu.

Ne savait-il pas qu'elle ne gagnait jamais !

— Et pendant votre vie commune, Emmy a eu beaucoup de petits amis ?

— Ça dépend ce que vous entendez par beaucoup ?

O'Malley haussa les sourcils.

— Répondez-moi, mademoiselle Quinn.

— Il lui arrivait d'avoir des copains de temps à autre, mais jamais personne de sérieux.

— Aucun petit ami stable ?

— Non.

Pourquoi cela lui semblait-il étrange, tout à coup ? C'était normal. Emmy cherchait le grand amour. Elle n'avait pas eu la chance de tomber sur un Joshua !

— C'est intéressant. Parce qu'en attendant votre retour de Maui, nous avons interrogé un certain nombre de personnes, dont une certaine Rachel Ortiz. Vous la connaissez ?

— Évidemment que je la connais, Rachel !

À voir l'expression de l'inspecteur, elle sentit qu'elle avait répondu un peu sèchement.

— Vous n'avez pas l'air de la porter en haute estime. Eh bien, figurez-vous qu'Emmy lui aurait confié qu'elle fréquentait quelqu'un, mais qu'ils venaient de rompre.

Lily se frotta les yeux.

— Monsieur l'inspecteur, excusez-moi, mais

avec le décalage horaire, je tombe de sommeil et je ne vois pas où vous voulez en venir.

— Je vais vous expliquer. Vous avez sans doute des raisons personnelles de ne pas vous inquiéter du silence de votre amie. Mais ça fait trois semaines qu'elle n'a pas donné signe de vie. Et nous enquêtons sur une disparition, pas sur une simple remise de diplôme ratée ! Peut-être que si nous trouvons la personne qu'elle fréquentait, nous pourrons savoir où elle est.

— Je comprends, monsieur l'inspecteur, n'empêche que je ne vois vraiment pas qui ça pourrait être.

Ils avaient enregistré la conversation, mais à voir la façon dont O'Malley la fusillait du regard, c'était une perte de temps. Elle signa sa déclaration, jeta le coton taché de sang dans une corbeille, prit la carte de l'inspecteur et se dirigea vers la porte. O'Malley se renversa contre son dossier, ses pieds toujours sur l'autre chaise et croisa les mains derrière sa nuque.

— Dites-moi, ça ne vous dérange pas, mademoiselle Quinn, que votre amie ne vous ait rien dit de sa vie sentimentale ? C'est vrai, quoi, elle aurait pu se confier à vous, non ?

Ne voyant pas où il voulait en venir, elle ne répondit pas. Croyait-il qu'Emmy ne s'intéressait pas aux hommes ? Ou qu'elle s'intéressait à Joshua ? Elle préféra ne pas y penser.

O'Malley lui dit d'appeler le commissariat ou son numéro de bipeur, noté sur sa carte, si elle avait du nouveau ou si quelque chose lui revenait. Elle quitta la pièce sans un regard pour Harkman. Finalement, elle aurait préféré que ce soit lui qui l'interroge.

Elle rentra à pied. Mais la marche ne suffit pas à dissiper son exaspération et son malaise.

4

Lily reprend le travail

Elle trouva Rachel, Paul et, à sa grande surprise, Joshua qui l'attendaient en bas de chez elle. Ils montèrent avec elle jusqu'à son appartement au cinquième étage. Mais Lily était tellement essoufflée qu'elle dut faire une halte au troisième. Et quand elle arriva enfin chez elle, elle s'effondra sur le futon.

Joshua lui dit qu'il était passé plusieurs fois depuis deux semaines car il voulait reprendre la housse de sa guitare.

— Qu'est-ce que tu t'es fait à la main ? lui demanda-t-il.

Elle ne répondit pas. Elle n'avait pas envie de lui parler devant les autres.

— Ça va, Lil ? s'inquiéta Paul, tiré à quatre épingles, comme toujours. Que s'est-il passé ? Où est Emmy ?

— C'est une question piège ?

Rachel, Portoricaine blonde aux cheveux encore plus raides et plats que ceux de Lily, se précipita pour cracher dans l'évier le jus d'orange vieux de trois semaines qu'elle venait de trouver dans le réfrigérateur. Lily ferma les yeux. Soudain elle eut la vision d'un arbre, avec un animal caché derrière, puis d'un tourbillon de rouge, des bribes de dialogues, une sensation de froid humide, Emmy, Hawaii, des fleurs rouges et sa mère qui disait *Toutes les épreuves que j'ai traversées, je les ai traversées seule*, tandis que dans le fond elle entendait Rachel se rincer la bouche dans l'évier. Elle voulait qu'ils s'en aillent, surtout Joshua. Alors elle garda les yeux clos et s'endormit comme une masse, assise de travers sur le futon, en pensant à Emmy, qui était partie, à sa mère et à son père si loin. Et si Emmy était allée voir son père, en Floride ? Il faudrait qu'elle en parle à l'inspecteur... euh... comment s'appelait-il déjà ? Et Joshua, qui était parti aussi, Joshua avec qui elle avait cru que c'était sérieux et qui n'était revenu que pour récupérer sa housse de guitare...

Et quand elle fut réveillée par le téléphone, quatorze heures plus tard, le corps courbatu, son pansement était de nouveau trempé de sang.

Le *Noho Star*, situé sur Bleeker et Lafayette, manquait de personnel. Et comme Lily avait demandé à passer à cinquante heures par semaine, elle travaillait désormais treize heures d'affilée, de onze heures du matin à minuit. Elle espérait tenir le coup.

Pendant sa pause, épuisée par le décalage horaire, elle avait dormi sur la table, dans l'arrière-salle, au lieu de manger. Et quand elle s'était réveillée, Spencer O'Malley se tenait devant elle.

— Votre main saigne toujours, remarqua-t-il.

Elle jeta un regard endormi autour d'elle. Il était seul.

— C'est pour me dire ça que vous êtes venu ?

— Vous m'avez appelé ce matin. J'ai cru que vous vous étiez souvenue d'un détail important.

Elle fronça les sourcils. Elle se souvint vaguement de l'avoir appelé à son réveil mais ne savait plus pourquoi.

— Cela concernait Emmy ?

Elle hocha la tête et se frotta les yeux. Il poussa un verre d'eau vers elle. Elle le but ; ses idées s'éclaircirent un peu.

— Je crois que son père habite à Islamorada. Ou à Cape Canaveral.

— Ce ne serait pas plutôt à Saint Augustine ?

— Ah bon ? Eh bien, elle est peut-être allée le voir là-bas.

— C'est pour me dire ça que vous m'avez téléphoné ?

— Oui.

— Qu'est-ce que vous imaginez ? C'est une des premières personnes que nous avons appelées ! Je crois qu'il y a une chose que vous n'avez pas bien comprise au sujet d'Emmy, mademoiselle Quinn. Personne, je dis bien personne, pas même son père, n'a eu de ses nouvelles depuis le jour de sa disparition.

Lily se releva péniblement.

— Excusez-moi, mais je dois reprendre mon service.

Elle alla se passer de l'eau sur le visage. Quand elle revint il était toujours là.

— Monsieur l'inspecteur, je dois vraiment...

— Accordez-moi encore deux minutes. Il y a plusieurs choses que j'ai oublié de mentionner, hier. Quand nous avons perquisitionné la chambre d'Emmy, nous avons trouvé ses clés et son portefeuille sur sa commode, ce qui laisserait entendre qu'elle ne serait pas allée très loin.

— Je n'arrête pas de vous le répéter.

— Ça lui arrivait souvent de sortir sans ses papiers et sans ses clés ?

— De temps en temps. Ne croyez pas que je rechigne à vous répondre, ajouta-t-elle avec un petit sourire timide en voyant sa mine de plus en plus renfrognée.

Il ne lui rendit pas son sourire, mais la dévisagea longuement, comme pour la déchiffrer.

— Elle faisait souvent du jogging pour garder la ligne. Elle prenait juste un peu de monnaie sur elle, au fond d'une poche.

— Où allait-elle courir ?

— À Central Park. Au Réservoir.

— Ça faisait loin de chez vous.

— Oui, mais elle adorait ça.

Il griffonna sur son calepin.

— Et sinon ? Quand elle découchait ? Elle laissait aussi son portefeuille et ses clés ? À moins que ce ne fût pour courir plusieurs jours d'affilée ?

— C'est vrai qu'elle avait la forme, essaya-t-elle de plaisanter.

Oui, ces jours-là aussi, Emmy laissait ses affaires. Pourquoi n'avait-elle aucune envie de le dire à l'inspecteur ?

— Vous savez, je ne faisais pas toujours attention. J'évitais d'aller dans sa chambre en son absence à moins d'avoir besoin de quelque chose.

— À propos, où se trouve son permis de conduire ?

Lily hésita.

— Je ne pense pas qu'elle l'avait passé.

Il la dévisagea d'un air étonné.

— Vraiment ?

Lily détourna les yeux, bizarrement gênée par cette histoire de permis, sans comprendre pourquoi.

— Elle ne savait pas conduire. C'est inutile quand on habite à New York. Moi non plus, je n'ai pas mon permis.

L'inspecteur se frotta le menton.

— Stupéfiant ! lança-t-il en se levant pour s'en aller. Eh bien, vous me pardonnerez de ne pas partager votre insouciance concernant les allées et venues de votre amie, mais je trouve pour le moins bizarre qu'elle soit partie depuis trois semaines en laissant sur sa commode ses cartes de crédit, d'étudiante et de métro, et ses clés. En plus, elle ne sait pas conduire ! Alors où est-elle allée ? Quand nous avons fouillé votre chambre, nous avons trouvé votre carte de métro, mais pas vos clés ni votre portefeuille, ni votre carte de crédit. Vous les aviez emportés à Hawaii, ce qui nous a paru normal.

Ils se dévisagèrent un instant.

— Et où est passé votre lit ? ajouta l'inspecteur à qui, décidément, rien n'échappait.

— Mon petit ami l'a emporté.

— Charmant !

— Ouais !

— Bon sang ! s'écria O'Malley qui se rassit en frappant la table. Ça y est ! Je comprends pourquoi vous prenez la disparition de votre amie à la légère !

— Mais pas du tout !

— C'est parce qu'elle disparaissait réguliè-rement, les mains dans les poches. Et qu'elle réapparaissait comme une fleur, deux ou trois jours plus tard. Ça ne vous a jamais inquiétée et ça ne vous inquiète toujours pas.

— Mauvaise déduction, monsieur l'inspecteur. Je suis vraiment inquiète maintenant. Jamais elle ne s'est absentée aussi longtemps.

— Et vous ne lui avez jamais demandé pour-quoi elle partait sans rien emporter ?

— J'attendais qu'elle me le dise d'elle-même.

Il y eut un long silence.

— Et vous attendez toujours ?

Elle s'empressa de s'excuser et alla reprendre son service. Tout le personnel du restaurant était intrigué par l'irruption de cet inspecteur. Elle subit un véritable barrage de questions et eut beaucoup de mal à les éluder. Rick, le gérant, la prit à part.

— Vous avez des ennuis ?

— Non, non.

— Ce n'est pas une histoire de drogue, j'espère ! Parce que...

— Non, je vous assure.

— Quel beau mec ! se pâma Judi, une autre serveuse, qui n'avait pas encore vingt ans. Il est célibataire ?

— Il a deux fois ton âge !

— Où est le problème !

5

Spencer Patrick O'Malley

Il vivait dans un petit appartement, pas très loin du commissariat, bien situé, au coin de la 11e Rue et de Broadway. Des fenêtres de la minuscule cuisine et de la salle à manger attenante, il avait une vue plongeante jusqu'à Astor Place, douze carrefours plus bas. Les lumières étaient éclatantes sous la pluie. Plus il faisait gris, plus le rouge et le vert des feux ressortaient. La pièce qui lui servait de bureau et de chambre donnait de l'autre côté, sur la cour d'une petite église. Il vivait seul, malgré les tentatives des femmes qu'il avait successivement connues. Il fréquentait actuellement une assistante sociale, Mary. Il l'aimait bien, ça faisait un an qu'ils se connaissaient, mais il avait l'impression parfois de n'être que l'un de ses cas sociaux. Une fois qu'elle l'aurait remis d'aplomb, elle partirait. Il avait hâte que ce jour arrive, sans savoir ce qu'il souhaitait le plus, qu'elle le remette d'aplomb ou qu'elle s'en aille.

L'appartement appartenait à Patrick, son frère aîné. Il l'avait acheté lorsqu'il s'était fait mettre à la porte par sa femme, après une incartade conjugale. Mais elle s'était vite rendu compte qu'élever seule ses enfants n'était pas si facile qu'elle l'avait cru et avait décidé de donner à Patrick une seconde chance. Spencer lui avait donc sous-loué cet appartement qu'il aurait eu du mal à s'offrir avec son salaire d'inspecteur. Mais à quoi bon se plaindre ? Plus personne n'avait les moyens de vivre à New York ! Spencer se plaignait seulement parce qu'il était toujours fauché.

Quand il était revenu aux services de police du comté de Suffolk, après avoir quitté son poste d'inspecteur principal à Dartmouth College, dans le New Hampshire, il avait vécu dans une chambre au-dessus du garage, chez son frère Sean. Puis lassé de patrouiller à Long Island, et incapable de supporter plus longtemps la femme de son frère (une maniaque du ménage), il avait demandé son transfert à la police municipale de New York. Il était ainsi passé de l'univers stérilisé de sa belle-sœur à l'une des villes les plus déjantées de la planète.

À New York, plus question de changer les roues des conductrices sur le bord de l'autoroute ou de faire passer une quinzaine d'alcootests le samedi soir. Il avait d'abord été assigné comme inspecteur de troisième classe à la division Enquêtes spéciales du Bureau d'investigation. Puis il avait été muté, à sa demande, à la tête du service des Personnes disparues avec, sous ses ordres, Chris Harkman, dans le service depuis douze ans, et toujours troisième classe. Harkman disait que c'était le poste idéal pour les cardiaques ! Il avait subi trois opérations du cœur, souffrait de goutte et d'arthrite. Et il ne lui restait plus que deux ans à tirer avant de pouvoir prendre sa retraite à quarante-huit ans, avec son salaire presque intact et tous les avantages acquis.

Mais Spencer n'était prêt ni à prendre sa retraite ni à mourir. Ça ne l'aurait pas gêné de se tourner les pouces comme Harkman, mais le hasard avait voulu qu'il retrouve un garçon porté disparu depuis 1984. Ce dernier avait été arrêté par la brigade des stupéfiants et quand Spencer, très physionomiste, avait vu son portrait sur le registre qu'il vérifiait religieusement chaque jour, il l'avait reconnu. Certes, Mario Gonzales, qui avait disparu à douze ans, n'avait aucune envie que ses parents le retrouvent. Qu'importe ! Pour son service, Spencer était devenu un héros. Il avait été promu au grade d'inspecteur première classe et nommé à la tête d'une division, pendant qu'Harkman, par le simple fait qu'il était son coéquipier, recevait une nomination d'inspecteur seconde classe et une augmentation. Que le garçon se suicide quelques semaines plus tard n'avait en rien gâché cette réussite, car c'était un exploit de retrouver une personne disparue, surtout encore vivante.

Après cela, on attendit de Spencer des résultats, dans un service réputé pour ne pas en avoir. Ce n'était pas comme dans les autres départements où les inspecteurs se faisaient régulièrement féliciter dans leur lutte contre les escroqueries à la carte de crédit, les vols et extorsions de fonds, les fraudes en tout genre et surtout les homicides. Si Spencer s'était intéressé aux autres divisions, il aurait été commissaire depuis longtemps.

Cependant Spencer, pour des raisons inconnues de tous et de lui en particulier, avait choisi de se dévouer corps et âme à la recherche des personnes disparues.

Depuis Gonzales, il avait résolu six ou sept autres cas désespérés. Du coup, il était devenu une légende dans son service, le préféré de son chef, Collin Whittaker, et le grand copain de la brigade criminelle, avec laquelle il lui arrivait de travailler.

— Parlez-en à O'Malley, il trouvera, entendait-on partout dans le commissariat.

Il était ami avec un gars de la brigade criminelle, un certain Gabe McGill, qu'il appréciait beaucoup, au point qu'il aurait volontiers fait équipe avec lui. Mais il aurait fallu que McGill accepte de venir aux Personnes disparues ou que O'Malley accepte de passer à la brigade criminelle...

L'appartement était sombre. Spencer aimait rester dans le noir quand il rentrait chez lui. Après l'ambiance frénétique et bruyante du commissariat, l'appartement lui semblait d'un calme divin. Et après les lumières aveuglantes des bureaux, l'obscurité lui faisait beaucoup de bien. Éclairé seulement par la lueur des feux de Broadway, il se servit un verre de J&B, le serra entre ses deux mains et fit tourner le whisky, comptant les secondes, les minutes, sans le quitter des yeux, sans cesser de le humer. Il envoya promener ses chaussures. Il enleva sa cravate et sa chemise.

Il avait interrogé la mère rongée d'inquiétude, les gens qui travaillaient avec Emmy McFadden au *Copa Cabana*, sa bande de copains, tous étonnés mais désireux de coopérer. Il avait fouillé l'appartement, examiné son compte en banque, ses retraits de carte de crédit, le service des permis de conduire.

Et il avait rencontré Lily.

Cette fille toute bronzée avait l'air si maîtresse d'elle-même, si insouciante. Chez elle ni mélo-drame ni pleurs. Ça lui plaisait. À l'opposé de l'autre fille, Rachel Ortiz, une émotive, Lily savait se contrôler. Contrairement à la mère d'Emmy, elle ne s'inquiétait pas outre mesure. Elle devrait lui parler, la rassurer. Peut-être avait-elle raison. Peut-être sa colocataire réappa-raîtrait-elle tout à coup.

Il imagina Lily allongée sur le sable de Maui, offerte au soleil, les yeux clos, les seins nus.

Il était temps de remettre le whisky dans la bouteille. Spencer ne buvait jamais les jours de travail car il savait qu'il ne pourrait pas s'arrêter s'il commençait. Il se voyait déjà porter le verre à ses lèvres et le vider en trois gorgées. Sans même le humer ni le déguster. Cul sec.

Et Spencer Patrick O'Malley avait appris au moins deux choses de la vie : que les personnes disparues réapparaissaient rarement et qu'il était incapable de se contenter d'un verre.

6

Conversations difficiles

— Inspecteur O'Malley...

Elle aurait voulu lui dire de ne plus venir au restaurant. C'était la troisième fois en dix jours.

— Les gens commencent à jaser.

— Vraiment ? Et que disent-ils ?

Elle haussa les épaules.

— Que voulez-vous aujourd'hui ? Une tasse de café ? Un beignet ?

— Je vous reconnais bien là, mademoiselle Quinn. Non merci. Je ne veux rien. Je ne suis pas un amateur de beignet. Vous avez appelé la mère d'Emmy ?

— Non, pas encore.

— Vous devriez le faire. Ça lui fera plaisir de vous entendre, j'en suis sûr. Elle me téléphone quatre fois par jour. Et vous êtes ma seule piste.

— Comment ça ! s'exclama-t-elle, consternée, avant de voir qu'il plaisantait. Inspecteur, reprit-elle d'une voix presque suppliante. Je veux bien l'appeler mais je ne pourrai que lui répéter ce que je vous ai déjà dit. Elle s'inquiète pour rien. Emmy va revenir comme si de rien n'était et tout rentrera dans l'ordre. Elle a dû sans doute partir avec cet inconnu qu'elle fréquentait.

— Vous m'avez dit il y a une minute qu'elle ne fréquentait personne !

Lily se tordit les mains. Elle ne pouvait pas continuer ainsi, elle devait reprendre son travail et s'occuper de ses clients !

— Vous croyez vraiment qu'elle serait partie un mois en vacances sans prévenir personne ? Et en ratant sa remise de diplôme alors qu'elle avait invité toute sa famille ? Vous la croyez capable d'une telle insouciance, d'une telle impolitesse ? Elle devait se douter que ses parents se feraient un sang d'encre.

— Oh, vous savez ce que c'est quand on est amoureux, monsieur l'inspecteur. Il ne faut pas lui en vouloir.

— Alors, il y a une minute, vous ne lui connaissiez pas de petit ami et maintenant vous la dites follement amoureuse. Faudrait savoir, mademoiselle Quinn !

Il toucha le bord de son chapeau et repartit.

Judi se précipita vers elle.

— Encore lui !

— Oh, arrête ! soupira Lily.

Pourquoi n'arrivait-elle pas à appeler la mère d'Emmy ? Pourquoi ce blocage ? Ça semblait si facile, pourtant... aussi facile que de parler à l'inspecteur. Même plus, elle aimait beaucoup Mme McFadden. Mais elle ne savait pas quoi lui dire. Et cela la mettait si mal à l'aise qu'elle ne se décidait pas à prendre le téléphone.

Elle appela sa grand-mère à la place.

— Tu as lu les journaux ? dit Claudia. Un train

a heurté un camion de grumes à un passage à niveau, ce matin. La locomotive et dix wagons ont déraillé. Il y a une dizaine de blessés, dont deux dans un état grave.

— Grand-mère...

— Et une femme est tombée du deuxième étage devant ses enfants. Tu imagines leur choc.

— Oui, pauvres gamins. Eh bien, merci pour cette petite conversation. Il faut que j'y aille.

Andrew ne lui avait pas donné de nouvelles depuis qu'elle était rentrée. Elle l'avait appelé chez lui, la semaine précédente. C'était Miera qui lui avait répondu

— Lily, il te suffisait de consulter son emploi du temps sur son site Internet pour voir qu'il est à Washington. Tu n'as qu'à l'appeler là-bas.

Elle avait donc essayé de le contacter à Washington mais il se trouvait encore en session parlementaire. Et il ne l'avait pas rappelée. Comme d'habitude ! Il était toujours débordé. Elle avait appelé à son appartement pour parler à son père. Pas de réponse.

Elle arpenta la pièce, contempla ses aquarelles, les photos d'elle enfant, dans les bras de sa sœur Amanda, de son frère... la petite dernière, intelligente, précoce, jolie, drôle, souriant à sa mère qui prenait la photo. Soudain, elle s'arrêta, cligna les yeux, les ferma.

C'était impossible que Spencer, qui voyait tout, n'ait pas repéré le ticket de loto. Certes, il était à moitié glissé derrière de vieilles places de théâtre, mais pouvait-il l'avoir manqué ? Elle s'approcha. Et même s'il l'avait vu, quelle importance ? Il ne connaissait pas par cœur le tirage du loto du 18 avril 1999.

Quand le téléphone sonna, elle décrocha machinalement.

— Lil ?

C'était sa mère ! Elle se reprocha aussitôt de ne pas avoir regardé la présentation du numéro lorsqu'elle prit conscience que sa mère avait une voix bien guillerette pour une femme qui venait de se faire abandonner par son mari.

Elle entendit alors son père décrocher l'autre poste.

— Lil ?

— Papa ?

Il éclata de rire.

— Pourquoi un tel étonnement ? J'habite ici, non ?

— Tu ne m'as pas laissé le temps de parler à ma fille, protesta sa mère. Laisse-nous un moment, tu lui parleras après.

— Oh, maman, laisse-moi dire juste un mot à papa.

Sa mère raccrocha brutalement.

— Oui, ma chérie ? dit son père de sa voix la plus naturelle, la plus détendue, du style : « Je suis à Hawaii et heureux d'y être. »

— Je ne comprends pas. Je te croyais chez Andrew.

— Oh, je suis simplement allé à Washington régler une petite affaire. C'est tout. Rien d'important.

— Alors tu es... rentré ?

— Tout va bien. Merveilleusement bien, même. En fait, je ne tenais plus en place, tu sais, moi qui n'ai pas arrêté de travailler pendant quarante-cinq ans. Enfin tu ne peux pas savoir ce que c'est. Tu comprendras quand tu travailleras.

— Mais je travaille. Cinquante heures par semaine. Que se passe-t-il, papa ? Raconte-moi.

— Rien de spécial. Sais-tu que ta mère m'accompagne à la plage, chaque matin ? Elle adore ça. Elle ne se sentait pas bien quand tu es venue. Elle va beaucoup mieux maintenant. Et elle fume moins. Elle est superbe, en ce moment.

Allison revint en ligne et elle et son mari se mirent à parler en même temps. Ils se coupaient, riaient, se répondaient.

— Lily, nous vivons une seconde lune de miel, confia Allison d'un ton de conspiratrice. Tu ne peux pas savoir comme nous sommes heureux.

Lily n'avait qu'une idée, raccrocher. Et quand elle put enfin le faire, elle se sentit d'attaque pour appeler la mère d'Emmy.

— Oh, Lily ! répondit Mme McFadden d'une voix pâteuse, brouillée. Où est Emmy ? Où est-elle passée ? Pourquoi ne nous donne-t-elle aucunes nouvelles ?

Lily débita quelques phrases creuses. Elle lui répéta qu'il ne fallait pas s'inquiéter (ce dont elle était de moins en moins convaincue) en lui rappelant combien Emmy était indépendante et détestait rendre des comptes. Elle promit, d'une petite voix faible, d'appeler dès qu'Emmy rentrerait mais Mme McFadden pleurait si fort qu'elle ne l'entendit pas.

Comme Lily le craignait, son appel ne servait à rien. Peut-être qu'Amanda, sa sœur, mère de quatre enfants, aurait su quoi dire à Mme McFadden qui avait eu Emmy d'un premier mariage puis deux autres enfants de son second mari.

Jan McFadden continuait à pleurer et Lily, qui ne savait plus quoi dire, ne cessait de répéter : « Je suis désolée. »

Paul et Rachel, dont toute la vie tournait autour d'Emmy, ne parlaient que d'elle. Ils en voulaient presque à Lily de ne pas savoir où elle était passée. Et Rachel ne comprenait pas pourquoi Emmy ne lui avait jamais parlé de sa mystérieuse liaison.

— Mais pourquoi te l'aurait-elle cachée ?
— Que veux-tu que je te dise ?
— Vous étiez proches pourtant.
— Nous sommes proches, oui.
— Au fait... l'inspecteur... il est marié ?
— Que veux-tu que j'en sache ? Et pourquoi me poses-tu cette question ? Comment va Tonio ?
— Il ne s'est jamais aussi bien porté.
— Alors pourquoi t'intéresses-tu à l'inspecteur ?

Lily se laissa tomber sur le lit d'Emmy. Tant de questions ! Aurait-elle dû pouvoir y répondre, elle qui ne savait pas pourquoi elle n'avait pas réussi à décrocher son diplôme en six ans ? Ni ce qu'elle voulait faire de sa vie. Ni ce qui n'allait pas chez sa mère. Ni pourquoi Joshua l'avait quittée. Ni où était Emmy. Ni ce que signifiaient les nombres 49, 45, 39, 24, 18, 1.

Avis de recherche :
Emmy McFadden
Sexe : féminin
Race : blanche
Âge : 24 ans
Taille : 1,70 m
Poids : 64 kg
Peau : claire
Cheveux : roux, longs et bouclés
Vêtements/bijoux : inconnus
Vue pour la dernière fois : le 14 mai 1999, aux environs de l'Avenue C et de la 9e Rue, à Manhattan, New York.

Lily, Rachel et Paul collèrent ces affiches avec la photo d'Emmy dans tout le quartier. Paul attachait un ruban jaune au-dessus de chaque feuille. Et, chaque fois, Lily pensait, avec un pincement de culpabilité, au billet de loto qu'elle avait punaisé sur son tableau. Elle gardait la tête basse, sans oser croiser le regard de ses amis, ni celui des SDF qui les observaient derrière leurs tas de guenilles.

7

Les oiseaux de paradis

La nouvelle lune de miel de ses parents dura trois jours. Allison s'était rendue de bon cœur à la plage le premier matin, s'était fait prier le second, et avait râlé le troisième, se plaignant de l'eau qui la mouillait, du soleil qui la brûlait, du sable trop fin, et même des chaussures que son mari avait mises. Et elle pesta contre l'omelette qu'il allait lui préparer (« Tu ne sais rien faire d'autre ! ») et le café (« Tu n'en fais jamais assez ! »).

Le quatrième matin, elle refusa de se lever, prétextant qu'elle s'était couchée tard et qu'elle avait besoin de dormir. Le cinquième, elle ne se sentait pas bien. Et elle avait des ampoules après toute cette marche à pied. Et elle avait pris froid (par vingt-six degrés à l'ombre !) à force de se baigner si tôt. En plus son maillot était sale et il n'y avait plus de serviettes sèches.

George partit seul à la plage.

— Mais pourquoi n'avons-nous pas acheté un appartement en Floride ? gémit-il à son retour.

— Parce que tu avais peur des cyclones et du climat chaud et humide.

— Je n'ai jamais dit ça. Nous y aurions mené une vie fabuleuse.

Il lui proposa d'aller voir la forêt tropicale à Lahaina, sur la route d'Hana. Elle accepta uniquement parce qu'il y avait des boutiques à Lahaina.

George essaya une tactique différente.

— Et si nous allions sur le continent, Allie ? On pourrait prendre l'avion jusqu'à San Francisco et poursuivre en voiture jusqu'à Las Vegas.

— Quoi ! As-tu une idée de la température à Las Vegas en plein mois de juillet ? Il doit faire cinquante degrés ! Et tu veux louer une voiture. Mais nous n'avons plus les moyens. Tu es à la retraite, George !

Il proposa de mettre leur voiture sur un bateau jusqu'à San Francisco.

— Quoi ! Notre voiture qui n'a pas de climatisation ! Tu veux nous faire mourir de chaud ?

Il proposa alors d'attendre septembre. Il comptait sur son goût des sorties, des toilettes et des machines à sous pour la stimuler. Mais elle ne supportait pas la perspective de passer vingt-quatre heures sur vingt-quatre avec lui, ni de dormir dans la même chambre que lui. Ni surtout de ne pas avoir un coin à elle, où s'enfermer en paix. Et ils n'avaient pas les moyens de prendre deux chambres.

— Mais arrête de me harceler ! C'est quoi ce besoin soudain de partir ? Partir, partir, partir, tu n'as plus que ce mot à la bouche ! Si tu y tenais tant à ton continent, il ne fallait pas acheter un appartement ici !

Il lui rappela que c'était elle qui avait insisté pour venir s'installer ici.

— C'est ça ! Rejette la faute sur moi ! Eh bien, justement puisqu'on est ici, et que cet appartement me coûte une fortune, je ne vais pas le laisser trois mois pour aller ailleurs. Ce serait une perte d'argent inutile. Tu as toujours été panier percé. Résultat, nous n'avons plus un sou.

Il avait suggéré de vendre l'appartement. Et de repartir s'installer sur le continent, en Caroline du Sud par exemple, où l'on pouvait pêcher, jardiner. En plus, il y avait des saisons, des lacs, son frère habitait là-bas...

— Quoi ! On vient à peine d'arriver que tu veux déjà repartir ? Tu es malade, tu sais. Il faut aller consulter un psy. Comment peut-on ne pas être heureux ici ? C'est magnifique ! Tu es désœuvré, c'est ça ton problème !

Puis elle avait fait sa première chute. Et quand il s'était inquiété, elle lui avait répondu que c'était le sirop contre la toux qui lui donnait des vertiges.

— Tu ne vois donc pas que je suis très malade ! avait-elle crié avant de tousser avec emphase.

— Peut-être que tu irais mieux si tu sortais plus souvent.

— C'est ça. Enguirlande-moi. C'est ma faute si je souffre !

Le lendemain matin, quand il revint de sa baignade quotidienne, à huit heures et demie, il la trouva étalée au milieu du salon.

— C'est mon ostéoporose. Mes genoux me lâchent. Ils ne se plient plus comme avant.

Puis il la trouva sur le sol de la cuisine, le courrier à la main.

— C'est le mélange sirop contre la toux et anti-dépresseurs. D'après le médecin, c'est très dangereux. Je pourrais y rester.

— Alors pourquoi les prends-tu ?

— Tu préfères que je meure à force de tousser ?

Le matin, elle était toujours d'une humeur massacrante, et l'après-midi, il ne la voyait pas, elle dormait. Il avait horreur de ne faire la cuisine que pour lui, horreur de manger seul. Alors il se nourrissait de sashimis de thon, avec de la sauce au soja et du wasibi. Il n'avait jamais mangé du thon et des ananas aussi bons qu'à Maui. Il passait l'après-midi dans le patio à lire des livres de cuisine, à préparer son dîner du soir, à envoyer des mails à ses amis, ou à appeler ses enfants, en attendant qu'elle se réveille. Il y avait un soleil éclatant, une petite brise agréable, des arbres d'un vert toujours étincelant. Deux fois par semaine, les pelouses étaient tondues et il savourait l'odeur de l'herbe fraîchement coupée, tout en sirotant un jus de mangue.

Allison se réveillait aux aurores malgré les rideaux opaques qu'elle avait mis aux fenêtres afin d'occulter la lumière. Dès le premier rayon du soleil, à cinq heures, elle se levait. Elle aurait pourtant aimé dormir jusqu'à midi. Tout ça, par la faute de ce maudit soleil d'Hawaii.

La nuit, elle restait jusqu'à deux ou trois heures du matin à regarder de vieux films ou à zapper d'une chaîne à l'autre en faisant de grands projets pour le lendemain. Elle se lèverait pour accompagner George à sa sacro-sainte plage, elle ferait le ménage et la lessive. Et l'après-midi, ils iraient voir sa maudite forêt tropicale ou son maudit volcan. Ils pourraient même pousser une pointe jusqu'à Lahaina, histoire de faire un peu de shopping ou du lèche-vitrines. Ils trouveraient ensuite un petit restaurant en bord de mer et dîneraient devant le coucher de soleil. Oh ! Et elle lirait ! Ses filles n'arrêtaient pas de lui envoyer des romans. Son petit appartement croulait sous leurs colis. Hélas, elle n'arrivait plus à lire. Elle ne pouvait même pas finir une phrase. Son esprit décrochait tout de suite. Elle se mettait à examiner ses mains tachées par l'âge, ses ongles qui avaient besoin d'être vernis...

Rien ne retenait son intérêt. Ni personne. Ne voient-ils pas ce qui m'arrive ? Elle avait envie de pleurer. Je suis vieille. J'ai la peau flasque, mes paupières tombent. Je suis toute ballonnée et bouffie. Je voudrais redevenir jeune et belle, avait-elle envie de hurler, debout devant la fenêtre...

— Je voudrais plonger dans l'océan et me sentir revivre. Je voudrais tomber amoureuse et que tu retombes amoureux de moi, confia-t-elle un matin à George.

— Mais bon sang ! Qu'attends-tu pour aller te baigner ? Tu peux y aller tous les matins si tu veux ! avait-il hurlé.

— Tu ne comprends rien. Ce n'est pas ça qui me rendra ma jeunesse !

Elle vieillissait mal, c'était le moins qu'on puisse dire.

Les journées étaient si longues, et elle n'avait ni envie ni besoin de rien faire. Hawaii était magnifique ? Et alors ! Paisible ? Et alors ! Elle rêvait de pluie. De nuages. De grisaille.

Chaque jour ressemblait au précédent. Les matins frais, une petit brise l'après-midi, et les couchers de soleil nimbés d'or sur l'océan tranquille. Après avoir connu les durs hivers de New York et de Pologne, elle avait toujours dit qu'elle rechercherait la chaleur pour réchauffer ses vieux os. On leur avait dit que Maui était un paradis. Et voilà le résultat !

Jamais elle n'avait été aussi malheureuse.

Elle nettoyait l'appartement. Cela lui demandait une heure. Elle prenait sa douche, faisait son lit, préparait le café. Elle fumait. Elle faisait semblant de lire le journal ou des romans, feuilletait des catalogues, ou regardait n'importe quoi à la télévision. Elle ne savait pas comment retrouver le goût de vivre. Elle avait eu trop d'enfants. Ils lui avaient volé sa jeunesse et ne lui étaient d'aucun réconfort dans sa vieillesse. Ils ne donnaient jamais de nouvelles. Même la plus jeune à qui elle envoyait encore de l'argent. C'était même elle qui l'appelait le moins souvent. L'ingrate petite dernière. Celle qui avait tué ses dernières ambitions professionnelles.

Mais ce n'était pas sa carrière ratée qu'elle regrettait le plus. Ni ses enfants. Ni son mari. C'était la perte de sa jeunesse, de la souplesse et de la fraîcheur de sa peau, de la fermeté de ses bras, de ses jambes, de ses cuisses et de son estomac. Et ce foisonnement soudain de lignes verticales, horizontales, ce cou qu'aucune crème antirides ne pouvait défriper. Dans la guerre contre le temps, sa minuscule armée avait été vaincue, sans même un seul combat. Le temps s'était contenté d'attendre son heure... Et heure après heure, il continuait à la narguer.

Et c'était à l'aube, quand les rayons du soleil perçaient ses rideaux pour la réveiller, qu'il se moquait le plus d'elle.

8

L'inconvénient d'aller travailler à pied

Spencer l'attendait devant la porte de son immeuble. On était fin juin. Elle portait sa tenue de travail, un pantalon noir avec un chemisier blanc. Ses cheveux coiffés en arrière étaient encore humides.

— Monsieur l'inspecteur... si jamais Emmy revenait, ne croyez-vous pas que vous seriez le premier que je préviendrais ?

— Ah bon ! C'est vrai ?

— N'avez-vous rien d'autre à faire que de chercher les personnes disparues ? Je sais que le programme de lutte contre la criminalité du maire de New York est un succès, mais tous les criminels n'ont pas été mis sous les verrous. Vous avez sans doute encore beaucoup de pain sur la planche.

Ils tournèrent au coin pour prendre l'Avenue C.

Il secoua la tête d'un air découragé.

— Non. Ces cas de disparition...

— Ce n'est qu'un cas banal alors ?

Lily regretta aussitôt ses paroles. Et s'il disait oui ? Dans un mois, la disparition d'Emmy ne serait plus qu'une statistique. Lily frissonna malgré la chaleur. Pourquoi avait-elle posé cette question ?

— Non, le cas d'Emmy n'a rien de banal, répondit-il à son grand soulagement. Franchement. Souvent il s'agit d'une méprise. Quelqu'un qui déménage sans laisser d'adresse. Ou quelqu'un qui part pour deux semaines en Europe et décide d'y rester trois mois. Ou l'adolescente qui s'enfuit avec le petit ami que sa mère lui interdit de fréquenter. La famille engage un détective privé et, avec un peu de chance, on les retrouve quinze jours après.

— Aucun détective privé ne recherche Emmy.

— Bien sûr que si !

Elle s'arrêta et le dévisagea, surprise.

— Jan McFadden en a engagé un. Je le connais, c'est un certain Lenny, un petit fouineur qui s'est fait virer après vingt ans dans la police. Décidément, on n'arrivera jamais à s'en débarrasser.

— Est-ce un bon privé ?

— Non, il n'a jamais rien découvert et pourtant je peux vous certifier qu'il en remue de la boue !

— Dans ce cas, Emmy ne risque rien car ce n'est pas là qu'il la trouvera.

— Qui sait ? Elle n'a laissé aucune piste. Pourtant, le fait qu'elle soit partie sans ses papiers en est une, finalement. Elle ne les laissait pas chaque fois qu'elle sortait, c'est vous qui me l'avez dit. Et quand elle ne les prenait pas, cela pouvait signifier deux choses : soit qu'elle voulait se protéger, soit qu'elle voulait protéger la personne avec qui elle était.

— Ce n'était pas le genre de fille à penser à ça.

Peut-être qu'elle travaille ailleurs. Vous pourriez vérifier dans les dossiers de la Sécurité sociale, non ?

— Ils n'ont pas reçu de nouvelle cotisation depuis sa paie du mois de mai, au *Copa Cabana*.

Il pensait vraiment à tout.

— Et il n'y a pas d'autres endroits où l'on pourrait chercher ?

— Aucun cas de jeune femme décédée non identifiée n'a été signalé dans les hôpitaux ni dans les morgues de l'État de New York, répondit-il sans la regarder. Ni dans les accidents de voiture ni dans les jardins publics. Nos hommes ont passé les alentours du Réservoir au peigne fin sans résultat. Il nous faudrait des années pour fouiller chaque centimètre de Central Park.

Elle cherchait désespérément d'autres idées, tout en marchant à grands pas. Lafayette Street ne lui avait jamais paru si loin.

— Peut-être qu'Emmy ne veut pas qu'on la trouve, dit-elle soudain d'une toute petite voix.

— Ou peut-être qu'elle voudrait qu'on la trouve et que c'est impossible, répondit Spencer.

9

Lily s'achète un lit

Lily ne dormait pas. Il était trois heures du matin. Couchée dans le lit d'Emmy, les yeux rivés au plafond, elle s'efforçait de ne pas penser à Emmy. Et ne se sentait pas bien du tout. Elle repoussa les draps d'un coup de pied, écarta les bras et les jambes. Elle sentait une douleur sourde dans ses membres, des élancements dans le cœur. Un robinet gouttait dans la salle de bains. Elle n'avait pas le courage de se lever pour aller fermer la porte.

Sa faiblesse, sa tristesse, sa fatigue n'étaient pas normales. Spencer avait raison. Elle devrait aller voir un médecin. Mais lequel ?

Impossible de dormir. Comme si une bête la rongeait de l'intérieur et suçait la moelle de ses os.

Elle sauta du lit. Où en avait-elle trouvé la force ? Elle était si lasse. Elle resta quelques secondes à contempler le couvre-lit, les oreillers et les draps d'Emmy, le souffle court.

Elle alla à la salle de bains, passa à la cuisine chercher de l'eau, entra dans sa chambre sans lit, s'assit par terre, et à quatre heures moins le quart du matin, commanda par téléphone à SOS Matelas, un matelas et un sommier extra-larges,

103

pour cinq cents dollars, la totalité de son salaire de la semaine, qui lui seraient livrés dès onze heures du matin.

Une fois qu'elle eut raccroché, elle alla s'allonger sur le futon du salon et mit la télévision. Elle zappa quelques minutes, puis décrocha le téléphone. Pour appeler le commissariat, cette fois. Le policier de garde demanda s'il s'agissait d'une urgence et elle répondit qu'elle ne le pensait pas, qu'elle n'en était pas sûre.

— L'inspecteur O'Malley n'est pas de service cette nuit, mademoiselle. Je lui dirai que vous avez appelé. Je peux vous aider ?

Elle lui répondit que non, raccrocha et s'allongea sur le futon. Elle coupa le son de la télévision et resta à fixer l'écran. Elle pensa un bref instant appeler l'inspecteur sur son bipeur. Elle joua avec la télécommande, mit l'écran en noir et blanc et le regarda fixement en pensant aux semaines où elle avait dormi dans le lit d'Emmy, sans songer à s'en acheter un, comme si elle savait au plus profond d'elle-même qu'Emmy ne reviendrait pas.

Elles avaient décidé de trouver du travail ensemble. Elles peignaient toutes les deux. Lily, qui aimait les portraits, avait un don pour les visages et les corps. Emmy préférait les natures mortes. Elles allaient dessiner ensemble dans les jardins publics, à Washington Square, Union Square, Battery Park et même à Tompkins Square au milieu des SDF et des drogués. Elles esquissaient des vues de Broadway et de la Cinquième

Avenue, la nuit, et ajoutaient la couleur après. Mais Lily avait remarqué récemment qu'Emmy retouchait ses croquis de moins en moins souvent. Elle n'ajoutait plus les lueurs jaunes des réverbères, le rouge des feux de circulation, le bleu des gyrophares. Et lorsque Lily lui avait demandé ce que représentait un dessin particulièrement sombre, Emmy lui avait répondu qu'il s'agissait de Times Square vu de Broadway, à minuit. Mais où sont les affiches ? avait demandé Lily. Elles sont toujours allumées. Il y a du brouillard, lui avait répondu Emmy, d'une voix plate. Et une panne de courant. On ne peut pas les voir. Pourquoi Lily s'en souvenait-elle maintenant ?

Elle s'endormit sur le futon, rêva d'Emmy et quand elle se réveilla, Emmy était si vive dans son esprit qu'elle eut l'impression qu'elle dormait à côté dans sa chambre.

Lily fondit en larmes.

On lui livra le matelas et le sommier. Elle donna aux deux jeunes livreurs hispaniques, qui l'avaient un peu draguée, vingt dollars de pourboire pour les remercier de leur gentillesse puis elle prit sa douche, s'habilla et alla travailler. Depuis qu'elle faisait le double d'heures, elle rentrait chez elle en taxi. Mais le soir, il lui vint à l'esprit que si elle encaissait son billet de loto, elle pourrait avoir une limousine et un chauffeur qui l'attendraient tous les soirs après son service. Elle éclata de rire et, du coup, rentra à pied. Et trouva Spencer qui l'attendait en bas de chez elle.

— Mais vous faites combien d'heures ? lui demanda-t-il en refermant son calepin.

Elle ne put s'empêcher de sourire.

— Et vous, monsieur l'inspecteur, toujours de service à neuf heures et demie du soir. Vous n'arrêtez donc jamais ?

— Pas tant qu'une mère m'appellera pour savoir où est son enfant.

Lily perdit son sourire et se tut. Vaincue. Elle voulut le contourner mais il la prit par le bras.

— Pourquoi m'avez-vous appelé en pleine nuit, Lilianne ?

— Euh... je...

— Vous aviez quelque chose à me dire ?

— Quelque chose me tracassait...

— Quoi donc ?

— Je ne m'en souviens plus.

Ils s'assirent devant l'entrée de son immeuble. C'était un soir typique de juillet à New York. Il faisait encore jour. Encore chaud.

— Je ne suis plus mademoiselle Quinn ?

— Quand Mlle Quinn m'appelle au milieu de la nuit, elle devient automatiquement Lilianne. Article 517.

Elle n'osa pas lui demander quand Lilianne deviendrait Lily.

— L'*Odessa Café*, sur Avenue A, au niveau de la 7e Rue, sert un délicieux chou farci et je meurs de faim. Ça vous ennuie si je travaille tout en mangeant ?

— C'est possible de faire les deux en même temps ?

— Bien sûr. Il suffit de manger avec un

106

témoin. Ça s'appelle enquêter. Venez. Cela vous laissera le temps de retrouver ce que vous vouliez me dire à quatre heures du matin. J'ai cru qu'Emmy était revenue, quand j'ai appris que vous aviez cherché à me contacter à une heure pareille !

— Je suis désolée, je n'y ai pas pensé.

Elle se leva avec peine et vit qu'il se retenait de l'aider. Elle faillit lui demander si elle pouvait l'appeler Spencer. Ça lui faisait bizarre de rester aussi formelle.

— Vous devez en voir de belles dans ces rues.

— Oui, surtout dans votre quartier.

— Ne m'avez-vous pas dit que vous patrouilliez sur l'autoroute de Long Island avant de venir à New York.

— Si.

— Comment êtes-vous passé d'agent de la circulation à la direction d'une division ?

— Auparavant, j'avais été pendant des années inspecteur en chef à Dartmouth College.

— Ça devait être génial ! J'ai visité Dartmouth en terminale. Quel endroit merveilleux pour faire ses études, non ?

— Je ne saurais vous dire. Je n'y ai pas étudié.

— Mais en quoi consistait votre travail, là-bas ? À arrêter les étudiants qui buvaient illégalement, le samedi soir ?

— Si seulement !

Lily lui lança un regard intrigué.

— Ah bon ? Ça ne serait pas aussi calme qu'on le croit ?

— Pas toujours.

— Dites-moi, monsieur l'inspecteur, cette université réputée cacherait-elle des dessous torrides ?

— Je ne sais pas si torride est le mot qui convient. Je dirais plutôt pervers.

— Oh, racontez-moi. J'adore les histoires perverses.

— Une autre fois. Mais j'admire votre candeur juvénile. Il sourit. Je n'ai plus votre jeunesse.

— Je me souviens de ce que je voulais vous dire ! s'écria Lily quand ils eurent passé leur commande au restaurant.

— Cela concernait Emmy ?

— Oui. Juste après le lycée, elle est partie avec des copains de Port Jeff découvrir le monde pendant deux ans, en camping-car.

— Et ses copains ? Que sont-ils devenus ? Ils sont revenus à Long Island, eux aussi ?

Lily l'ignorait. La seule chose qu'elle croyait savoir, c'était que l'un d'eux s'était suicidé, un autre était mort d'une overdose, un troisième s'était tué dans un accident qui avait pulvérisé leur camping-car et les deux derniers n'étaient jamais revenus. Mais elle n'en était pas certaine.

Spencer s'arrêta de manger.

— Emmy n'aimait pas évoquer cette période de sa vie. Et à part quelques anecdotes, sur le Kansas, La Nouvelle-Orléans, et ses amis, elle n'y a fait allusion que pour me dire de ne pas toucher à la drogue. En fait, elle était comme vous avec Dartmouth, ajouta Lily en contemplant le chou qui refroidissait dans son assiette. Elle n'avait pas très envie d'en parler.

— Espérons qu'elle n'a pas vécu ce que j'ai vécu là-bas. Mais si je vous ai bien comprise, sur six gamins qui se sont embarqués dans ce vieux camping-car, trois sont morts.

— Vu comme ça...

— Et comment vous le voyez, vous ?

— C'est la vie, monsieur l'inspecteur. Les accidents de voiture, la drogue, les suicides... Que voulez-vous qui tue les jeunes de nos jours ! Les billets de loterie ?

— Vous m'en direz tant. Eh bien, je vais vous dire, moi, ce qui les tue aussi : les assassins, les cinglés, les êtres pour qui la vie humaine ne compte pas. Mais vous disiez qu'il y en a deux qui ne sont jamais rentrés. Paul doit les connaître. Ils étaient tous au même lycée. Nous irons le voir ensemble demain.

— Spencer... euh... pardon, monsieur l'inspecteur.

Elle rougit. Il sourit.

— Je ne sais pas si Paul sait quelque chose. Mais je ne crois pas que ça puisse être très important.

— Ah bon ? Vous ne trouvez pas surprenant que le mauvais sort s'acharne sur six jeunes de la même bande ?

Lily se demanda si les nombres 49, 45, 39, 24, 18, 1 avaient une signification particulière pour eux. Mais pourquoi penser à ça ? Quel rapport pouvait-il y avoir entre ces six nombres et six personnes qu'elle ne connaissait pas.

Si, elle connaissait Emmy. Et Emmy avait vingt-quatre ans.

Comme elle.

Mais où allait-elle chercher des idées aussi stupides ? Était-ce parce que Spencer avait parlé de mauvais sort ?

Quand il paya, plusieurs billets de loto tombèrent de son portefeuille.

Elle éclata de rire.

— Je ne vous savais pas si optimiste ! Vous les collectionnez ?

— Oui, et j'attends d'en avoir douze pour regarder les résultats. Et vous, vous ne collectionnez que celui qui est sur votre tableau ?

Elle sentit son cœur s'arrêter.

— Décidément, rien ne vous échappe, inspecteur O'Malley !

— Hélas, si, mademoiselle Quinn. Sinon, j'aurais déjà retrouvé votre amie.

Ils s'étaient donné rendez-vous, le lendemain après-midi, à l'accueil du commissariat, pour aller voir Paul au salon. Spencer portait une veste alors que Lily, qui n'avait pratiquement rien sur le dos, était en nage.

— Vous n'avez pas trop chaud avec votre veste, inspecteur ?

— Si. Mais on ne me prendrait pas au sérieux si je me baladais en petit short et débardeur.

Lily plissa les yeux. Était-ce une allusion à sa tenue ? Il n'avait pas l'air du type qui remarque ce genre de chose. Quand elle s'avança pour traverser la rue devant lui, elle se demanda s'il la regardait.

— Votre collègue ne nous accompagne pas ?

— Pas pour des petites choses comme ça. Vous l'avez vu ? L'inspecteur Harkman préfère se réserver pour les grandes occasions. Il est plutôt du genre pantouflard.

Le terme la fit rire.

Au salon, Paul déclara qu'il ne savait « rien de rien ». Cette période de la vie d'Emmy, expliqua-t-il, représentait un blanc de deux ans dans leur amitié, dont Emmy avait émergé, intacte, comme si cet intermède n'avait jamais existé. Elle s'était ensuite inscrite à Hunter, avait pris un emploi d'hôtesse dans un bar chic, puis elle était entrée au City College, où elle avait rencontré Lily, avant de renouer avec ses anciens amis, sans jamais faire allusion à ses deux années d'absence.

— Je ne vous demande pas ce qu'elle a fait pendant ce temps-là. Je vous demande si vous connaissez ceux avec qui elle est partie, insista Spencer.

Paul ne les connaissait pas.

— Mais vous n'étiez pas amis au lycée ?

— Si, très amis.

Spencer attendit.

— Nous habitions à côté mais nous n'avions pas les mêmes fréquentations. Elle sortait avec une bande de paumés qui ne s'intéressaient ni à la musique, ni au sport, ni aux études, ni même à la chorale. Je ne sais pas qui c'était. Ni même comment ils s'appelaient, ni ce qu'ils sont devenus.

— Je vois. Et vous pourriez me les montrer sur votre photo de classe ?

— Bon sang ! Je ne vois pas l'intérêt ! Ça remonte à six ans !

— Vous le pourriez ou pas ? insista Spencer.

— Non, ça m'étonnerait que je les reconnaisse.

— Faisaient-ils de la politique ?

— De la politique ? Allez savoir ! Je ne les connaissais pas. Ils passaient leur temps à fumer de l'herbe !

— Emmy aussi ?

— Non, pas elle ! J'ai juste dit qu'elle avait de mauvaises fréquentations, d'accord ?

— Eh bien, je serais d'accord avec vous si elle n'avait pas disparu depuis deux mois. Et votre amie Lily avait comme l'impression qu'ils ne se contentaient pas de se shooter à la marijuana.

Paul décocha à Lily un regard assassin, les mains crispées sur le dossier de son fauteuil.

— Tu en es sûr, Arlequin ?

— Arlequin n'est jamais sûr de rien, répondit-elle.

— Je m'en doutais.

Spencer posa un bref instant la main sur sa peau nue, entre les deux omoplates, pour la pousser vers la sortie.

Parler d'Emmy à Spencer lui donnait des complexes. Comme lorsqu'elle parlait avec Joshua, elle était affolée du nombre de choses qu'elle aurait dû savoir et qu'elle ignorait.

Emmy aurait-elle mené une vie plus agitée et plus trouble que Lily ne l'attendait d'une jeune fille élevée dans la petite ville bourgeoise et tranquille de Port Jefferson ? Emmy avait-elle de terribles secrets à cacher ? Ou ne s'était-elle pas suffisamment intéressée à elle ? Lily ne le savait pas et n'avait pas envie de le savoir.

Depuis quand Lily n'avait-elle pas eu une conversation normale avec sa mère ? Depuis quand sa mère avait-elle totalement disparu de sa vie ? Cela non plus, Lily ne le savait pas et n'avait pas envie de le savoir. Il y avait dix ans, après son maudit ulcère à l'estomac ? Il y avait neuf ans, quand elle était tombée de sa chaise, à Forest Hills, et s'était cassé le bras ? Et que son père avait dit : « Maman va très bien, ne t'inquiète pas, elle a simplement fait une mauvaise chute. » Ça remontait si loin que Lily avait l'impression que ça datait de la Pologne. Mais elle n'avait guère plus de mère depuis cette époquelà. Et qu'avait fait sa mère depuis neuf ans ?

Encore une chose qu'elle ne savait pas !

Encore une preuve de son ignorance sans fond...

10

L'ingrate petite dernière

Il était cinq heures du matin, le soleil se levait à peine et Allison qui, elle, était debout depuis longtemps, ruminait des idées noires.

Lily n'appelait jamais, jamais. Même quand elle lui envoyait sa moitié de loyer avec une rallonge. Depuis la disparition d'Emmy, Lily devait assumer la totalité des mille cinq cents dollars de loyer. Et Allison l'aidait comme elle pouvait. Ce mois-ci, elle lui avait envoyé neuf cents dollars. Et Lily aurait-elle appelé pour la remercier ? Grands dieux, non ! Pas le moindre petit merci, comme si ces neuf cents dollars lui étaient dus !

Oui, Lily ne changerait jamais. Elle prenait toujours tout pour acquis, comme si elle s'attendait à être servie sur un plateau d'argent.

Et George qui ronflait comme un sonneur à côté ! Rien ne le perturbait. Il se moquait qu'elle soit malade, dépressive, malheureuse. Il n'avait pas besoin d'elle, lui non plus !

Elle regarda les factures empilées sur le bureau, les paquets d'Amanda et d'Anne qu'elle n'avait pas ouverts. À quoi bon lui envoyer tous ces maudits livres ? Elles feraient mieux d'appeler !

Personne ne lui téléphonait.

Ah, si ! Andrew ! Une fois par semaine. Il lui disait bonjour en vitesse et parlait ensuite une demi-heure avec son père, lui qui était toujours si pressé. Une demi-heure ! En fait, sous prétexte de parler de politique ou de hockey, ils mettaient un point d'honneur à l'ignorer. Et même Andrew appelait moins souvent, ces derniers temps.

Elle s'examina dans la glace de la salle de bains. Elle avait le visage bouffi. Ses dents jaunissaient (trop de cigarettes, trop de café), sa peau aussi. Elle alla chercher du jus de canneberge dans le réfrigérateur. Elle ne se sentait pas bien. Ça la remonterait. Elle se servit un fond de jus de fruits dans un verre à whisky et le contempla. Elle ne pouvait plus dormir, elle n'avait pas faim et plus rien au monde ne la tentait. Tout ce qu'elle voulait, c'était se sentir mieux.

Elle regagna sa chambre et ouvrit son placard rempli d'un tas de vêtements d'hiver devenus aussi inutiles qu'elle. Elle plongea la main sous la pile de pulls et chercha à tâtons, tout au fond. Elle en retira une bouteille de gin Gordon à moitié vide. Puis elle vérifia qu'il en restait encore une, pleine.

Elle porta la bouteille vers le comptoir où son jus de fruits l'attendait. Elle fixa le verre un moment, puis la bouteille. Ce verre était trop petit pour combler le vide qu'il y avait en elle. Demain elle se reprendrait. Demain elle ne se réveillerait pas à cinq heures, et peut-être irait-elle se promener avec George... Mais à quoi bon ? Vraiment ? Pourquoi se reprendrait-elle demain ? Qu'y aurait-il de plus qu'aujourd'hui ?

Elle dévissa le bouchon de la bouteille et porta le goulot à ses lèvres d'une main tremblante. Elle avait du mal à soulever un poids pareil. Elle but le gin d'une traite. C'était moins lourd. Tant mieux. Elle avait le cœur moins lourd aussi. C'était bon aussi. Si bon.

11

À quoi tiennent les prénoms

Pour échapper à la chaleur étouffante de son appartement, Lily dînait à l'*Odessa*, le dimanche, à huit heures du soir, lorsque Spencer arriva. Le restaurant était presque vide mais elle était assise au fond d'un box, à quelques tables de l'entrée, et il se dirigea vers la caisse sans la voir. Il portait un jean avec une veste. La seule vue de cette veste lui donna à nouveau chaud malgré la climatisation. Elle se tassa sur son siège tout en espionnant sa conversation avec la serveuse.

Il commanda un club sandwich à la dinde.

— À emporter ou à consommer sur place, inspecteur ? demanda Jeanette, la jeune employée.

— À emporter.

— Et si vous dîniez ici pour une fois ? Je serais ravie de m'occuper de vous, gloussa-t-elle.

Il répondit non merci, juste un club sandwich à la dinde sans mayonnaise, un grand café, un grand Coca et un expresso pendant qu'il attendait.

Jeanette, la poitrine palpitante et l'œil brillant, répondit qu'elle revenait tout de suite et disparut dans la cuisine. Spencer se retourna pour contempler la salle. Lily recula encore sur sa banquette.

Il l'aperçut.

Elle sourit en agitant légèrement la main et referma son carnet de croquis. Elle avait dessiné le comptoir vide du restaurant, avec elle derrière, à la place de Jeanette.

— Bonsoir, mademoiselle Quinn.

— Bonsoir.

— Jeanette, je prendrai mon café, ici, en attendant, lança-t-il à la serveuse qui lui apporta sa tasse en décochant un regard torve à Lily tandis qu'il s'asseyait sur la banquette en face.

Lily lui demanda s'il était de service.

— Non, j'évite de travailler le week-end.

Il aurait dû avoir meilleure mine s'il était de repos. Mais il semblait éreinté, comme s'il n'avait pas dormi depuis plusieurs jours. Il se dérida en voyant les plats devant Lily. Un hamburger, une salade grecque, une tranche de cheese-cake, de la gelée, et du pouding.

— Vous avez faim, aujourd'hui ! constata-t-il avec un sourire.

Elle lui avoua d'un air piteux qu'elle n'en était jamais sûre avant d'avoir la nourriture devant elle.

Jeanette posa un sac en papier kraft devant lui.

— Voilà, monsieur l'inspecteur. Voulez-vous payer maintenant ?

— Finalement, je vais manger là. Vous pourriez m'apporter de la moutarde, s'il vous plaît ?

Ils mangèrent tranquillement. C'était elle la plus bavarde. Elle lui demanda pourquoi il portait une veste par cette chaleur. Il écarta un pan qui cachait son holster.

Elle s'étonna de le voir avec une arme alors qu'il ne travaillait pas.

— Ce revolver est plus petit que mon Glock réglementaire, mais je suis tenu de porter une arme en permanence. En fait, on veut nous faire croire que nous sommes de repos, de crainte qu'on ne se sente exploités. Mais nous sommes toujours de service. Les caisses de New York seraient vides s'il fallait nous payer vingt-quatre heures sur vingt-quatre.

Comme il avait l'air de bien connaître Jeanette, Lily lui demanda s'il habitait dans les environs, s'il venait souvent manger ici.

— Non, j'habite sur Broadway, au niveau de la 11e Rue.

— Oh, juste à côté de Vaniero's, cette boulangerie sublime !

— Je ne sais pas. Je n'y suis jamais allé. Je ne suis pas très sucreries, ajouta-t-il en contemplant les desserts étalés devant elle.

Elle haussa les épaules et dit qu'elle adorait ça.

Ils finirent de dîner et payèrent chacun leur note, à la satisfaction évidente de Jeanette. Spencer ouvrit la porte à Lily et elle en éprouva, elle aussi, une certaine satisfaction.

— Vous écrivez votre prénom d'une drôle de façon, remarqua-t-il comme si c'était d'une importance capitale.

— Pourquoi ?

La nuit était tombée. Il faisait chaud, ils avaient bien mangé. Spencer ralentit le pas. Lily aussi. De la musique venait d'un bar un peu plus loin. Bruce Springsteen était *out in the street/walking the way he wanted to walk*[1].

Spencer fredonna quelques mesures de la chanson avant de répondre.

— Je ne sais pas, Lily-Anne. J'ai déjà vu des Lilian avec un *l* et des Lillian avec deux, mais jamais de Lilianne !

Elle ne savait pas s'il plaisantait ni comment réagir.

— Mon frère avait seize ans quand je suis née, et ma mère, qui avait déjà oublié qu'elle avait appelé ma sœur aînée Anne, voulait me nommer Anya, ou Anita ou quelque chose d'approchant. Mon père a protesté, ni Anya, ni Anastasia, ni Anika ! Alors ma mère a négocié Lilianne. Je me demande comment il a pu accepter.

Spencer sourit et la regarda d'un air différent, presque familier.

— Il n'a pas eu le choix, comme mon père ! Quand je suis né, ma mère a inscrit sur mon certificat de naissance Patrick O'Malley sans rien lui dire. Elle m'a appelé « bébé » pendant mes trois premiers mois et mon père ne s'est posé la question de mon prénom qu'à mon premier sourire.

— Mais qu'est-ce qu'il reprochait à Patrick ?

— Ils en avaient déjà un.

Ce fut au tour de Lily de le regarder différemment.

— Non ?

— Si.

---

1. « Marchait au hasard des rues. » *(N.d.T.)*

— Combien étiez-vous ?

— Onze.

Elle écarquilla les yeux.

— Onze enfants ! La pauvre ! Vous ne pouvez pas lui en vouloir.

— Qui a dit que je lui en voulais ?

— Et elle vous a appelé Spencer à cause de Spencer Tracy ?

— Exactement !

Il lui décocha un grand sourire.

Elle baissa les yeux.

— C'est un joli prénom irlandais, Spencer.

— C'est un joli nom irlandais, Quinn. Pourquoi votre ami Paul vous appelle-t-il Arlequin ?

— Il me charrie depuis le jour où il a vu un livre de cette collection dans ma chambre.

— Ah oui ? Mes sœurs en lisaient. Et, à les entendre, ma seule chance de me caser un jour, c'était de ressembler aux héros de ces livres. À quelle série appartenait le vôtre ? Tentation ou Intrigue ?

— Passion, répondit-elle en rougissant et elle pouffa en le voyant éclater de rire.

À son grand regret, ils arrivaient déjà devant chez elle. Elle aurait volontiers prolongé cette promenade.

— Et pourquoi votre mère aimait-elle tant ce prénom ? Qui était Anne ?

— Je l'ignore. Je crois qu'il lui plaisait, c'est tout.

— C'est le moins qu'on puisse dire ! répondit-il alors qu'elle gravissait les marches de son perron.

— Inspecteur O'Malley, j'ai le regret de vous informer que le goût marqué de ma mère pour ce prénom ne concerne pas votre enquête.

— N'en soyez pas si sûre. Et votre autre sœur ? Elle s'appelle juste Amanda ?

— Non, là aussi ma mère a usé d'un subterfuge. Am-ANNE-da.

Le sourire de Spencer s'élargit.

— Et votre frère ? Il a été épargné ?

— ANNE-drew.

— Ha ! fit-il avant de marquer une pause. Mais c'est Andrew Quinn, le député !

— En effet, c'est lui.

— Félicitations ! Il a été réélu, l'an dernier, n'est-ce pas ? Je crois d'ailleurs me souvenir qu'il est passé *in extremis*.

— En effet, et vous avez raison de me féliciter, j'ai fait campagne pour lui. Avec Emmy. Et c'était une victoire éclatante par rapport à sa première élection contre Abrams.

Elle ouvrit la porte d'entrée. Il se tenait toujours en bas de l'escalier.

— Très, très intéressant, Lily Passion Arlequin. Eh bien, bonne nuit. Mais tâchez de savoir pourquoi votre mère est si marquée par les Anne.

— Merci, monsieur l'inspecteur O'Malley. Je vous promets de m'en occuper dès que possible.

— Mademoiselle Quinn, vous pouvez m'appeler Spencer.

Elle monta les cinq étages, le sourire aux lèvres.

12

Une petite Honda de location

Lily avait une conversation décousue avec sa mère, comme en témoignaient les larges cercles qu'elle dessinait sur son carnet, ainsi que ses doigts et le dessus-de-lit tachés de fusain. Elle venait de sortir de son bain. Elle était trop fatiguée pour prendre des douches, ces derniers temps.

Et maintenant qu'elle se sentait détendue, prête à dormir, sa mère la retenait au téléphone. Elle était allongée sur son nouveau lit douillet et, derrière elle, l'air chaud gonflait ses rideaux bleus. Son père se joignit alors à leur conversation sur l'autre poste.

— Ta mère t'a dit qu'elle avait fichu la voiture dans le fossé ?

— Raccroche ! protesta Allison. Tu ne vois pas que je parle à notre fille ?

— Quel fossé ? demanda Lily, bêtement.

— Oh, le petit fossé à côté de la maison, répondit Allison.

— Ta mère veut parler du ravin, Lil. Elle a fichu la voiture dans le ravin ! En plus, elle l'a abandonnée ! Maintenant, elle doit aller au tribunal expliquer au juge pourquoi elle a abandonné une belle Mercedes sans prévenir le garagiste ni la police.

Lily ne savait que dire.

— Qu'est-ce qui t'est arrivé ?

— Oh, j'ai juste eu un moment d'absence !

— Ah bon ? ricana George. Raconte ça au panneau de stop que tu as fauché sur Wailea Drive, le mois dernier !

— Ça ne compte pas, c'était une voiture de location. Une Honda.

— Ta mère s'abrutit de médicaments, Lily, reprit George. Elle tremble tellement qu'elle a du mal à tenir le volant.

Lily, inquiète, rappela le lendemain matin, à une heure où elle était certaine que sa mère dormirait.

— Papa, tu ne peux plus laisser maman conduire. Elle finira par tuer quelqu'un.

— Je le sais, qu'est-ce que tu crois ? Je le sais ! Je lui ai proposé de l'emmener partout où elle voulait. Mais quand elle veut simplement aller faire une course au coin de la rue, je ne vois pas comment je pourrais l'en empêcher. Je ne suis pas policier. Je n'ai pas pris ma retraite pour jouer les gardes-chiourme. C'est une adulte. À elle de savoir si elle est en état de conduire ou pas.

— Elle en est incapable. Et il ne faut plus lui laisser prendre la voiture. Déjà quand elle est en forme, c'est un danger public.

— Je suis bien placé pour le savoir !

— Mais de quoi souffre-t-elle exactement, papa ?

— Ah ! Tu la connais ! Il faut toujours qu'elle

soit le centre d'attraction. Elle n'arrête pas de se plaindre qu'elle est déprimée, qu'elle souffre. C'est du cinéma ! Elle n'a rien !

— Tu es sûr ?

— Le seul truc qui m'inquiète, ce sont ses chutes. Elle n'arrête pas de tomber. Et elle a du mal à descendre les deux marches qui mènent au salon, et à monter celle qui mène à l'entrée pour prendre le courrier. Si tu la voyais ! Elle est couverte de bleus. Elle qui avait de si jolies jambes. On croirait que je lui tape dessus.

— Si elle ne peut pas descendre les marches du salon, elle peut encore moins conduire, soupira Lily, le cœur serré.

— Ce n'est pas à moi qu'il faut le dire, c'est à elle. Là, elle dort. C'est pour ça que tu appelles maintenant ? Enfin, tu sais, elle ne sort pas souvent. Juste une fois par semaine. Ça la prend tout d'un coup. Et souvent, on vient de passer une bonne semaine...

— Qu'est ce que tu entends par « bonne » ?

— Eh bien, une semaine sans cris, sans reproches, sans saute d'humeur. Mais après ces sorties soudaines, tout va mal pendant plusieurs jours d'affilée. Je suis persuadé que ça vient de ses maudits médicaments.

— Papa ? Lily prit une profonde inspiration. Tu ne crois pas qu'elle... qu'elle...

— Qu'elle quoi ?

Lily n'osa pas finir sa phrase.

— Qu'elle boit ? C'est à ça que tu penses ?

— Oui ! lâcha-t-elle dans un soupir, soulagée qu'il l'ait dit à sa place.

— Non. Non. Ce n'est pas possible.

Lily attendit. George aussi.

— Papa, et si c'était quand elle manque d'alcool qu'elle sortait comme ça ?

— Non. Elle revient avec des sacs remplis de shampooings, de lotions, de médicaments. C'est moi qui les rentre. Il n'y a pas de bouteilles dedans.

— Si tu le dis.

Sur le chemin du travail, Lily se surprit à espérer que Spencer avait plus de flair que son père, sinon on ne retrouverait jamais Emmy.

13

Lily et la cité des rêves

Un vendredi soir, tard, Lily parcourait les rues d'East Village à la recherche des affiches qu'ils avaient collées pour Emmy, lorsqu'en arrivant sur Broadway, au niveau de Dagostino's, elle tomba sur Spencer en compagnie d'une jeune femme d'une trentaine d'années. Grande, jolie, de longs cheveux bruns.

Lily, toute contente de croiser une connaissance, ouvrait la bouche pour les saluer gaiement quand elle vit qu'ils se tenaient par le bras.

— Bonjour, Lily, dit Spencer, visiblement contrarié de la rencontrer.

Elle se sentait tellement ridicule, avec son sourire plaqué sur ses lèvres, qu'elle aurait voulu disparaître sous terre.

— Mary, je te présente Lilianne.

C'est tout ce qu'il dit. Mary serra la main de Lily, et lui sourit poliment, bien élevée, bien soignée, comme un chien savant.

— Enchantée de faire votre connaissance, dit Lily en s'écartant. Eh bien, il faut que j'y aille, excusez-moi, lança-t-elle avant de s'engouffrer chez Dagostino's.

Après avoir passé un temps ridicule tapie derrière le rayon des surgelés, elle quitta le magasin et rentra chez elle, si absorbée par ses pensées qu'elle faillit se perdre.

Elle mourait de honte. Elle n'avait plus les idées claires. Elle était tombée sur Spencer, un vendredi soir, seule ! Quelle nulle il fallait être pour traîner dans les rues de New York, seule, à minuit !

Et pourquoi avait-elle éprouvé une telle joie à la vue de Spencer, et une telle déception en s'apercevant qu'il était accompagné ? Et pourquoi ce petit pincement au cœur chaque fois qu'elle y repensait ?

Oh, non ! Il ne fallait pas imaginer que... non, pas du tout ! Surtout qu'il était trop vieux pour elle. En plus, ce n'était pas son type. Et, à l'évidence, elle n'était pas son type non plus. Non, ce qui l'avait blessée, c'était la vue d'un couple bras dessus, bras dessous. Elle se rendait compte tout à coup que, le vendredi soir, Greenwich Village était envahi d'amoureux qui flânaient dans la douceur de l'été, heureux de vivre. Même Spencer, malgré le peu de loisirs que lui laissait son travail, trouvait le temps de se promener, une femme à son bras. C'était ça qui la faisait souffrir : la tristesse, la jalousie de découvrir que celui qu'elle pensait aussi solitaire qu'elle avait quelqu'un dans sa vie.

Rachel, toujours prête à jouer les entremetteuses, lui organisa trois rendez-vous. Le premier garçon parlait à peine anglais ; il était venu du

Maroc comme étudiant, dans le secret espoir de devenir joueur de basket professionnel, alors qu'il mesurait à peine un mètre quatre-vingts ! Le second était chef comptable chez Deloit. Trente et un ans, petit, trapu, il portait des vêtements trop branchés pour lui, conduisait une voiture tape-à-l'œil et traînait dans les bars à la recherche de filles plus jeunes que lui. Il passa le dîner à lui conseiller d'abandonner ses études artistiques pour des cours de management : ainsi pourrait-elle entrer comme cadre moyen dans une maison de courtage, seule garante d'avenir et de sécurité.

Le dernier était un jeune métis de Coney Island, adorable mais visiblement drogué du début à la fin de leur rendez-vous. Et c'était sans doute pour se piquer (à la coke ou à l'héroïne) qu'il s'était brusquement rendu dans les toilettes alors qu'ils dînaient, perchés sur des tabourets, dans un petit self mexicain de Clinton Hill. Il était complètement incohérent et incapable de suivre le peu qu'elle disait. Mais Dieu qu'il était mignon !

Elle demanda à Rachel de ne plus lui organiser de rencontres. Rachel rétorqua qu'elle était trop difficile.

— Tu t'entoures d'un champ magnétique pour repousser les autres.

— Merci, docteur.

— Tu ne peux pas laisser Joshua exercer un tel pouvoir sur toi, Lily.

— Mais il n'a aucun pouvoir sur moi !

Paul, qui eut des échos de leur conversation, appela Lily le lendemain.

— Joshua te tient toujours sous sa coupe. Il faut que tu sortes avec d'autres garçons, que tu t'amuses.

Sortir, elle pouvait le faire. Mais s'amuser ? Elle avait l'impression que quelque chose lui manquait, mais elle ne savait pas quoi.

Comme par hasard, Joshua passa en coup de vent le lendemain. Après beaucoup de « heu » et de « hum » et quelques questions de pure forme, il annonça qu'il venait récupérer sa télévision. Soi-disant que Dennis était fauché ! Comme il avait les bras chargés, il demanda à Lily de lui ouvrir la porte. Elle refusa.

Paul cessa de l'appeler Arlequin. Elle le regretta. Il lui téléphona moins souvent. Elle en souffrit également. Il prétendit être débordé, Rachel aussi. Peinée par leur froideur, Lily ne pouvait s'empêcher de se sentir jugée, comme si c'était elle qui avait égaré Emmy on ne sait où.

Spencer lui apprit que la photo de classe n'avait rien donné. Paul n'avait reconnu aucun copain d'Emmy et les trois têtes qui lui avaient paru familières, après vérification, appartenaient à des gens encore en vie qui menaient des existences normales à Long Island. Et inutile de compter sur la mère d'Emmy : le seul ami de sa fille dont elle se souvenait, c'était Paul !

Chris Harkman, après des heures passées à inspecter le relevé téléphonique de Lily, ne trouva aucun indice. Quatre-vingt-dix pour cent des appels concernaient la famille de Lily. En avril, un numéro dans le nord de l'État apparaissait plusieurs fois. Celui de cette garce de Shona dont le seul nom donnait des boutons à Lily ! Ainsi que les numéros de Paul et Rachel. Et aussi celui du *Copa Cabana* où travaillait Emmy. C'était tout. Spencer dit à Lily qu'Emmy se méfiait trop du téléphone et cela lui semblait aussi suspect que le fait de sortir sans papiers d'identité. Ou de ne jamais parler de ses deux années sabbatiques. Elle était trop prudente.

— Il y a quelque chose qui m'échappe, soupira-t-il. Je le sens.

Certes, Emmy n'avait pas voulu laisser de piste derrière elle. Mais avait-elle l'intention de disparaître ? Une chose était certaine : entre le 14 mai et le 4 juin, date du retour de Lily, aucun appel n'avait été passé de leur appartement. Où que fût partie Emmy, elle n'était plus revenue chez elle depuis le 14 mai.

Du jour où Spencer avait croisé Lily une femme à son bras, il reprit ses distances avec elle, comme s'il se tenait sur ses gardes. Ils se voyaient au commissariat ou au *Noho Star*, parlaient quelques minutes de la photo de classe ou du relevé téléphonique et ça s'arrêtait là. Il ne passait plus la voir à l'improviste. Et Lily n'entendit plus parler d'Emmy qu'une ou deux fois par semaine. Spencer lui manquait. Ainsi que l'apaisement, le réconfort, la sincérité qu'elle avait trouvés auprès de lui.

New York, la cité des rêves, la cité des cauchemars. New York avec ses pauvres, ses riches, ses sans-abri, ses milliardaires, ses huit millions d'habitants qui se plaignaient que la ville était trop bruyante, trop chère, trop sale, trop métissée. Ils s'y installaient célibataires et la quittaient dès qu'ils avaient des enfants.

Mais Lily vivait seule, sans enfants et n'avait nulle part où aller. Elle habitait près du Lower East Side où sa mère et sa grand-mère s'étaient installées à leur arrivée en Amérique. Chaque fois qu'elle voulait se changer les idées, il lui suffisait de changer de quartier. Mais elle n'arrivait plus à marcher suffisamment loin pour fuir l'angoisse tenace laissée par l'absence d'Emmy.

— C'est parce que tu broies du noir et que tu es fauchée, décréta sa sœur Anne. La déprime, ça te ronge de l'intérieur. C'est mortel d'être fauchée. Mais faut que j'te laisse, Lil.

— Ce n'est pas en marchant que tu vas te remettre de la disparition de ta colocataire, décréta son autre sœur, Amanda. Va danser. Ça te remontera le moral. Va de l'avant, comme tu l'as toujours fait. Tout s'arrangera. Tu es jeune. Mais faut que j'te laisse, Lil.

Hélas Lily n'avait plus la force d'aller danser.

Combien de temps allait-elle continuer à dépenser tout son salaire en taxis et dans les délicieux calamars de l'*Union Square Café* ? Tant qu'Emmy ne reviendrait pas.

Combien de temps attendrait-elle pour encaisser son ticket de loto ?

Jusqu'à ce qu'elle sache où elle en était.

Comme si le fait de ne pas toucher le gros lot était une assurance contre l'inconcevable !

Sa fatigue empirait. À tel point qu'elle dut réduire ses heures au *Noho Star* de cinquante à quarante, puis trente-cinq, et enfin vingt-cinq. À chaque pause, elle s'endormait, assise. Un jour, personne ne put la réveiller. Ils eurent si peur qu'ils appelèrent les pompiers. On découvrit qu'elle avait une pneumonie virulente. Elle prit des antibiotiques et mangea du foie de veau tous les jours, jusqu'à en perdre l'appétit. Elle n'osait plus monter sur sa balance. Les sucreries ne la tentaient plus. Les dernières qu'elle s'était achetées traînaient sur la table de la cuisine.

Malgré la chaleur, elle avait froid. Et quand elle allait au cinéma, pelotonnée dans un gros cardigan d'Emmy, elle s'endormait.

Sa mère lui avait envoyé de l'argent pour le mois d'août, non sans prévenir que ce serait sans doute la dernière fois. Quand Lily réduisit ses heures, elle lui demanda un supplément. Allison refusa. Lily l'écouta vociférer dix minutes au téléphone tout en dessinant sur son carnet une grande bouche noire hurlant un O.

— Ton père te raconte d'odieux mensonges à mon sujet. Je sais qu'il t'appelle pendant que je dors. Je suis rongée par la maladie, la vieillesse et tous les médicaments qu'on me donne. Et lui prétend que je bois. Mais est-ce qu'il te parle de lui, de son refus de me toucher, de se conduire en mari...

— Faut que j'y aille, maman. Faut que j'y aille !

133

Elle se brûla le bras au restaurant. La plaie s'infecta : elle dut retourner aux urgences et prendre de nouveaux antibiotiques. Cependant, malgré les médicaments, sa plaie ne guérissait pas. Elle se résigna à porter un bandage en permanence, plus pour la cacher que pour la protéger.

14

Cette chère vieille grand-mère...

Le mardi 5 août, Claudia fit asseoir sa petite-fille et lui dit :

— Je ne tournerai pas autour du pot, Lily. Toute la famille s'inquiète à ton sujet.

Lily pressa ses mains l'une contre l'autre, s'aperçut qu'elles étaient engourdies et les relâcha.

— Ne te fais pas de souci, grand-mère. Je suis un peu fatiguée, c'est tout.

— Tu n'es quand même pas fatiguée au point de ne pas pouvoir trouver un vrai travail, dis-moi ?

— Oh, ça...

— Oui, ça. Tes parents voudraient savoir si tu cherches vraiment.

— Eh bien, réponds-leur de ma part que c'est non.

— Arrête de te tordre les mains. Tu n'es pas sans rien. Tu es diplômée.

— Pas tout à fait.

— Ça, tu l'as bien cherché. Tu ne savais pas qu'il te manquait juste une UV ? Juste trois heures de cours par semaine et tu l'avais.

— Je l'ignorais.

— Quelle pitié !

— Grand-mère, j'avais déjà dix-huit heures de cours, le semestre dernier. Et c'est le maximum autorisé.

— Tu aurais pu demander une dispense.

— Au cas où tu l'ignorerais, je dois travailler pour payer mon loyer.

— Ta mère t'en paie la moitié. Et ton petit ami et Emmy règlent le reste.

— Tu oublies que Joshua est parti depuis avril. Et tu ne le croiras pas, mais Emmy ne paie plus son loyer depuis qu'elle a disparu.

— Moi, je pense que tu as fait exprès de ne pas passer cette UV, plus ou moins consciemment, pour ne pas aller de l'avant.

— Je ne veux plus parler de ça. Tiens, voilà tes revues.

Elle se leva du canapé en titubant.

— Le temps passe, tu sais. Tu crois avoir toute la vie devant toi. Mais tu auras vingt-cinq ans le mois prochain. Et tu perdras un jour ta jeunesse. Demande à ta mère ce que ça fait.

— Je le sais déjà. Elle me l'a assez répété. Et tu sais quoi ? Elle a bien d'autres soucis que celui-là.

— Lesquels ?

— Laisse tomber.

— Tu sais ce que j'avais déjà vécu à ton âge ?

— Oui, je sais, grand-mère. Tu me l'as déjà raconté...

— J'avais déjà été dans un camp de concentration, Ravensbrück, et dans un camp de la mort, Sobibor. J'ai marché deux cents kilomètres en portant ta mère sur mon dos. J'ai passé trois mois dans un camp de réfugiés, à côté d'Hambourg, où nous dormions par terre.

— ... mille fois, finit Lily.

— Qu'est-ce que tu attends ? Tu veux finir comme cette jeune femme de l'Iowa ?

Elle marqua une pause comme si Lily pouvait deviner la suite.

— De qui parles-tu ? finit par demander Lily, vaincue.

— De cette jeune femme qui a été tuée par la chute d'un bloc de béton en passant sous un pont, en voiture. Alors que faut-il en déduire ?

— Qu'elle n'aurait pas dû monter dans cette voiture ?

— Exactement.

Lily aurait voulu lui dire de se taire, lui rappeler qu'Emmy avait disparu, que Joshua avait disparu aussi. Et qu'elle-même, Lily, n'était plus vraiment là. À quoi bon ? Elle s'en alla.

Le vendredi soir, 6 août, Paul lui demanda de l'accompagner au *Fez*, sur Lafayette Avenue. Elle était tellement contente de cette invitation qu'elle s'y rendit, alors qu'elle tenait à peine debout. Le bruit, la fumée de cigarette finirent de l'anéantir. À son retour, elle trouva son répondeur saturé. Rachel lui proposait d'aller au cinéma, le lendemain. Amanda l'invitait à dîner, dimanche. Anne avait appelé pour prendre de ses nouvelles. Sa mère avait laissé un message incompréhensible, « Ton père finira par me tuer », c'est tout ce qu'elle put déchiffrer. Le jeune métis drogué l'invitait à prendre un verre à Bedford Stuyvesant. « Moi, Manhattan, j'accroche pas, poupée. Mais à Bed-Stuy, je m'éclate. Alors viens, tu seras pas déçue... comme l'autre jour. » Elle sourit.

Mais elle n'avait pas envie d'aller s'éclater à Bed-Stuy, pas avec les bleus qui étaient apparus sur ses jambes, ses bras, ses épaules, puis le reste de son corps. Elle les avait ignorés au début, pensant qu'elle avait dû se cogner. Mais il en surgissait toujours de nouveaux, même pendant son sommeil. Se cognait-elle dans les meubles sans s'en rendre compte ? Était-elle somnambule ? Oui, elle avait l'impression de dormir debout.

15

Spencer a ses douze tickets

Le jeudi 12 août, Spencer l'invita à dîner à l'*Odessa*. Ils s'y rendirent à pied, en silence. Lentement. Elle avait les jambes si lourdes, si raides, qu'elle avait du mal à le suivre. Malgré la chaleur étouffante, elle portait un jean et un t-shirt à manches longues pour cacher ses bleus. Finis les petits shorts.

Il marchait à côté d'elle et elle crut à un moment qu'il allait lui proposer son bras mais il n'en fit rien. L'aurait-elle pris ? Oui. Ne serait-ce que pour jouer les Mary quelques minutes.

À peine eurent-ils commandé leur chou farci, qu'il se tourna vers elle et lui déclara :

— J'en ai douze.

— Douze quoi ?

Il sortit une liasse de tickets de loto de son portefeuille.

— Douze tickets. Souvenez-vous, je vous ai dit que j'attendais d'en avoir douze pour voir les résultats d'un coup.

— Ah oui... et vous avez gagné ?

— Non, mais regardez...

Il sortit son carnet, le feuilleta et l'ouvrit à une page sur laquelle il avait écrit les nombres 1, 18, 24, 39, 45, 49.

— Figurez-vous qu'en cherchant mes résultats, je suis tombé sur ceux du 18 avril. Et, tout d'un coup, j'ai eu la certitude de les avoir déjà vus quelque part. Mais où ? Impossible de me souvenir. Jusqu'à ce que je les retrouve sur mon calepin où je les avais notés quand j'ai fouillé votre appartement...

Lily resta quelques secondes sans rien dire. Ni oser le regarder.

— Bon. Et alors ?

— Et alors ? Lily...

Il posa son carnet sur la table et la dévisagea.

— J'aimerais comprendre. Vous avez gagné au loto et vous n'êtes pas allée chercher votre gain ! Il y a de quoi s'étonner, non ? Surtout pour un flic qui gagne soixante-dix mille dollars par an, sachant en plus que vous devez en gagner à tout casser trente mille comme serveuse.

On leur apporta la soupe. Puis le chou farci, le coca et le café. Ils ne bougèrent pas, elle, les mains crispées sous la table, lui, les mains jointes devant lui.

— Que voulez-vous que je vous dise ?

— Écoutez. J'admets que vous soyez déprimée par la disparition de votre amie et le fait qu'on n'ait pas trouvé la moindre piste. Et pourtant ce n'est pas faute de chercher...

— Monsieur l'inspecteur, le coupa-t-elle d'une voix brisée. Comment voulez-vous que j'aie le goût de vivre alors qu'il a dû lui arriver malheur ?

— Je l'ignore, répondit-il, sans la regarder. Je ne sais pas comment j'ai pu continuer à vivre

140

après la disparition de ma femme dans un accident de voiture. J'avais vingt-trois ans et je n'ai pas gagné le gros lot, ça, c'est sûr.

— Je suis désolée pour votre femme.

— Le temps a passé. J'ai survécu. Mais ça ne me dit pas pourquoi vous restez des heures à contempler votre tableau et ces six nombres.

— Moi non plus.

— Vous devriez peindre ! Ça vous ferait du bien. C'est de vous, la peinture à l'huile que j'ai vue dans votre entrée ? Celle de la fille de Times Square ? C'est excellent. Vous devriez en faire d'autres.

— Je n'en ai pas envie.

— Alors amusez-vous avec vos amis, allez danser, allez au cinéma. Sortez. Oubliez le type qui a embarqué votre lit, il ne vaut pas le coup. Rencontrez d'autres garçons.

Elle haussa les épaules.

— Si je suis seule, il doit y avoir une raison. D'ailleurs ça ne me gêne pas plus que ça. Sauf quand il faut descendre les poubelles. Mais il y aura bien un pauvre homme qui finira par me récupérer, ne vous inquiétez pas...

Il posa la main sur son bras.

— Lily, je vous en prie.

— Je reconnais que je traverse une mauvaise passe, en ce moment. Mais vous, monsieur l'inspecteur, où en êtes-vous ?

— Quoi ? La question n'est pas là. Je n'ai pas vingt-quatre ans. Et je n'ai pas gagné dix-huit millions de dollars. C'est à cause d'Emmy que vous n'êtes pas allée encaisser vos gains ?

141

— Non, répondit-elle, toujours sans le regarder en face.

— Pourquoi, alors ?

Elle n'osa pas lui dire que ça lui posait des problèmes métaphysiques, qu'elle craignait de faire basculer son destin en se laissant tenter par ce miracle qu'elle n'avait pas réclamé. Qu'elle avait peur de devoir le payer d'une manière ou d'une autre.

— Que voulez-vous que je vous dise, éluda-t-elle avec un petit haussement d'épaules. Je ne l'ai pas fait, c'est tout.

— Pourquoi ?

Elle resta silencieuse.

— Répondez-moi. Je vous en prie !

Il avait un peu haussé le ton.

Lily caressa sa tasse. Son café était froid maintenant. Elle fit signe à la serveuse de lui en servir un autre. Spencer attendait toujours.

— Pourquoi cette insistance ?

— Je voudrais comprendre.

— Monsieur l'inspecteur, je suis désolée de vous décevoir, mais je ne crois pas que ce billet de loto soit lié à la disparition d'Emmy.

— Vous ne m'avez pas compris. Je voudrais que vous cessiez de travailler et de vous tourmenter ! Encaissez votre argent, allez vivre dans une autre ville, donnez-le aux démunis, mettez-le dans la campagne de votre frère, peu importe...

Il s'arrêta, le regard soudain fixe.

— Qu'y a-t-il ?

Il cligna les yeux, se secoua.

142

— Rien. Je dois retourner au commissariat le plus vite possible.

Il se leva et jeta deux billets de vingt dollars sur la table.

— Je croyais que nous étions amis, lança-t-il froidement, que nous pouvions parler à cœur ouvert...

Il sortit en l'abandonnant, seule, dans le restaurant.

Le lendemain matin, vendredi 13 août, Lily dormait encore lorsque le téléphone sonna. Elle ne décrocha pas. C'était l'inspecteur Harkman. Il rappela cinq minutes après. Elle laissa encore sonner.

Une demi-heure plus tard, on sonna à l'interphone. C'était encore lui.

— Mademoiselle Quinn, pourrais-je vous parler cinq minutes ?

Elle lui demanda de l'attendre en bas, le temps qu'elle se douche et s'habille en vitesse. Une vitesse relative, vu son état.

Il l'attendait avec Spencer. Spencer l'ignora. Harkman lui annonça qu'ils voulaient lui poser quelques questions au commissariat. Ils la firent monter à l'arrière de leur voiture de police, comme une criminelle.

De retour dans la salle d'interrogatoire n° 1, elle s'assit mais en face d'Harkman, cette fois-ci. Spencer resta debout derrière elle, les bras croisés. Elle se demandait ce qui se passait. Spencer était silencieux et glacial.

— Mademoiselle Quinn, commença brusquement Harkman, plantant ses petits yeux chafouins dans les siens. L'inspecteur O'Malley et moi-même aurions aimé vous poser quelques petites questions.

Spencer ne disait toujours rien. Lily se demanda pourquoi il laissait Harkman la questionner, comme s'il voulait délibérément manifester qu'il n'existait aucun lien personnel entre eux. Ou comme s'il voulait lui dire : Vous m'avez traité comme quantité négligeable, je fais de même avec vous. Harkman lui posa une question mais elle était tellement plongée dans ses réflexions qu'elle ne l'entendit pas.

— Mademoiselle Quinn !

— Pardon, que disiez-vous ?

— Vous nous avez bien dit que vous avez travaillé pour la campagne de réélection de votre frère, l'an dernier ?

Elle fronça les sourcils.

— Oui.

— Vous avez bien dit à l'inspecteur O'Malley que vous y avez travaillé avec votre colocataire Emmy ?

— Oui. Au bureau de Port Jeff. Cela nous a d'ailleurs valu des points pour notre UV de science politique. Pourquoi ?

Harkman et Spencer échangèrent un regard.

— D'après mes notes, reprit Harkman en feuilletant ses papiers, parmi les numéros figurant sur votre relevé, il y avait celui du bureau de votre frère au Congrès, à Washington.

— C'est normal. Je l'appelle souvent là-bas.

— Oui, oui. Savez-vous que j'ai dû relancer votre frère à trois ou quatre reprises avant qu'il n'accepte de me parler ?

— Il est toujours débordé. Ça fait des mois que je ne l'ai pas eu au bout du fil.

— Notre conversation a été très brève. Je lui ai juste demandé s'il recevait des appels fréquents de votre appartement, et il m'a répondu que vous l'appeliez juste une ou deux fois par mois, comme le confirment vos relevés et les siens. Des appels plus ou moins réguliers qui durent entre vingt et trente minutes.

— Oui.

— Nous avons ainsi devisé brièvement et avant de raccrocher, je lui ai demandé s'il connaissait Emmy McFadden. Et savez-vous ce qu'il m'a répondu ?

Pourquoi le cœur de Lily se mettait-il à battre si vite ? Que pouvait-il avoir répondu ?

— Il m'a affirmé, mademoiselle Quinn, que ce nom ne lui disait rien.

— Pardon ? murmura Lily d'une toute petite voix.

— Il a affirmé, mademoiselle Quinn, que ce nom ne lui disait rien, répéta-t-il.

Ils restèrent à se dévisager sans rien dire. Harkman haletait. Elle avait cessé de respirer.

— Je ne comprends pas ce que vous voulez dire, articula-t-elle enfin. Ni où vous voulez en venir.

— Je lui ai demandé s'il savait que c'était votre colocataire, et il a répondu que ça lui rappelait vaguement quelque chose. Mais qu'il était incapable de se souvenir d'elle. Il l'a affirmé deux fois. Bref, cette conversation m'était sortie de la tête jusqu'à ce que l'inspecteur O'Malley m'apprenne hier que vous l'aviez aidé, Emmy et vous, lors de sa campagne électorale.

Lily resta pétrifiée.

Spencer vint alors s'asseoir sur le bord de la table, devant elle, et prit la parole, d'une voix distante comme s'il ne la connaissait pas.

— Mademoiselle Quinn, nous trouvons fort étrange que votre frère ait oublié le nom de votre amie alors que vous l'avez aidé toutes les deux lors de sa campagne de réélection. L'un de vous ne dit pas la vérité. Ou Emmy ne l'a pas aidé, ou il ment quand il prétend ne pas la connaître.

— Je vous en prie, monsieur l'inspecteur, je ne vois pas ce que vous attendez de moi, murmura Lily, penchée sur la table, la respiration oppressée.

— Mademoiselle Quinn, est-ce possible qu'Andrew Quinn ne se souvienne pas d'Emmy ?

— Oui, sans doute, murmura-t-elle dans un souffle, la main sur la poitrine pour calmer son cœur. C'est possible.

Plus personne ne parla. Spencer l'observait. Harkman l'observait et Lily fixait la table. Elle se sentait vidée, les nerfs à vif, chargée comme une pile électrique.

— Mademoiselle Quinn...

Elle se leva d'un bond.

— Je vous en prie. Si nous avons terminé, je dois m'en aller. Je ne me sens pas bien.

Elle s'enfuit en courant. Spencer la suivit. Il l'arrêta une fois dans la rue en se plantant devant elle.

— Lily ? Vous me fuyez ?

— Laissez-moi passer. Nous avons terminé, non ? Laissez-moi passer.

Il la retint par les deux bras. Elle tremblait de tous ses membres.

— Je vous en prie, murmura-t-elle. Laissez-moi tranquille.

— Lily, reprit-il d'une voix douce, sans la lâcher, presque comme s'il voulait la serrer contre lui. Je suis désolé, vraiment. Nous essayons juste de retrouver Emmy.

— Oh, mettre des contredanses sur l'auto-route, ça vous a donné une sacrée expérience pour retrouver les personnes disparues, à ce que je vois ! cracha-t-elle en essayant de se dégager, alors que le chagrin lui volait ses dernières forces. Non ! Quoi que vous pensiez, je suis sûre qu'il y a une explication toute simple.

— Je ne pense rien, dit-il en la lâchant et elle dut s'appuyer contre le mur sale. C'est vous qui pensez pour les autres. Parce que vous êtes la seule à savoir s'il a dit la vérité. Et à voir votre réaction, ajouta-t-il, les yeux baissés vers le trottoir, j'ai comme l'impression qu'il a menti.

Détournant la tête vers une vitrine qui refléta son regard affolé, Lily enfouit son visage entre ses mains, pour retenir ses larmes.

Quand Spencer regagna son bureau, il se laissa lourdement tomber sur sa chaise, pris

147

d'une envie subite de s'en aller, de tout plaquer. En face de lui, Harkman offrait un contraste saisissant. Il jubilait !

— Enfin, une piste !

— Oui, une piste.

Au bout de quelques minutes, Spencer se tourna vers Harkman sur son fauteuil pivotant.

— Je crois que Sanchez et Smith peuvent reprendre l'affaire maintenant. Je vais la leur confier. Je ne peux pas m'en occuper, Chris. Je passe la main.

— De quoi tu parles ? De l'affaire McFadden ?

Spencer hocha la tête.

— Mais qu'est-ce que tu racontes ? Nous avons enfin un suspect. Et un député, en plus !

— Je sais. Justement. Je ne peux pas m'en occuper.

— O'Malley, qu'est-ce qui te prend ?

Spencer avait gardé un souvenir cuisant de Greenwich, dans le Connecticut, et du panier de crabes dans lequel il était tombé lors d'une enquête sur la disparition d'une autre fille. Les liens du sang, frère et sœur, il avait déjà donné. Une sale affaire. Il avait été à la fois révolté et fasciné par la duplicité des proches de la fille. À tel point qu'il avait préféré se mettre au vert plusieurs années avant de reprendre son poste d'inspecteur. Il y avait des expériences qu'on préférait ne pas revivre.

— O'Malley, tu es débordé, c'est tout. Tu n'as qu'à me laisser les affaires moins importantes et te concentrer sur celle-ci.

— Je ne suis pas débordé. Arrête ta psychologie de bazar. C'est exactement le genre de cas que je préfère éviter. Et avec les affaires qui nous restent, nous avons largement de quoi nous occuper tous les deux. Sanchez et Smith sont tout à fait capables de prendre notre relève.

— Mais je ne veux pas leur laisser ça ! C'est une grosse affaire ! Un député, O'Malley ! Ça pourrait bien nous valoir une nouvelle promotion. Je dois penser à ma famille. J'ai déjà subi trois opérations cardiaques. Putain, qu'est-ce qui t'arrive ?

— Chris, je suis désolé. Je ne veux plus m'en occuper. Que veux-tu que je te dise ?

— Mais c'est toi qui m'as mis sur la piste ! C'est toi qui t'es souvenu de ce qu'Andrew Quinn avait dit. Bon sang ! Pourquoi tu me fais ça ?

— Je ne veux pas m'engluer dans ce pétrin. C'est trop lourd pour moi. Je préfère mettre Sanchez et Smith sur l'affaire.

— Je ne te laisserai jamais faire ça, O'Malley ! rugit Harkman en se précipitant vers lui tandis que Spencer reculait, plus par dégoût que par frayeur. Salaud d'égoïste ! Tu crois que tu es le seul à savoir des choses ? Moi aussi, j'en sais. En particulier sur toi. Le genre de choses qui intéresseraient beaucoup les Affaires internes. Et t'as pas intérêt à me doubler sur ce coup-là, parce que j'en ai besoin. Une petite promo en fin de carrière ne me ferait pas de mal. Alors arrête de ne penser qu'à toi.

Spencer contempla calmement ses petits yeux

furieux et son visage bouffi, déformé par la haine.

— Tu ferais mieux de te calmer ! dit-il en reculant sa chaise et en se levant. Je ne vois vraiment pas de quoi tu veux parler.

Harkman recula d'un pas.

— Je te préviens, O'Malley. Si tu me baises, je te baiserai aussi, et en beauté. Tu veux du repos ? Je te promets des vacances éternelles.

Sur ces mots, il quitta le bureau à grands pas, telle une femme outragée.

Spencer se laissa retomber sur son siège. Était-il réellement égoïste ? Peut-être. Il n'avait pas réfléchi en quoi confier cette affaire à Sanchez pouvait affecter Harkman. Il avait juste considéré son point de vue à lui. Il ne pouvait pas dire à Harkman que ce qu'il voulait, c'était ne pas s'impliquer personnellement dans cette enquête, ne pas blesser Lily. Si elle devait être brisée, il ne voulait pas que ce fût par lui. Oui, il fallait qu'il se désiste de cette affaire. Et pour elle, et pour lui. Sinon la disparition d'Emmy risquait de l'entraîner en eau trouble, il le sentait.

Il éprouvait une répulsion croissante envers son collègue. En outre, il détestait les menaces. Et Harkman bluffait, bien sûr. Spencer avait effectivement des choses à cacher, mais ce n'était pas cet étranger qui pouvait les connaître.

Il prit sa veste et partit.

16

Fausses vérités

Lily le laissa entrer mais avec une telle réticence qu'elle n'ouvrit pas la porte en grand.

— Je ne sais pas ce que vous attendez de moi, dit-elle d'un ton glacial, non sans remarquer son visage tendu et sa bouche crispée.

— Je souhaite que vous m'accompagniez chez votre frère. Je voudrais lui parler.

— Je ne bougerai pas d'ici.

Spencer prit une profonde inspiration.

— Vous voulez l'aider ou pas ?

Il se dirigea vers la chambre d'Emmy. Elle le suivit. Il regarda autour de lui et se retourna vers elle.

— Lily, je crois que vous faites exprès de ne pas comprendre. Soit nous allons le voir, vous et moi, soit je devrai faire une descente chez lui, avec mon collègue.

— Inspecteur O'Malley, c'est vous qui ne comprenez pas ! Mon frère, Andrew Quinn, est député, reprit-elle en baissant la voix. Il est marié. Il a deux fillettes. Il commence sa campagne sénatoriale. Il ne s'agit pas d'une petite conversation anodine, comme vous le prétendez. Elle touche à sa carrière et à sa famille. Vous êtes inspecteur, vous devriez être assez intelligent pour vous rendre compte de l'impact qu'elle peut avoir.

— Je suis désolé, j'ai bien peur d'être très limité.

Il examina les murs, le placard. Il ouvrit les tiroirs de la commode. Il s'agenouilla pour regarder sous le lit.

— Elle ne tenait pas de journal ?

— Si. Je croyais que vous l'aviez lu.

— Oh, c'était plutôt un agenda. Il ne contenait rien de personnel. Moi, je veux parler d'un vrai journal, où elle raconte ses espoirs ou ses amours déçues, comme en tiennent toutes les filles.

— Pas moi.

— Et votre petit carnet de croquis que vous emmenez partout avec vous ? Celui avec vos numéros de loto. Qu'est-ce que c'est, à votre avis ?

— Je ne vois pas de quoi vous parlez.

— Elle devait bien en avoir un, marmonna-t-il. Où a-t-elle pu le cacher ?

— Quoi qu'il en soit, sachez que je n'ai aucune envie d'aller chez mon frère.

Il se redressa.

— Croyez-moi, moi non plus. J'ai voulu me décharger de cette affaire mais... c'est impossible. Je ferais mieux de changer de travail. J'y serai peut-être même forcé, après ça. Mais pour le moment, je n'ai pas le choix. Peut-être y a-t-il une explication toute simple, comme vous le disiez. Et Emmy réapparaîtra comme si de rien n'était.

Dans la voiture, il lui demanda de nouveau pourquoi elle n'avait toujours pas encaissé son ticket de loto.

Et quand elle lui expliqua que c'était par peur de le payer d'une façon ou d'une autre, par superstition, somme toute, il n'en revint pas.

— Vous êtes irlandais. Et catholique comme moi. Vous devez me comprendre, non ?

— Soit, je suis irlandais et catholique mais pas fou pour autant. Qu'est-ce que vous croyez ! Ce n'est pas parce que je dis le *Notre Père* que je laisserai moisir un billet d'une valeur de dix-huit millions de dollars entre mes photos de famille ! Et ne pas l'encaisser ne change en rien l'ordre des choses. Vos numéros sont sortis, que vous le vouliez ou non.

Lily regarda défiler l'autoroute par la fenêtre, les paupières lourdes, les jambes douloureuses, les doigts tremblants.

— C'est bien ce qui me fait peur, inspecteur O'Malley.

Spencer lui demanda de lui parler de son frère.

Il s'était marié deux fois. D'abord par amour. Après sept ans de vie commune. Et le mariage n'avait duré que onze jours. La seconde fois, allez savoir pourquoi... Parce qu'elle l'aimait. Oui, elle l'aimait, alors il l'avait épousée. Et elle avait de l'argent. Jusqu'à présent, tout allait bien. Ils étaient encore ensemble au bout de quatorze ans. Et elle l'aimait toujours. Ce qui lui plaisait surtout, c'était d'être l'épouse d'un député, et elle se plairait encore plus en femme de sénateur. Et qui sait... plus tard... en femme de président. Car tous ceux qui connaissaient Andrew depuis son enfance étaient unanimes : c'était un leader-né. Avec une seule ambition dans la vie : diriger les autres, à des niveaux toujours plus élevés.

Il avait été le président de tous les clubs qu'il avait fréquentés. À Cornell, il était président de l'union des étudiants, capitaine de l'équipe de football en hiver, de l'équipe de voile en été.

Andrew avait toujours obtenu ce qu'il voulait.

Et c'est ainsi qu'à trente-quatre ans, il s'était présenté aux élections pour le comté de Suffolk. Après une bataille sanglante et un recomptage amer, assorti d'accusations de fraudes des deux côtés, il l'avait remporté de cinquante-deux voix. Et de plusieurs milliers, six ans plus tard, lors de sa réélection. Une victoire écrasante, se plaisait-il à dire.

— Alors, Lily, dites-moi. Emmy, il la connaissait bien ?

— C'est moi qui les ai présentés. Nous avons milité pour lui et il lui arrivait de nous inviter à déjeuner ou à dîner. Nous sommes allées une fois ou deux lui rendre visite à Washington. Nous sommes même allés faire les courses ensemble, tous les trois, à Noël dernier. Nous nous sommes amusés comme des fous. Emmy est venue avec moi l'an dernier pour Thanksgiving, ajouta-t-elle en baissant la tête. Elle a participé à notre barbecue du 4 Juillet. C'était mon amie, je l'invitais toujours. Il la connaissait comme Anne, Amanda, et grand-mère la connaissaient. Vous voyez ? Il y a eu forcément un malentendu avec Harkman.

Les Quinn vivaient dans une grande maison coloniale derrière Old Post Road, à Port Jefferson. Une maison presque normale en dehors du fait qu'elle était située à une centaine de mètres en retrait de la rue, bien à l'abri des regards des passants derrière ses buissons parfaitement taillés, avec le drapeau américain qui flottait en haut d'un mât de six mètres, au milieu du jardin, et le vieux panneau planté près de l'allée « Réélisez Quinn au Congrès. L'homme qu'il faut à Long Island et à votre famille. » Sans oublier les deux agents dans une voiture banalisée qui la surveillaient en permanence.

La demeure était magnifiquement décorée avec du marbre, des boiseries, des rideaux assortis aux tissus des canapés, sans un papier qui traînait ni même un verre dans l'évier. Miera y veillait pour Andrew. Elle était une parfaite épouse de politicien. Elle s'occupait de la maison, de ses filles et faisait toujours excellente impression dans les soirées, et encore plus pendant la campagne. Andrew attribuait d'ailleurs sa petite marge de victoire à son élégance, car l'épouse de son adversaire ne possédait ni sa séduction ni son chic. « Je suis tout à fait conscient de ce qu'elle a fait pour moi », avait-il dit de sa femme dans son discours d'investiture.

Personne dans la famille de Lily n'aimait Miera. Pour commencer, ils n'aimaient pas son prénom. Personne ne savait comment le prononcer. Et elle en voulait beaucoup à ceux qui l'appelaient « Miéra » au lieu de « Mira ». Elle n'avait qu'à l'écrire comme ça !

Ce fut elle qui leur ouvrit la porte.

— Madame Miéra Quinn, sans doute ? fit exprès de dire Spencer en lui tendant son badge. Je suis l'inspecteur O'Malley. Vous connaissez Lily. Nous voudrions voir monsieur le député.

Lily serra les lèvres pour ne pas sourire.

Sa belle-sœur les fit cérémonieusement attendre dans le hall. Spencer remarqua que la porte était faite d'un métal impénétrable, et il aurait parié que les fenêtres teintées étaient à l'épreuve des balles. Il en fit la réflexion à Lily.

— Ce sont les inconvénients de la vie de politicien. Il y a quelques années, on leur a tiré dessus alors qu'ils rentraient du cinéma. Les fenêtres de la voiture ont explosé, les filles et Miera ont cru mourir.

— Je l'ignorais. Personne n'a été blessé ?

— Ils ont reçu des éclats de verre. Et il a fallu opérer Miera, elle avait une écharde de verre plantée dans l'œil.

— Qui a tiré ?

— Oh, on ne l'a jamais su. Sans doute de jeunes voyous qui voulaient faire les malins. Un autre jour, un chien policier a trouvé une petite bombe dans la suite de mon frère, à Washington, lors d'une fouille de l'hôtel. Depuis, Andrew se méfie.

— Ça ne l'empêchait pas d'aller au restaurant avec vous !

— Andrew tient surtout à protéger sa famille. En ce qui le concerne, il refuse de vivre en prison. Il prend le risque. Jusqu'à présent, il n'a pas eu à le regretter.

L'attente se prolongeait. Ils patientaient toujours debout dans le hall.

— Je vous l'avais dit. Elle ne peut pas me voir. Après la façon dont vous avez prononcé son prénom, c'est fichu, n'espérez pas qu'elle vous offrira un verre.

Sur ces entrefaites, Andrew apparut enfin. Le visage rasé de près, ouvert, souriant. La poignée de main franche. De la présence. Les tempes prématurément grises, ce qui lui avait donné un avantage sur ses opposants qui paraissaient plus jeunes et donc moins expérimentés. Il leur sourit, regarda Spencer droit dans les yeux en lui serrant la main, puis lui mit la main sur l'épaule pour le faire entrer dans la cuisine. Il serra sa sœur dans ses bras.

— Lily, ne m'en veux pas de te dire ça, mais tu as une mine de papier mâché : il faut manger et dormir. Regarde-toi. Tu as faim ?

Elle secoua la tête. Ils s'assirent sur les tabourets en fonte, dans la cuisine tout en granit, et Andrew leur servit de la citronnade. Spencer but son verre d'une traite et se leva de son tabouret.

— Pourrions-nous parler en privé quelques instants ?

Andrew les emmena dans son bureau lambrissé de bois, qui donnait sur le jardin au gazon extrêmement soigné et aux massifs fleuris. Ils s'assirent, Andrew derrière son bureau, Spencer et Lily en face de lui.

Lily était si mal à l'aise qu'elle ne pouvait pas décoller les yeux du sol. Elle ressentait une souffrance inhabituelle dans ses jambes, une douleur à la fois aiguë et sourde, qui venait peut-être de ses hématomes sur les cuisses. Et elle avait un tel poids sur l'estomac qu'elle avait du mal à respirer. Elle regarda Spencer, si calme, alors qu'elle se tordait les mains d'angoisse.

C'est d'ailleurs d'une voix presque détendue qu'il s'adressa à son frère.

— Monsieur le député, savez-vous pourquoi je suis ici ?

Andrew secoua la tête avec un sourire avenant.

Lily sentit sa douleur dans les jambes s'accentuer.

— C'est au sujet d'Emmy McFadden.

— Ah... Andrew marqua une pause, jeta un regard vers Lily. De quoi s'agit-il ?

— Vous savez que nous enquêtons sur sa disparition.

— Oui, oui. J'ai eu votre collègue. Un certain Harkman, je crois. Il m'en a parlé. L'avez-vous retrouvée ?

Spencer ne répondit pas tout de suite.

— Non. Mais vous savez de qui je parle, n'est-ce pas ?

— Bien sûr. C'était la colocataire de ma sœur, répondit Andrew sans ciller.

Lily aurait voulu sourire mais son cœur cognait trop fort.

— C'est exact. Et j'aimerais que vous m'expliquiez pourquoi vous avez répondu à mon collègue que vous ne vous souveniez pas d'elle.

— Quoi ? Je n'ai jamais dit ça !

— Si.

— C'est impossible ! Je suis sûr d'avoir dit que je la connaissais de vue.

— Non, monsieur le député. L'enregistrement de votre conversation ne laisse aucune équivoque. Vous avez dit, mot pour mot, que vous ne vous souveniez pas d'elle.

Andrew éclata de rire.

— Alors c'est que j'ai mal compris sa question. Il y avait beaucoup de bruit dans mon bureau. Je n'entendais pas. J'ai compris autre chose. Je ne pouvais pas dire que je ne connaissais pas Emmy. C'est ridicule !

— C'est pourtant ce que vous avez dit.

— C'était peut-être la réponse à une autre question.

— Il a été très précis. Il vous a juste demandé si vous connaissiez Emmy McFadden.

— J'ai dû mal comprendre. C'est évident.

— Qu'avez-vous compris ?

— Je ne sais plus. Mais Emmy était l'amie de Lily. Elles sont venues ensemble, chez moi, à différentes fêtes de famille, elles sont même venues me voir à Washington. Tout cela est absurde. C'est forcément un quiproquo. Ou je l'ai mal compris, ou il m'a mal entendu.

— Vous n'avez pas dit « Je ne me souviens pas d'elle » ?

— Bien sûr que non !

Lily laissa échapper un gémissement. Les deux hommes la dévisagèrent.

— Excusez-moi. Je ne me sens pas bien.

Elle se précipita aux toilettes et se laissa tomber sur la cuvette, les mains plaquées sur ses

159

jambes douloureuses. Elle avait l'impression d'être transpercée par des milliers d'aiguilles. La souffrance devenait insupportable.

— Ma sœur a une mine épouvantable. Elle est malade ? s'inquiéta Andrew, dès qu'elle fut partie.

— Elle ne va pas bien en ce moment.

— Ça se voit. Monsieur l'inspecteur, que puis-je faire d'autre pour vous ? Je serais ravi de vous aider. Je ne connaissais pas Emmy très bien, mais comme je vous le disais, Lily et elle ne se quittaient pas. Elles étaient très proches. Ma sœur l'aimait beaucoup.

— Monsieur le député, avez-vous déjà rendu visite à votre sœur à son appartement ?

— Oh, rarement. Mais ça m'est arrivé une ou deux fois.

— Alors vous ne refuserez pas de me donner quelques cheveux ? Nous en avons encore quelques-uns dont nous n'avons pas identifié le propriétaire.

Spencer sortit de sa veste un sac en plastique et une petite paire de ciseaux.

— Bien sûr, pas de problème, répondit Andrew en se penchant vers Spencer pour qu'il lui coupe une petite mèche. Mais à quoi cela vous servira-t-il, puisque je suis allé dans l'appartement ?

— Nous voulons écarter la famille et les amis, afin de nous concentrer sur le reste. Est-il arrivé à Emmy de vous rendre visite seule ?

— Quoi ?

160

Andrew s'écarta de Spencer et plissa les yeux.

— Monsieur le député, c'était une question simple. Emmy vous a-t-elle déjà rendu visite sans Lily, seule ?

— Où ça ?

— N'importe où. Ici, à Port Jefferson, à Washington, à New York. Je veux simplement savoir si vous l'avez vue seule.

— Je ne sais pas. Je ne me souviens pas. Voyez-vous, monsieur l'inspecteur, j'ai affaire à des centaines de personnes chaque semaine. Elle est peut-être venue à mon bureau, ici, en passant. Sa famille n'habite-t-elle pas à Port Jefferson ?

— Si.

— Alors elle a pu faire un saut. Je n'en ai aucun souvenir, mais ça ne prouve rien. J'ai pu l'oublier, ajouta-t-il avec un grand sourire.

— Et à votre avis, quand est-elle passée la dernière fois dont vous ne vous souvenez pas ?

— Pardon ?

— Je voulais juste vous faire remarquer que vous ne répondez à aucune de mes questions, monsieur le député.

— Si vous voulez bien m'excusez, celle-ci était particulièrement alambiquée.

— Je plaisantais. Quand avez-vous vu Emmy pour la dernière fois ?

— Je vous l'ai dit, je suis incapable de m'en souvenir.

— N'y aurait-il personne à votre bureau qui pourrait avoir noté sa visite ? Votre secrétaire ? Votre assistante ? Votre réceptionniste ?

— Je n'inscris pas les visites impromptues de mes électeurs sur un livre d'or, monsieur l'inspecteur.

— Emmy ne faisait pas partie de vos électeurs. Elle habitait New York.

— Vous savez très bien ce que je veux dire.

— Et à quelle fréquence vous rendait-elle des visites « impromptues » ?

— Jamais, monsieur l'inspecteur.

On frappa à la porte.

— Oui ? Qu'est-ce que c'est ?

Miera entra.

— Andrew. Je suis désolée de te déranger. Mais ta sœur a un problème. Elle est... Je ne sais pas ce qu'elle a... Elle est dans les toilettes et ça ne va pas du tout.

Dans la voiture, sur le chemin du retour, après des kilomètres et des kilomètres d'autoroute, quelque part du côté de Westbury, Lily trouva enfin le courage de parler, malgré la douleur dans ses jambes, toujours aussi violente.

— Vous voyez, monsieur l'inspecteur, je vous avais dit qu'il y avait une explication toute simple.

À la vue des mains de Spencer soudain crispées sur le volant, elle sentit sa souffrance redoubler.

Le vendredi suivant, elle passa des heures à se tordre de douleur sur son lit en appelant au secours Andrew, Emmy, Joshua, Spencer et même sa mère. Qu'avait-elle dans le corps qui la torturait ainsi ? Elle avait l'impression de recevoir des coups de masse dans le ventre, de l'intérieur.

Enfin, après avoir souffert pendant des heures, elle téléphona à sa sœur Amanda qui ne la rappela jamais, puis à sa sœur Anne qui n'était pas là. Inutile d'appeler sa grand-mère : celle-ci ne sortait jamais de chez elle.

Elle appela donc la seule personne qui pouvait venir à son secours. Spencer.

C'était en pleine nuit. Elle laissa un message sur son bipeur. Spencer la rappela quelques minutes plus tard.

— Que se passe-t-il ? demanda-t-il d'une voix ensommeillée.

— Spencer, murmura-t-elle. Vous pouvez me conduire à l'hôpital ?

— J'arrive. Que se passe-t-il ?

— Je ne sais pas. Mais ça ne va pas. Je vous en prie, dépêchez-vous.

Il arriva en un temps record. Puis il l'aida à descendre l'escalier, héla un taxi et la conduisit au Saint Vincent Hospital sur la 12e Rue.

— Pour quoi venez-vous ? demanda l'infirmière des urgences, en lui passant le tensiomètre au bras.

— J'ai très mal au ventre, gémit Lily, la main toujours crispée sur l'estomac.

— Oh, votre tension est basse !

— Elle est à combien ? demanda Spencer.

L'infirmière jeta un regard dubitatif à leurs mains sans alliance.

— Vous êtes son mari ?

— Combien a-t-elle ? insista-t-il.

— Huit quatre. Je vais chercher le médecin.

Elle partit. Ils attendirent.

Spencer s'essuya le front. Lily portait un survêtement.

— Vous n'avez pas trop chaud ?

— Je ne sais pas, répondit-elle, pliée en deux.

L'infirmière revint.

— Il faut vous peser. Enlevez vos chaussures.

Spencer aida Lily à se déchausser. Elle monta sur la balance. Elle pesait quarante-six kilos.

— Combien mesurez-vous ?

— Un mètre soixante-trois.

Pour la première fois, l'infirmière considéra Lily avec une certaine inquiétude.

— Vous vous droguez ?

— Non.

— On va vous faire une prise de sang. On s'en apercevra, vous savez.

— Tout ce que je vous demande, c'est de trouver ce que j'ai.

Enfin, on la conduisit dans une chambre. Spencer sortit dans le couloir, le temps qu'on lui mette une chemise de nuit de l'hôpital. Quand il revint, elle était couchée sur le côté, les yeux clos, les bras serrés autour de son ventre.

— Mon Dieu, Lily ! s'exclama-t-il en voyant ses cuisses couvertes de bleus de la taille d'un pamplemousse. Qu'avez-vous aux jambes ?

— Je ne sais pas.

— Vous êtes tombée ?

— Non.

— Quelqu'un... vous a frappée ?

— Bien sûr que non !

— Alors d'où ça sort ?

— Je n'en sais rien.

Bientôt le médecin arriva. La quarantaine, maigre, petit, froid.

— Je suis le Dr Mladek. Qu'est-ce qui ne va pas ?

Lily se tordait à nouveau de douleur.

Il posa la main sur elle et lui demanda si elle était enceinte. Elle secoua la tête. Spencer se laissa tomber sur une chaise, près du rideau qui séparait son lit du reste de la salle.

— Quand avez-vous été réglée pour la dernière fois ? continua Mladek en lui prenant le pouls.

Elle se força à réfléchir.

— En mai, je crois.

— C'est peut-être une grossesse extra-utérine.

Elle secoua la tête.

— À quand remontent vos derniers rapports sexuels ?

Joshua était parti en avril et on était en août. Pouvait-elle être enceinte de quatre mois sans le savoir ?

— Laissez-moi vous tâter l'estomac. Elle s'allongea sur le dos. Depuis quand avez-vous cette douleur ?

— Cet après-midi.

— Ça pourrait être une appendicite aiguë ? demanda Spencer.

— J'ai déjà été opérée.

Mladek lui demanda si elle avait la force de marcher jusqu'au service de radiologie. Elle ne tenait pas debout. On l'emmena sur un fauteuil roulant.

Ses os semblaient en bon état. En revanche, elle avait quelque chose aux poumons mais on refusa de lui dire quoi. On lui fit une prise de sang, puis on lui demanda un échantillon d'urine.

On lui fit boire un liquide bleu horriblement sucré. Mais elle ne put le garder et vomit.

Mladek lui fit une échographie.

— C'est bizarre. Apparemment, vous avez une hémorragie interne. Ce qui expliquerait vos douleurs abdominales.

— Mais pourquoi je saignerais ?

— Avez-vous eu un choc ? Un accident ?

— Non.

Mladek sortit en la laissant sur la table d'examen.

Spencer ne disait rien.

— Je n'ai pas de médecin, murmura-t-elle. Je n'ai même pas d'assurance. Comment vais-je faire pour payer tout ça ? L'examen, les radios, l'échographie, le médecin ?

— Avec votre argent, répondit Spencer.

— Avec quoi ? chuchota-t-elle.

— Avec vos dix-huit millions de dollars.

— Je vous ai dit que je ne les toucherais pas tant qu'Emmy ne sera pas revenue.

— Très bien.

Ils attendirent.

— Qu'est-ce que j'ai, à votre avis, Spencer ?

— Je suis inspecteur, pas médecin.

166

La douleur la submergeait par vagues successives. Une hémorragie interne ? Comment ? Pourquoi ?

Mladek revint avec une infirmière.

— Je vais vous mettre sous morphine. Cela vous soulagera.

Elle n'entendit que le mot « soulagera ». Elle se moquait du reste.

— Merci, murmura-t-elle.

— Ensuite, nous vous transférerons dans un autre hôpital, au Mount Sinai.

— Pourquoi ?

— Ils sont mieux équipés.

— Mieux équipés pour quoi ?

Le visage du médecin perdit de sa sévérité.

— Pour les biopsies de moelle. Vos globules blancs sont au plus bas. Vous avez été malade ?

— Je ne me sens pas bien depuis quelque temps.

— Vous avez un nombre invraisemblable de globules blancs et pratiquement plus de plaquettes... et vos bleus sur les jambes... Pourquoi n'êtes-vous pas allée voir un médecin ?

— J'ai cru que c'était juste un coup de froid.

Elle s'arrêta pour reprendre son souffle. Une nouvelle douleur lui vrilla l'estomac.

— Et je me suis dit que c'était psychologique. J'ai eu pas mal de... tracas récemment.

— Avez-vous eu des problèmes respiratoires ?

— J'ai fait une pneumonie, le mois dernier. C'est pour ça que vous regardiez mes poumons ?

— On ne vous a pas fait de prise de sang ?

— Pour ma pneumonie ? Non, on m'a simplement donné des antibiotiques.

— Et vous avez eu des coupures ou des plaies qui mettaient du temps à guérir ?

Elle regarda Spencer en se souvenant de sa coupure au doigt qui avait saigné pendant des jours. Et sa brûlure au bras qui s'était infectée.

— Oui, mais j'ai cru que c'était psychologique.

— Psychologique ? répéta Mladek. La fatigue, la perte d'appétit ou de poids, les douleurs intestinales, les migraines peuvent être psychologiques. Pas les saignements !

— J'avais de gros soucis. Je pensais que ça passerait.

L'infirmière prépara une perfusion. Lily tendit son bras.

Mladek souleva légèrement sa chemise de nuit et étudia les ecchymoses sur ses cuisses, en silence, puis il repartit.

Ils étaient seuls. Le glucose coulait lentement dans son bras gauche. Spencer, assis sur sa chaise, penché en avant, contemplait ses mains.

— Merci d'être resté avec moi, murmura-t-elle.

— Il n'y a pas de quoi.

— Vous dormiez quand je vous ai appelé ?

— Plus ou moins.

— Vous étiez avec... Mary ?

— Oui. Vous avez eu de la chance.

Elle se demanda ce qu'il voulait dire par là. Et soudain, il y eut une grande agitation autour d'elle, Spencer dut se lever et partir. Elle tendit la main vers lui mais il ne la vit pas.

Elle ne garda aucun souvenir de son transfert au Mount Sinai. Elle ne perçut les couloirs d'hôpital, les murs, les odeurs qu'à travers le brouillard dû à la morphine. Elle n'avait plus mal au ventre. Elle entendit une voix dire qu'on allait lui faire une anesthésie générale. Et elle sombra dans l'inconscience.

Elle revint à elle longtemps après. Des infirmières s'affairaient autour d'elle sans rien dire. Elle sentit qu'on lui prenait le bras, qu'on vérifiait sa tension, son pouls, qu'on arrangeait sa perfusion, qu'on remplissait le goutte-à-goutte, qu'on retapait ses oreillers. Elle percevait une nouvelle douleur, à la hanche, malgré la morphine.

Une infirmière noire aux formes rebondies s'approcha d'elle. Elle sentait légèrement le hamburger, le Milky Way et la cigarette. Elle sourit à Lily. Lily aurait voulu demander où était Spencer mais elle avait peur qu'il ne soit pas là. Elle n'avait pas soif mais ses lèvres étaient gercées, sa gorge sèche. Elle demanda à boire. L'infirmière noire l'aida. Elle n'avait plus mal, en dehors de la gêne dans sa hanche.

— La douleur est partie, murmura-t-elle.

— Non, elle est juste cachée par la morphine, répondit l'infirmière.

Elle avait raison, tout était caché.

Tout.

Et dans cet antre secret, dans les replis de sa douleur enfouie, Lily se souvint d'un jour froid et humide, à Times Square. Elle n'était pas seule, cette fois, elle se trouvait avec Emmy. Elles attendaient Andrew depuis un long moment. Lily allait enfin présenter son amie à son frère. Elle l'avait aperçu sur la Septième Avenue, qui venait vers elles, avec les immenses panneaux publicitaires qui clignotaient dans son dos. Son imperméable était trempé, il tenait un parapluie noir et souriait. Et quand elle s'était tournée vers Emmy, celle-ci souriait à son frère, radieuse.

Libera me Domine. Libère-moi, Seigneur. Libère-moi de cette pensée. Conduis-moi sur un chemin sans numéros, sans embûches. Comme j'étais heureuse avant ! Je n'avais pas besoin de morphine.

Libera me Domine.

Deuxième partie

À mi-chemin

J'ai dit à la Vie : j'entendrai la Mort.
Et la Vie a haussé la voix et a dit :
Tu l'entends maintenant.

KHALIL GIBRAN

17

Enfer au paradis

— Tu as un problème. Inutile de le nier. Regarde-toi. Tu es malade. Si. Tu crois que tu vas bien, que tu maîtrises la situation. Mais tu es dépassée.

— Je ne comprends rien à ce que tu racontes, grommela Allison.

— Ah bon ? Et tes cris, tes hurlements ? Tu peux me les expliquer ?

— Je ne m'en souviens pas.

— On aurait cru entendre un cochon qu'on égorge.

— Ce n'est pas vrai.

— Et maintenant tu mens.

— Je ne sais pas de quoi tu parles !

— Tu abuses de moi. Je ne veux pas avoir d'histoires et tu en profites.

— C'est toi qui abuses ! Je suis malade et tu m'enguirlandes !

— Regarde-toi ! Regarde dans quel état tu te mets. Que va-t-on penser en voyant tes jambes couvertes de bleus ? Je n'ai jamais vu ça !

— Les médicaments que je prends pour mon estomac m'affaiblissent terriblement.

— Tes médicaments ? Ça ne serait pas plutôt

l'alcool que tu mets dans ton verre de jus de fruits ?

— De quel alcool parles-tu ?

— Je l'ai senti.

— N'importe quoi ! C'est le jus qui a fermenté avec cette fichue chaleur.

— Tu ne crois pas que je sais faire la différence entre l'odeur de la fermentation et celle de l'alcool ?

— La preuve !

— Tu trouves que tu mènes une vie normale ?

— Qui pourrait vivre normalement dans cet enfer ? Bien sûr que je ne mène pas une vie normale ! Je suis au bord du suicide, au cas où tu ne l'aurais pas remarqué !

— Alors vendons l'appartement et rentrons.

— Il faudra que tu me sortes les pieds devant. À quoi bon aller ailleurs ? Tu ne sais pas qu'on emporte ses problèmes avec soi, où qu'on aille ?

— Si, tu me l'as assez rabâché. Mais je serais plus heureux en Caroline du Nord.

— Tu ne penses qu'à toi ! Toi, toi, toi ! Jamais tu n'as une pensée pour les autres ! Et tu as songé à ce qu'on perdra si on vend ? Ce n'est pas ton argent, tu t'en moques. C'est facile de jouer les grands seigneurs avec l'argent des autres. Cet appartement, je l'ai payé avec ma santé, et maintenant tu veux me ruiner ? Jamais !

— Tu dois arrêter de boire, tu comprends ? Pourquoi ne peux-tu pas te contenter d'un verre de bière, d'un verre de vin et d'une petite goutte de cognac par jour. J'y arrive bien. Pourquoi pas toi ? J'ai travaillé pendant quarante-cinq ans, je

174

n'ai jamais touché une goutte d'alcool avant cinq heures du soir. Tu pourrais te contrôler, non ?

— Désolée, tout le monde n'est pas aussi parfait que toi. C'est sûr que si j'étais comme toi, j'aurais beaucoup moins de problèmes.

— Tu dois arrêter de boire.

— Je ne vois pas ce que tu veux dire.

— Tu as cassé la voiture, tu as une suspension de permis et il ne se passe pas quinze jours sans que les voisins appellent la police, persuadés qu'on te bat tellement tu cries. Et s'ils voyaient tes jambes, c'est sûr qu'on me bouclerait.

— Tu le mériterais !

Au début, il avait essayé de l'aider en limitant sa consommation, en buvant avec elle.

Il lui servait un verre de vin. Elle vidait la bouteille. Il achetait un pack de bière. Il disparaissait en une heure.

Il finit par ne plus acheter de vin ni de bière et par cacher son cognac dans le coffre de sa voiture. Il sortait en cachette la nuit, boire une gorgée au goulot, tel un ivrogne ou un clochard. Comme il lui en voulait ! Fini le plaisir de lire ou de regarder la télévision, en sirotant un petit verre. Oui, il devait se cacher pour boire ! Il n'avait jamais fait de mal à personne, ne s'était jamais plaint, n'avait jamais crié, jamais on n'avait appelé la police à cause de lui !

Se faisait-il des idées, ou son cognac disparaissait-il bien vite dans la bouteille de Rémy Martin qu'il avait dissimulée derrière la roue de secours ?

18

Le médecin

Le médecin de Mount Sinai était un grand blond de type anglo-saxon qui, bizarrement, s'appelait Lawrence DiAngelo. Il lut la fiche de Lily sans rien dire. Il était en survêtement, coupe-vent, casquette de base-ball et chaussures de jogging, une tenue peu orthodoxe pour un médecin. Peut-être était-ce son jour de congé ?

— Où est Spencer ?

— Qui ça ?

Elle soupira. Spencer et son calme imperturbable lui manquaient. Elle ne savait jamais ce qu'il pensait et c'était fort appréciable dans un moment comme celui-ci.

— Vous avez vraiment vingt-quatre ans ?

— Oui. Pourquoi ?

Il siffla en secouant la tête.

— Vous en paraissez seize !

— Docteur, aidez-moi à m'asseoir et dites-moi la vérité, je vous en prie.

Elle était installée dans une chambre individuelle avec des rideaux et des murs beiges où flottait une légère odeur d'eau de Javel et d'éther. Le soleil brillait derrière la fenêtre. Une télévision était accrochée en hauteur, au-dessus de la tête du médecin. Lily contempla ses draps blancs, sa chemise de nuit bleue, la fenêtre, l'écran. Le médecin redressa le dossier de son lit et l'installa confortablement.

— Vous avez une leucémie, annonça-t-il sans autre préambule. Une leucémie aiguë myéloblastique. Ou plus exactement une leucémie aiguë à promyélocytes.

C'était un cancer ? Un cancer !

— Vous savez ce que c'est ?

— Oui... c'était la maladie de Jenny Cavilleri, répondit-elle, hébétée.

— Qui ça ?

— Jenny Cavilleri. Oliver Barrett. *Love Story*.

— Oh... exactement.

Ils se dévisagèrent. Elle essayait de rassembler ses idées. Mais tout ce qui lui venait à l'esprit c'était merde, merde, merde ! Voilà pourquoi je n'aime plus les gâteaux au chocolat !

— Vous avez sans doute des milliers de questions à me poser.

— Euh... oui.

Elle n'en voyait pas une seule.

— Je sais que c'est difficile...

Difficile, non, impossible ! Ça ne pouvait pas lui arriver. Et pourtant, pourquoi n'était-elle pas plus étonnée que ça ? Tout ce qui lui venait à l'esprit, c'était l'image de Jenny Cavilleri, assise devant le Woolman Rink, à regarder Oliver Barrett patiner sur la glace devant elle. Pourquoi ? Elle attendit qu'une question convenable surgisse d'elle-même et vit que le médecin attendait lui aussi, dans son survêtement Adidas. Il avait l'air très gentil.

177

Il poussa un soupir.

— Pas de question ?

Silence.

Il relut sa fiche.

— En gros, votre moelle est hypercellulaire. En se développant, les cellules cancéreuses de votre moelle osseuse produisent de grosses cellules creuses, paresseuses et inutiles. Et comme elles se développent par millions et ne savent ni coaguler votre sang, ni lutter contre l'infection, ni transporter l'oxygène, elles vous tuent lentement au lieu de vous soigner.

— Et mes cellules saines ?

— Elles n'ont plus de place.

— Plus du tout ?

— Plus du tout.

— Comment j'ai pu vivre, alors ?

— Ah, bonne question ! Grâce à trois transfusions de globules rouges, une transfusion de plaquettes et une transfusion de globules blancs. Grâce au sang de quelqu'un d'autre, en résumé.

— Je voulais dire avant tout ça.

— En fait, vous ne viviez plus beaucoup. C'est la chute de vos plaquettes qui a provoqué l'hémorragie interne. Ainsi que vos douleurs à l'estomac et vos ecchymoses.

— C'est si douloureux que ça ?

— Oui.

— Et la pneumonie aussi ?

— Oui. Vous étiez au bord de la crise blastique aiguë.

— Quoi ?

— C'est le terme qui désigne la phase où le

sang a été remplacé en totalité par les cellules cancéreuses qui se multiplient. Il n'y a plus de globules rouges ou blancs, seulement des blastes. On n'a pas d'autre choix que de commencer aussitôt la chimiothérapie. À ce stade, les malades ne rentrent pas chez eux.

— Et c'est mon cas ? demanda-t-elle d'une toute petite voix.

— Quasiment.

Lily ne savait plus quoi dire. Elle respirait à peine.

— Il faut que je rentre chez moi quelque temps, docteur. J'ai une ou deux choses à faire... à régler... juste un jour ou deux...

Il fallait qu'elle appelle son frère. Sa grand-mère... Elle voulait juste revoir son lit. La leucémie était-elle un mauvais cancer ? En tout cas, elle n'avait pas réussi à Jenny Cavilleri, dans les années 1970. Que pouvait-elle demander au médecin, maintenant ? Si c'était guérissable ? Si elle avait une chance de s'en sortir ? Elle ne voulait pas savoir. Non. Ce qu'elle voulait savoir...

— Pourquoi ?

Mais elle le savait déjà. 49, 45, 39, 24, 18, 1.

— Il n'y a pas d'explication. Les gens tombent malades, c'est tout.

Elle sentait que le médecin avait envie de se lever et de s'en aller.

— Voulez-vous que j'aille chercher Spencer ? C'est votre mari ? Nous devrions peut-être voir la suite avec lui.

— Quelle suite ?

— Votre traitement. Votre protocole. Votre thérapie. Vos soins. Votre pronostic. Votre avenir dans les quatre mois à venir et les suivants. Vos espoirs de grossesse.

— Mes espoirs de grossesse !

Elle serra ses mains encore plus fort.

— Spencer n'est pas mon mari. Ce n'est même pas mon petit ami. C'est juste... un inspecteur de police qui m'a amenée ici. Et que voulez-vous me dire sur mes espoirs de grossesse ?

Il crispa les doigts sur son carnet.

— N'y a-t-il personne que je puisse appeler auparavant ? Quelqu'un que vous aimeriez avoir à votre côté ?

— Mes espoirs de grossesse ? répéta-t-elle d'une voix vide.

Elle n'avait jamais pensé qu'à la contraception. Elle croyait avoir toute la vie devant elle pour envisager l'inverse : avoir un enfant.

— Oh, mon Dieu, vous voilà, Marcie ! s'exclama le médecin en voyant entrer l'infirmière noire. Vous avez déjà fait la connaissance de Marcie, votre infirmière du service de soins intensifs. Marcie, je vous présente Lily. Vous allez passer pas mal de temps ensemble. Maintenant, Lilianne, dites-nous qui Marcie peut-elle appeler pour vous ?

Lily secoua la tête. Il ouvrit son coupe-vent. Il transpirait. Il jeta un regard désespéré à Marcie.

— Je reviens tout de suite. J'ai besoin d'un peu d'air.

— Moi aussi ! lui lança Lily tandis qu'il sortait.

— Vous lui faites passer un mauvais quart d'heure, petite. Vous ne savez pas qu'il a horreur de voir des jeunes comme vous malades ?

— Comment voulez-vous que je le sache ? Pourriez-vous me dire... s'il vous plaît...

Lily eut soudain peur de ne pas pouvoir articuler les mots. Tout à coup, elle se sentit minuscule et monstrueusement seule.

— Il n'y a personne qui m'attend à côté ? finit-elle par demander d'une voix brisée.

Marcie alla regarder dans la salle d'attente et revint.

— Non.

— Et mes études ? Ma peinture ? demanda-t-elle d'une voix défaite quand le médecin réapparut.

Il posa son bloc-notes.

— Écoutez-moi. Pour les quatre mois à venir, oubliez les cours, oubliez le travail. Oubliez tout. Je n'arrive pas à croire que vous ayez pu travailler dans cet état. Votre sang ressemble à du caviar, il ne contient plus que de grosses cellules cancéreuses noires.

— Qu'est-ce qu'il faut faire ?

— Nous allons essayer de les tuer. Je vous laisse rentrer chez vous jusqu'à lundi. Vous avez une journée et demie pour régler vos affaires. Mais lundi, vous revenez ici pour un mois de chimio avec moi. Les trois mois suivants, vous continuerez en externe, si tout se passe bien.

— Pourquoi si longtemps ?

— Je sais que c'est difficile à admettre, mais vous avez un cancer.

— Et l'autre problème dont vous avez parlé... concernant mes chances de grossesse ?

Il secoua la tête.

— Je suis désolé, Lily, nous devons commencer la chimio dès lundi. Et je dois vous prévenir que ce traitement peut vous rendre stérile. La seule chose qui vous reste, c'est le Lupron.

— Qu'est-ce que c'est ?

— C'est un médicament qui fait croire à votre corps que vous entamez votre ménopause. Il stoppe votre production d'ovules temporairement. Hélas, il n'a que vingt pour cent d'efficacité dans la prévention de la stérilité.

— Oh, mon Dieu, arrêtez, je vous en supplie...

Il se tut.

— Vingt pour cent, c'est déjà mieux que rien, finit-elle par dire dans un souffle.

— Revenons donc à votre cancer. Son seul but, c'est de vous tuer. Il n'a pas d'autre objectif. Il ne faiblit pas quand vous faiblissez, au contraire, il se renforce et quand vous reprenez du poil de la bête, lui aussi, malheureusement. Il se nourrit de vos propres cellules sanguines. C'est pour cela que nous devons l'attaquer sur tous les fronts. Et lutter contre ce poison par le poison. Nous allons vous injecter dans le corps de quoi tuer ce qui vous tue. Et parfois ça réussit. Parfois. Hélas, le poison s'attaque aussi à vos organes encore en bonne santé. Le cancer et la chimio se battent à l'intérieur de votre corps et c'est un combat sans merci, Lilianne. Vous allez vous sentir très mal. Quant au Lupron, je peux vous en prescrire, mais sachez qu'il sert le cancer, c'est une arme qui se retourne contre vous. Il vous donnera des bouffées de chaleur, vous aurez l'impression de brûler de l'intérieur. Je le déconseille à mes patientes, mais il est de mon devoir de leur en parler. Vous comprenez ?

— Et de toute façon, je perdrai mes cheveux ?
— Oui.

Elle resta silencieuse un long moment.

— C'est pas drôle d'être chauve !

Larry DiAngelo éclata de rire et retira sa casquette de base-ball, découvrant un crâne luisant. Elle sourit.

— Et au bout de quatre mois, j'irai mieux ? demanda-t-elle d'une voix si petite, si pleine d'espoir, qu'elle en rougit.

— Vous avez une leucémie aiguë myéloblastique. J'espère que vous irez mieux.

— Sinon...

— Sinon Oliver Barrett se retrouvera assis tout seul sur son banc.

— Le problème, docteur, c'est qu'il n'y a plus d'Oliver Barrett à Central Park.

Spencer était sorti passer quelques coups de fil. Il demanda à un Harkman récalcitrant de bien vouloir le retrouver au commissariat, en fin d'après-midi.

Quand il revint et vit Lily dans son lit, il dut faire un gros effort pour lui sourire. Elle avait meilleure mine depuis les transfusions. Il s'assit à son chevet.

— Vous savez la nouvelle ?

— Oui, je viens de voir le Dr DiAngelo. Vous êtes dans de bonnes mains. Tout ira bien.

— C'est incroyable ce qui m'arrive !

— Oui, répondit-il en faisant un effort pour ne pas détourner les yeux.

— Finalement, vous aviez raison, inspecteur. Il va falloir que je réclame mon lot.

— Oui, je crois. Mais il y a pire que de réclamer un lot de dix-huit millions de dollars !

— Oui, il suffit de me regarder.

Elle tendit une main timide vers la sienne. Elle se sentait une toute petite fille au contact de sa grosse main d'homme. Ils restèrent un moment sans rien dire.

— Spencer, je vous en prie, murmura-t-elle. J'ai besoin de mon frère. J'ai besoin de lui, maintenant.

Il s'écarta.

— Lily, la mère d'Emmy me téléphone chaque jour pour savoir si j'ai retrouvé sa fille. Il est de mon devoir de la chercher. Vous ne voudriez pas qu'on vous cherche si votre mère vous réclamait ?

— Moi, ça serait plutôt ma mère que je voudrais retrouver.

— Oh, Lily !

Elle ferma les yeux.

Une heure plus tard, on la laissait sortir jusqu'au lundi.

Spencer la ramena chez elle dans sa Buick banalisée. Elle décrocha le billet de loto du mur et se retourna vers lui.

— Alors comment on fait ? Il suffit d'y aller et on vous donne l'argent ?

— Comment voulez-vous que je le sache ? Je n'ai jamais gagné !

— Vous en avez de la chance !

Il la conduisit jusqu'au World Trade Center où était situé le siège du loto de la ville de New York, au pied d'une des tours. Lily se sentait au bord de l'évanouissement.

— Va-t-on me demander comment je veux recevoir cet argent ?

— Oui, répondez-leur que vous voulez dix-sept millions en coupures de dix et le reste en coupures de vingt.

Elle espérait qu'ils pourraient manger ensuite un hot-dog devant la fontaine dans le square, entre les deux tours. Elle avait toujours aimé cet endroit. C'était si paisible. Mais elle n'avait pas faim aujourd'hui. Elle tenait à peine debout. Elle resta assise, la tête appuyée contre le mur, en attendant son tour.

Quand elle tendit son ticket à l'employée, celle-ci l'examina, regarda sa carte d'identité, sa signature, entra le numéro du ticket dans son ordinateur et leva un regard stupéfait vers Lily.

— Ça fait trois mois que nous vous atten-dions.

Le total de ses gains se limitait finalement à onze millions trois cent quarante mille dollars, et après la déduction des taxes, il n'en resta que sept millions trois cent mille. Elle était passée de dix-huit millions à sept millions trois, en quelques secondes. Elle en avait le souffle coupé. Même l'imperturbable Spencer semblait choqué.

— Finalement, demandez le tout en coupures d'un dollar, dit-il, en haussant les épaules. Ça paiera le pain !

On lui dit qu'elle recevrait un chèque dans trois semaines, lors d'une conférence de presse au *Waldorf*.

— Je ne peux pas avoir mon argent maintenant ?

— Nous ne sommes pas une banque, mademoiselle Quinn, rétorqua l'employée derrière son guichet.

Lily ne savait pas où elle serait dans trois semaines, mais une chose était sûre, elle ne serait pas en état de se pavaner dans les grands hôtels. Elle demanda si on ne pourrait pas tout simplement lui envoyer son chèque.

— La conférence de presse est obligatoire dès que le montant dépasse le million de dollars. C'est la règle.

Spencer dit à Lily d'aller l'attendre sur une chaise puis il revint parler calmement avec l'employée.

Aussitôt celle-ci se radoucit. Comme toujours, la vie vous reprenait d'une main ce qu'elle vous donnait de l'autre, songea-t-elle en contemplant Lily qui se dirigeait d'un pas chancelant vers la fenêtre.

— Je m'en occupe, annonça-t-elle à Lily quelques minutes plus tard. Ne vous inquiétez pas. Nous ferons une exception, nous vous enverrons le chèque par la poste. Avez-vous un bénéficiaire ? Il faut en mettre un sur le formulaire. Vous savez, un mari, un enfant, un frère, une sœur...

Lily appela Spencer qui s'était discrètement éloigné.

— Quel est votre numéro de Sécurité sociale, Spencer ? J'aurais besoin de votre signature. Venez. Signez là.

Puis ils quittèrent le petit bureau mal aéré, mal éclairé. Il lui offrit son bras. Elle le prit avec soulagement.

— Je peux tout dépenser d'ici à lundi ?

— Vous devriez y arriver. Que voulez-vous acheter ?

— Soixante ans de sursis, murmura-t-elle en pensant avec regret à l'été dont elle ne pourrait pas profiter.

19

L'ombre d'une preuve

Après avoir déposé Lily chez elle, Spencer resta un quart d'heure dans sa voiture, perdu dans ses pensées, avant de passer au commissariat prendre Harkman. Celui-ci était furieux qu'il le fasse venir un samedi. Cela n'impressionna guère Spencer, encore de plus mauvaise humeur que lui. Et quand ils arrivèrent à Port Jefferson, ils trouvèrent un Andrew Quinn excédé. Spencer avait l'impression que l'honorable député n'avait pas eu le temps de dire tout ce qu'il savait lors de l'entrevue de la veille, écourtée par Lily. Il voulait lui donner une nouvelle chance de vider son sac.

— Voyons, messieurs ! Un samedi ! Alors que toute ma famille est à la maison !

— Je suis désolé, monsieur le député. C'est la procédure. Nous ne serons pas longs.

— Très bien. Mais je ne vous parlerai qu'en présence de mon avocat.

— Oui, il n'est pas question qu'il vous parle tant que son avocat ne sera pas là, renchérit Miera, qui arriva derrière lui dans le hall.

Harkman se tourna en haussant les épaules vers Spencer qui les haussa à son tour et décrocha la paire de menottes de sa ceinture.

— Très bien, si c'est ce que vous voulez. Dans ce cas, je vais devoir vous arrêter et vous emmener pour vous interroger au commissariat. Vous avez droit à un avocat. Vous avez le droit de vous taire, car tout ce que vous pourrez dire pourra être retenu contre vous.

Andrew leva les bras au ciel.

— Arrêtez, arrêtez. Je veux bien renoncer à appeler mon avocat si nous pouvons régler ça rapidement à l'amiable.

— Andrew ! Tu ne vas pas faire ça !

— Calme-toi, Miera. Retourne avec les enfants. Par ici, messieurs.

— Ne fais pas ça, Andrew !

— Ne t'inquiète pas.

Andrew s'assit tranquillement devant son bureau. Spencer, trop tendu pour s'asseoir, resta debout.

Harkman passa aussitôt à l'attaque.

— Monsieur le député, vous pouvez raconter ce que vous voulez, nous savons pertinemment, l'un comme l'autre, ce que vous m'avez répondu au téléphone l'autre jour. Je vous ai demandé si vous connaissiez Emmy McFadden et vous m'avez dit non.

— Non, je vous ai dit que je ne m'en souvenais pas, mais je n'avais pas compris votre question, c'est évident.

— Je vous ai demandé si vous la connaissiez !

— Je n'ai pas bien entendu ! Et ne haussez pas la voix ! Je ne le tolérerai pas !

— Monsieur le député, aviez-vous une liaison

avec Emmy McFadden ? Avez-vous bien entendu ma question ?

— Oui. Et la réponse est non.

— Il n'y avait rien de plus entre vous que l'amitié qui la liait à votre sœur ?

— Comme je l'ai expliqué à l'inspecteur O'Malley, elle est peut-être venue ici, à mon bureau de Port Jefferson. Je ne sais pas, je ne m'en souviens pas. C'est possible. Considérez-vous que cela outrepasse son amitié avec ma sœur ?

— Et elle est venue à votre bureau de Washington ?

— Non, jamais.

— Vous en êtes sûr ? Vous vous en souvenez ?

— Elle ne vivait pas à Washington, messieurs. J'en déduis qu'elle avait encore moins de chances d'y venir, sans compter que je n'en ai aucun souvenir.

— Quand avez-vous fait sa connaissance ?

— Par l'intermédiaire de Lily.

— Quand ça ?

— Je ne sais pas. Je ne m'en souviens plus.

— Il y a beaucoup de choses dont vous n'arrivez pas à vous souvenir, remarqua Spencer.

— Au sujet de cette fille, oui. J'ai une mémoire photographique des choses importantes. Je suis désolé qu'elle ait disparu, j'espère que votre enquête aboutira. Je voudrais pouvoir vous aider, mais je n'étais pas ami avec elle et, surtout, j'ignore où elle est.

— Accepteriez-vous de répéter cela sous détecteur de mensonges ?

— Quoi ? Pour vérifier que je la connaissais ? Bien sûr.

— Non, pour vérifier que vous n'aviez pas de liaison avec elle. Et que vous ne savez pas où elle se trouve.

— Je vous affirme qu'il n'y avait rien entre nous.

— Seriez-vous prêt à le répéter devant le polygraphe ?

— Mais oui, bien sûr. Cependant, je préfère consulter mon avocat auparavant à ce sujet. Je n'y vois personnellement aucune objection.

Il pianota sur son bureau.

— Ce sera tout ? Parce que j'ai du monde...

Spencer, qui n'avait rien dit depuis un moment, prit la parole à son tour.

— Monsieur le député, il vous est arrivé d'aller chez votre sœur et son amie...

— Oui, une fois ou deux, comme je vous l'ai dit.

— Effectivement. Mais ce que vous ne m'avez pas dit, c'est que vous étiez allé dans la chambre d'Emmy. C'est là que nous avons trouvé des cheveux qui correspondent aux vôtres.

Andrew cessa de pianoter. Son regard alla d'un inspecteur à l'autre.

— Je ne comprends pas comment c'est possible.

— Ah bon ? Moi non plus.

— Je ne vois pas où vous voulez en venir, rétorqua Andrew d'une voix qui tremblait légèrement. Vos méthodes d'intimidation ne m'impressionnent pas, inspecteur, et je vais de ce pas informer vos supérieurs de la façon dont vous traitez les innocents.

— Monsieur le député, inutile de vous énerver. Je vous demande simplement comment il se fait qu'on ait trouvé quelques cheveux à vous un peu partout sur ses affaires dans sa chambre ?

— Je ne sais pas. Je n'y suis jamais entré.

— Alors peut-être Emmy les avait-elle sur ses vêtements et les a-t-elle ainsi rapportés chez elle.

Harkman et Spencer attendaient, immobiles.

Finalement, Andrew écarta les mains, se renfonça dans son fauteuil et se frotta les yeux comme s'il voulait les arracher. Toute sa superbe s'était envolée.

— Écoutez, je ne suis pas arrêté, je ne suis pas suspect non plus. Mais comme je ne voudrais pas faire quoi que ce soit qui entrave votre enquête, je vais donc vous parler franchement.

Spencer attendit, en retenant son souffle.

— C'est vrai... je dois l'avouer... j'ai eu une brève liaison avec elle, commença-t-il sans cesser de croiser et décroiser les mains. Mais c'est fini depuis longtemps et ça fait des mois que je ne l'ai pas vue.

Spencer s'assit. Ils se regardèrent avec Harkman. Un ange passa.

— Monsieur le député, reprit très lentement Spencer, il se trouve que vous avez eu une liaison avec une jeune fille qui a disparu.

— Il n'y a aucun lien entre les deux ! Je ne l'ai pas vue depuis des mois !

— Justement, ça fait des mois qu'elle a disparu. Quand cette liaison a-t-elle pris fin ?

— Quand cette liaison a-t-elle pris fin ?

— Pourquoi répétez-vous toujours mes questions ?

— Je ne me souviens pas de la date.

— C'était il y a quinze jours ? En juillet ? En juin ? On joue à ni oui ni non, ou quoi ? Quand cette liaison a-t-elle pris fin ?

— Monsieur l'inspecteur, c'est du harcèlement.

— Monsieur le député, on voit que vous ignorez ce que c'est. Attendez que les journaux aient vent de l'affaire. Alors, quand cette liaison a-t-elle pris fin ?

Andrew se frotta le visage.

— En mars, peut-être. Je n'arrive pas à me souvenir quand exactement.

— Pourquoi a-t-elle pris fin ?

— Pourquoi ? Parce que ce sont des choses qui arrivent.

— Elle s'est donc terminée en mars ?

— Je crois. C'était au printemps.

— Alors c'était peut-être en avril ? Ou en mai ? Ou le jour où elle a disparu ?

— Cette conversation est ridicule.

— Savez-vous où se trouve Emmy, monsieur le député ?

— Je vous l'ai dit. Je l'ignore.

— Seriez-vous prêt à le répéter sous détecteur de mensonges ?

— Je vous ai déjà répondu que ça ne me posait aucun problème, mais je dois d'abord en parler avec mon avocat.

— Vous lui en parlerez en prison, quand vous

aurez droit à passer votre unique coup de fil, rétorqua Harkman. Répondez à l'inspecteur. Quand exactement votre liaison a-t-elle pris fin ?

— Je vous l'ai déjà dit.

— Non, vous nous avez dit que vous ne vous en souveniez pas. Mais vous êtes sûr et certain que ce n'était pas en mai. En fait, tout ce dont vous vous souvenez c'est que ce n'était pas le jour où elle a disparu. Intéressant, non ?

— Bon, d'accord, c'était en avril ! À la mi-avril. Oui, quand j'ai fait ma déclaration d'impôts, nous n'étions plus ensemble.

Les trois hommes restèrent silencieux.

— Et ça durait depuis combien de temps ? reprit Spencer.

— Je ne sais plus.

— Vous ne savez plus ! C'est arrivé une seule fois, dans son appartement ? Ou ça a duré une semaine ? Un mois ? Un an ?

— Non, à peine quelques mois.

— Avant ou après votre réélection ?

— Autour de cette période.

— Où vous retrouviez-vous ? À son appartement ?

— Bien sûr que non !

Spencer écarquilla les yeux.

— Ma question vous offusque, monsieur le député ? Aurais-je heurté votre sensibilité ? Je vous prie de m'excuser.

— Je suis rarement allé à cet appartement et seulement pour voir Lily, jamais Emmy.

Il baissa les yeux avant de reprendre :

— Tout cela est tellement navrant. Pour ma femme, ma sœur, mes enfants.

— En effet. Mais, une fois de plus, vous n'avez pas répondu à ma question. Où vous retrouviez-vous ?

— Je ne sais pas. N'importe où !

— Dans la rue ? Dans les couloirs ? Elle allait vous voir à Washington ?

— De temps en temps.

— Elle restait pour la nuit ?

— De temps en temps.

Spencer hocha la tête d'un air entendu.

— Ce qui explique pourquoi elle partait en laissant ses papiers d'identité. C'était vous qu'elle voulait protéger.

— Oui, j'étais au courant, mais je ne lui ai jamais demandé de le faire. C'était elle qui avait décidé ça. Que voulez-vous que je vous dise ? C'était une fille très prudente. Je crois qu'elle voulait surtout ne pas faire de peine à Lily. Moi non plus.

— Et vous n'aviez pas peur d'en faire à votre femme et à vos enfants, de la peine ?

Andrew l'arrêta d'un geste.

— Épargnez-moi vos leçons de morale. Je ne suis pas d'humeur.

— Et pourquoi avez-vous mis fin à cette idylle ? Votre femme vous a démasqué ?

— Non.

— Alors pourquoi ?

— Je vous l'ai dit. Ça s'est fini comme ça. Il était temps, d'ailleurs, ajouta Andrew sans regarder Spencer qui ne le quittait pas des yeux. Ça n'allait plus entre nous.

— Vraiment ?

— Non, plus du tout, lâcha Andrew d'un ton hargneux.

— Vous n'auriez pas rompu parce que vous veniez de décider de vous présenter au Sénat, et que vous craigniez de ruiner vos chances d'être élu si jamais cette petite liaison venait à être connue ?

— Oh, vous ne pourriez pas arrêter d'appeler ça une liaison ?

— Et comment voudriez-vous que je l'appelle ? s'étonna Spencer.

— C'est du passé ! C'est terminé ! Je ne vois pas pourquoi vous vous acharnez là-dessus.

— Trouvez-moi Emmy et je cesserai de m'acharner. Mais tant que nous ne saurons pas ce qu'elle est devenue, cette enquête se poursuivra et nous continuerons à insister sur ce point.

Spencer demanda à Andrew de ne pas quitter le pays, de ne faire aucune déclaration à la presse, de ne pas entraver l'enquête de la police et lui ordonna de fournir tous ses relevés de banque et de téléphone. Quand Andrew les reconduisit à la porte, ils virent Miera qui poussait leurs fillettes dans une autre pièce accompagnée de deux femmes à la mine courroucée, peut-être les sœurs d'Andrew. Spencer leur trouva une vague ressemblance avec Lily, bien qu'elles soient très différentes. L'une était grande et antipathique, l'autre plus petite semblait plus douce, plus maternelle. Les trois le dévisagèrent d'un air sinistre et désapprobateur.

Quand ils arrivèrent devant la porte, Andrew donna un grand coup de poing dans le mur.

— J'y suis ! Il n'y avait pas de cheveux dans la chambre d'Emmy.

Spencer ne répondit pas.

— Salauds ! cracha le député en claquant la porte derrière eux.

Spencer haussa les épaules, mais il était tellement tendu qu'on aurait dit qu'il frissonnait.

— Bien joué, O'Malley, dit Harkman tandis qu'ils regagnaient leur voiture. L'équipe médico-légale a intérêt à dégoter un cheveu dans la chambre d'Emmy, ou tu vas te retrouver à balayer les trottoirs de New York, la semaine prochaine.

— Harkman, lui dit Spencer quelques minutes plus tard alors qu'ils étaient sur l'autoroute. Qu'est-ce que tu penses de lui ?

— Difficile à dire. Cette histoire sent mauvais. Une fille jeune, la colocataire de sa sœur. Je trouve ça un peu louche, si tu veux mon avis. Je n'en sais pas plus. Et toi ?

— Pff ! Tout ce que je sais, c'est que le *Titanic* a coulé.

20

Un samedi soir comme les autres pour Lily

Après avoir dormi tout l'après-midi, Lily se rendit en taxi chez sa grand-mère. Le chauffeur l'aida à monter jusqu'au perron. Comment réussirait-elle à se hisser jusqu'au cinquième étage ? Elle préférait ne pas y penser.

Chaque samedi soir, sa grand-mère organisait son poker. Apparemment ça ne gênait personne que le jeu soit truqué car les cinq vieilles dames, toutes veuves, se réunissaient sans faillir depuis vingt-cinq ans. Aucune ne savait bluffer correctement, on lisait leur jeu sur leur visage, mais elles jouaient pendant des heures, en buvant du vin et en mangeant à outrance ; il leur arrivait même de fumer le cigare. L'une d'elles, une certaine Zani, d'Albanie, était tombée un jour en repartant, sans doute avait-elle trop bu. Et les vieilles dames laissaient sa chaise libre en attendant son retour. Elles ne se faisaient guère d'illusions : elles avaient peu de chances de la revoir, car elle avait quatre-vingt-huit ans et sa hanche ne guérissait pas. Alors elles continuaient à jouer, à boire et à manger, comme si la mort les guettait sur le pas de la porte.

— Doux Jésus ! s'exclama sa grand-mère, quand elle vit Lily. Tu as l'air d'un cadavre ambulant. Viens vite manger quelque chose. Dana, regarde comment les filles se laissent dépérir de nos jours pour plaire au sexe opposé !

— Pourtant les hommes aiment les rondeurs, répondit Dana.

Et la conversation continua comme si Lily n'était pas là. Elle s'assit à la place de Zani, fit semblant de jouer, de tricher, même de boire. Elle essaya de grignoter, mais l'odeur de la nourriture lui levait le cœur et elle finit par renoncer. Personne ne le remarqua.

Au bout d'une heure, elle avait perdu ses vingt dollars et regarda jouer les autres.

— Lily, tu as une mine sinistre. Qu'est-ce qui ne va pas ? dit sa grand-mère. Tu as vu comme tu es maigre. Tu ne serais pas anorexique ?

— Laisse-la tranquille, Claudia. Elle est bien comme ça, intervint Hannah, de Bulgarie, qui prenait toujours la défense de Lily. C'est une jeune New-Yorkaise. Elles sont toutes comme ça. Mais c'est vrai que tu as maigri, Lily, ajouta-t-elle en se tournant vers la jeune fille. Qu'est-ce qui t'arrive ?

— Oui, renchérit sa grand-mère. Tu es jeune, célibataire, bientôt diplômée, tu t'amuses, pourquoi cette tête d'enterrement ? Tu ne t'amuses pas ?

— Comme j'aurais aimé vivre ma jeunesse à New York, soupira Dana, de Pologne. À l'âge de Lily, j'étais à Treblinka, à attendre mon tour de passer aux douches. Si les Soviétiques n'étaient pas arrivés, j'aurais fini dans les tas de cendres sur lesquels les nazis faisaient pousser leurs choux.

Les vieilles dames opinèrent. Elles étaient arrivées en Amérique chassées par la guerre qui avait brisé leur vie.

— Et si vous entendiez mes petites-nièces se plaindre, dit Soo Min de Corée du Sud. Elles critiquent tout, pourtant elles sont nées ici. Elles reprochent aux Américains de manquer de romantisme. Je leur ai dit : Savez-vous que mon fiancé a été tué par les Coréens du Nord, en 1950 ? Que j'aurais tout donné pour avoir mon Yung vivant, quitte à ce qu'il ne m'apporte jamais de fleurs et qu'il oublie mon anniversaire ? Je vous en ficherais du romantisme ! Nous, on est déjà contentes d'être en vie. Hein, Claudia ? Notre Claudia a épousé son Tomas en juin 1939, il est parti à la guerre en septembre, quand Hitler a envahi la Pologne et elle ne l'a jamais revu ! À la voir vivre, on croirait qu'elle l'attend encore. Enfin, heureusement qu'elle a eu une fille de lui et, maintenant, toute une famille. Elle en a de la chance. Mon Yung ne m'a rien laissé.

Sa grand-mère ne fit aucun commentaire, remarqua Lily qui était encore sous l'effet de la morphine et des deux Oxycontin qu'elle avait pris avant de venir. Elle n'aurait pas dû boire du vin. Elle étouffait. L'air de la pièce était saturé de nicotine, de dioxyde de carbone mélangé aux vapeurs d'alcool, aux effluves de parfums bon marché et aux odeurs de fromage. Elle se leva en titubant pour aller ouvrir la fenêtre.

— Qu'est-ce que tu fais ? protesta Claudia. J'ai mis la clim !

— Ah bon ?

Elle se laissa retomber sur son siège.

— Ma fille n'est pas contente non plus, enchaîna Dana. Elle a quarante-neuf ans et elle en est déjà à son cinquième mariage. Elle reproche à son cinquième mari de ne pas sortir la poubelle.

— Oh, les maris étaient encore pires autrefois ! s'exclama Claudia. Ils buvaient et battaient leur femme. Mais ils étaient vivants. C'était toute la différence.

— Arrête, Claudia. Je suis sûre que ton Tomas aurait sorti la poubelle.

— Je ne l'aurais pas laissé faire. Ce n'est pas à un homme de faire ça.

— Pourquoi les filles sont-elles si difficiles en temps de paix ? demanda Soo Min. Lily, tu as un petit ami ?

— J'en avais un, mais nous ne sommes plus ensemble.

— Vous voyez ! s'exclama Dana. C'est bien ce que je vous disais. Elles sont trop exigeantes ! Et qu'est-ce que tu lui reprochais ?

— Il ne m'aimait pas.

Pour une fois, les vieilles dames ne surent que répondre, mais le silence fut de courte durée.

— Quel idiot ! s'exclama Hannah qui adorait Lily. Tu es une belle fille même si je te trouve un peu maigrichonne. Alors vous vous êtes séparés ? Tu aurais dû faire un effort. Mais, bien sûr, tu t'es dit que tu en trouverais un autre.

201

C'était lui qui en avait trouvé une autre, pensa Lily.

— En fait, ça va plus loin que ça, reprit Claudia. Ici, nous vivons bien, nous avons de l'argent et qu'est-ce que nous faisons... nous n'arrêtons pas de nous plaindre. Et vous savez pourquoi ? Parce que nous vivons en paix depuis trop longtemps. Nous avons oublié ce qui a coûté la vie à trois cent mille de nos hommes et à plus de cinquante-cinq millions de personnes dans le monde. Nous avons oublié pourquoi nous nous sommes battus...

— Pour avoir le droit de nous plaindre quand nous le souhaitons, n'est-ce pas, Claudia ? la coupa Soo Min. C'est notre luxe, ce droit de nous lamenter, de critiquer, de désapprouver, de râler, d'engraisser, de nous suicider et de nous marier cinq fois. Le droit de tout considérer comme acquis ! Et de vivre comme si nous avions l'éternité devant nous. Ce n'est pas une mauvaise chose. C'est mieux que ce que j'ai connu dans ma jeunesse. À l'âge de Lily, j'étais si faible que je ne pensais jamais atteindre mes vingt ans. Je me fichais comme d'une guigne des programmes sociaux et de la brutalité policière. Tout ce que je voulais, c'était un morceau de viande.

— J'ai été tatouée par les nazis et brûlée, centimètre par centimètre sur tout le corps.

— J'ai été violée à trois reprises par les Russes à leur arrivée en Bulgarie. Après je n'ai jamais pu avoir d'enfant.

— J'ai perdu tous les miens et mes parents à Sobibor. Ici, la mort d'un enfant est un véritable drame familial. Et dire que moi, j'en ai perdu trois.

— Mon mari, mon seul amour, est parti à la guerre et n'est jamais revenu.

— J'ai un cancer, dit Lily.

Les vieilles dames se turent, cette fois pour de bon.

Elle n'arrivait pas à croire qu'elle marchait toute seule, qu'elle descendait l'escalier, qu'elle bougeait. La transfusion lui avait rendu un peu d'énergie. Mais à peine arrivée au coin de la rue, elle vomit le peu qu'elle avait avalé. Et sa bile contenait du sang. Elle se dirigea vers la bibliothèque municipale de Brooklyn, qui restait ouverte tard, le soir, sans doute à l'intention des jeunes filles désireuses de s'informer sur leur maladie.

Elle avait une belle vie, en dépit de sa mère, en dépit de son manque d'argent. Elle avait de bons souvenirs de son enfance heureuse, de ses années d'université insouciantes, de ses passions toutes modestes qu'elles étaient. Sa peinture, ses petites joies...

Mais dans cette existence protégée s'était glissée une cellule cancéreuse. Une simple cellule, qui avait débarqué sans prévenir pendant qu'elle peignait, qu'elle dansait, qu'elle rêvait d'amour et d'avenir. Pourquoi ?

Elle trouva des ouvrages décrivant l'évolution de sa maladie mais aucun ne put répondre à cette question : pourquoi, à vingt-quatre ans,

203

était-elle atteinte de leucémie aiguë myéloblastique ?

49, 45, 39, 24, 18, 1.

Ses nombres favoris.

Des nombres de mort.

Elle apprit que c'étaient surtout les hommes qui mouraient de leucémie, mais qu'en revanche la LAM 3 était responsable à elle seule d'un tiers des décès. C'était le type de leucémie qui avait le plus faible taux de survie à cinq ans. D'après les statistiques, Lily avait dix-sept pour cent de chances de survie au-delà.

Voilà ce qu'elle s'était attiré en cochant le 49, 45, 39, 24, 18, 1. Ce qu'elle avait décroché en jouant un dollar !

En consultant les statistiques à l'échelle internationale, elle découvrit que les femmes avaient plus de chances de survie en Australie et aux États-Unis. Quand elle verrait sa grand-mère, elle la remercierait d'avoir choisi l'Amérique après la marche de la mort (1945) et les camps de réfugiés en Belgique (1939). Les statistiques, même mauvaises, y étaient déjà meilleures qu'ailleurs. Comme dans bien des domaines. Sa grand-mère pouvait être fière de son choix.

21

Un samedi soir comme les autres
pour Spencer

Spencer se réservait toujours son week-end. Normalement il ne travaillait pas (quoique parfois, comme aujourd'hui, il ne pouvait s'y soustraire). Il ne voyait jamais Mary non plus, invoquant le travail ou des obligations de famille. Même s'il rendait rarement visite à son père malade. Tout impératif familial nécessitait une grande anticipation de sa part. Il prenait alors des jours de vacances ou se mettait en congé de maladie. Car son corps comptait les cinq jours du lundi au vendredi tel un métronome. Et au bout de ces cinq jours de sobriété, son organisme atteignait les limites de sa résistance. Spencer n'avait plus d'appétit. Son esprit s'embrumait, il frissonnait. Le vendredi, il lui arrivait de sortir avec ses copains de la criminelle, et de boire quelques verres en leur compagnie, afin de prouver qu'il était normal et sympathique, bref, qu'il leur ressemblait, faisant ainsi d'une pierre deux coups : il se montrait sociable tout en commençant ses libations hebdomadaires. Il préférait sortir avec Mary le jeudi, mais c'était difficile de justifier son indisponibilité du week-end. Il y avait de quoi éveiller ses soupçons. Ou il rompait, ou il la gardait en payant le prix. Il l'invitait donc à dîner tous les jeudis soir puis finissait la soirée dans son appartement de l'Upper West Side. Il n'y passait jamais la nuit, obnubilé avant même d'arriver chez elle, par une seule idée : s'en aller.

Il était très bien organisé. Il achetait son whisky à l'avance, loin de chez lui, car trop de gens le connaissaient dans le voisinage et pas question de sortir une fois qu'il avait commencé à boire, c'eût été trop dangereux. On devait le croire irréprochable, et c'est pour cela qu'il restait sobre la semaine et buvait peu avec ses amis. Mais ses samedis se perdaient dans un brouillard. Et il restait enfermé chez lui toute la journée du dimanche jusqu'à ce qu'il recouvre douloureusement ses esprits.

Puis revenait le lundi et ses cinq jours de pénitence. Cinq jours à attendre le week-end. Spencer aimait Mary, il en avait besoin ; il aimait son travail, il en avait besoin aussi, mais moins que de son premier verre du vendredi soir.

Pourquoi sa mère avait-elle fait tant d'enfants ? Pourquoi n'avait-il pas été un fils unique catholique ? Les week-ends devenaient une torture quand il devait rester sobre les jours de communion, de confirmation, de baptême et de mariage. Son corps exprimait son mécontentement. Spencer était sombre, triste et fiévreux. Il ne buvait jamais la moindre goutte à ces réunions car il ne savait pas boire sans s'enivrer. Il ne se leurrait pas, il ne se faisait aucune confiance. Il connaissait la vérité et l'acceptait.

Après être rentré de Port Jeff et avoir déposé Harkman puis rendu la voiture de patrouille, Spencer rentra chez lui, et, sans même se déchausser, avala au goulot une bouteille entière de Glenmorangie, debout contre l'évier.

Quelques heures plus tard, il prit une longue douche pour chasser l'alcool de ses pores, et, presque dessoûlé, s'assit devant un verre à whisky et une bouteille de Macallan. Il était minuit passé et il se demanda s'il serait capable de la vider dans l'évier au lieu de la boire. Il essaya de regarder la télévision, de lire le journal. S'il cédait à ses démons, il perdrait son poste aux Personnes disparues, on le mettrait en incapacité de travail, puis il lui faudrait démissionner de la police si Whittaker ne le croyait plus capable de se contrôler. Gabe McGill ignorait qu'il buvait, mais, s'il l'avait su, il s'en serait moqué. En revanche si Harkman l'avait appris, il lui aurait fait perdre depuis longtemps son emploi. Peut-être était-ce là-dessus que portaient ses menaces ?

Soudain ses réflexions le ramenèrent à Lily. Elle avait eu besoin de lui hier, et la chance avait voulu qu'il fût avec Mary, et donc sobre. Mais si elle l'appelait demain ? Ou le week-end prochain ? Il serait incapable de décrocher et d'aller l'aider.

Et inutile de le nier : Lily devait pouvoir compter sur quelqu'un.

Peut-être juste ce samedi, songea-t-il en faisant un terrible effort pour se lever. *Je pourrais bien tenir encore six jours.* Disons qu'il s'agit d'un imprévu familial. Et avant de se raviser, il alla vider sa bouteille à quatre-vingt-seize dollars et six cents dans l'évier, et, les mains crispées sur le rebord du bac en acier, inspira le parfum enivrant du whisky qui disparaissait dans le siphon.

22

Flic ou coiffeur ?

À travers son sommeil, elle entendit le téléphone sonner, sonner avec insistance. Elle se leva et arracha la prise du mur. Demain, elle retournait à l'hôpital. Sa grand-mère avait dû prévenir la famille ; tant mieux, elle n'aurait pas à le faire. Elle n'avait aucune intention de perdre son temps au téléphone. Il faudrait juste qu'elle voie qui pourrait la conduire à l'hôpital demain matin pour commencer sa chimio.

Elle se demanda si sa grand-mère avait appelé sa mère.

Elle l'espérait. Elle s'en sentait incapable. Elle ne voulait plus se laisser pousser au conflit. Elle ne supportait plus de se laisser manipuler. Elle préférait ne pas lui téléphoner.

Mais, au fond de son cœur, elle avait besoin d'une mère qui compatirait à ses malheurs. Une mère qui, à l'annonce de la maladie de sa fille, laisserait tout tomber et sauterait dans le premier avion pour venir à son chevet. Une mère qui la conduirait lundi matin à sa chimiothérapie. Une mère qui rangerait son appartement et lui ferait du bouillon de volaille, qui irait laver son linge à la laverie, une mère qui ne raconterait pas de sornettes aux médecins, une mère qui lirait les rapports médicaux, qui lui ferait couler un bain, même si elle savait que Lily avait horreur de ça. Une mère qui serait présente jusqu'au jour où Lily aurait de nouveau la force de tenir assez longtemps debout pour pouvoir prendre une douche.

Et c'est en rêvant de cette mère idéale que Lily appela Maui. Ce fut son père qui décrocha.

— Bonjour, papa.

— Bonjour, Lily, répondit-il et Lily faillit éclater en sanglots.

— Comment ça va ?

— Oh, tu sais...

— C'est toi, Lily ? les coupa une voix pâteuse. Raccroche ! hurla-t-elle, et Lily hésita, sans savoir à qui s'adressait sa mère jusqu'à ce qu'elle ajoute : J'veux parler seule à ma fille.

— Non, papa ! Ne raccroche pas ! J'ai quelque chose à te dire.

— Il me rend folle, continua Allison. Je vais me suicider. Je vais me jeter par la fenêtre. Tu m'entends ? Tu m'entends ?

— Je t'entends, soupira George. Le monde entier t'entend.

Sa mère lâcha le combiné et se mit à hurler contre son père. Il cria à son tour. Lily attendit quelques instants, puis elle raccrocha.

Les appels se succédaient sans fin. Amanda, Anne, grand-mère, Rachel, Dennis, Joshua, Rick du restaurant, Judi, Jan McFadden... Les nouvelles du loto avaient été noyées par celles du cancer puis par celles d'Andrew. Amanda et

Anne ne savaient pas si elles devaient pleurer sur le sort de Lily ou sur celui d'Andrew, qui, racontèrent-elles à Lily, avait été harcelé jusque chez lui, samedi après-midi, par deux inspecteurs aussi désagréables que grossiers.

— Cet inspecteur O'Malley aurait besoin qu'on lui enseigne un minimum de délicatesse, siffla Amanda. Il jetterait sa propre grand-mère en prison.

On sonna à la porte. Il était une heure de l'après-midi. Lily dut mettre Amanda en attente, dire à Rachel qu'elle la rappellerait plus tard, et alla à l'interphone.

— Oui ?

— C'est Spencer.

— Amanda, je dois te quitter.

C'est l'emprisonneur de grand-mère, faillit-elle ajouter.

Elle enfila en vitesse un pantalon à la place de son short pour cacher ses jambes couvertes de bleus.

Spencer apparut, le visage pâle et fatigué, les yeux rouges, une tondeuse électrique à la main.

— Comment vous sentez-vous, ce matin ?

— Comme si j'avais le cancer. Et ça, c'est pour quoi faire ? ajouta-t-elle en montrant le rasoir.

— Je vais me couper les cheveux.

— Vous venez chez moi vous couper les cheveux ?

— Oui, je vais commencer par les miens, ensuite... je couperai les vôtres, ajouta-t-il avec un petit sourire.

Elle fit un pas en arrière et se caressa machinalement la tête. Il n'avait pas l'air dans son assiette, ce matin.

— Qu'est-ce qui vous prend ? Je ne veux pas les couper.

Le téléphone sonna. Ils se regardèrent.

— Je ne réponds plus. J'ai passé la matinée au téléphone à écouter le compte rendu de vos exploits, hier, chez mon frère.

Il s'avança vers elle.

— Je suis désolé. C'est un mauvais moment à passer. Ne lisez pas les journaux.

— Je n'en ai pas l'intention. Ce ne sont que des tissus de mensonges. Je vous en prie, posez votre tondeuse, vous me faites peur.

Il s'approcha encore.

— Lil, vous allez perdre vos cheveux.

— Pas par vous.

— Ils vont partir par touffes entières. Vous aurez des trous tout autour de la tête. Alors que moi, je vous les raserai bien régulièrement et pour vous le prouver, je vais commencer par les miens.

Et avant qu'elle n'ait pu dire un mot, il retira sa veste en jean et son polo. Les poils de son torse étaient encore bruns, à peine grisonnants sur les bords. Il était mince, sans la moindre graisse. Voir un homme à moitié nu chez elle la perturbait mais ce n'était pas désagréable. Et il était fou : il se rasait vraiment la tête, un miroir posé contre l'égouttoir, au-dessus de l'évier.

— Alors ? Comment me trouvez-vous ?

demanda-t-il en se retournant vers elle, une fois qu'il eut terminé.

On aurait dit qu'il partait à l'armée. Il lui restait à peine trois millimètres sur le crâne.

— Effrayant. Et chauve.

Mais cela soulignait ses yeux bleus et sa bouche pleine, et les mettait en relief comme dans une caricature, ainsi que sa mâchoire, ses pommettes, ses sourcils et ses oreilles.

— À vous, maintenant.

— Non.

— Oh, Lily !

— Inutile d'essayer de m'amadouer. C'est non.

Il pencha la tête et la contempla d'un petit air moqueur.

— Arrêtez !

Elle quitta la cuisine. Il la suivit.

Au bout d'un quart d'heure, elle finit par céder.

— Mais je ne me déshabillerai pas, le prévint-elle.

— Sage décision.

Elle s'assit sur une chaise devant lui.

— Et sachez que je n'en ai aucune envie.

— Je l'avais compris. Mais regardez-moi. Vous croyez que j'en avais envie ? Surtout que je ne suis même pas malade !

— J'ignore pourquoi vous avez fait ça. Vous ne devez pas tourner rond. C'est parce que vous êtes un homme, vous vous en fichez.

— Je vois que vous ne connaissez rien aux hommes.

Elle eut du mal à rester assise tandis que le

rasoir bourdonnait autour de sa tête et que ses mèches tombaient sur le sol à ses pieds.

— Spencer. Le médecin a bien dit que je perdrais tous mes cheveux ?

— Oui.

Il continua à couper. Il lui tenait la tête d'une main pour la stabiliser. Lily ferma les yeux. Elle n'avait plus l'habitude qu'on la touche.

— Partout, Spencer ?

Elle n'ouvrit pas les yeux de peur de sourire ou de rougir. Elle n'aurait pas dû plaisanter de la sorte avec un policier.

Il se pencha pour sonder son visage. Elle ouvrit les yeux à ce moment-là et éclata de rire.

— Voulez-vous que je vous les rase tous, Lily-Anne ? demanda-t-il, l'œil espiègle.

Elle rougit.

— Non, merci.

— C'est bien ce que je pensais.

Il avait terminé. Il lui épousseta les épaules avec une serviette. Elle était encore plus vilaine que lui, pour ne pas dire effrayante avec ses yeux couleur d'écorce, son grand front dégagé et son visage amaigri.

— Ça vous va mieux qu'à moi, constata-t-elle avec amertume. C'est pas juste.

— Je vous trouve super-branchée. Vous ressemblez à Sinead O'Connor.

— J'en rêvais. Ma grand-mère serait enfin fière de moi. Je ressemble aux survivants des camps dont elle nous rebat les oreilles. Il ne me manque que le pyjama.

Il lui proposa d'aller prendre un brunch au

Plaza. Mais elle se trouvait trop laide avec sa tête de moineau déplumé et n'avait pas de perruque ni de chapeau pour se cacher, en dehors des bonnets de ski d'Emmy.

— Merci, Spencer, mais on pourrait reporter ça à une autre fois ? Je n'ai pas faim aujourd'hui.

— On peut passer acheter un chapeau chez *Bergdoff's*, si vous voulez, proposa-t-il comme s'il lisait dans ses pensées.

— Je n'ai pas encore été payée.

— Je le réglerai.

— Non. Vraiment. Une autre fois, d'accord ? Je n'ai pas la force aujourd'hui, vous comprenez ?

Il comprenait. Il finit de nettoyer son rasoir sans rien dire.

— Bon... eh bien, le salon de coiffure est fermé. Alors... vous voulez que je m'en aille ?

— Pas vraiment, répondit-elle, sans oser le regarder.

— Qu'est-ce qui vous ferait plaisir ?

— Faire un tour à Central Park.

Mais quand le taxi les déposa au coin de la 59e Rue, elle n'avait plus la force de marcher jusqu'au zoo, juste en face. Il faisait une belle journée d'août chaude et ensoleillée. Ils s'assirent sur un muret, à l'ombre. Il lui acheta de l'eau et une glace pendant qu'il mangeait deux hot-dogs et une crème glacée italienne.

Elle se sentait faible. Il aurait mieux valu qu'elle rentre s'allonger mais elle n'en avait pas envie. Quand elle eut repris un peu de force, ils marchèrent jusqu'au Woolman Rink. Évidemment la patinoire n'était pas en service l'été ;

ils montèrent néanmoins se percher dans les gradins.

— Oliver Barrett, ça vous dit quelque chose ? lui demanda-t-elle.

— Non.

— Et Jenny Cavilleri ?

Il secoua la tête.

— Vous n'avez jamais vu *Love Story*, quand vous étiez petit ?

— Les gamins de treize ans regardent plutôt *La Nuit des morts vivants*.

— Vous n'aviez pas treize ans en 1970 !

Elle scruta ses traits. Spencer serait-il plus vieux que son frère ?

— Et quand êtes-vous entré dans la police ?

— En 1978.

— Vous étiez déjà flic quand j'étais toute petite.

Comment était-ce possible ?

— Il faut croire. Et depuis combien de temps Emmy laissait-elle ses papiers quand elle sortait ?

— Oh, je vous en prie, Spencer. Je n'en sais rien.

Elle poussa un profond soupir.

— Écoutez, je sais que vous mourez d'envie de me raconter ce que vous vous êtes dit hier avec mon frère...

— Pas du tout.

— Tant mieux. Je ne veux pas le savoir. Je ne veux pas en entendre parler, vous comprenez ?

Il lui pressa doucement l'épaule.

— Je comprends.

— Vous a-t-il dit... qu'il savait où elle était ?

— Non, il a dit qu'il l'ignorait.

Elle regarda ailleurs.

— Vous le croyez ?

— Je croyais que vous ne vouliez pas en parler !

— C'est vrai. Rentrons.

Le taxi s'arrêta sur Broadway, au coin de la 11e Rue.

— Ce n'est pas là que j'habite, remarqua-t-elle étonnée.

— Moi, si. Il posa doucement la main sur son visage. Vous n'avez rien à craindre. Montez. Vous pourrez regarder la télévision. Pourquoi n'en avez-vous pas chez vous ?

— Joshua l'a embarquée.

— Quel galant homme ! Eh bien, quand vous sortirez de l'hôpital et que vous aurez touché votre argent, vous pourrez vous payer des écrans plasma dans toutes les pièces, même dans la salle de bains.

— Ça lui apprendra !

Son appartement était propre. Il y avait des journaux par terre, du courrier sur la table. La cuisine n'avait pas l'air de servir souvent. Comme la sienne.

Elle apprécia immédiatement les hauts plafonds et les grandes fenêtres qui donnaient sur Broadway. Elle aperçut en face le magasin Dagostino's, devant lequel elle l'avait rencontré avec Mary, un mois avant. À ce souvenir, elle s'écarta machinalement des vitres et alla s'asseoir sur le canapé d'angle. Elle ramassa *Sport*

217

Illustrated et commença à le feuilleter pendant qu'il s'affairait dans la cuisine, sans doute à préparer du thé. Bercée par le bruissement des pages qu'elle tournait, le ronronnement de la circulation dehors, de vagues bruits de portes dans le lointain, les coups de klaxon, le sifflement de la bouilloire, le tintement de la vaisselle, elle s'endormit.

Quand elle se réveilla, elle était recouverte d'une couverture en coton bleu imprimé de chats, et Spencer regardait la télévision, assis au coin du canapé. L'écran était flou, elle avait la vue brouillée. Pourtant la musique et les visages lui semblaient familiers. Qu'est-ce que c'était ? Il y avait une bataille de boules de neige, des rires, une valse entraînante. Elle se rallongea, se roula sous la couverture et se rendormit. Quand elle se réveilla, il faisait nuit et il était toujours assis au même endroit, devant un match de base-ball, cette fois.

— Je suis désolée d'avoir dormi si longtemps, s'excusa-t-elle en se redressant péniblement.

Il se précipita pour l'aider.

— Ce n'est pas grave. Mais il vaut mieux que je vous ramène chez vous. Il est tard. Vous vous levez tôt demain matin. À quelle heure devez-vous être à l'hôpital ?

— À six heures, pour la prise de sang.

— Allons, les infirmières dorment encore à cette heure-là. Elles ont dit ça pour plaisanter !

Il la regarda se redresser.

— Voulez-vous... que... je vous y conduise ?

— Non, non. Mes sœurs doivent tirer à la

courte paille pour savoir qui se chargera de cette corvée. Ne vous inquiétez pas. Je ne pensais pas m'effondrer comme ça. Je ne suis pas très drôle comme compagnie... Qu'est-ce que vous regardiez pendant que je dormais ? demanda-t-elle dans le couloir

— Je suis descendu louer *Love Story*, répondit-il en lui ouvrant la porte. Je voulais savoir pourquoi on en a fait tout un plat.

Elle en éprouva un plaisir infini.

— Alors ? Qu'en pensez-vous ?

— Eh bien, j'ai préféré *La Nuit des morts vivants*, répondit-il avec un grand sourire.

Quand il l'eut ramenée chez elle, elle sentit une bouffée d'angoisse l'assaillir.

— J'ai tellement peur de ce qui m'attend, Spencer. Et si jamais je ne m'en sortais pas ?

— Ne vous inquiétez pas. Vous vous en sortirez comme une grande.

Elle se mit sur la pointe des pieds et l'embrassa sur sa joue mal rasée.

23

Première chimiothérapie

Le lendemain, à cinq heures et demie du matin, sa sonnette retentit.

— C'est ta grand-mère, entendit Lily dans l'interphone.

— Qui ça ?

— Ouvre-moi.

— Grand-mère !

Lily appuya sur le bouton.

Dix minutes plus tard, sa grand-mère arrivait à son étage, hors d'haleine, en se tenant aux murs.

— Oh, mon Dieu, ces escaliers ! Oh, tes cheveux ! Mon Dieu ! Que leur est-il arrivé ?

— Je les ai coupés. Ils allaient tomber, de toute façon. Grand-mère ! s'exclama soudain Lily, éberluée.

— Quoi ? Tu es prête ? On y va ?

— Mais grand-mère !

— Quoi, voyons ?

La vieille dame la dévisageait comme si elle ne comprenait pas sa stupéfaction.

— Tu es sortie de chez toi !

Lily avait du mal à retenir ses larmes. Sa grand-mère mettait le pied dehors pour la première fois depuis six ans !

— Non, répondit celle-ci en lui ouvrant les

bras. Je suis juste venue te chercher. Maintenant, prépare-toi. Et pour l'amour du ciel, je t'en prie, ne lis pas les journaux. Les nouvelles sont effrayantes, elles te ficheraient par terre.

— Souviens-toi de ce que disait Truman Capote, grand-mère. Il se fichait de ce qu'on racontait sur lui tant que ce n'était pas vrai.

— Eh bien, espérons que ton frère sera aussi philosophe. Allez, viens. Il faut y aller.

À l'hôpital Mount Sinai, Marcie et le Dr DiAngelo l'attendaient de pied ferme. Le médecin avait échangé son jogging contre une blouse et un pantalon blancs. Sans doute pour impressionner sa grand-mère, songea Lily. Et avec ses lunettes, il n'avait plus du tout l'air d'un gamin.

— Je le trouve beaucoup trop jeune pour être médecin, remarqua néanmoins sa grand-mère en aparté.

— Je vous remercie, répondit-il, mais je vais avoir cinquante-quatre ans.

— Qu'est-ce que je disais ! Un gamin !

DiAngelo expliqua ensuite à Lily ce qu'on allait lui faire. Elle bondit quand il parla du cathéter.

— Quoi ! Vous allez me faire un trou dans la poitrine ? Eh bien, je ne sais pas quels sont vos projets, mais moi, je rentre chez moi. Merci quand même.

Marcie entreprit de la rassurer.

— Il s'agit en fait d'un port-a-cath qui nous permettra d'administrer les médicaments et de prélever ou transfuser du sang sans toucher aux veines du bras. Le cathéter Hickman n'a rien de

221

bien impressionnant. Il est implanté juste sous votre peau au niveau de la clavicule. Il mène droit à votre veine cave qui va directement au cœur.

Lily prendrait de l'ATRA, de la vitamine A acide, chaque matin, par voix buccale ; et l'après-midi, des litres entiers de médicaments à perfuser seraient injectés dans sa veine cave. Cela pendant sept jours. Puis elle aurait trois jours de répit. Ensuite on lui ferait une biopsie et on recommencerait. Et ainsi de suite. Trois fois en trente jours.

— Un traitement très, très agressif, ajouta DiAngelo. Mais nous n'avons pas le choix. Il toussa. Il faut que vous sachiez que ces doses de vitamine A acide entraînent un risque d'infiltrats pulmonaires.

— Pardon ?

— Ce sont les globules blancs qui s'agglutinent dans les bronches et bloquent la respiration.

— Oh !

— L'ATRA est très toxique.

— Et pourquoi ne fait-on pas de chimio sans ATRA ?

— Parce qu'on réduirait considérablement le taux de réussite tout en augmentant la morbidité. Je ne le conseillerais pas. L'ATRA fonctionne très bien en association avec les autres médicaments.

— Et de quels médicaments s'agit-il, jeune homme ? demanda Claudia d'un ton solennel, comme si elle avait l'intention de vérifier dès son retour à la maison.

Un léger sourire étira les lèvres du médecin.

— De l'Aracytine, afin de tuer les cellules cancéreuses existantes, de la Cerubidine, afin de les empêcher de se reproduire, et du Vépécide, qui cumule les deux actions, pour faire bonne mesure.

— Ça me paraît beaucoup. Comment va-t-elle le supporter ?

— Très mal, mais ce sera mieux que de mourir.

Claudia poussa un cri. Lily lui tapota la main.

— Assieds-toi, grand-mère. Il plaisantait.

— Ce n'est pas drôle, jeune homme. Nous n'apprécions pas ce genre d'humour dans ma famille. Nous avons survécu à la guerre, aux camps de la mort, nous avons connu trop d'horreurs pour...

— Grand-mère ! Lily la supplia du regard. Il voulait détendre l'atmosphère. Ce n'est pas grave. Il sait ce qu'il fait.

— Il a intérêt.

Claudia se tourna vers DiAngelo :

— Combien de temps va-t-elle rester à l'hôpital ? Je peux venir la chercher mercredi ?

DiAngelo échangea un regard avec Lily.

— Lily, vous n'avez pas tout dit à votre grand-mère, je crois !

— Pas encore. Elle se tourna vers elle. Je dois rester un mois ici.

— Un mois !

— Je ne la laisserai sortir que lorsqu'elle se tiendra debout.

— Pourquoi ne peut-elle pas rentrer entre les chimios ? Une de mes amies a fait une leucémie et elle rentrait chez elle entre les traitements. Tout le monde rentre... pour récupérer, reprendre des forces, manger.

— Comment va votre amie ?

— Eh bien... elle est morte.

DiAngelo répondit par un long sourire poli.

— Faites-lui un traitement moins lourd, reprit Claudia.

— Lily, qu'est-ce que vous préférez ? Moins souffrir ou vivre ?

— Vivre.

— C'est bien ce que je pensais.

— Et au bout d'un mois ? demanda Claudia en se tassant sur elle-même.

— Vous savez quoi ? Nous allons déjà passer les trente jours qui viennent. Ensuite nous en reparlerons. Et si tout va comme nous voulons, Lily suivra treize semaines de chimio de consolidation, en soins externes. Mais ne vendons pas la peau de l'ours... Vous êtes prête pour le cathéter, Lily ?

— Pas du tout !

— Vous ne m'étonnez pas.

— Lilianne, intervint Claudia, as-tu pensé à prendre un autre avis ?

— Lilianne, la gronda DiAngelo, je vois que vous n'avez pas dit à votre grand-mère la gravité de votre état. Vous n'avez pas été honnête avec elle.

— Si, mais personne ne veut le croire. Moi encore moins que les autres.

— Ne traitez pas votre petite-fille comme si elle avait la grippe, madame Vail. Traitez-la comme si elle avait un cancer.

Claudia plaqua ses mains sur sa poitrine, la respiration soudain haletante.

Lily lui pressa la main.

— Ne t'inquiète pas, grand-mère. Ça va bien se passer. Tu verras.

L'installation du cathéter fut douloureuse comme il fallait s'y attendre. On lui fit une anesthésie locale mais quand le médecin lui demanda si elle avait mal, elle répondit oui, même si d'autres parties de son corps la faisaient davantage souffrir. Il lui demanda de coter sa douleur de un à dix. Elle dit d'abord neuf, puis redescendit à quatre en le voyant hausser les sourcils. Mais à la vue de ce tube qu'on lui enfonçait dans la poitrine, elle fondit en larmes. Sa grand-mère se mit à pleurer, elle aussi, ce qui ne fit qu'augmenter ses angoisses.

Marcie la consola en serrant sa tête rasée contre son ample poitrine. Lily regretta que personne ne console ainsi sa grand-mère.

Ce qui l'inquiétait le plus, c'étaient les nausées dont on lui avait parlé. Comment les supporterait-elle ? Elle avait toujours eu la hantise de vomir. Pouvait-elle l'avouer ? On se moquerait d'elle. Ah, ah ! La belle affaire alors que sa vie était en jeu ! N'empêche que c'était ce qui l'angoissait le plus.

L'ATRA par voie buccale était aussi rapide à prendre qu'un cachet d'Advil, et les poches de chimio qu'on apporta dans l'après-midi avaient l'air si innocentes qu'elle avait du mal à croire qu'elles déclencheraient des saignements intestinaux. Elle espérait faire partie des rares qui avaient la chance de bien supporter le traitement, sans vomir, sans devenir sourde.

L'après-midi, elle reçut la visite d'Amanda et d'Anne. Toutes deux furent horrifiées par sa coiffure.

— Qui t'a fait ça ? Ne me dis pas que tu as payé pour qu'on te massacre comme ça ?

Elle préféra ne pas leur répondre. Elles n'auraient pas compris. Pourvu que Spencer ne lui rende pas visite pendant qu'elles étaient là !

Amanda lui prit une main, Anne l'autre. Anne portait un tailleur, Amanda était habillée en mère de famille négligée, avec un pantalon de survêtement et un sweat-shirt informe. La première heure se traînait. Le temps passait lentement quand on regardait le goutte-à-goutte couler dans ses veines. Le liquide était transparent : cela aurait pu être de l'eau ou un placebo. Quelle drôle d'idée de faire un trou dans la poitrine pour y verser des produits !

Comment te sens-tu ? n'arrêtaient pas de lui demander Marcie, sa grand-mère, Anne, Amanda. Paul et Rachel aussi.

— Oh, mon Dieu, Lil, qui t'a fait cette horreur ! s'exclama Paul. Et moi qui me croyais ton coiffeur attitré !

DiAngelo finit par mettre tout le monde à la porte sauf sa grand-mère.

Lily somnolait. Elle aurait bien pris un petit

cocktail dans son cathéter. Un cosmopolitan, par exemple. Avec de la vodka, du Cointreau, du jus de canneberge, un peu de citron, hum...

Quand la première poche fut terminée, Marcie la remplaça par une de Vépécide.

— J'adore votre odeur, dit Lily. Vous sentez les Milky Ways.

— Je vous en apporterai un gros sac quand tout ça sera fini, promit l'infirmière.

— Vous n'avez qu'à les mettre dans la perfusion.

Cette seconde heure lui parut encore plus longue car elle commençait à se sentir... comment dire ? Nauséeuse. Non, c'était psycho-somatique ! On n'aurait pas dû lui dire qu'elle aurait mal au cœur. La chambre, si dépouillée qu'elle ressemblait à une cellule de nonne, commença à changer de couleur et passa du beige au vert pomme, puis à l'orange citrouille. L'image à la télévision se dédoubla. Lily demanda qu'on l'éteigne. Maintenant elle voyait deux postes. On lui avait donné des hallucinogènes ! De la mescaline, des champignons magiques, des graines d'ipomée violacée !

Marcie s'approcha : elle était verte avec de drôles de lunettes qui lui faisaient des yeux de poisson.

— Lily, ça va ? Vous êtes blanche comme un linge.

Lily demanda qu'on lui retire sa perfusion pour aller aux toilettes. Marcie lui expliqua qu'elle devait s'y rendre en traînant l'appareil derrière elle. Lily vomit, en tenant la cuvette à deux mains car elle la voyait double, elle aussi.

À la troisième heure, on lui injecta de la Cerubidine. Et sa nausée, qui, hélas, n'avait rien de psychosomatique, ne passait pas. Très déçue, Lily demanda si on finissait par s'y habituer.

— Non, ça ne fait qu'empirer, finit par répondre Marcie après quelques secondes de silence. C'est ça qui fiche par terre. Et ce n'est qu'un début !

Qu'un début, cet horrible écœurement et ces vertiges ?

— Et si je ne mange pas, les nausées seront moins fortes ?

— Au contraire, la nourriture absorbe un peu de l'acidité. Vous voulez manger quelque chose ?

— Non !

Lily se tourna vers sa grand-mère.

— Raconte-moi une histoire, murmura-t-elle.

— Tu veux, Lil ? Alors écoute-moi bien.

Lily entendit d'une oreille distraite sa grand-mère lui relater comment les Allemands à leur arrivée à Dantzig, en décembre 1939, s'étaient emparés de toute la nourriture, en ne laissant pratiquement rien aux habitants. Dès le lendemain matin, les Polonais, forcés de se rationner, avaient commencé à mettre dehors ceux d'entre eux qui étaient juifs pour récupérer leurs portions. Du jour au lendemain, après des siècles de cohabitation, ce n'étaient plus des Polonais, mais seulement des juifs. La faim était un outil puissant aux mains de l'ennemi.

— Alors, mange, Lily, conclut la vieille dame.

On lui mit ensuite une poche d'Aracytine à renouveler pendant six jours.

— Parle-moi de Tomas et de toi, dit Lily dans un souffle.

— Tu ne préférerais pas que je te parle de ta mère ? Je crois que ça t'intéresserait. J'aurais plein de choses à te raconter.

— Non, mais j'aurais bien aimé la voir...

Lily ne garda aucun souvenir de la fin de cette journée.

24

Les parents

Chère maman, cher papa,

Comme j'ai beaucoup de mal à vous joindre au téléphone, je finis par vous écrire. Il y a deux jours, j'ai appris que j'avais une leucémie. Une leucémie aiguë myéloblastique pour être plus précise. Je commence la chimiothérapie lundi. Tout dépendra de la façon dont je vais réagir au traitement. Le médecin dit que c'est très grave.

J'aurais bien besoin de vous en ce moment.

Je vous aime,

Lily.

George Quinn était assis dans le patio, la lettre de Lily à la main. Au bout d'une heure, il alluma une cigarette et pleura. Il était onze heures du matin et il aurait voulu pouvoir parler avec sa femme de leur benjamine. Mais Allison, en colère sans raison, tempêtait dans la cuisine et jetait la vaisselle par terre.

George aurait bien appelé Lily mais il sentait que c'était de sa mère qu'elle avait besoin. La force, le soutien qu'elle attendait sans doute de lui, il était incapable de les lui donner. Sans rien savoir de sa maladie, ni de la gravité de son état, il pressentait instinctivement que c'était infiniment plus sérieux qu'une pneumonie ou une bronchite. Et soudain, sous le soleil radieux, George Quinn découvrit à soixante-cinq ans qu'il ne demandait qu'une chose, qu'on le laisse tranquille. Après avoir connu pendant un demi-siècle le stress permanent du métier de journaliste, il aspirait au calme. Il voulait juste se promener, prendre son café, lire son journal, faire ses courses, préparer des bons petits plats et regarder le sport, le soir à la télé, en fumant une ou deux cigarettes et en buvant un bon cognac. Mais le peu qu'il demandait à la vie lui était constamment refusé, d'abord par sa cinglée de femme qui cassait tout dans la cuisine, et maintenant par la dernière de ses enfants. Il rougit de honte. Comment pouvait-il en vouloir à Lily de perturber sa tranquillité ? Il aurait voulu mettre ses lunettes noires afin de se protéger de sa lettre et de ce qu'il découvrait sur lui-même... Il aurait eu besoin de son épouse en cet instant. Il ne fallait pas y compter.

Le soir arriva. Quand elle s'assit devant lui, il contempla sans rien dire ses nouvelles ecchymoses sur les bras et le cou, les coupures le long de la mâchoire. D'une main tremblante, elle souleva son verre d'eau. Elle prit un peu de nouilles et du thon.

Il la laissa manger tranquillement. Il emplit de nouveau son verre et passa le reste du temps à fumer, le regard perdu dans la nuit. Il écoutait l'océan. Il n'avait toujours pas appelé Lily. Il aurait voulu demander à Allison si elle se souvenait de ce jour de décembre où il l'avait emmenée à l'hôpital accoucher de Lily. Elle pesait à peine trois kilos et l'infirmière avait demandé à Allison comment elle avait pu faire un si petit bébé alors qu'elle avait pris près de trente kilos.

Les trois aînés étaient venus voir leur petite sœur à la pouponnière. Andrew était en terminale au lycée, mais à la façon dont il tenait le bébé, on aurait cru que c'était lui le père.

George n'avait plus la force de parler à la mère de ses enfants. Il n'avait plus de voix. Quand elle eut fini de manger, il lui tendit la lettre.

— Lily nous a écrit. Tiens.

Il poussa la feuille vers elle. Elle n'y toucha pas et alluma une cigarette.

— Je n'ai pas mes lunettes. Qu'est-ce qu'elle veut encore ? De l'argent ?

— Elle a un cancer.

— Qu'est-ce que tu dis ?

— Elle a un cancer.

— Mais qu'est-ce que tu racontes ? grommela-t-elle en haussant la voix. De quel cancer parles-tu ?

— Lis la lettre, Allie. Elle est malade. Elle a besoin de nous.

— Oh, mon Dieu ! Que je suis lasse de t'entendre raconter n'importe quoi ! C'est quoi encore, cette histoire de cancer ?

Il se leva et rentra dans la maison.

Elle finit sa cigarette, prit la lettre et alla lentement dans sa chambre chercher ses lunettes.

232

George était assis devant la télévision éteinte. Il attendit. Cinq minutes plus tard, elle réapparut. Elle vint se planter à côté de lui, contre le canapé.

— Je ne comprends pas cette histoire de leucémie.

— Allie, que veux-tu que je te dise ? Appelle ta fille. Demande-lui ce qui se passe.

— Mais c'est quoi cette leucémie aiguë myéloblastique ? Je n'en ai jamais entendu parler.

— Moi non plus. Nous ne sommes pas médecins.

— Tu crois que c'est grave ?

— Je n'en sais rien. Ça doit être sérieux pour qu'on lui fasse de la chimio !

— Pas forcément. Maintenant on en fait à titre préventif, pour un oui pour un non, sans chercher à savoir si les gens en ont vraiment besoin.

— Ça m'étonnerait.

— Quoi ? Tu me traites de menteuse, maintenant ?

— Appelle ta fille. Elle a besoin de toi, insista George, sans oser la regarder.

— Pourquoi ne le fais-tu pas toi-même ? demanda-t-elle au bout de quelques instants.

— Ce n'est pas de moi qu'elle a besoin, c'est de sa mère !

Les mots s'étranglaient dans sa gorge. Il se tut.

Lentement, Allison se retourna, gravit les deux marches et regagna sa chambre.

Elle s'assit sur son lit, près du téléphone, et relut la lettre. Et ce qui la fit frémir, ce fut la petite phrase « J'aurais bien besoin de vous ». Une colère sourde monta en elle. *Quoi ! Tu as besoin de mon aide ? Que veux-tu que je fasse ? Je suis à treize mille kilomètres ! Tu ne m'appelles jamais, même pas pour prendre de mes nouvelles, alors que je souffre terriblement. Je suis si déprimée, avec tous mes médicaments, j'ai les dents qui se déchaussent, je n'arrive plus à manger et toi, tu veux que je t'aide ? Et moi ? J'ai besoin d'aide, aussi ! Est-ce que je t'appelle ? Est-ce que je t'écris pour te demander quoi que ce soit ?*

Le cancer. Tout le monde a le cancer. Et Lily exagère toujours. Elle a dû s'empoisonner le sang avec toutes ses drogues. Parce qu'elle se drogue, c'est sûr. Voilà où passe l'argent que je lui envoie. Et elle veut encore m'en extorquer un peu plus. Elle n'a pas d'assurance, comment va-t-elle payer sa chimio ? Elle commence par m'annoncer qu'elle est malade, ensuite, elle me dira qu'elle ne peut pas régler son traitement. Je la connais. Maman, mon téléphone est coupé. Maman, je ne peux pas payer le loyer. Ni mes livres ni mes fournitures de dessin. J'ai besoin d'un manteau, d'un nouveau dessus-de-lit, de nouveaux oreillers. C'est sans fin. Et maintenant qu'elle ne sait plus quelle excuse inventer, elle se découvre un cancer ! C'est encore un moyen pour me tirer de l'argent, j'en suis sûre.

Elle regarda le téléphone. Elle n'entendait pas la télévision à côté. Il devait lire le journal. Après le cinéma qu'il lui avait fait ! Vraiment, il se complaisait dans le drame !

Le téléphone était à côté, elle n'avait qu'à

tendre la main. Mais elle avait soif. Avant d'appeler, elle prit un verre à whisky, y versa un fond de jus de fruits puis alla fouiller dans son placard sous la pile de vêtements. Elle en sortit sa troisième bouteille de Gordon, encore intacte. Cela l'aiderait à désamorcer sa colère. Elle ne pouvait pas parler à sa fille alors qu'elle était remontée contre elle. Cette malpolie lui raccrocherait au nez, comme d'habitude ! Elle ajouta du gin et vida le verre d'une traite. Elle attendit un moment, vacilla. Il fallait qu'elle en prenne encore un. Elle était toujours furieuse. Cette fois, elle se servit un verre de gin pur et le but aussi vite. Ça allait mieux. Elle sentait la chaleur irradier sa gorge, son ventre, sa tête. C'était si bon, si réconfortant. Elle n'était plus fâchée du tout. Elle pouvait l'appeler. Encore une petite goutte pour se donner du courage... Elle but à même la bouteille. Puis elle réussit à tituber jusqu'au placard, à enfouir la bouteille vide tout au fond, puis à rincer le verre. Elle revint à quatre pattes dans la chambre, essaya de se hisser sur le lit et roula par terre où elle sombra dans un sommeil de plomb, à cinquante centimètres du téléphone.

25

Toujours la chimio

Spencer arriva à huit heures, après son travail. La grand-mère de Lily était assise à son chevet. Ils se saluèrent à peine. Il demanda comment allait Lily. Claudia répondit qu'elle dormait. Et comment s'était passée la journée ? Claudia haussa les épaules.

Il s'assit.

— C'est la chaise de l'infirmière ! grommela Claudia d'une voix acerbe.

Spencer regarda autour de lui.

— Elle n'est pas là !

Claudia soupira, raide sur sa chaise.

Spencer observa Lily. Elle semblait dormir profondément, comme si elle se moquait que les heures de visite soient de six à huit et qu'il ait travaillé toute la journée. Au bout de quelques minutes, il se leva et annonça qu'il allait partir.

— Je lui ai apporté des beignets. Pourriez-vous les lui donner et lui dire que je suis passé.

— Bien sûr.

Claudia ne dit rien à Lily et mangea les beignets.

Le mardi, après sa seconde journée de chimio,

Lily dormait encore quand Spencer arriva à six heures. Amanda était avec Claudia, qui était assise sur la chaise prétendument réservée à Marcie.

— C'est la chaise de l'infirmière, dit-il au bout de quelques instants.

Amanda lui tourna le dos jusqu'à ce qu'il s'en aille.

Le lendemain soir, Lily était toujours inconsciente. Il y avait Claudia, Anne et Amanda. Spencer ne put tenir une minute sous leurs regards haineux.

Elle percevait des voix, celles de sa famille, celle de sa grand-mère avec son accent slave, celle d'Anne, cassante, et la voix plus douce et non moins catégorique d'Amanda.

— C'est le flic le plus borné de New York. Pourquoi continue-t-il à venir ? Il ne se rend pas compte que sa présence ici est tout à fait déplacée ?

— Pourtant notre attitude est claire. Quel piètre enquêteur il doit faire !

— Puisqu'il faut lui mettre les points sur les *i*, je vais carrément lui dire de ne plus mettre les pieds ici !

— Tu veux que je m'en charge ?

— Non, laisse-moi faire. Tu vas t'empêtrer dans tes phrases, comme d'habitude.

— Arrête, Lily n'a qu'à lui dire.

— Voyons, elle est malade, elle peut à peine parler !

— Je n'en reviens pas de la fortune qu'elle a gagnée ! Non, mais quelle chance !

— Quoi ? Tu trouves qu'elle a de la chance, dans son état ?

— Non, mais n'empêche... quelle veine, quand même ! Mon Dieu, qu'est-ce que je ferais si j'avais un fric pareil !

— Tu le claquerais jusqu'au dernier centime, comme ton salaire.

— Non, mais sérieusement, qu'est-ce qu'il cherche, cet inspecteur ? Il veut vraiment anéantir notre famille et Andrew. Et tu sais comme Lil est attachée à Andrew. Si elle savait que cet inspecteur ose venir ici, elle en serait retournée.

Il y eut un silence.

— À ton avis pourquoi a-t-il la tête rasée comme elle ? Ça ne serait pas lui qui lui aurait coupé les cheveux, par hasard ?

— Non, ils ne sont pas intimes à ce point-là. Ce type a au moins cinquante ans ! Que voulez-vous qu'il fasse avec notre petite Lily ? Moi, je vous le dis, il ne vient que dans l'espoir de pêcher des informations sur Andrew. Comme il n'a toujours rien trouvé, il veut profiter de ce qu'elle est malade pour la cuisiner.

— Tu as raison. Mais il ne faut surtout pas le dire à Lily. Ça ne ferait que l'inquiéter davantage.

— Je n'arrive pas à croire à cette histoire entre Andrew et la colocataire de Lily.

— S'il ne nous l'avait pas dit lui-même, je ne l'aurais jamais cru. Quel choc pour Miera !

Gloussements étouffés.

— C'est bien fait pour cette garce. Elle nous déteste.

— Je sais. Mais Andrew ne méritait pas ça. Il a dû abandonner sa campagne sénatoriale.

— Ce n'est pas grave, il se représentera dès que ça se sera tassé. Il retombera sur ses pattes, tu verras.

— Pas si Miera le quitte.

— Oui, c'est vrai. Mais où veux-tu qu'elle aille ? Elle repartira dans son trou perdu ?

— Elle venait d'Old Hartford, tout de même.

— Peu importe. Elle a eu de la chance de tomber sur Andrew. Qu'elle retourne chez ses snobs de Hartford ! Elle ne le mérite pas.

— C'est certain. Mais dis-moi... tu ne penses pas qu'Andrew ait quoi que ce soit à voir dans...

— Dans la disparition d'Emmy ? Grands dieux, non ! Il a commis une erreur, c'est un être humain, il n'est pas parfait. Mais où avait-il la tête ! Pourquoi prendre des risques pareils quand ça peut mettre en péril toute votre carrière ? Enfin, il ne s'agit que d'un petit écart sans importance. Et Andrew a dit que leur liaison s'était terminée plusieurs mois avant sa disparition. Il n'est pour rien dans cette affaire. L'inspecteur n'a rien pu retenir contre lui et il le sait bien.

— La prochaine fois qu'il viendra, je le prierai de ne plus remettre les pieds ici.

Joshua fit une apparition. Ce fut une surprise désagréable pour Lily qui, malheureusement, pour une fois, ne dormait pas. C'était le début de l'après-midi. Il parut tellement choqué par sa mine qu'il en resta sans voix et ne put décrocher un mot.

Elle voulut savoir qui lui avait dit qu'elle était là ? Paul ? Rachel ? Dennis.

En fait, c'était sa sœur Amanda.

— C'est gentil d'être venu, lui avait-elle dit avec un sourire glacial.

Elle avait ensuite demandé à sa sœur si elle lui voulait vraiment du mal.

— Pourquoi dis-tu ça ?

— Amanda, rends-toi compte. Il m'a quittée pour une autre et tu le fais venir ici alors que je suis dans cet état ?

— Je suis désolée. Je n'avais pas pensé à ça.

— Sans blague ?

Amanda vint moins souvent après cet éclat. Elle invoqua des maux de gorge, la reprise de l'école, les réunions de parents d'élèves, l'achat des fournitures...

Anne, en revanche, campait presque à l'hôpital, comme leur grand-mère.

Dieu merci, Joshua ne revint jamais.

Lily resta sept jours dans cet état semi-comateux. Pendant sa première journée de répit, entre deux séries de traitements, quand elle commença à reprendre ses esprits, elle s'enquit de Spencer.

— Je ne vois pas de qui tu parles, rétorqua sa grand-mère avant de quitter précipitamment la chambre.

Lily n'avait donc pas rêvé. Sa famille l'avait chassé.

La deuxième journée s'écoula. Toujours pas de Spencer. Et sa grand-mère qui ne quittait pas son chevet !

— Qui appelles-tu ? demandait-elle chaque fois que Lily prenait le téléphone.

— Paul, grand-mère.

— Et comment va ce jeune homme ? Je crois que tu lui plais beaucoup.

— Oui, dommage qu'il préfère les garçons.

— Oh !

Le troisième jour, Lily profita de ce que sa grand-mère s'absentait un instant pour se ruer sur le téléphone. Elle s'aperçut alors avec horreur qu'elle ne se souvenait plus du numéro du bipeur de Spencer. Ni de celui du commissariat. Et le temps qu'elle appelle les renseignements, sa grand-mère était revenue.

— Qui appelles-tu ?

— Rachel.

Lily raccrocha. Comment avait-elle pu oublier son numéro ?

Au bout des trois jours de répit, quand DiAngelo vint lui administrer l'ATRA et l'Aracytine, elle le supplia, en vain, de tout arrêter.

Marcie la forçait à se lever tous les jours. Elle devait la porter jusqu'à la salle de bains. On lui avait fixé un cathéter urinaire pour qu'elle n'ait plus besoin de se lever si elle n'en avait pas envie, mais, tous les matins, Marcie revenait à la charge.

— Allez, debout, ma belle, courage, essayez de vous lever et de marcher un peu.

— Donnez-moi un Milky Way, Marcie.

— Vous en aurez un sac entier quand vous aurez fini.

— Alors, juste une cigarette.

— Pas question ! Ça vous tuerait !

Lily s'affaiblissait de plus en plus, submergée par les nausées, malgré les antiémétiques qu'elle prenait. Mais la pièce ne virait plus au violet, et elle ne voyait plus double.

— À propos, Lil, lui annonça Anne, un après-midi. J'ai demandé un congé sans solde à KnightRidder pour m'occuper de toi à temps complet. Je serai à ton entière disposition, vingt-quatre heures sur vingt-quatre, sept jours sur sept.

— Ne dis pas de bêtises, Anne, intervint leur grand-mère. Tu as besoin de travailler pour payer tes factures et je suis là toute la journée.

— Oui, mais ta santé n'est pas très brillante non plus, grand-mère. Je ne voudrais pas que tu tombes malade à ton tour. Tu sais comme l'air des hôpitaux est malsain. C'est incroyable que tu n'aies rien attrapé. Je ne veux pas, en plus, me faire du souci pour toi. Non, c'est décidé, je tiens à veiller personnellement sur Lily.

— Merci, Anne, protesta Lily, mais le médecin insiste pour que ce soit une infirmière qui s'occupe de moi.

— Qu'est-ce qu'il en sait ? Je ne l'aime pas, ce médecin. Il est très désagréable avec moi.

Personne ne peut mieux te soigner que ta famille !

— Anne a raison, Lily ! approuva Amanda avec un enthousiasme excessif. Ce sera merveilleux d'avoir Anne constamment près de toi. Tu as besoin d'elle, Lil.

Amanda pensait sans doute que la présence constante de sa sœur la dispenserait de la corvée des visites.

— Le seul hic, continua Anne, c'est que je n'aurai plus de salaire. Et je dois rembourser mon appartement. Tu pourrais t'en charger, Lil ? Tu vas toucher beaucoup d'argent, ça te fera à peine l'équivalent de la paie d'une infirmière à mi-temps. Mon remboursement n'est que de cinq mille dollars par mois. Plus un petit extra pour les dépenses courantes, la nourriture, le transport... ça coûte cher tous ces taxis, tu sais. On devrait arriver à dix mille dollars par mois. Disons onze. Ça te paraît raisonnable ?

— Oui, Anne, mais je préfère prendre l'avis du médecin avant.

Le sixième jour de sa seconde chimio, cédant aux injonctions de Marcie, elle avait enfin accepté de se lever et sortait dans le couloir en traînant les pieds et en tirant sa perfusion, lorsqu'elle trouva Spencer devant sa porte.

Elle retint un cri et resta paralysée, soudain consciente du triste tableau qu'elle offrait en le voyant dans son costume bien repassé, impeccable, le visage rasé de frais, les yeux brillants de compassion pour elle.

Et lorsqu'il la prit dans ses bras, elle fondit en larmes.

Quand elle s'écarta, sa grand-mère se tenait sur le seuil de la chambre et les fusillait du regard.

Elle s'essuya le visage.

— Je suis désolée. Je ne sais pas ce qui m'a pris...

— Ne vous inquiétez pas. Je suis si content de vous voir debout. Chaque fois que je suis venu, vous dormiez. Comment vous sentez-vous ?

— Bien, bien. Et vous ? Ces drogues sont affreuses. Emmy avait raison quand elle me disait de ne pas y toucher.

— Je ne pense pas qu'elle parlait de celles-ci.

— J'ai essayé de vous appeler mais je n'avais pas votre numéro de bipeur sur moi.

Il sortit une carte de visite et la lui glissa dans la main.

— Vous l'avez oublié, Lil ?

Il avait l'air surpris.

— Leurs médicaments me ramollissent le cerveau. Vous avez du nouveau ?

Elle serra la carte et fixa le sol, à nouveau accablée qu'il la voie dans cet état.

— Pas grand-chose. Mais ne vous inquiétez pas pour ça. Vous devez d'abord penser à vous.

— Lilianne ! Allons ! Marcie t'attend ! cria sa grand-mère.

Elle soupira.

— Je dois y aller. J'ai une nouvelle poche de Vépécide à prendre. Vous pouvez attendre ?

— Je crois que votre grand-mère m'arrachera les yeux si je reste. Le soir, vous êtes épuisée. Vous dormez toujours.

— Oui, je suis mieux le matin. Et surtout à midi.

Il se pencha vers elle.

— Sauf qu'elle est toujours là et que moi, à midi, je travaille, chuchota-t-il.

— Bien sûr. Je comprends. Mais ne vous inquiétez pas, ça ira. J'ai beaucoup de visites.

— Lily ! Tu viens ?

— Juste une minute, grand-mère.

Spencer lui bloqua la vue de la vieille dame.

— Ah bon ? Tant que ça ? Votre frère est venu vous voir ?

Elle se tassa sur elle-même et son pauvre sourire disparut.

— Non. Maintenant je dois vraiment y aller.

— Il n'a pas le courage de vous regarder en face ?

— Je ne sais pas, inspecteur O'Malley. Je n'ai plus le courage de me regarder non plus.

— Il n'a pas cessé de vous fuir depuis la disparition d'Emmy.

— Je vous en prie... ce n'est pas vrai.

Elle ne tenait plus sur ses jambes.

— Ma famille n'a peut-être pas tort, reprit-elle. Vous ne me voulez pas du bien.

— Je suis désolé, Lily.

Elle passa devant lui, le visage ruisselant de larmes et jeta sa carte de visite à ses pieds.

— Moi aussi, Spencer.

Quand Marcie accrocha le Vépécide, Lily

245

garda les yeux clos, impatiente que le médicament la fasse sombrer dans l'oubli. Mais à
peine l'infirmière fut-elle repartie que Lily se
glissa dans le couloir et chercha désespérément
la carte sur le lino du couloir. Hélas, elle avait
disparu.

26

L'église de la 51ᵉ Rue

Claudia le rattrapa devant l'ascenseur.

— Je voudrais vous parler, jeune homme.

Il lui tendit sa carte.

— Je suis l'inspecteur O'Malley, de la police de New York, madame Vail.

Elle fronça les sourcils.

— Comment savez-vous qui je suis ?

— Lily m'a souvent parlé de vous.

— Eh bien, je préférerais que vous lui parliez moins souvent. Vous êtes inspecteur, vous devriez sentir que votre présence n'est guère appréciée ici. Vous n'êtes ni de la famille ni un ami. Et vous harcelez une jeune fille très malade.

L'ascenseur n'arrivait pas. Spencer avait une douzaine d'autres affaires sur les bras. Des affaires qui avaient plus de chances d'aboutir. Notamment celles qui concernaient des jeunes enfants, des fugueurs, des histoires de garde.

Il s'écarta, elle l'attrapa par le bras. Elle était tenace : il fallait qu'elle le fût pour s'échapper d'Europe. Il ne lui faisait pas peur. Mais elle ne l'effrayait pas non plus.

Les yeux de la vieille dame lançaient des éclairs.

— Si elle ne veut plus me voir, elle n'a qu'à me le dire, rétorqua-t-il en boutonnant sa veste.

— Vous croyez qu'elle peut se souvenir de quoi que ce soit sur son frère dans l'état où elle est ?

— Ce n'est pas la raison de ma visite.

— Vous faites fausse route. Il ignore où se trouve cette fille.

— C'est normal que vous le pensiez. Le contraire me paraîtrait suspect.

— Je vous assure qu'il est incapable de faire du mal à une mouche. C'est mon petit-fils. Je l'ai presque élevé. Je le connais bien.

— Alors s'il est innocent pourquoi refuse-t-il le polygraphe ?

— Parce que ses avocats le déconseillent. Il est innocent, je vous dis. Je suis prête à le jurer devant le juge.

— Inutile, votre petit-fils le jure suffisamment pour deux. Ce qui ne résout pas la question : où est Emmy ?

— Je l'ignore, répondit la vieille dame. Mais dans mon cœur, je sais qu'il est innocent.

Spencer soupira. L'ascenseur arriva enfin.

— Parfait. N'ayant pas l'avantage d'avoir des liens familiaux avec votre petit-fils, permettez-moi de suivre ce que je ressens dans mon propre cœur. Maintenant, si vous voulez bien m'excuser.

— Mais pourquoi vous acharnez-vous sur lui ? poursuivit Claudia. Pourquoi vous n'interrogez pas les clochards dont Emmy s'occupait une fois par semaine ? Ils sauront peut-être ce qu'elle est devenue, eux !

Lentement, Spencer se retourna et ressortit de la cabine.

— Qu'est-ce que vous dites ?

— Pourquoi n'interrogez-vous pas les SDF...

— Attendez, attendez. De qui parlez-vous ?

— Mais quel inspecteur vous faites ! Je n'ai croisé Emmy qu'une ou deux fois et, même moi, je savais qu'elle s'occupait de SDF.

— Comment ça ?

— Elle a passé Thanksgiving avec nous, l'an dernier. Elle est venue aussi dîner un soir chez moi, avec Lily.

— Quel rapport ?

— Les deux fois, ça tombait un jeudi.

— Et alors ?

— Les deux fois, elle a dû nous quitter de bonne heure parce qu'elle devait servir le petit déjeuner aux SDF, tôt le lendemain matin. Nous nous sommes étonnées. Même à Thanksgiving ? Et elle nous a dit qu'elle s'y rendait tous les vendredis.

— Et où était-ce ?

— Comment voulez-vous que je le sache ? Maintenant, si vous voulez bien m'excuser, je dois retourner auprès de ma petite-fille. Et vous m'avez entendue, ne revenez plus !

Spencer repartit au commissariat, l'esprit en ébullition. Il cherchait un indice qui l'oriente dans la bonne direction, un mot qui le mette sur une piste. Mais il ne s'attendait pas à ce que ça le mène à la soupe populaire !

Qui pouvait l'aider ? C'était le jour de congé de Paul et Spencer ne put le trouver. Rachel était aussi absente. Lenny n'avait jamais entendu parler de cette histoire de soupe populaire. À quoi bon engager un détective privé s'il était incapable de découvrir la moindre information sur le passé d'Emmy ? Jan McFadden aurait dû le virer. Et la pauvre femme, bien qu'elle parût à côté de ses baskets, fut aussi surprise que Spencer d'apprendre que sa fille faisait du bénévolat.

Au *Copa Cabana*, où Emmy avait travaillé, la totalité du personnel avait changé. Et si tout le monde avait entendu parler d'Emmy, personne ne savait rien sur elle ni sur ses activités auprès des démunis.

Spencer appela Joshua qui dit : « Ah, oui ! peut-être mais je serais bien incapable de me souvenir où et quand c'était. Je ne suis même pas certain de l'avoir su. »

Joshua avait vécu sept mois avec les deux filles sans être plus au courant que ça ? Lily avait de la chance de s'être débarrassée de lui.

Spencer n'avait pas le choix. Il fallait qu'il parle à la seule personne qui pouvait l'aider. Quel jour était-on ? Ça faisait deux semaines qu'il n'avait pas bu une goutte d'alcool. Ses mains tremblaient.

Après son travail, il se rendit au Mount Sinai.

Marcie était partie, DiAngelo aussi, et l'infirmière de nuit refusa de le laisser entrer car les heures de visite étaient terminées depuis longtemps. Il dut sortir son badge et prétexter qu'il était là pour raison professionnelle. Pourquoi se sentit-il lamentable en disant cela ? Parce que c'était vrai ?

La grand-mère n'était pas là non plus. C'était donc une bonne heure pour rendre visite à Lily sans être dérangé. Le problème, c'est que Lily n'était pas vraiment présente non plus. Il s'assit à côté d'elle. Un robinet gouttait dans la salle de bains. La télé était allumée, sans le son. Il détestait ça. Il augmenta légèrement le volume. Lily avait l'air si faible avec le tube dans son nez, sous ses couvertures, légèrement inclinée, son oreiller constellé des cheveux qu'elle perdait, et le tube de son cathéter dans lequel s'écoulait une solution de glucose, au rythme du robinet de la salle de bains. Ploc, ploc, ploc.

Après l'avoir observée un moment, il chuchota son nom jusqu'à ce qu'elle s'éveille. Elle sursauta en le voyant.

— Qu'y a-t-il ? Qu'est-il arrivé ?

— Rien, tout va bien.

Il la fit boire et lui demanda si elle avait besoin d'autre chose.

— Non, répondit-elle avant d'ajouter d'une voix piteuse qu'elle aimerait avoir une autre carte de visite.

Il sortit de sa poche celle qu'elle avait jetée et la glissa dans le tiroir de sa table de chevet.

— Alors, qu'ont pensé vos petits copains de la police de votre nouvelle coiffure ?

— Ils se sont fichus de moi.

Silence.

— Lily, reprit-il. À quelle soupe populaire allait Emmy tous les vendredis ?

Elle ferma les yeux et ramena les bras sur sa poitrine avec un soupir déchirant.

— À l'église de la 51e Rue, sur la Septième Avenue.

Ce fut plus fort que lui. Il explosa.

— Pourquoi ne m'en avez-vous jamais parlé ? Pourquoi ne m'avez-vous pas dit, il y trois mois, qu'elle y allait tous les vendredis ?

Elle ne répondit pas. Une petite larme roula sur sa tempe.

L'infirmière entra pour lui prendre sa température.

Il resta près d'elle encore un moment puis partit.

27

Liz Monroe et le 57/57

Le lendemain, après la réunion du matin, sa quatrième tasse de café à la main, Spencer retourna examiner les pièces à conviction que la police avait rassemblées sur Emmy : sacs, factures, carnets de notes, cahiers de cours, fonds de poche...

Harkman passa la tête dans la pièce.

— Spencer...

Spencer fit celui qui n'avait pas entendu.

Harkman s'avança lentement vers lui. Incommodé par son odeur aigre, Spencer faillit lui demander s'il avait pensé à prendre son médicament contre la goutte. Il sentait déjà trop fort à neuf heures du matin. Harkman s'assit sur le coin de la table, en haletant.

— Spencer, faut que je te dise quelque chose.

— Quoi ? répondit Spencer sans lever la tête.

Il examinait une boîte d'allumettes qu'il avait trouvée dans la poche d'une veste d'Emmy. Elle venait du bar du *Four Seasons*, le *57/57*. En elle-même, la pochette n'aurait guère présenté d'intérêt si la veste ne s'était trouvée dans un sac de chez Frederic Fekkai, dont la boutique se situait aussi sur la 57e Rue. Bien sûr, elle avait aussi des boîtes d'allumettes du *Caviar Bar* sur la 58e et du

Bombay Palace sur la 52e. Mais celle-ci l'intriguait.

— On te demande là-haut.

— Qui ça ?

Harkman se pencha vers lui.

— Je te jure devant Dieu, Spencer, que je n'y suis pour rien, chuchota-t-il.

Spencer se leva d'un bond et fit tomber les allumettes par terre.

— Mais de quoi tu parles, bon Dieu ! Qui veut me voir ?

— Les Affaires internes.

— Les Affaires internes ?

Harkman hocha la tête.

— Et tu es sûr que tu n'y es pour rien ? Tu es sûr ? Et si c'était au sujet de ce petit pot-de-vin que tu as reçu l'autre jour des dealers de Tompkins Square...

— Arrête, ça n'a rien à voir avec moi, j'te dis. Il paraît qu'ils auraient reçu une lettre anonyme à ton sujet...

— Quelle lettre ?

— Ça concernerait Greenwich, dans le Connecticut, murmura Harkman d'une voix tremblante. Mais je n'y suis pour rien. Ce n'est pas moi qui l'ai envoyée.

Spencer l'empoigna par sa veste.

— Bon Dieu ! Et qu'est-ce que tu sais sur Greenwich ?

— Lâche-moi, O'Malley. Tu ne voudrais pas aggraver ton cas !

Spencer le repoussa brutalement. Harkman

s'écroula le long d'une table qui freina sa chute dans un bruit d'enfer.

Trois inconnus l'attendaient derrière la table de conférence. Une séduisante jeune femme d'une trentaine d'années, vive, efficace, vêtue d'un tailleur bleu marine, parfaitement maquillée, pas du genre à plaisanter, Spencer le sentit tout de suite. Il ne prêta aucune attention aux deux hommes, plus âgés et beaucoup moins soignés. Ils avaient tous les deux besoin de se faire couper les cheveux. Spencer s'en voulut soudain de porter un jean : il s'était habillé décontracté dans l'intention de se rendre à la soupe populaire.

— Liz Monroe, se présenta la jeune femme. Et voici mes collègues, ajouta-t-elle avec un bref signe de tête dans leur direction. Savez-vous pourquoi nous sommes ici ?

— Non.

Elle s'éclaircit la voix. Elle devait s'attendre à ce qu'il demande pourquoi. Mais il était bien décidé à ne pas lui donner cette satisfaction.

— Une enquête a été ouverte concernant votre implication éventuelle dans la mort d'un certain Nathan Sinclair.

Spencer resta muet. Il n'avait rien à dire.

— Savez-vous qui c'était ?

— Bien sûr.

Monroe se pencha sur ses notes.

— Que savez-vous des circonstances de sa mort ?

— Rien.

— Savez-vous qui il était ?

— Il était témoin dans une affaire de meurtre.

— Cela se passait à Hanover, dans le New Hampshire ?

— Oui, cela se passait à Hanover, dans le New Hampshire.

— Vous y avez été inspecteur principal pendant dix ans ?

— Oui.

— Pourquoi êtes-vous parti ? Était-ce à cause de... Nathan Sinclair ?

— Non, ce n'était pas à cause de... Nathan Sinclair, répondit Spencer qui s'amusait à l'imiter. Je suis parti parce que j'avais une différence d'opinion avec mes supérieurs sur la façon dont cette enquête était menée.

— Et ensuite ?

— Je suis retourné à Long Island où j'ai été repris dans la police du comté de Suffolk.

— À quel poste ?

— Ce n'est pas marqué dans mon dossier ? Comme agent de la circulation.

— Vous êtes passé d'inspecteur principal à agent de la circulation ?

— C'est exact.

Liz Monroe marqua une pause.

— C'est une grosse rétrogradation.

— Pas sur le plan financier.

Elle se plongea à nouveau dans ses notes.

— On nous a signalé...

— Qui ça ?

— La question n'est pas là.

— Je suis désolé d'insister. J'ai bien peur que ce soit justement là la question.

256

— Nous avons reçu une lettre anonyme, puisque vous insistez. Une preuve parfaitement admissible, comme vous devez le savoir. Cette lettre affirme qu'on vous a vu déjeuner avec Nathan Sinclair, dans un restaurant de Cos Cob, dans le Connecticut, il y a quatre ans.

— Mademoiselle Monroe, ne me dites pas que vous aviez besoin d'une lettre anonyme pour le savoir ! C'est dans mon dossier. À O comme O'Malley. Vous pouviez y trouver cette information quand vous le vouliez. Et je vous signale que j'ai déjà été interrogé à ce sujet par les Affaires internes du comté de Suffolk, il y a quatre ans.

— Oui, oui, je sais. J'ai votre dossier sous les yeux. Est-ce pour cette raison que vous avez quitté la police du Suffolk ?

— Non. Et je n'ai pas quitté la police, j'ai demandé ma mutation à New York.

— Vous devez comprendre...

— À qui croyez-vous parler ?

Elle toussa, soudain écarlate.

— Inspecteur O'Malley, excusez-moi, mais vous devez comprendre que notre département doit prendre toute accusation au sérieux et ne saurait la traiter à la légère.

— Si cette lettre m'accuse d'avoir déjeuné au restaurant avec Nathan Sinclair, je plaide totalement coupable.

— Ce détail n'a d'importance que parce que c'est la dernière fois que Nathan Sinclair a été vu vivant. Il a été retrouvé dans un état de décomposition avancée, quelques semaines après, par son jardinier, devant sa télévision encore allumée.

Spencer soutint le regard de Liz Monroe sans ciller.

— Vous devriez interroger son jardinier.

— Je vous remercie de votre conseil, inspecteur. Pourquoi avez-vous déjeuné avec M. Sinclair ? Était-ce pour l'enquête ou pour des raisons personnelles ?

— Eh bien... Spencer hésita. Les deux.

— Étiez-vous de service ?

— Non.

— Et vous n'étiez plus chargé de l'enquête, puisque vous aviez vous-même démissionné ?

— L'enquête était terminée. La condamnation avait été prononcée. L'affaire était close.

— On peut donc dire que vous vous rencontriez pour des raisons plutôt personnelles ?

— Sans doute.

— Cela n'est pas consigné dans votre dossier, inspecteur.

— Vous êtes à l'évidence une enquêtrice beaucoup plus pointilleuse, mademoiselle Monroe.

— Merci. Suspectiez-vous M. Sinclair d'être impliqué dans le meurtre de Dartmouth College ?

— Pas du tout. Je voulais simplement prendre de ses nouvelles.

— De quoi avez-vous parlé ?

— De choses et d'autres. De musique, de voitures. Et de nos femmes, mortes toutes les deux dans un accident de la route.

Monroe hocha la tête, sans manifester la moindre sympathie.

— Vous n'êtes pas allé le voir uniquement pour parler de musique et de vos femmes, inspecteur.

— Comme je vous le disais, je voulais simplement savoir comment il allait. Bavarder.

— Vous étiez donc amis ?

— Si l'on veut.

— Et qu'avez-vous fait après l'avoir quitté ?

— Je suis allé à Hanover, dans le New Hampshire.

— Pourquoi ?

— Pour la même raison. Pour revoir de vieux copains.

— Mais vous n'avez vu personne là-bas. Du moins, c'est ce qui est écrit dans votre dossier.

— Effectivement. Lorsque je suis arrivé, il était tard et il n'y avait plus personne. Et mon ancien collègue était en vacances. Je me suis promené puis j'ai repris ma voiture pour aller au centre commercial de Brattleboro dans le Vermont, où j'ai dîné, j'ai acheté un sac de voyage, car j'avais l'intention d'aller voir ma sœur en Californie. Le ticket de caisse se trouve dans mon dossier.

— Le ticket est là. Payé en liquide. Mais où est le sac ?

— Je m'en suis beaucoup servi, les anses ont fini par lâcher et je l'ai jeté. Ce sac vous intéresse donc tant que ça ?

— Oui. J'aurais voulu savoir pourquoi vous l'avez acheté à ce moment précis. Les Affaires internes du Suffolk ont-elles demandé à le voir ?

— Non.

— Vous voyagiez beaucoup à cette époque ? Pourtant je lis dans votre dossier qu'au cours de vos sept années dans le Suffolk et à New York vous avez pris vos vingt-sept jours de vacances annuels par petites fractions, jamais d'un coup.

— Et qu'en déduisez-vous ?

— Après avoir acheté ce sac qui vous a beaucoup servi, qu'avez-vous fait ?

— Je suis rentré chez moi. Comme vous le savez, il y a cinq heures de route. Il était tard et j'étais fatigué. J'ai conduit prudemment. Je me suis arrêté plusieurs fois. J'habitais à cette époque dans un appartement au-dessus du garage de mon frère et ils m'ont entendu rentrer vers deux heures du matin, comme cela a été enregistré dans leur déclaration. Vous devriez trouver tout ça dans mon dossier, mademoiselle Monroe.

Elle feuilleta ses notes en silence.

— Effectivement. Vous savez qu'il est de notre responsabilité d'enquêter sur tout comportement répréhensible de nos officiers.

— Je sais. Vous faites votre travail de manière admirable. Néanmoins je n'appartenais pas à la police de New York à cette époque mais à celle du Suffolk, et je n'étais pas de service. En outre, les Affaires internes ont déjà examiné ces faits et les ont trouvés à leur convenance.

— Aucune faute professionnelle n'a été retenue.

— Aucune.

— Nathan Sinclair a été abattu par une balle de 22 tirée directement dans son artère fémorale.

— C'est ce que j'ai cru comprendre.

260

— Quand le corps a été découvert, la télévision était allumée, le son coupé. Elle marqua une pause. Comme si Nathan l'avait arrêté pour parler à son assaillant, le supplier peut-être de ne pas le tuer.

Spencer ne broncha pas.

— On n'a jamais retrouvé l'arme. Et la balle a été extraite de la blessure par une main gantée qui n'a laissé aucune empreinte.

— J'utilisais un Magnum à cette époque, se sentit forcé de préciser Spencer.

— Il y avait des empreintes de bottes dans le sang autour du cadavre.

— Je ne m'en souvenais pas. Étaient-ce des empreintes de bottes de la police ?

— Heu... non. Mais vous n'aviez pas déjeuné avec lui en qualité de policier, inspecteur ?

— Le témoin qui nous a vus et qui a eu la louable idée de vous écrire se souvenait-il si je portais des bottes ? On était en été, ça se serait remarqué.

— Non, il n'en a pas parlé.

Spencer ouvrit et referma ostensiblement les poings.

— Quelle pointure faites-vous, inspecteur O'Malley ?

— Du quarante-six, comme soixante-dix pour cent des Américains.

— C'était du quarante-sept.

— Vraiment ?

— Vous le saviez déjà, n'est-ce pas ?

— J'ai déjà été scrupuleusement interrogé à ce sujet, mademoiselle Monroe.

— Vous ne voyez donc pas qui aurait pu le tuer ?

— Je ne vois pas.

— Son meurtrier n'a jamais été arrêté. Et il faut que justice soit faite.

— Absolument.

Liz Monroe leva son regard sévère vers Spencer.

— Inspecteur O'Malley, trouvez-vous que nous perdons notre temps à vouloir traduire les meurtriers en justice ou le pensez-vous seulement en ce qui concerne le meurtrier de Nathan Sinclair ?

— Les Affaires internes sont-elles chargées des enquêtes criminelles, maintenant ?

— Non, mais elles doivent répondre de vous.

Une fois dehors, Spencer s'appuya contre le mur, le temps de reprendre ses esprits. Puis il descendit lentement les trois étages, en faisant un effort pour ne pas se tenir à la rampe.

28

La soupe populaire

Le refuge pour les sans-abri de la Première Église presbytérienne occupait le sous-sol entier d'une vieille église. Ici le hall, si souvent réservé, dans d'autres paroisses, au bingo ou aux réunions des protestants nouvellement divorcés, était entièrement consacré aux démunis avec soixante-dix lits et une cantine. Spencer s'y présenta le vendredi matin, aux aurores, remonté à bloc.

Son abattement après l'entretien avec Liz Monroe ne l'avait pas empêché d'attraper Harkman au collet pour lui dire le fond de sa pensée.

— Espèce de fumier ! Tu as intérêt à surveiller tes arrières, Chris Harkman, parce que, en cas de pépin, inutile de compter sur moi.

— Seraient-ce des menaces ? Lâche-moi.

Spencer recula.

— Je te dis que ce n'est pas moi. Pourquoi refuses-tu de le croire. Tu sais quoi, O'Malley ? On n'a que ce qu'on mérite. Oui, on n'a jamais que ce qu'on mérite, mec.

— Justement, Harkman. Méfie-toi ! Le jour où tu auras ce que tu mérites, tu dégusteras ! lui lança Spencer en quittant la pièce.

Whittaker le fit venir peu après dans son bureau. Spencer pensait qu'il allait le sermonner pour Harkman mais il se trompait.

— Je me fous de vos disputes de collégiennes, débrouillez-vous entre vous, je ne veux pas en entendre parler. Et laissez le député tranquille, O'Malley.

Spencer sentit aussitôt la colère lui monter de nouveau au nez.

— Vous me demandez d'abandonner l'enquête, chef ?

— Non, juste de foutre la paix à Quinn.

— Pourquoi ?

— Parce qu'il n'est pour rien dans cette histoire, bon sang !

Whittaker était un bon flic irlandais, depuis trente ans dans la police, connu pour son sale caractère. Heureusement, il avait Spencer à la bonne.

— Il l'a baisée, pas tuée. Vous voyez la différence ?

— Il l'a baisée et elle a disparu !

— Voyons ! Ce ne serait pas un politicien s'il n'avait pas des aventures ! C'est à ça qu'on les reconnaît, ils ont toujours le pantalon baissé sur les chevilles. Que voulez-vous faire ? Tous les arrêter ?

— Oui, si on me signale que leurs maîtresses ont disparu depuis quatre mois.

— Écoutez, O'Malley, je vais être franc avec vous. Le député a des amis très influents à New York. Alors, soit on leur fournit des preuves, soit on laisse tomber.

264

— Il a refusé le polygraphe !

— O'Malley, pensez à votre petite séance là-haut, ce matin. Si cette virago de Liz Monroe vous avait demandé de passer un polygraphe, vous l'auriez fait ?

— Chef, répondit Spencer avec lenteur, je refuserais même de pisser pour elle.

— Vous voyez. Les gens ont toutes sortes de raisons de refuser les polygraphes. Ça les perturbe. Et le fait qu'ils refusent ne peut être retenu contre eux. Point final. Et méfiez-vous de cette casse-couilles, ajouta-t-il avec un geste vers les étages supérieurs. Elle en a une paire et elles sont en acier. Vous vous souvenez du sergent Vicario ? Le Jesse Ventura de la police new-yorkaise ? Elle l'a fait pleurer ! Oui, pleurer, comme je vous le dis.

— Merci du tuyau.

Peut-être que finalement ce salaud d'Harkman disait la vérité. C'était tout à fait possible que le député ait engagé un privé pour dégoter n'importe quel ragot, vieux ou récent, sur Spencer dans l'espoir de le faire reculer. Tragique erreur. L'intervention des Affaires internes l'avait stimulé. Et, du coup, Spencer s'était présenté dès cinq heures et demie, le lendemain, à la soupe populaire.

Il eut affaire au responsable, un certain Clive, un petit homme raide et trapu, vêtu d'un costume. Spencer ignorait que les administrateurs de la soupe populaire s'habillaient si bien. Dire qu'il avait mis un vieux jean pour l'occasion !

Clive lui confirma qu'en effet Emmy McFadden était venue régulièrement tous les vendredis matin, pendant des années, et qu'elle avait brusquement arrêté.

Spencer lui expliqua qu'elle avait disparu depuis quelques mois et qu'il comptait sur son aide pour reconstituer son emploi du temps du mois de mai.

— Vous souvenez-vous si Emmy est venue le vendredi 14 mai ?

— Écoutez, tous les matins se ressemblent pour moi...

Spencer pressa ses mains l'une contre l'autre pour ne pas s'énerver.

— Il est de la plus haute importance que nous sachions ce qu'Emmy a fait ce jour-là.

— Eh bien, je n'en ai pas la moindre idée.

— Clive. Préférez-vous que je vous ramène au commissariat avec moi ? Cela vous aidera peut-être à retrouver la mémoire.

Clive réfléchit un instant.

— Écoutez. Je me souviens que la dernière fois que je l'ai vue elle venait de finir ses examens. Et elle m'a dit que sa remise de diplôme avait lieu dans... oui, dans deux semaines. C'était quand ?

— Le 28 mai.

— Bingo, vous avez votre réponse.

Spencer recula d'un pas.

— Et je ne l'ai jamais revue après, ajouta Clive.

Spencer contempla la pièce sombre remplie de tables et de chaises pliantes. Le moindre siège

266

était occupé par des individus en haillons qui mangeaient ce qui avait dû être des œufs dans une vie meilleure.

— Et elle parlait à des gens, ici ?

— Elle était gentille avec tout le monde. C'était une fille très sympathique. Et très appréciée.

— Par quelqu'un en particulier ?

Clive scruta la salle.

— Hum... il n'a pas l'air d'être là.

— Qui ça ?

— Un type qui ne la quittait pas d'une semelle. Quand elle était là, il la suivait comme un chien. Il refusait même de s'asseoir, au point qu'il perturbait le service.

— Comment s'appelle-t-il ?

— Il n'est pas là, je vous dis. Ça fait des mois qu'on ne l'a plus vu.

Spencer sentit ses cheveux ras se dresser.

— Clive...

— Je ne sais pas. Nous avons des centaines de types qui défilent ici chaque jour. Je ne connais pas leur nom par cœur.

— Faites un effort.

— Ce type venait déjà avant l'arrivée d'Emmy. Et je ne l'ai remarqué que parce je m'intéressais à Emmy, elle était si agréable à regarder. Il a ensuite disparu pendant deux ans. On l'a peut-être envoyé chez les fous. Ou en prison. Et quand il est revenu, il a recommencé à la suivre comme un toutou. C'était au printemps. Et depuis qu'Emmy ne vient plus, il a cessé de venir, lui aussi.

— Comment s'appelait-il ?

— Je ne sais pas.

— À quoi ressemblait-il ?

— À n'importe quel SDF. Il portait des guenilles, un bonnet de ski sur la tête, du carton aux pieds. Il puait.

Spencer regarda les tables. Tous les hommes devant lui correspondaient à cette description.

— Assez jeune, ajouta Clive.

— Quel âge ?

— Je ne sais pas. La trentaine à tout casser. Il ne traînait pas les pieds. Il avait une démarche jeune. Il ne marchait pas non plus comme un drogué. Ni comme un fou, en y réfléchissant.

— Et ?

— Il donnait la chair de poule. Il avait quelque chose de pas normal.

— Quoi ?

— J'en sais rien. Il avait une façon de vous regarder qui donnait froid dans le dos. Comme s'il était prêt à vous sauter dessus au premier mot de travers. Et il était répugnant. Il ne prenait jamais de douche. Nous en avons ici, pour les hommes. Jamais il ne s'en est servi. Jamais il ne s'est rasé. Jamais il ne s'est lavé le visage. Je dirai même qu'il était encore plus sale que les autres. Je me demande s'il n'avait pas le visage tatoué, je n'arrive pas à m'en souvenir. À moins que ce soit juste de la crasse...

— Grand, petit ?

— Moyen. Plus petit que vous. Vous devriez aller voir à la mission Bowery. Peut-être qu'il va chez eux, maintenant.

— Pourquoi ? Leurs omelettes sont meilleures ?

— Je n'en sais rien. Peut-être parce que Emmy
ne vient plus ici. Il semblait très attaché à elle.
Il ne parlait à personne d'autre. Ce qui est peu
courant. La plupart des gens ici se connaissent
plus ou moins. Lui ne connaissait qu'Emmy.

— C'est tout ce que vous voyez à me dire sur
lui ?

Il réfléchit.

— Emmy lui donnait des trucs. Je ne sais pas
quoi, mais elle avait toujours des sacs bien
remplis pour lui. Je lui ai demandé un jour et
elle m'a dit que c'étaient des vieilles affaires.
Mais les sacs venaient de beaux magasins,
Guess, Gap... Qu'est-ce qu'elle pouvait lui
donner ? Des fringues ? Dieu seul sait ce qu'il
pouvait en faire !

Spencer lui remit sa carte et lui dit de l'appeler
si l'homme revenait, quelle que soit l'heure du
jour ou de la nuit. Puis, le moral au plus bas, il
se dirigea vers la première table pour savoir si
l'un de ces peu reluisants convives se souviendrait d'Emmy ou de son sinistre protégé.

— Inspecteur O'Malley !

Clive le rattrapa, un grand sourire aux lèvres.

— Milo !

— Milo ?

— C'est comme ça qu'elle l'appelait. Je ne
crois pas que ce soit son véritable nom.

— Moi non plus.

Milo ! Enfin un rayon de lumière dans ce vendredi sombre et sans alcool.

269

Lily était adossée à ses oreillers quand il vint la voir en début d'après-midi. Elle en était à son troisième et dernier traitement de chimio. Tous les visiteurs devaient porter des masques pour la voir, avec interdiction formelle de la toucher. Spencer ne savait pas dans quel état elle finirait cette série, mais les treize semaines de consolidation ne seraient pas du luxe. Elle était d'une maigreur et d'une pâleur cadavériques. Elle ne sourit pas et le dévisagea d'un œil las, mais moins las que celui de sa grand-mère qui se leva en le voyant.

— Je pensais avoir été claire. Vous n'avez rien à faire ici.

— Claudia, venez, vous connaissez les règles, déclara DiAngelo qui était entré sur les talons de Spencer. Une seule personne à la fois.

— C'est moi qui reste. Elle ne veut pas le voir.

Lily et Spencer se dévisagèrent.

— Attends, grand-mère, murmura Lily en foudroyant Spencer d'un regard si lourd de reproches qu'il détourna les yeux. Laisse-nous une minute.

— Dix minutes, d'accord ? C'est tout ce qu'elle peut supporter, répliqua DiAngelo en emmenant Claudia qui le suivit de très mauvaise grâce.

Une fois seuls, aucun ne parla.

— Vous venez me voir pour des raisons professionnelles, monsieur l'inspecteur ?

Que pouvait-il répondre ? Il aurait préféré mettre un masque sur ses yeux plutôt que devant sa bouche, cela lui aurait épargné de voir combien elle s'affaiblissait. Rassemblant ce qui

270

lui restait d'énergie et d'optimisme, il prit une profonde inspiration et alla droit au but.

— À la fois professionnelles et personnelles, répondit-il.

Elle fixa sa couverture. Elle semblait perdue sous les draps.

— Comment allez-vous ? Mangez-vous ?

Elle haussa les épaules.

— N'en parlons pas. Heureusement que tout le monde ne se nourrit pas comme moi, sinon New York ferait faillite avec quatre-vingts pour cent de son économie fondée sur la restauration.

— Oui, mais pensez au bond que ferait l'industrie pharmaceutique !

— J'ai des envies de milk-shake à la vanille mais Marcie dit que c'est trop épais, soupira-t-elle.

Sous le masque, Spencer sourit, bien que toujours sous le choc de ses yeux cernés, sa bouche pâle, ses pommettes d'une blancheur translucide.

— Je vous avais apporté des beignets, l'autre jour. Si vous voulez, la prochaine fois, je vous apporterai un milk-shake.

— Non, je ne pourrai pas le boire. Inutile de gâcher votre argent, dit-elle pendant qu'il s'asseyait sur la chaise à deux mètres d'elle. Et merci pour les beignets. Ma grand-mère les a adorés.

Elle marqua une pause.

— Alors, que voulez-vous ?

— Rien. Je suis passé chez vous prendre votre courrier.

— Mais vous n'avez pas la clé de ma boîte aux lettres !

— Je sais. Disons que si je l'avais voulu, j'aurais pu convaincre votre gardienne de me l'ouvrir en lui montrant mon badge.

Elle ne put s'empêcher de sourire.

— Oh, je vois que vous n'hésitez pas à utiliser votre position à votre avantage.

— Pas du tout, dit-il en sortant une grande enveloppe rectangulaire, mais j'ai pensé que ceci pourrait vous intéresser.

C'était une lettre de l'État de New York.

Elle laissa échapper un petit rire étranglé.

— Elle est arrivée ! Vous l'avez ouverte.

— Bien sûr que non. C'est interdit par la loi d'ouvrir le courrier des autres.

— Mais pas leur boîte aux lettres ? Vous voulez bien me l'ouvrir ?

Il la décacheta et la lui tendit.

— Sept millions trois cent quarante-huit mille deux cents dollars ! lut-elle à voix haute. Regardez-moi ça, Spencer ! Vous avez déjà vu un chiffre pareil ?

— Je serais bien incapable de compter jusque-là.

Ils bavardèrent ainsi quelques instants puis elle posa le chèque sur ses genoux et s'éclaircit la voix.

— Spencer, ça me gêne beaucoup de vous ennuyer avec ça, je ne sais pas si vous pouvez m'aider...

— Si je peux vous aider, je le ferai.

— Le Dr DiAngelo a dit que je ne pourrais pas

quitter l'hôpital tant que je n'aurais pas engagé une infirmière à temps complet. Il prétend que ni ma sœur ni ma grand-mère ne peuvent faire l'affaire. Il a l'air de se méfier d'Anne. Et il dit que c'est moi qui finirai par soigner ma grand-mère. Évidemment, elle ne lui parle plus.

— Si elle continue, elle va finir par faire le vide autour de vous.

— L'ennui, c'est qu'Anne a quitté son travail pour s'occuper de moi et en retour je dois payer ses traites. Comment lui annoncer que je ne veux pas d'elle ?

— DiAngelo a raison. Vous avez besoin d'une véritable infirmière. Je serais ravi d'en informer votre sœur, si vous voulez.

— Si vous lui dites un seul mot, elle portera plainte contre vous.

— Bon, d'accord, je demanderai à DiAngelo de lui dire que, selon ses instructions, vous avez engagé quelqu'un d'autre.

— Elle saura bien que ce n'est pas possible, vu mon état.

Il comprit soudain où elle voulait en venir.

— Vous voulez que je me charge de vous trouver une infirmière ?

— Oh, oui, s'il vous plaît !

— Mais pourquoi ne pas le dire franchement au lieu de tourner autour du pot ? Bon, à l'avenir, si vous avez besoin de quoi que ce soit, vous le dites. Si je peux, je le fais. Mon père a eu une infirmière très bien quand il était malade. Ça lui coûtait sept cent cinquante dollars par semaine, mais ça valait vraiment la peine. J'appellerai les agences. Je vous trouverai quelqu'un.

Elle parut soulagée et contente.

— Quand je sortirai, je vous emmènerai déjeuner dans un bon restaurant, si vous voulez.

— On devrait super bien manger pour sept millions de dollars !

Elle regarda le chèque.

— Mary pourra venir aussi. Je ne voudrais surtout pas l'exclure. Nous pourrions aller prendre un brunch au *Palm Court*, et nous habiller comme des snobinards d'Upper East Side.

— Quelle mémoire vous avez ! Vous n'arrivez pas à retrouver mon numéro de bipeur mais vous vous rappelez le nom de ma petite amie.

Elle tressaillit.

— Écoutez, reprit Spencer, DiAngelo va me mettre dehors d'une minute à l'autre et croyez que ça ne m'amuse pas de vous poser cette question...

Il vit son regard se glacer.

— Donnant donnant, c'est ça, inspecteur ?

— Pourquoi ne m'avez-vous pas dit à votre retour d'Hawaii qu'Emmy s'occupait de SDF ? C'est vrai quoi, vous ne pensez pas que ça aurait pu nous aider de savoir si elle y était allée le jour de sa disparition ?

— Ça m'est sorti de l'esprit. Et je ne vois pas ce que ça a de grave. Elle y est allée, finalement ?

— Oui.

— Et elle en est repartie ?

— En tout cas, elle n'y est plus !

274

Elle resta songeuse. Ce n'était pas le moment de l'inquiéter davantage. Il décida donc de ne pas lui parler du ticket de caisse qu'il avait trouvé dans l'un des sacs. Un ticket datant d'un vendredi du mois de mars, pour l'achat d'une ceinture Ferragamo, d'une valeur de cent quatre-vingt-quinze dollars, payée comptant. Lily croyait-elle vraiment qu'Emmy passait toutes ces heures à faire du jogging ?

Et tous les sacs d'emballage de Prada, de Louis Vuitton, de Versace et de Tiffany trouvés dans ses affaires, où était passé leur contenu ? Les ceintures, les vêtements, les bijoux... En tout cas, on ne les avait pas trouvés dans ses placards. Où étaient tous ces cadeaux qui n'avaient pu lui être offerts que par Andrew Quinn, il en était persuadé ?

Et si Andrew Quinn se montrait si généreux avec Emmy McFadden, cela ne signifiait-il pas que sa liaison était plus qu'une passade ?

— Pourquoi Emmy allait-elle à la soupe populaire ? s'enquit Spencer.

Lily réfléchit.

— Je crois que c'est parce qu'elle aussi un jour en a bavé.

— Milo ? Ça vous dit quelque chose ?

— Pardon ?

Il lui raconta ce qu'il savait.

— Milo pourrait-il faire partie du groupe avec lequel elle a voyagé ? s'interrogea-t-il à voix haute quand il eut terminé. Pourrait-il être l'une des personnes qui ont disparu ?

— Pourquoi pas. Mais qu'est-ce que ça change ?

— Peut-être que lui sait où elle est. Ça ne vous dirait pas de m'aider à le retrouver si ça permet d'innocenter votre frère ?

Elle hocha la tête avec vigueur.

DiAngelo entra alors dans la chambre.

— Ça y est ! C'est fini pour aujourd'hui !

Spencer se leva. Il regretta de ne pouvoir caresser la main de Lily avant de partir. Elle semblait en avoir désespérément besoin.

Marcie et DiAngelo lui faisaient des prélèvements de sang toutes les deux heures pour voir comment elle réagissait à la chimio. À leur tête, elle voyait bien que ça n'allait pas. Et quand elle leur posa la question, ils firent mine de ne pas l'entendre. Une nouvelle infirmière vint lui faire une transfusion de globules rouges et blancs, de plasma, de plaquettes. Son cathéter s'infecta. On lui administra des antibiotiques. Les visites furent à nouveau interdites pendant deux jours. DiAngelo ne la trouva pas assez forte pour supporter une perfusion constante d'Aracytine, alors ils attendirent un jour, puis deux. Comme son corps ne récupérait pas, ils se résignèrent à reprendre le traitement bien que son taux de plaquettes continuât à baisser.

Troisième jour sans visite. Elle ne voyait que des gens masqués et la nuit, quand les nausées l'empêchaient de dormir, elle avait l'impression de voir des anges avec des ailes, et ils portaient des masques, eux aussi.

— Accrochez-vous, le pire est passé, lui annonça enfin DiAngelo. Ça remonte. Je suis fier de vous.

— Encore combien de temps ? murmura-t-elle.

— Combien de temps pour quoi ?

— Avant que je puisse manger de la pizza ?

— Plus qu'une journée. Ensuite vous vous reposerez, on vous fera une biopsie et vous rentrerez chez vous. Plus qu'un jour, Lil.

Mais c'était un jour de trop. Elle n'avait plus la force. Elle ne pouvait plus respirer seule. On la mit sous oxygène.

Elle fixait le plafond, convaincue qu'elle allait mourir. Quel effet cela faisait-il de s'endormir et de ne plus se réveiller ? De sombrer dans l'inconscience et de ne plus en sortir ?

Elle ne voulait pas être seule au moment de sa mort. Non, elle voulait avoir sa famille autour d'elle qui lui tiendrait les mains, lui caresserait le visage et la tête en sanglotant. Et elle perdrait peu à peu conscience, leurs visages et leurs pleurs s'estomperaient peu à peu...

Il n'y aurait plus de souffrance. Plus de cancer.

Et à l'église, sa mère, anéantie par la douleur, chanterait *Panis Angelicus* de sa voix ravissante, et toute l'assistance pleurerait...

Là, elle délirait ! Sa mère à l'église ? Impossible. Jamais sa mère ne quitterait Hawaii. Et elle appellerait Claudia pour gémir. *J'aurais voulu venir, mais je suis beaucoup trop malade. Je n'ai même plus la force de me lever. Heureusement que j'ai George, Dieu le bénisse. Il s'occupe de moi. C'est pour ça qu'il ne peut pas venir, lui non plus.*

Tout à coup, Lily retrouva la force de respirer par elle-même et se redressa. Incroyable ! Sa mère arrivait même à lui gâcher sa mort en rêve et à lui voler le premier rôle.

Le lendemain matin, se sentant mieux, et surtout ravie de ne plus être sous oxygène, elle demanda à Anne d'aller lui acheter des crayons pastels qui, une fois mouillés, permettaient de réaliser de superbes aquarelles. Elle passa l'après-midi à dessiner. Quand Spencer arriva en début de soirée, elle était assise dans son lit.

— Mais qu'est-ce que vous avez sur la bouche ? s'exclama-t-il.

Elle prit un petit miroir et éclata de rire en voyant qu'elle était barbouillée de lavande, de lilas, et de rose.

De ce jour-là, Lily cessa de rêver de sa mort.

DiAngelo signa sa décharge, lui expliqua qu'elle devrait revenir à l'hôpital lundi en huit, c'est-à-dire le premier lundi d'octobre, pour commencer ses treize semaines de consolidation. On lui ferait de la chimio le lundi et le mardi, et elle rentrerait récupérer chez elle du mercredi au dimanche. Elle aurait fini pour le nouvel an. Juste à temps pour le nouveau millénaire.

Le cancer avait-il disparu ?

— Non, mais je vous ai dit qu'il ne fallait pas y compter. Nous espérions simplement tuer les cellules cancéreuses existantes.

— Et nous les avons tuées ?

— Presque toutes. Mais le plus important, c'est que nous avons ralenti la production de cellules cancéreuses.

— Ralenti, seulement.

— Oh, écoutez, Lily. Ce n'est pas fini. Ce n'est même pas le début de la fin. C'est la fin du commencement.

— Il ne manquait plus que mon médecin me cite Churchill !

Le 22 septembre passa sans que Lily fête son vingt-cinquième anniversaire.

29

Spencer piétine

L'examen des registres de l'hôtel *Four Seasons* ne donna pas les résultats escomptés par Spencer. Le nom d'Andrew Quinn n'apparaissait nulle part. Et celui d'Emmy encore moins. Pourtant il y avait la pochette d'allumettes. Peut-être, l'hôtel quatre étoiles étant trop cher, Andrew avait-il emmené sa jeune maîtresse au *Sheraton* de la Septième Avenue. Il y avait trois mille hôtels dans le centre de New York. Impossible de tous les contrôler.

Spencer se focalisait sur le *Four Seasons* car l'hôtel correspondait tout à fait aux sacs vides d'Emmy. On n'allait pas s'acheter un sac chez Prada sur la 57e, du shampooing chez Frederick Fekkai, toujours sur la 57e, et un stylo chez Mont Blanc, encore sur la 57e pour se traîner ensuite jusqu'au *Sheraton*, sur la 51e.

Et il se focalisait sur le 14 mai, parce que Emmy avait promis à sa mère de venir ce soir-là. Non seulement elle n'était pas venue, mais elle n'avait pas téléphoné. Et plus aucun coup de fil n'avait été passé de chez elle après le jeudi 13 mai. Elle était allée à la soupe populaire au matin du 14 mai. Elle avait sans aucun doute disparu ce jour-là.

Restait Milo.

La police passa en revue tous les asiles de nuit de New York à la recherche d'un individu de taille moyenne avec éventuellement un tatouage sur le visage et répondant au nom de Milo.

Spencer avait demandé à Harkman d'appeler Riker's, Sing-Sing, Attica pour savoir si un homme correspondant à son signalement n'aurait pas été relâché récemment. Sans résultat.

Spencer ignorant ce que ce Milo mijotait en ce vendredi 14 mai, il concentra ses efforts sur Andrew Quinn. Il était nettement plus facile à cerner.

Son emploi du temps lui révéla qu'Andrew était à Washington le jeudi, comme pouvaient en témoigner quatre ou cinq cents personnes, et qu'il était rentré à New York par le premier train au matin du 14, comme pouvaient en témoigner les soixante-trois personnes qui l'avaient pris avec lui. Il était rentré chez lui vers vingt heures trente, d'après sa femme. Un peu tard pour un vendredi soir ? Pas du tout, avait-elle répondu au téléphone. Il rentrait toujours à cette heure-là.

Lui avait-il paru contrarié, préoccupé, normal, bizarre ? Miera rétorqua d'une voix glaciale qu'elle ne s'en souvenait pas.

Avant de regagner son domicile, Andrew s'était arrêté à la banque puis à son bureau de Port Jefferson. Il avait tiré de l'argent, pour le week-end, au distributeur de la Chase Bank sur Main Street à dix-neuf heures vingt-deux et il avait le ticket sur lui pour le prouver. N'était-ce pas étrange de se promener avec le ticket d'un retrait banal, effectué quatre mois plus tôt ? Spencer ne les gardait pas quatre heures.

Le relevé bancaire d'Andrew montra que non seulement il avait retiré cinq cents dollars à dix-neuf heures vingt-deux, mais aussi deux mille dollars, à Penn Station, à onze heures du matin, le même jour. Cela faisait beaucoup de liquide. Et pourquoi le prendre en deux fois ?

Un examen des relevés de banque d'Andrew jusqu'au début de l'année 1999 montra qu'il retirait régulièrement de grosses sommes d'argent le jeudi et le vendredi, ce qui pouvait expliquer les sacs de Prada. Payait-il le *Four Seasons* en liquide ? Peut-être, mais cela ne le dispensait pas de remplir sa fiche d'hôtel.

Le personnel du *Four Seasons* ne sut dire si Andrew Quinn avait utilisé les services du concierge ou du portier. Ni dire s'ils avaient vu le député. Ou Emmy.

Le train de Washington était arrivé à Penn Station à onze heures moins le quart, et Andrew n'avait regagné Port Jefferson qu'à dix-neuf heures.

Le trajet entre Penn Station et Port Jeff ne prenait qu'une heure vingt. Où était Andrew pendant les six heures et demie de battement ?

La responsable du bureau d'Andrew, à Port Jefferson, confirma qu'il était arrivé juste après sept heures, au moment où elle s'apprêtait à rentrer chez elle. Il avait signé quelques courriers, dicté une lettre qu'elle fut en mesure de montrer à Spencer et qui concernait de nouvelles règles de stationnement sur Main Street, et vérifié son emploi du temps pour la semaine suivante.

Avec ce genre d'organisation, c'était à se demander comment le député pouvait entretenir une liaison. Il y avait néanmoins un trou de six heures et demie dans son emploi du temps. Personne n'avait remarqué Andrew Quinn avec une séduisante rousse à son bras. Comment Emmy avait-elle pu échapper à une telle surveillance ? Andrew prétendait avoir mis fin à leur liaison mi-avril, pourtant on était en plein mois de mai et il était incapable de dire ce qu'il avait fait pendant un vendredi après-midi entier.

Les alibis d'Andrew se réduisaient. Spencer serait bien allé lui rendre une nouvelle visite. Il apprit alors que pour tenter de sauver son mariage, Andrew avait emmené Miera passer quinze jours à Hawaii. Bien que le Congrès siégeât encore, Andrew avait demandé un congé.

30

Chimiothérapie avancée

Lily était rentrée chez elle depuis trois jours et devait retourner à l'hôpital, dans une semaine, commencer son traitement en soins externes. Joy, l'infirmière recrutée par les bons soins de Spencer, lui témoignerait-elle la gentillesse et la compassion qu'elle attendait ? Et était-ce cela dont elle avait besoin ? Elle n'en savait rien.

Elle ne se sentait plus chez elle dans son appartement. Ces cinq semaines d'absence lui semblaient cinq siècles. Elle avait du mal à croire que le pays avait toujours le même président, qu'on était toujours la même année, que le marchand de légumes vendait encore des pêches, et que la pizzeria du coin de la rue proposait toujours deux pizzas pour le prix d'une, le mardi soir.

C'étaient sa grand-mère et sa sœur Amanda qui l'avaient raccompagnée chez elle.

— Tu devrais te remettre à peindre, lui avait dit Amanda avant de s'en aller. Ça te ferait du bien.

Lily ne savait comment interpréter cette déclaration ? La peinture était-elle censée la guérir physiquement ? Suffirait-il qu'elle reprenne ses pinceaux pour que son cancer disparaisse ?

Comme s'il était apparu parce qu'elle faisait trop la grasse matinée et pas assez de peinture ! Ou Amanda pensait-elle que ça l'aiderait moralement. Comme si peindre pouvait lui faire oublier qu'elle avait une leucémie à vingt-quatre ans ! Enfin vingt-cinq maintenant.

Quand Lily avait revu le miroir en pied de la chambre d'Emmy, une succession d'images était repassée devant ses yeux. Emmy et elle vérifiant leur allure avant d'aller danser, le vendredi soir. Ou en tenue d'étudiantes. Ou nues avec la marque de leur maillot de bain. Et Emmy qui s'exclamait : « Oh, il faut que je maigrisse un peu si je veux trouver un amoureux ! » alors qu'elle en avait un et que c'était le frère de Lily !

Malgré ses protestations, Anne avait dû se résoudre à obéir à Lily : elle avait enlevé tous les miroirs de l'appartement. Quant à la glace de l'armoire de toilette, dans la salle de bains, Lily la recouvrit d'un papier qu'elle peignit en noir.

Le sweat-shirt Mickey que lui avait acheté Amanda cachait la maigreur de son corps mais pas son visage émacié, ni ses yeux cernés, sa peau tendue sur les os, ses lèvres grises et tombantes et son crâne chauve.

Elle se sentait plus vieille que sa grand-mère. C'était le monde à l'envers : désormais la vieille dame sortait de chez elle et prenait le taxi ou le métro pour venir la voir, alors que Lily n'avait pas le droit de mettre le nez dehors, de peur de se casser quelque chose ou d'attraper une maladie.

Ses trois premiers jours s'étaient déroulés

dans un brouillard glacial. Elle avait commencé par répondre au téléphone, pour ne pas que son appartement ressemble à un hall de gare aux heures de pointe. Oui, elle allait bien, elle mangeait, elle buvait, elle se lavait, elle lisait, elle regardait la télévision... merci d'avoir appelé.

Puis Joy arriva. La cinquantaine, de grands cheveux bruns et raides, un sac hippie en bandoulière, une longue jupe large, une grande chemise, comme si elle voulait se cacher. Mais elle avait un visage intelligent. Elle n'avait vraiment rien de sophistiqué ni dans son allure ni dans sa coiffure. Quand elle se présenta chez Lily, elle regarda autour d'elle avec un petit soupir de dédain.

— C'est ici que vous vivez ? Votre... Le... la personne qui m'a engagée m'a dit que vous aviez de l'argent.

— Oui, j'en ai, répondit Lily quelque peu décontenancée. Mais... excusez-moi, quel est le rapport ?

— Je pensais que vous seriez mieux installée, c'est tout. Je m'attendais à un appartement du style Park Avenue, ajouta-t-elle avec un petit sourire.

— Sur l'Avenue C ?

— Vous avez raison. Où avais-je la tête ?

Elle fut ravie d'apprendre qu'elle aurait sa chambre. Et lorsqu'elle demanda où était sa colocataire et quand elle rentrerait, Lily, gênée de lui avoir donné la chambre d'Emmy, lui répondit qu'elle n'en savait rien et qu'elle préférait parler d'autre chose.

Comme la chambre d'Emmy était nettement plus grande que celle de Lily, Joy lui proposa d'échanger. Lily refusa. Joy déclara qu'elle dormirait sur le futon quand Emmy reviendrait. Lily lui demanda combien de temps elle avait l'intention de rester.

— Jusqu'à ce que vous soyez guérie. Mais si vous voulez que je m'en aille, vous n'aurez qu'un mot à dire et je partirai. Ah, je tiens à avoir mes dimanches. Surtout que ce sera la journée où vous serez le plus en forme. Ça ne vous ennuie pas ? Et qui me paiera, vous ou votre...

— Moi.

— Bien. Mais qui est-ce, à propos ?

— C'est lui qui s'occupe de tout.

Les derniers remords de Lily se dissipèrent quand elle s'aperçut que la plupart des affaires d'Emmy avaient été emportées par Spencer. Ses photos, ses vêtements, ses livres, ses sacs et tout son bric-à-brac étaient désormais enregistrés de A à Z comme pièces à conviction au commissariat.

Lily donna trois cents dollars à Joy pour acheter des draps et des serviettes et, dès qu'elle fut partie, appela Spencer. Elle n'était pas sûre que Joy soit la personne qu'il lui fallait.

— Vous verrez. Elle est exactement celle dont vous avez besoin. Faites-moi confiance.

Mais pourquoi lui aurait-elle fait confiance ? Ne voulait-il pas mettre son frère en prison ?

Spencer ne s'était pas trompé. Joy se révélait d'une efficacité redoutable. Elle n'arrêtait pas de ranger, laver, faire la cuisine, les courses... Elle appela Amanda et grand-mère pour les prévenir qu'il était inutile de venir le lundi et le mardi puisqu'elle emmenait Lily à ses séances de chimio. Et tout le monde était soulagé de savoir Lily entre des mains compétentes. Lily la première. Le Dr DiAngelo semblait, lui aussi, ravi du choix de Spencer. Il se révéla qu'il connaissait déjà Joy. Un de ses amis, médecin, avait soigné son mari, atteint d'un lymphome. Comme Joy portait toujours son alliance, Lily lui demanda si ça n'ennuyait pas son mari qu'elle s'absente toute la semaine. Joy lui répondit qu'il était mort au mois d'août, l'an dernier.

Lily ne sut plus quoi dire.

— Ne vous inquiétez pas, j'ai connu des tas de gens plus malades que vous, ajouta l'infirmière.

— Je ne veux pas en entendre parler. Je ne veux pas savoir ce que les autres ont souffert. C'est pour cela que je ne veux aller à aucun groupe de support. Je suis désolée pour votre mari, mais à l'idée de ce qui lui est arrivé, je suis encore plus mal qu'avant. Ce qui me remonte le moral, c'est de penser que je suis unique, que je suis incroyablement malade et aussi incroyablement forte. Comme mon frère. Je ne veux pas savoir ce qui arrive aux autres. Je ne veux pas entendre parler de leur cancer. J'ai déjà le mien, ça me suffit. Merci. Vous comprenez ?

— Oui. Et je vous trouve bien bavarde pour quelqu'un de si faible.

Elles rentraient de la première séance de chimio.

— En fait, je ne me sens pas mal du tout.

On lui avait administré une poche de Vépécide et une d'Aracytine.

Elle avait parlé trop vite car après la chimio du mardi, sa forme se détériora. Elle refusa la nourriture pendant des jours, malgré l'insistance de Joy, de sa grand-mère, de ses sœurs et de Spencer. Et chaque fois qu'elle se força à avaler quelque chose, elle ne put le garder.

Joy se creusait la tête pour trouver des aliments qu'elle pourrait assimiler. La seconde semaine, Lily ne mangea rien le lundi et le mardi, mais, le mercredi, Spencer lui rapporta du bouillon de volaille de l'Odessa.

— Je n'ai pas faim, gémit-elle.

— Ce n'est pas grave. L'important c'est de vous nourrir. C'est la seule façon de reprendre des forces.

— Dites-moi plutôt si vous avez du nouveau.

— Je vous le dirai quand vous aurez mangé.

Lily, poussée par la curiosité, avait donc avalé la soupe. Ensuite, elle avait lutté pour la garder.

— Comment pouvons-nous t'aider ? lui demandaient sans relâche ses sœurs, sa grand-mère, Spencer, Rachel, Paul, Dennis, Rick – son directeur...

Elle était malade, ils ne le voyaient donc pas ? Et elle aurait bien voulu ne plus penser à son cancer. Mais vers quoi se tourner ?

31

Interrogatoire poussé

Une semaine après le retour d'Andrew d'Hawaii, Spencer retourna à Port Jefferson l'interroger. Harkman l'accompagna de fort mauvais gré, arguant qu'il avait d'autres chats à fouetter, d'autres pistes, d'autres enquêtes, sans compter qu'il ne se sentait pas bien. Cette comédie avait assez duré. Spencer avait besoin d'un véritable partenaire. Il lui fallait son ami Gabe McGill, de la brigade criminelle. Ils roulèrent jusqu'à Port Jefferson sans échanger un mot.

Spencer aurait voulu interroger Andrew au commissariat. Mais, pour cela, il aurait fallu officiellement le placer en garde à vue et officiellement l'accuser.

— N'avez-vous donc aucune décence ! Vous ne vous rendez pas compte du mal que cette histoire fait à ma femme ? s'exclama Andrew en les voyant. Vous osez revenir ici alors que je vous ai déjà dit que je ne savais rien sur la disparition d'Emmy. Et je ne sais toujours rien, ça n'a pas changé.

— Voulez-vous nous suivre jusqu'au commissariat afin que nous parlions en privé ?

Andrew ouvrit la porte en grand.

— Que voulez-vous ?

— J'ai de nouvelles informations. Croyez-moi, je ne serais pas là si je n'avais pas de nouvelles questions à vous poser. Alors ici ou au commissariat ? À vous de choisir.

— Ici, mais je vous préviens, inspecteur, c'est la dernière fois !

Spencer avança d'un pas vers Andrew, sans se laisser impressionner par son imposante stature.

— Écoutez-moi bien, monsieur le député, tonna-t-il, l'acculant presque contre le mur. Je viendrai vous interroger aussi souvent que j'en aurai besoin. Et si vous refusez de répondre à mes questions, je vous bouclerai pour obstruction à la justice, c'est clair ? Et je me fiche des relations que vous pouvez avoir dans la police !

Andrew les conduisit sans un mot à son bureau et claqua la porte.

— Alors, de quoi s'agit-il encore ?

Harkman le foudroya d'un regard presque aussi féroce que le sien.

— Avez-vous acheté à Emmy une ceinture de Ferragamo sur la Cinquième Avenue, au mois de mars ? demanda Spencer.

Andrew éclata de rire.

— Ne me dites pas que vous voulez savoir si je me souviens d'une ceinture achetée il y a six mois !

— Non, je vous demande si vous vous souvenez d'avoir payé en liquide deux cents dollars pour une ceinture, il y a six mois.

291

— Inspecteur, là, très honnêtement, je ne m'en souviens pas.

— Ah bon ? Plus honnêtement que les autres fois où vous ne vous souveniez pas ?

Le visage d'Andrew se glaça aussitôt.

— Et vous avez d'autres surprises à me sortir de votre chapeau à part cette ceinture ?

— Oui. Différents cadeaux de chez Tiffany, Prada, Guess, Gucci, Versace, Mont Blanc, Louis Vuitton. Tous offerts par vous.

— J'en doute. Certains peut-être. Mais pas tous.

— Ce que je voulais dire, c'est que vous la gâtiez énormément, non ?

— Inspecteur, je ne vois vraiment pas en quoi ça vous regarde !

— Je vais tenter de m'expliquer. Ne le prenez pas mal, j'essaie de le formuler avec le plus de délicatesse possible, mais quand vous vous retrouviez avec Emmy, vous ne passiez pas tout votre temps à faire du shopping ?

Andrew ne dit rien.

— Vous descendiez du train de Washington, vous la retrouviez, vous déjeuniez... et ensuite ? Où alliez-vous quand vous ne preniez pas un verre au *57/57* ou que vous n'achetiez pas des stylos Mont Blanc ?

— Je ne comprends pas votre question.

— Faut-il que je sois plus direct ? Où alliez-vous quand vous vouliez...

— Dans un hôtel quelconque.

— Au *Sheraton* ? Au *Grand Hyatt* ? Au *Marriott* ? Au *Hilton* ? À l'*Holiday Inn* ?

292

— Je ne m'en souviens pas.

— Vous ne vous souvenez pas où vous alliez ?

— Non, répondit Andrew avec défiance.

Devant une telle arrogance, Spencer décida de prendre un risque. Andrew ne lui laissait pas le choix.

— Hum... Je vois. Emmy a toute une collection de petites bouteilles de shampooing et de savonnettes d'un certain hôtel. Vous souhaitez peut-être que je vous les montre pour vous rafraîchir la mémoire ?

— Le *Four Seasons*, puisque vous tenez à le savoir.

— Le *Four Seasons* ! Spencer laissa échapper un petit sifflement. J'ignorais que ce genre d'établissement louait des chambres à l'heure.

— Oh, je vous en prie !

Ils étaient tous debout, Andrew, les bras croisés, Harkman en sueur. Cela lui était très pénible de rester debout longtemps. Il avait des crampes dans les jambes. Et son odeur aigre empestait le bureau.

— Vous saviez parfaitement dans quel hôtel vous alliez. Alors pourquoi ne pas le dire ? Par votre attitude, vous faites ce qui s'appelle de l'obstruction à la justice. Et vous m'incitez à croire que vous me cachez encore beaucoup de choses.

— Inspecteur, je vous trouve particulièrement obtus pour un enquêteur. J'ai une épouse que je n'ai jamais emmenée au *Four Seasons* ! Alors comprenez que je manifeste moins de plaisir à parler de ça avec vous que s'il était question de sport ou de politique.

— Sous quel nom vous inscriviez-vous à l'hôtel ?

— Alors là, je refuse de répondre à cette question.

— Pourquoi ?

— Inspecteur, je viens déjà de renoncer à me présenter au Sénat. J'essaie désespérément de sauver mon job et mon mariage. Vos questions ne vous aideront pas à retrouver Emmy, mais elles vont me coûter ma femme et bien plus encore.

— Sous quel nom ? insista Spencer.

— Sous le nom de jeune fille de ma femme, cracha Andrew entre ses dents. Vous êtes content ?

— Non, mais je comprends mieux. Monsieur le député, qu'avez-vous fait le vendredi 14 mai ? Entre votre train habituel qui vous a ramené à dix heures quarante-cinq à Penn Station et votre retour à votre bureau de Port Jefferson, à sept heures du soir ? Qu'avez-vous fait entre onze heures du matin, quand vous avez retiré deux mille dollars au distributeur de la gare, et cinq heures et demie de l'après-midi, quand vous avez pris le train de Port Jefferson ?

— Ce que j'ai fait entre onze heures et cinq heures et demie ?

— Pourquoi répétez-vous toujours mes questions, monsieur le député ?

— Parce que je ne comprends pas ce que vous me demandez. Quelles heures, dites-vous ?

— L'après-midi du vendredi 14 mai 1999. Les heures que vous passiez d'habitude au *Four Seasons* avec Emmy, mais vous nous avez dit que vous aviez rompu avec elle, en avril.

— C'est exact.

— Eh bien, où étiez-vous, monsieur le député, le 14 mai ?

— Franchement, je ne m'en souviens pas. Je ne vois pas ce que cet après-midi du 14 mai vient faire dans tout ça.

— Il s'agit tout simplement du dernier vendredi où Emmy a été vue vivante !

— Je n'ai pas l'impression que vous m'écoutiez, monsieur l'inspecteur.

— Si, je vous entends haut et clair. Si vous n'étiez pas avec elle, où étiez-vous ?

— J'étais... nulle part. Je ne vois pas où vous voulez en venir. Je croyais que vous ne saviez pas quand elle avait disparu.

— Nous savons quand elle a été vue vivante pour la dernière fois. Vous êtes descendu du train à onze heures, vous avez retiré deux mille dollars et vous n'êtes arrivé à Port Jefferson qu'à sept heures du soir. Où étiez-vous entre les deux ?

— Nulle part, je vous l'ai dit. J'ai dû aller faire des courses.

— Là où vous alliez avec Emmy ?

— Oui, dans le même quartier.

— Et Emmy était avec vous ?

— Mais vous êtes bouché ! Je vous ai déjà dit mille fois que je ne l'ai pas vue ce jour-là.

— Alors qu'avez-vous acheté ?

— Ce que j'ai acheté ? répéta Andrew en le dévisageant, incrédule. Mais je ne m'en souviens pas !

— Vous avez bien dû acheter quelque chose.

— Sans doute. Mais c'était il y a quatre mois et j'ai oublié !

— Vous n'avez pas de reçu de ce jour-là ? Vous avez bien gardé celui de votre retrait au distributeur de Port Jefferson. Vous n'auriez pas gardé ceux de vos achats ? Peut-être avec celui du distributeur ?

— Non. Et je ne me souviens pas des magasins où je suis allé.

Harkman et Spencer secouèrent la tête. Harkman prit la parole pour la première fois depuis le début de l'entretien.

— Monsieur le député, je n'ai jamais rencontré quelqu'un qui ait si mauvaise mémoire. Je me demande si vous êtes bien apte à décider des lois de notre pays.

— Bon sang, lâchez-moi un peu !

— Peut-être retrouverez-vous la mémoire si nous vous arrêtons pour présomption de meurtre ?

— Combien de fois devrai-je vous répéter que je ne l'ai pas revue depuis le mois d'avril, quand elle... enfin quand nous avons rompu ! Et, en tout cas, pas ce vendredi-là !

— Alors pourquoi avez-vous retiré deux mille dollars à la gare ?

— Je n'en ai aucune idée. Sans doute parce que j'avais l'intention de faire des achats !

— Des achats dont vous n'avez aucun souvenir, pas plus que des magasins ?

— Inspecteur, je vais appeler mon avocat et votre supérieur, car c'est du harcèlement pur et simple !

— Si vous voulez savoir, dit Spencer, je ne crois pas qu'un homme qui achète des bijoux à sa maîtresse chez Tiffany et l'emmène au *Four Seasons* ne puisse se rappeler ni du jour où il l'a rencontrée, ni de la première fois où il a couché avec elle, ni du temps qu'a duré leur liaison, ni de ce qu'il lui a offert, ni de la fréquence de leurs rendez-vous ! C'est impossible, vous comprenez !

— Non, je ne comprends rien à ce que vous dites. Je ne vous écoute plus.

Harkman se releva péniblement.

— Allons-y, Spencer. Partons.

— Une dernière chose. Saviez-vous qu'Emmy travaillait bénévolement dans un refuge pour SDF ?

— Oui, vaguement. Et alors ? Il y a sans doute des tas de choses que j'ignorais sur elle, rétorqua-t-il d'un ton glacial.

— Savez-vous qui est Milo ?

Le député cligna les yeux.

— Non.

— Vous n'avez jamais entendu parler de lui ?

— Non, je ne crois pas. Qui est-ce ?

— C'est ce que nous cherchons. Monsieur le député, si vous savez qui est ce Milo et si nous le retrouvons, peut-être saura-t-il où est Emmy. Et dans ce cas, nous ne reviendrons plus vous importuner. Hélas, vu comme les choses se présentent, il me faudra revenir, monsieur le député. Et avec un mandat d'arrêt, cette fois.

— Je ne me souviens pas d'avoir vu des savonnettes et des flacons de shampooing du *Four Seasons* dans les pièces à conviction, remarqua Harkman, épuisé, les yeux clos, une fois qu'ils eurent regagné leur voiture.

— Évidemment. Il n'y en avait pas !

Harkman éclata de rire.

— Putain, t'es sacrément gonflé !

Le lendemain, les aventures du député faisaient la une de tous les journaux.

32

L'alibi d'Andrew

Colin Whittaker convoqua Spencer dans son bureau et lui demanda de fermer la porte.

— O'Malley, vous êtes devenu barjot ou quoi ?

Spencer aperçut Harkman derrière les vitres qui souriait d'un air satisfait.

— Que se passe-t-il, chef ?

Whittaker, ses deux holsters sanglés sur sa chemise froissée, transpirait déjà alors que la matinée commençait à peine et qu'il faisait encore frais.

— Notre honorable député est fou furieux. Il prétend que vous êtes allés chez lui le harceler. Et il veut porter plainte contre la police de New York !

— Je ne l'ai pas harcelé. Je lui ai posé des questions de routine qui l'ont mis très mal à l'aise. Il bafouillait, répétait mes questions, les éludait. Il cache quelque chose, chef. Il ment.

— Lui avez-vous extorqué des informations en invoquant des preuves fallacieuses ?

— Oui, je l'ai effectivement forcé à me dire la vérité sur une chose, répondit Spencer en maudissant Harkman. Bon Dieu ! Quel partenaire de merde !

Whittaker pressa ses deux mains l'une contre l'autre.

— Spencer, je me suis toujours montré très compréhensif avec vous, commença-t-il du ton qu'on prend pour gronder un enfant indiscipliné. Je ne vous ai jamais bousculé, je vous ai toujours laissé agir à votre guise, j'ai assuré vos arrières, je vous ai défendu et il m'est même arrivé de vous couvrir. Vous le méritiez largement. Mais là, je crains de devoir mettre le holà. Connaissez-vous Bill Bryant ?

— Non.

— C'est un conseiller municipal de New York à la retraite, ancien homme d'affaires, philanthrope, généreux donateur à différentes œuvres dont celles de la police. Nous lui devons, entre autres, nos nouvelles vestes en kevlar.

— Le saint homme ! Mais quel rapport ?

— Il a un bureau dans la tour Carnegie Hall. Sur la 57e Rue.

— Et alors ?

— Ce monsieur a appelé, hier soir, son bon ami le préfet de police, oui, le préfet de police en personne ! Afin de lui dire qu'Andrew Quinn lui avait rendu visite le 14 mai, vers treize ou quatorze heures. Et qu'ils étaient ensuite allés boire un verre au *57/57*, avant que Quinn ne reparte à Penn Station, prendre le train pour rentrer chez lui. Notre conseiller, dans la vie publique depuis cinquante ans, et membre vénéré de notre communauté, est prêt à le répéter sous serment. Ce matin, il nous a envoyé son agenda

300

personnel où le nom d'Andrew Quinn est écrit de sa propre main de treize à seize heures.

— Vraiment ?

— Vraiment.

— Pourquoi Quinn ne s'en est-il pas souvenu hier ?

— Je l'ignore. Je ne sais pas comment fonctionne son esprit scabreux. Quoi qu'il en soit, s'il avait besoin d'un alibi pour réfuter vos théories farfelues, il l'a !

— Et comme par hasard, la veille, il n'en avait pas !

— La mémoire lui est revenue. Il prétend qu'il était énervé, qu'il avait du monde chez lui, et que vous l'avez bousculé.

— N'importe quoi !

— Alors, voilà, Spencer, j'aimerais que nous passions un petit marché, vous et moi. Tant que vous n'aurez pas trouvé de corps, ou de morceaux de corps, de vêtements souillés de sang, ou de photo du cadavre dans le portefeuille du député, vous cessez de les déranger, lui, le conseiller municipal, les sénateurs, le gouverneur ou le président. Vous laissez ces foutus politiciens en dehors de l'affaire tant que vous n'avez pas la moindre once de preuve. Qu'en dites-vous ?

— Allons, chef. Quinn a beaucoup à perdre. Qui vous dit qu'il ne l'a pas tuée parce qu'elle voulait révéler leur liaison ? Peut-être qu'elle était enceinte. Il se représentera au Sénat, vous verrez. Il n'a pas le moindre scrupule. La preuve ! Il a pris le nom de sa femme, à l'hôtel, pour sabrer sa petite amie ! Ça dit tout de suite à quel genre d'homme on a affaire !

— J'espère que vous employez sabrer dans un sens seulement, O'Malley. Oui, c'est un salaud sur le plan conjugal. C'est pour ça que le divorce existe. Mais tout ce que vous m'avez rapporté d'autre n'est que conjectures, suppositions, hypothèses. Ce sont des spéculations, pas des preuves. Pas même des preuves indirectes ! Et à présent, l'honorable député a un alibi.

— Eh bien, peut-être qu'elle n'a pas été tuée ce vendredi-là. Ça s'est peut-être passé le samedi, ou le lundi suivant, quand le député est reparti à Washington.

Whittaker se cogna la tête sur son bureau.

— Spencer, je parle sérieusement. Il ne s'agit pas d'un homicide mais d'une personne disparue. Vous vous êtes mis à dos la moitié des magistrats de New York alors que rien ne prouve qu'un meurtre ait été commis. Foutez la paix au député ! Vous avez entendu ?

— Arrêtons-le et laissons la justice en décider.

— L'arrêter pour quoi ? Parce qu'il a fait du shopping ? Il a un alibi ! Et j'ose vous rappeler que nous n'avons pas de corps !

— Oui, et nous n'avons aucune trace d'Emmy non plus ! Et nous savons qu'elle devait aller chez sa mère et qu'elle ne s'y est jamais rendue !

— Effectivement.

Whittaker toussa, se redressa et prit un air docte avant de poursuivre :

— « Madame McFadden, pouvez-vous nous dire à quelle fréquence vous voyiez votre fille ?

– Oh, deux fois par mois environ. Parfois moins.
– Et Emmy faisait-elle toujours ce qu'elle disait ?
– Non ? – Quoi ? Il lui est déjà arrivé de ne pas venir sans prévenir ? Mais c'est impossible, madame McFadden ! Nous avons tablé toute cette affaire sur le sérieux de votre fille. Sur le fait qu'elle ne vous aurait jamais fait faux bond sans vous avertir ! Cela constituait notre seule preuve indéniable de meurtre ! »

Spencer dévisagea son supérieur sans ciller.

— Quand vous voulez, chef !

— Nous n'avons rien, Spencer. Vous n'avez rien ! Nous n'avons pas de corps, pas de signe alarmant dans l'appartement, pas de lettre d'elle, ni de journal impliquant Quinn, ni d'appel téléphonique suspect. Nous n'avons reçu aucune demande de rançon de son ravisseur, ni trouvé son sang sur le costume du député. Nous n'avons pas de témoin, pas de preuve, pas de corps ! Nous avons que dalle ! Il est temps de passer à autre chose, mon ami. Grand temps. Vous avez dix-huit autres cas de personnes disparues sur votre bureau et Harkman commence à s'énerver.

— Qu'il aille au diable !

— Vous ne voudriez pas que je le nomme au-dessus de vous juste pour qu'il la ferme ?

Spencer quitta le bureau en grinçant des dents.

De ce jour, Colin Whittaker commença la réunion générale du matin toujours de la même manière.

— Bonjour, mesdames et messieurs. Avant

toute chose, j'aimerais savoir, concernant le cas McFadden dont s'occupe l'inspecteur O'Malley, si un corps a été trouvé à ce jour.

Tous les officiers répondaient alors en chœur non.

— Vous avez entendu, inspecteur O'Malley ? Il n'y a pas de corps. En conséquence s'agit-il d'un cas d'homicide ou de personne disparue ? Pardon, inspecteur, je n'ai pas bien entendu votre réponse.

— Un cas de personne disparue, répondait Spencer entre ses dents.

— Parfait. Maintenant que cela est réglé, nous pouvons passer à la suite.

33

La guérison par le rire

Lily et Spencer étaient assis sur le perron, en bas de l'immeuble, par un beau dimanche d'octobre. Spencer l'avait convaincue de descendre prendre l'air en lui promettant de la remonter dans ses bras s'il le fallait. Ils portaient tous les deux un pantalon et une veste en jean et étaient aussi pâles et fatigués l'un que l'autre. Elle n'avait plus un cheveu sur le crâne, il était rasé. Ils parlaient de tout et de rien lorsque le portable de Spencer sonna. Avant de répondre, il lui montra que c'était Jan McFadden qui l'appelait. La conversation dura cinq bonnes minutes.

— Elle vous appelle même le dimanche ? s'étonna Lily quand il eut raccroché.

— Elle m'appelle tous les jours que le bon Dieu fait.

Soudain elle eut envie de remonter. Quelque chose changeait en lui chaque fois que Jan McFadden lui téléphonait. Il en avait complètement oublié ses neveux et ses nièces dont ils bavardaient avant le coup de fil.

— Elle voulait attirer mon attention sur le cadavre dont parle le *New York Post* ce matin. Vous êtes au courant ?

— Non.

— Je suis tombé sur l'article par hasard. Le corps d'une fille de seize ans a été retrouvé, flottant sur l'océan, avec des chaînes autour des jambes.

Lily ferma les yeux.

— Vous pourriez m'épargner ça ? Pourquoi Mme McFadden continue-t-elle à lire les journaux ?

— La fille a été bâillonnée, continua-t-il comme si Lily n'avait rien dit, puis étranglée dans la chambre d'un motel du Delaware, puis lestée avec des chaînes et des parpaings avant d'être jetée dans l'eau du haut d'un petit avion loué par l'un des tueurs. Ça faisait deux mois qu'elle était recherchée.

Lily ne disait plus rien, submergée par la nausée.

— Ce sont deux jeunes punks qui l'ont tuée. Et savez-vous pourquoi ?

— Je ne veux pas le savoir.

— Sa sœur adoptive ne l'aimait pas et voulait en être débarrassée. Alors, avec son petit ami, ils l'ont tuée.

Lily poussa un énorme soupir.

— Où voulez-vous en venir ? C'est pour me prouver que la plupart des assassinats sont commis par des proches de la victime ? Ou parce que vous pensez que vous devriez fouiller tous les motels du Delaware ?

— Ni l'un ni l'autre, mais je suis content que vous me posiez la question. Les deux suspects ont été appréhendés bien avant qu'on ne retrouve le corps de cette fille. Et on ne l'a retrouvé que parce qu'ils ont fini par avouer leur crime. Ce cas est intéressant car il prouve que l'on peut faire une enquête sans avoir de corps. Tout ce qu'il faut, ce sont des aveux.

— C'est à votre patron qu'il faut le dire, pas à moi.

Lily se releva avec difficulté.

— Je ne me sens pas bien, ajouta-t-elle, pour détourner la conversation. J'ai mal à la gorge. Je sais ce que vous pensez, inspecteur O'Malley. Et vous savez ce que je pense. Je ne veux plus en entendre parler.

Mais, indépendamment de Spencer, cette affaire soulignait une chose qu'elle ne pouvait nier : son frère Andrew avait menti et les avait trompées, sa famille et elle, en ayant une liaison avec Emmy. Et elle ne pouvait voir Spencer sans penser à Andrew et à Emmy. Elle ne pouvait rien y faire. Spencer restait inspecteur avant tout, même quand il lui apportait du bouillon de volaille. Quelle ironie ! La seule personne qui lui faisait un peu de bien était convaincue que son frère était impliqué dans la disparition de sa meilleure amie.

Déchirée, Lily demanda à Joy d'interdire sa porte à Spencer. Joy refusa. Lily lui dit que c'était un ordre, pas une requête.

— Vous commencez par vous débarrasser de lui, ensuite ce sera mon tour ? Qui vous restera-t-il, Lily ? Vous ne voulez plus qu'il vienne ? Dites-le-lui vous-même.

Elle lui laissa un message douloureux sur son

bipeur. Sans même la rappeler, il cessa ses visites et ses coups de fil. Et Lily perdit le goût de vivre.

Elle déclara alors à DiAngelo, au début de la troisième semaine de traitement externe, qu'elle ne pouvait plus continuer.

— Pardon ?

— Je n'en peux plus.

— Arrêtez. Vous réagissez superbement bien au traitement.

— Je suis sérieuse. Je n'en peux plus.

— Vous devriez regarder des sketchs à la télévision, louer des comédies, lui suggéra alors le bon docteur, pour sortir de cette crise. Revoyez les vieux films comiques du samedi soir.

— Ils ne me font pas rire du tout.

— Ce n'est qu'un exemple. Achetez-vous un lecteur de DVD, une nouvelle télévision, un bon canapé. Louez des vidéos, seulement des trucs drôles. Je vais en parler à Joy.

— Elle ne comprendra pas. Elle n'a pas le moindre sens de l'humour.

— Que des trucs drôles, Lily.

Elle suivit les conseils de DiAngelo. Avec l'aide de Joy, elle acheta la télévision la plus belle du marché. Une folie : un écran plasma de cent vingt-cinq centimètres. Elle l'accrocha au mur comme un tableau. Cela lui fit très plaisir. Et elle s'offrit dans la foulée un lecteur de DVD, une épaisse couverture en chenille à trois cents dollars, un superbe canapé de chez Pottery Barn, moelleux, avec de gros coussins douillets qui tenaient à peine dans son salon.

— Si mon cancer ne me coûtait pas si cher, je m'achèterais bien l'appartement sur Park Avenue dont vous parliez, Joy, dit-elle alors qu'elle venait de recevoir la facture de l'hôpital du mois de septembre.

Entre l'hôpital, les honoraires de l'anesthésiste, de DiAngelo, les radios, les transfusions, les médicaments, les traites et les factures d'Anne, elle avait dépensé quatre cent mille dollars en septembre. À ce rythme, elle avait intérêt à mourir ou à guérir avant le printemps sinon il ne lui resterait plus rien.

— C'est de l'argent bien placé, la consola Joy. Vous serez pauvre mais en vie.

— Bof, à quoi bon vivre si on est fauché !

— Vous préférez être morte et riche ?

Bien au chaud sous sa couverture, Lily passa le reste de la semaine à regarder, *Tootsie*, *Y a-t-il un pilote dans l'avion*, *American College*, *Le Palace en délire*, *Porky contre-attaque* et *Les Aventures de Ted et Bill*. Plus c'était idiot, mieux c'était. Joy s'assit à côté d'elle une ou deux fois et regarda les films comme s'il s'agissait de *Moi, Claude, empereur*. Pas un seul de ses muscles ne tressaillit devant ces pitreries.

Au début de la quatrième semaine, Lily dit à DiAngelo que les films ne l'aidaient pas.

— Avez-vous essayé Conan O'Brien ? Il est très bon.

— Docteur, vous ne m'écoutez pas.

— Vous ne mangez pas, Lily. Il faut manger. Que voulez-vous, Lily ? Qu'on arrête une semaine. Il faudra repartir de zéro. Il faudra vous remettre en permanence sous Aracytine. C'est ça que vous voulez ?

— Non, mais je ne veux pas de ça non plus.

— Il n'y a plus que neuf semaines à tenir.

Elle n'avait plus un poil sur le corps à part les cils. De quoi étaient-ils faits ?

— Ne vous inquiétez pas, lui dit Joy en l'aidant à sortir du bain. Vos poils repousseront.

— Dommage. Je n'aurais plus eu besoin de m'épiler.

Quatrième semaine. *Certains l'aiment chaud*, *Annie Hall*, *Le Dictateur* et *My Fair Lady*, pas vraiment une comédie mais un de ses films préférés. *Le Lauréat*, *Le Shérif est en prison*, *SOS Fantômes*. Elle redécouvrit Bill Murray et regarda *Le Golf en folie*, *Les Bleus* et de nouveau *SOS Fantômes*, puis *SOS Fantômes II* et *Un jour sans fin*. Elle fit une fixation sur *Un jour sans fin*. Il y avait quelque chose dans ce film qui la fascinait. Elle le regarda trois fois le vendredi, trois fois le samedi. Et le dimanche, quand Joy prit sa journée, elle appela Spencer et lui demanda en bafouillant s'il ne voulait pas venir voir sa nouvelle télévision à écran plasma.

Il vint et apporta du Coca et du soda au gingembre. Ses cheveux avaient un peu repoussé. Il était tellement sinistre qu'il lui fit penser à la chanson *Glummy Sunday* de Sinead O'Connor.

Puis ils regardèrent *Un jour sans fin* et il rit de bon cœur. Quand le film fut terminé, elle demanda s'ils pouvaient le revoir.

— Si vous voulez, répondit-il.

À un moment, Bill Murray demandait à l'un

310

des piliers du bowling : « Que feriez-vous si vous étiez coincé quelque part et que tous les jours étaient les mêmes quoi que vous fassiez ? » Et le gars répondait, imperturbable : « Mais c'est ça, ma vie ! »

Spencer regarda Lily, imperturbable puis il prit la télécommande sur ses genoux et éteignit.

— Eh bien, je pense que nous avons eu assez de *jour sans fin* pour aujourd'hui.

Il dit qu'il ferait mieux de rentrer et elle le laissa partir.

Le vendredi, quand elle se sentait la force de sortir, elle mettait le bonnet d'Emmy et, avec l'aide de Joy, se rendait chez HMV sur Broadway ou Best Buys sur la Sixième Avenue pour acheter des films. Elle en avait assez de les louer et de devoir les rapporter. Elle les achetait par douzaines. Un jour, à Best Buys, elle proposa à Joy de lui offrir un réfrigérateur.

— À votre place, j'attendrais la facture d'hôpital d'octobre.

La facture se monta à seulement cent mille dollars. Lily était tellement contente qu'elle offrit à Joy un réfrigérateur et un four. Elle donna dix mille dollars à Anne pour ses traites de novembre et ses extras, et cinq mille dollars à Amanda pour les anniversaires des filles. Elle acheta une autre couverture à trois cents dollars, au cas où Spencer en aurait besoin.

Elle acheta tous les films de la section comédie, même *Une vie moins ordinaire*, qui n'avait pas l'air drôle. Parfois elle s'endormait devant la télévision. Parfois elle ne regardait que d'un œil. Elle repassait le même film jusqu'à ce qu'elle l'ait vu en entier. Parfois elle riait.

Au cours de la cinquième semaine, elle eut l'impression que Steve Martin s'adressait directement à elle quand il disait : « Tu ne regardes pas assez de films, ils répondent à toutes les questions qu'on se pose dans la vie. »

Alors Lily regarda *Escapade à New York*, *Les cadavres ne portent pas de costards*, *Un ticket pour deux*, *Solo pour deux*, *L'Homme aux deux cerveaux*, *My Blue Heaven* et *The Lonely Guy* dans l'espoir que Steve Martin résoudrait l'énigme de sa vie.

— Il y répond dans *Les cadavres ne portent pas de costards*, dit Spencer. Vous vous souvenez ? Il dit : « Toutes les femmes sont les mêmes. Elles vous plongent la main dans la gorge, vous arrachent le cœur, le jettent par terre, le piétinent avec leurs talons aiguilles, le cuisent au four, le hachent menu, et quand elles vous le servent sur des toasts, elles voudraient que vous leur disiez : "Merci ma chérie, c'était délicieux." »

Lily éclata de rire.

— Je suis sûre que vous n'en pensez pas un mot.

— Non, bien sûr. Pour moi, la réponse se trouve plutôt dans *Les Aventures de Bill et Ted*, quand Bill déclare : « La seule sagesse consiste à savoir qu'on ne sait rien. »

Et Lily répondit comme Ted :

— C'est tout à fait ça, mec. Tout à fait ça.

34

Lily continue à souffrir

Elle avait l'impression que son corps abandonnait son esprit, pas l'inverse, et qu'il ne restait plus que son esprit sur le lit ou le canapé. Allongée, elle s'imaginait qu'elle faisait du vélo à Central Park ou qu'elle traversait New York en rollers, aux heures de pointe. Ou elle se voyait sur les montagnes russes, dans les maisons hantées. En rafting ou en jet-ski, ou nageant sous l'eau avec un masque et un tuba, plongeant du haut d'un rocher dans la mer.

Quand elle avait la force de tenir un fusain, elle dessinait, mais elle détestait tout ce qu'elle faisait et le jetait aussitôt. C'était si noir, si triste. Et quand elle arrivait à tenir un stylo, elle écrivait en entourant les mots de gribouillis. Elle composait des petits poèmes et s'essayait même aux haïkus.

La mort me regarde
Et je soutiens son regard
Par simple bravade.

Je dors tout le jour
Bien que la vie m'appelle.
Je ne suis pas morte.

Au lieu de rester
Debout à me regarder
Viens me consoler

Son mal au ventre ne la quittait plus. Elle avait de terribles élancements, comme si elle était empoisonnée.

Spencer lui rapportait de l'*Odessa* le bouillon de poulet le plus gras possible, qu'il lui faisait avaler jusqu'à la dernière goutte. Il savait qu'elle se forçait mais il s'en moquait. Mangez ! disait-il, et elle mangeait. Hélas, dès qu'il partait, elle vomissait.

Et quand elle ressortait des toilettes, Joy lui tendait une serviette d'un air désapprobateur.

Spencer lui acheta des milk-shakes à la vanille ou à la fraise... Et ça, elle le gardait. Joy dut le dire à Spencer car aussitôt il se mit à lui en apporter cinq fois par jour. Lily finit par lui donner une clé de l'appartement.

Quand Spencer ne pouvait pas venir, il faisait livrer par Pedro, le garçon de course de l'*Odessa*, du chou farci, du chou rouge et des schnitzels, de la salade à la grecque et de la soupe de pétoncles. Du pouding et du cheese-cake. Elle y touchait à peine. Et Joy qui ne cessait pas de la surveiller. Vivement son jour de repos ! Lily rêvait d'être seule.

— Vous serez seule quand vous serez morte, disait Joy, comme si elle lisait dans ses pensées. Mangez.

Spencer avait raison. Lily n'aurait pas pu se passer d'elle.

314

Amanda appelait tous les jours. Elle venait une fois par semaine la régaler de ses malheurs financiers. Lily l'écoutait puis lui faisait un chèque. Pour échapper à ses jérémiades, elle lui aurait volontiers viré de l'argent en début de chaque mois si elle n'avait craint que sa sœur ne vienne plus la voir.

Sa grand-mère lui rendait visite une fois par semaine comme Lily avait l'habitude de le faire autrefois. Elle s'asseyait sur le bord de son lit, lui lisait les journaux et ne parlait que de grands malheurs, de marches de la mort, de fours crématoires, de famine, de peur, de vice et de cruautés qui dépassaient Lily. Mais à force de l'entendre, elle se sentait mieux. Du moment qu'il ne s'agissait pas de cancer, Lily pouvait tout supporter. Sa grand-mère lui proposa de parler d'amour, mais ça non plus, Lily ne le supportait pas.

Oui, l'amour ne l'intéressait pas. Elle y aurait renoncé à jamais en échange de sa vie. Ou des heures qu'elle avait perdues à pleurer les petits copains qui l'avaient trompée, la mère qui l'avait abandonnée, le père qui oubliait de lui parler au téléphone, le frère adoré qui la fuyait. Elle voulait juste vivre !

Elle voulait être comme cette fille de Times Square, avec son foulard rouge et ses cheveux au vent, seule contre son mur à contempler les amoureux, les passants, les sans-abri en leur enviant à peine un peu de ce qu'ils possédaient... un peu de vie !

Spencer avait-il maigri ou se faisait-elle des

315

idées ? Qu'importe ! Elle se moquait de tout. Des nouvelles, de la politique. Et même d'Emmy, d'Andrew et de sa mère. Elle ne s'intéressait plus qu'à elle. Elle en était à sa sixième semaine et elle pesait à peine quarante kilos. Et elle avait des lésions sur le visage et sur le corps. Les arbres perdaient leurs feuilles, elle adorait l'automne, mais elle ne pouvait pas sortir : personne ne devait la voir ainsi.

Le vendredi soir, Rachel et Paul passèrent sans prévenir. Elle vit leur stupeur malgré leurs efforts pour la cacher. Elle entendit Rachel fondre en larmes dans l'escalier.

Elle n'était ni une bonne malade, ni une bonne tante, ni une bonne sœur, ni une bonne amie. Elle était à peine une Lily.

Le dimanche, Amanda l'invita à venir chez elle passer la journée. Lily regretta de ne pouvoir y aller avec Spencer. Elle l'appela pour lui dire de ne pas passer dans l'après-midi et loua une voiture avec chauffeur jusqu'à Bedford. Elle pensait que cela lui ferait du bien, mais, au bout d'à peine une heure, elle ne supportait plus ses nièces qui couraient autour d'elle en criant, malgré les protestations de leur mère. Elle n'avait ni la force de les emmener jouer dehors, ni la force de faire des jeux de société avec elles, ni la force d'aider Amanda à préparer le dîner. Et encore moins la force de parler.

Elle alla se reposer dans la chambre d'amis puis commanda une autre voiture pour rentrer. Une fois chez elle, elle appela Spencer pour lui proposer une nouvelle soirée devant *Un jour sans fin*.

— Je connais cette ânerie par cœur, répondit-il.

— C'est drôle, moi, je pourrais le regarder inlassablement.

— Sacré Arlequin.

Plus que huit séances de chimio. Plus que huit. Huit.

Et c'est alors qu'elle fit une pneumonie. On la transporta en hélicoptère jusqu'au Mount Sinai. Et on la remit sous perfusion avec antibiotiques, glucose et morphine. Tous ses signes vitaux étaient au plus bas. Elle n'avait pratiquement plus de tension, plus de pouls.

Quand elle se réveilla, elle trouva un prêtre à son côté.

— Vous êtes très près de Dieu, mon enfant, dit-il.

Elle referma vite les paupières en pensant qu'elle n'était pas encore prête à Le rejoindre. Quand elle les rouvrit (trois, quatre jours plus tard ? trois, quatre ans plus tard ?) elle vit sa grand-mère assise à la place du prêtre. Et à côté Amanda. Andrew. Anne.

Andrew ?

Son regard s'arrêta sur lui. Elle aurait voulu lui parler mais c'était impossible avec le tube qu'elle avait dans la gorge. On l'avait remise sous respiration artificielle. Elle tendit la main vers lui, il s'approcha, elle lui agrippa la main, les yeux remplis de larmes. Il détourna le regard.

Pourquoi était-il venu ? Alors qu'il avait trahi

sa confiance, et l'avait fuie depuis des mois ? Emmy avait disparu et lui aussi. Ils l'avaient abandonnée tous les deux. Et elle ne savait pas pourquoi, ni comment arranger les choses.

Spencer n'était pas là.

Elle scruta les yeux de sa grand-mère et leur trouva une expression bizarre, inquiétante aussi, quoique très différente de celle d'Andrew. Elle demanda du papier et un crayon et écrivit : « Tu penses que je vais mourir, n'est-ce pas ? »

Sa grand-mère détourna les yeux.

— Non, ma chérie. Tu vas déjà beaucoup mieux. Tu vas guérir.

Lily regarda à nouveau Andrew. C'était pour ça qu'il était venu ! Il pensait qu'elle allait mourir. Toute sa famille le pensait. Mais il y avait autre chose dans le regard de son frère. On aurait presque dit que non seulement il le pensait, mais il l'espérait !

Elle ne pouvait plus rien écrire. Et ils attendaient tous !

— Où est ma mère ? réussit-elle enfin à griffonner.

35

Sa mère

Quand George revint de la plage à huit heures, il aperçut, à travers les baies vitrées, Allison qui essayait vainement de se relever. Il était juste parti une heure se baigner, il n'avait pas pris le temps de fumer une cigarette ou de prendre un café et elle ne tenait déjà plus sur ses jambes. Il retira ses lunettes et se précipita pour l'aider. Mais elle ne tenait pas debout. Et elle empestait l'alcool. « Oh, pour l'amour du ciel ! » gémit-il en la lâchant.

Elle murmura des paroles incompréhensibles, elle bavait, ses yeux roulaient dans leurs orbites.

Décidément, Hawaii n'était pas fait pour lui. C'était bon pour les jeunes, pour ceux qui aimaient la plongée, le jet-ski, l'escalade, le VTT. Pour Lily peut-être. À Hawaii, il n'avait aucune chance d'assouvir ses seules passions : pêcher en rivière ou cultiver son potager. Et lui qui adorait regarder le sport à la télé s'en trouvait privé parce que le règlement de la copropriété lui interdisait de mettre une antenne satellite sur le toit de son immeuble. Il aurait pu se rabattre sur la cuisine, mais Allison refusait de manger. Et ça ne lui disait rien de faire des petits plats pour lui seul. Il aimait qu'on apprécie ses qualités.

Elle vomit sur le tapis. Il ne pouvait même pas aller dans la cuisine préparer son café matinal. Avec un juron, il partit prendre sa douche. Il passa un long moment à se laver, à se raser. Quand il revint, le tapis avait été sommairement nettoyé et Allison avait disparu. Il alla dans sa chambre lui proposer un café. Elle gisait inconsciente sur le sol. Il la laissa.

Heureusement, ce n'était pas tous les jours comme ça. Elle avait dû boire plus que de coutume. Quand il retourna la voir, elle avait à nouveau vomi et gémissait.

— Allison, je dois aller à New York voir Lily. D'accord ? Je partirai demain. Tu m'entends ?

— Je meurs, gémit-elle. Je te promets de ne pas recommencer, mais je t'en prie... là... je vais mourir. Appelle un médecin.

Il appela un médecin. Elle survécut.

Elle prenait une douche tous les trois jours. Peut-être même moins souvent. Elle ne savait pas. Elle vivait dans un brouillard. Elle ne pouvait pas aller nager, ni marcher. Elle avait honte de ses jambes pas rasées. Mais pourquoi ne les rasait-elle pas ? Parce qu'elle tombait dès qu'elle se penchait. Elle ne pouvait même pas poser une jambe sur le bord de la baignoire. À sa dernière chute, elle avait dû se briser une côte. Heureusement, au bout de six semaines, la douleur avait pratiquement disparu.

Ses mains tremblaient. Quand elle buvait. Quand elle fumait. Elle ne pouvait plus écrire à ses amies. Et quand elle était forcée de faire un chèque, sa signature était illisible. C'est à peine si elle arrivait à téléphoner. Il n'y avait qu'une seule chose qui empêchait ses mains de trembler. Mais où était-ce ?

36

Le chemin de croix de Lily

Lily reprit des forces et put à nouveau respirer sans appareil et même s'alimenter. Évidemment, on avait dû interrompre la chimio pendant son traitement. On lui avait fait une transfusion de sang et DiAngelo la trouva assise quand il vint la voir.

— Félicitations, Lily, vous faites de grands progrès.

— En fait, je vais mieux dès qu'on arrête la chimio. D'ailleurs je me demande si on ne devrait pas laisser tomber tout ça ? Et si vous me laissiez rentrer chez moi ?

— Plus que huit semaines de chimio, Lil. Vous en avez fait presque la moitié. Mais ce n'est pas pour ça que je venais vous voir. Je voulais juste vous prévenir que je limitais vos visites. Pour un petit moment.

— Jusqu'à quand ?

— Jusqu'à ce que vous repartiez.

— Oh, arrêtez ! Qui voulez-vous m'empêcher de voir, docteur ?

Elle baissa la voix :

— Feriez-vous comme grand-mère, voudriez-vous m'empêcher de voir l'inspecteur ?

322

— C'est le seul qui soit autorisé à vous rendre visite. Et pas plus de dix minutes.

Spencer ne vint pas mais, le lendemain, Lily trouva Anne à son chevet quand elle se réveilla.

Celle-ci s'éclaircit la voix pendant cinq minutes avant de prendre la parole.

— En tant que sœur aînée, Lily, il est de mon devoir de te parler d'un sujet assez délicat. J'espère que tu comprendras. As-tu pensé à mettre tes affaires en ordre ? Tu ne peux pas savoir à quel point tu as été malade.

— Mais voyons, de quoi parles-tu ?

— Lily, ne me force pas à te mettre les points sur les *i*.

— Si, je t'en prie. Je ne vois vraiment pas où tu veux en venir.

— As-tu pensé à rédiger ton testament ? À l'organisation de tes obsèques ? As-tu pensé à faire un testament de vie ?

— Un quoi ?

D'une voix de conspirateur, Anne demanda à Lily si elle avait pensé à remplir un formulaire de refus de soins.

— Qu'est-ce que c'est que ça ?

— La plupart des hôpitaux te le font signer, sinon ils sont tenus de te maintenir en vie à tout prix.

— Je trouve ça très bien.

— Ce n'est pas le moment de plaisanter.

— Je ne plaisante pas. Vraiment. Je t'assure.

— Écoute, quand tu auras perdu toutes tes facultés, que tu seras dans le coma, avec aucune chance de t'en sortir, ce refus de soins t'épargnera bien des douleurs ainsi qu'à notre famille. C'est plus décent, plus humain. Après ce que le cancer t'aura fait subir, ce sera un soulagement pour nous tous.

— Annie, si ça ne t'ennuie pas, je préfère que les médecins me maintiennent en vie à tout prix.

— Même si tu n'as plus aucun espoir de guérison ? Même si tu es maintenue en vie artificiellement ?

— Peu importe, du moment que je continue à vivre.

— Comme tu voudras. Je voulais juste que tu sois au courant. Certains choix permettraient d'épargner ta famille.

— Je suis persuadée que ma famille souhaite que je survive, non ?

— Oui, bien sûr, mais s'il n'y a plus d'espoir...

Le Dr DiAngelo entra en trombe dans la chambre.

— Madame Ramen ! J'avais interdit les visites !

— Je n'étais pas au courant, se défendit Anne.

— Et vous devez mettre un masque, combien de fois devrai-je vous le répéter ? continua le médecin.

Le lendemain, Lily fut renvoyée chez elle. Comme sa chimio avait été suspendue une semaine en raison de la pneumonie, son traitement était prolongé d'autant.

Lily se forçait à se lever et à faire son lit tous les jours, même si elle s'effondrait ensuite dessus et dormait jusqu'au début de l'après-midi.

À la huitième semaine, elle ne se levait plus que pour faire son lit. Le lundi et le mardi étaient perdus. Le mercredi, inexistant, le jeudi dans le brouillard, le vendredi, elle faisait son lit. Le samedi, elle descendait faire le tour du pâté de maisons avec Joy. Elle mangeait un peu. Le dimanche, elle lisait, prenait un bain et dormait jusqu'à ce que Spencer arrive. Le dimanche était son meilleur jour ; hélas, il était suivi du lundi.

Thanksgiving avait lieu chez Amanda cette année, et elle l'avait invitée. Mais Lily ne pouvait accepter. Elle leur gâcherait la fête. Elle donna sa journée à Joy, dit à Spencer qu'elle allait chez Amanda et resta seule ce jour-là. Spencer se rendit dans sa famille, à Long Island. Rachel et Paul partirent dans la leur. Jan McFadden appela Lily pour lui souhaiter de bonnes fêtes.

— Les gens sont ignobles, se plaignit-elle. Ils osent me dire que je devrais m'estimer heureuse d'avoir encore deux enfants.

— C'est parce qu'ils ne savent pas quoi dire, madame McFadden.

— Non, ils le pensent vraiment ! Certains osent même me dire que rien n'arrive sans raison.

— Je sais, c'est une des phrases que je déteste le plus, moi aussi.

— Oh, Lil, tu vas guérir, il faut que tu tiennes le coup.

Lily soupira. Voilà que Mme McFadden tombait dans le piège des lieux communs, à son tour.

— Vous aussi, madame McFadden. Vous aussi.

Spencer ne disait jamais rien en dehors de « Je suis désolé » et « Mangez ». Pourquoi les autres ne pouvaient-ils l'imiter ?

Lily perdait la notion du temps, ces derniers mois, et pour se raccrocher à la réalité, elle avait couvert ses murs de pendules de toute sorte. Pourtant elle aurait été incapable de dire combien de temps elle resta penchée au-dessus du lavabo à saigner du nez, en ce jour de Thanksgiving. Elle ne se souvenait de rien. Même pas du numéro de bipeur de Spencer, qu'elle avait dû noter près du téléphone.

La neuvième semaine, il ne restait plus une seule feuille sur les arbres et le froid arriva. Mais Lily n'avait plus la force de mettre son manteau et de descendre. Ses jambes ne la portaient plus. Joy lui faisait avaler de force le bouillon de volaille confectionné par sa grand-mère. Lily luttait pour le garder.

Rachel vint la voir et se plaignit de toujours grossir l'hiver. Elle gloussa en disant qu'elle était vraiment idiote de lui sortir ça. Et elle lui demanda de quoi elle parlait avec Spencer.

— De rien. Je t'assure ! ajouta Lily en voyant le visage sceptique de Rachel. Il s'assoit près de moi, nous regardons la télé, nous rions quand c'est drôle et il rentre chez lui.

— C'est tout ?

— C'est tout.

— Il ne te demande pas comment tu te sens ?

— Il le sait.

Lily ne pouvait plus répondre au téléphone. Elle enregistra un message sur son répondeur disant à ses correspondants qu'elle n'allait pas très fort. Elle ne s'attendait pas aux réactions que cela suscita.

« Lily, c'est ta mère. Je ne comprends pas. Tu n'es jamais là... ou alors tu ne veux pas décrocher. Lily ? LILY ? »

Après ça, Joy décida de répondre, en dépit des protestations de Lily. D'un ton mécanique, elle dressait le bilan clinique de la malade, informait qu'elle se reposait et proposait de transmettre un message. Ainsi, par son intermédiaire, Lily ne recevait-elle que des nouvelles susceptibles de lui remonter le moral.

Joy ne disait jamais que Lily vomissait, ou qu'elle s'était évanouie. Qu'elle ne pouvait plus regarder la télévision, ni lire le journal. Ni rester assez longtemps assise pour dessiner. Parfois quand Lily essayait de dessiner au lit, elle s'endormait le nez sur son carnet et se réveillait les joues barbouillées de fusain.

Des rougeurs apparurent sur sa peau. Elles virèrent au marron puis Lily se mit à peler. C'est la chimio qui vous brûle de l'intérieur, lui expliqua le Dr DiAngelo. Elle avait l'impression que ça lui brûlait aussi les neurones.

Joy la trouva qui pleurait dans son bain rougi par le sang qui coulait de son nez.

Elle dit à Joy qu'elle était contente d'avoir rompu avec Joshua avant de tomber malade. Elle n'aurait pas supporté qu'il la voie le corps ravagé. Il n'aurait plus manqué qu'il la quitte après une telle épreuve !

Joy lui essuya le visage, l'aida à se lever et la sécha avec une serviette.

— Spencer vous attend, lui annonça-t-elle. Il vous a apporté de la gelée.

Elle avait du mal à parler. Et à voir aussi. Et elle ne sentait plus rien. Elle avait même l'impression que New York était moins bruyant, qu'on n'entendait plus les sirènes des pompiers, de la police et des ambulances. Elle montait le son de la télévision, s'asseyait plus près.

Il y avait bientôt quatre mois qu'elle vivait coupée du monde. Quatre mois.

Ce serait bientôt terminé.

C'était la lumière au bout du tunnel. Pas la vie, la mort.

37

Une mère trop belle

On était dimanche. Spencer allait arriver. Quand le téléphone avait sonné, elle était couchée sur son lit, les bras en croix. Elle songeait que c'était un jour à mourir avec ce vent glacial, les chênes dénudés baignés d'une lumière mordorée, le vague bruit de circulation qui montait de la rue, le chat allongé au soleil sur le bord d'une fenêtre, en face, la vieille dame qui buvait un café, assise en bas dans son jardin, bien au chaud dans son manteau. Et après, finies la douleur, les hémorragies, les nausées, la faiblesse. À elle le bonheur et le cœur léger.

C'est alors que son téléphone avait sonné.

Au ciel, il n'y aurait pas de téléphone non plus. Plus personne ne pourrait la déranger. Elle ne connaîtrait plus la colère ni l'ennui. La mort serait un éternel jour de fête.

Et si c'était son père ?

— Allô ? dit-elle pleine d'espoir.

— Ah, elle décroche enfin !

Elle resta quelques secondes sans voix.

— Oh... bonjour, maman. Comment vas-tu ?

— Quel accueil ? Qu'est-ce qui ne va pas ?

— Rien... pourquoi ?

Sa mère n'avait pas l'air d'avoir bu. Elle avait la voix claire, peut-être juste un peu tendue.

— Alors, comment vas-tu ?

— Très bien, merci, répondit Lily.

— Et tu ne me demandes pas de mes nouvelles ?

— Si. Comment vas-tu ?

— À présent, je vais très bien. Ne t'inquiète pas. Ce n'était qu'une tumeur bénigne.

Lily ferma les yeux.

— Mais de quoi tu parles ?

— Quoi ? Ton père ne t'a rien dit ? Il passe tellement de temps à raconter des bobards sur moi qu'il en oublie de parler de ma santé. Mais toi, qu'est-ce que tu deviens ? Tu fais toujours ta... ta chimio ?

— Oui, il me reste encore quatre séances.

— Alors tu vas mieux ?

— Je ne sais pas.

— Qu'est-ce qui t'arrive encore ? Tu n'as pas l'air dans ton assiette.

— Non, non, je vais très bien.

— Je voulais t'appeler, reprit sa mère d'une voix traînante, mais j'ai vraiment été très malade, Lil, ton père ne te l'a pas dit... il a fallu m'hospitaliser. On a cru que j'avais quelque chose aux poumons.

— C'est bizarre qu'il ne m'ait rien dit.

— Tu pourrais prendre le téléphone de temps en temps pour m'appeler, tu sais. Ça ne te tuera pas.

— J'ai été très occupée, maman.

— À quoi faire ?

330

— À mourir.

— Oh, arrête ton cinéma ! Tu es bien la digne fille de ton père. Si tu savais ce qu'il raconte sur Andrew à ses anciens collègues ! Il passe sa vie au téléphone. À l'entendre, grâce à lui, dès que l'histoire de cette fille sera éclaircie, Andrew s'installera à la Maison-Blanche. Au fait, comment va ton frère ?

— Je n'en sais rien.

— Hum. Tu ne l'appelles pas non plus ? C'est étonnant. Tu sais que le médecin a dit que je faisais une dépression. Oui, il a même dit que j'étais cliniquement dépressive. Il m'a mise sous Prozac, mais ça me donnait des nausées.

Lily écarta l'écouteur de son oreille, se retourna vers la fenêtre et respira lentement pour se décontracter.

— Maman, je dois y aller.

— Quoi, déjà ? Je viens à peine d'appeler ! Nous n'avons pas parlé depuis des mois ! Et pourtant ce n'est pas faute d'avoir essayé de te joindre ! Je t'ai laissé des messages, non ?

— Tu es sûre ?

Sa mère croyait-elle avoir eu affaire à un répondeur ?

— Parfois, quand tu appelles, je ne comprends pas ce que tu dis.

— Je ne vois pas pourquoi, je parle parfaitement notre langue. Eh bien, maintenant que je te tiens, dis-moi au moins ce que tu deviens.

— Je vais bien.

— Grand-mère dit que tu ne sors plus.

Amanda aussi. Annie s'inquiète pour toi, c'est vraiment une gentille sœur.

— Maman... sais-tu que c'est notre première conversation depuis que je suis tombée malade en août ?

— Tu ne décroches jamais ! On dirait que tu ne veux pas me parler ! Il n'y a qu'à t'entendre d'ailleurs.

— Pas du tout.

— C'est simple, tu m'as l'air aussi déprimée que moi !

Lily poussa un soupir exaspéré. Si elle avait encore eu des cheveux, ils se seraient hérissés.

— Il faut que j'y aille, maman, répéta-t-elle en détachant chaque mot.

Son dimanche était gâché. Elle raccrocha brutalement et jeta le téléphone vers la porte au moment où Spencer arrivait.

Il leva les mains en signe de reddition. Elle se retourna vers la fenêtre.

Ils regardèrent *L.A. Story* car Lily était convaincue d'y trouver la réponse aux questions qu'elle se posait.

Rien.

Ils regardèrent ensuite *Portrait craché d'une famille modèle*.

— Dites-moi la vérité, murmura Spencer. Vous voulez voir ce film pour comprendre la vie ou pour le plaisir de voir Keanu ?

— Vous m'avez démasquée.

Le film parlait surtout des pères et des fils mais Lily ne put s'empêcher de penser aux mères et aux filles. Quand Spencer lui demanda pourquoi elle ne riait pas, elle mit le film sur « pause » et se tourna vers lui.

— Vous savez quel est le problème de ma mère ?

— Eh bien, j'ai cru comprendre qu'elle n'était pas facile.

— Elle est trop belle. Et le pire c'est qu'elle l'a toujours su. Et qu'elle a toujours éclipsé les autres femmes. Vous avez vu les photos d'elle à Maui ?

— Oui, répondit-il sans s'avancer plus.

— Elle est toujours belle. Et les gens beaux ne sont pas comme tout le monde. Ils pensent qu'ils méritent plus de la vie, de Dieu, des gens qui les entourent. Que leur existence doit être meilleure, plus brillante, plus heureuse, plus colorée que celle des autres.

— Tout le monde pense ça.

Lily secoua la tête.

— Non. Pas à ce point-là. Ils marchent tête haute, en nous toisant, convaincus que le grand bonheur, le grand amour, les grandes joies leur reviennent de droit. La passion leur est due comme le pouvoir est dû aux riches. Surtout quand il est question d'amour. Comme si amour et beauté devenaient synonymes. Que des gens normaux vivent un grand amour leur semble inconcevable, pour ne pas dire inconvenant. Ils peuvent connaître un amour quelconque, terre à terre, mais jamais une passion qui les emporte. C'est réservé aux beaux.

— En fait, ce que vous voulez souligner c'est

que les gens n'ont pas forcément un cœur aussi beau que leur physique !

— Mais ça n'a pas d'importance, voyons ! On ne tombe pas amoureux du cœur d'une femme. On tombe amoureux de son visage, de son corps, de ses cheveux, de son parfum. Le reste est secondaire. Ma mère était d'une telle beauté, dans sa jeunesse, qu'elle ne comprenait pas que tous les hommes qu'elle croisait ne tombent pas fous amoureux d'elle.

— C'est ce qui est arrivé à votre père ?

— Oui. Et le problème, c'est qu'au bout de quarante-trois ans de mariage, elle voudrait qu'il le soit encore.

Spencer ne dit rien pendant un moment, et Lily crut qu'il réfléchissait à ce qu'elle venait de dire.

— Emmy était belle ? demanda-t-il à sa grande surprise.

— Oh, Spencer, pour l'amour du ciel !

Elle se retourna vers la télévision et enfonça la touche « play » de la télécommande avant de monter le son. Spencer se pencha vers elle, lui prit la télécommande des mains et appuya sur « pause ».

— Pourquoi ramenez-vous toujours la conversation là-dessus ? Pourquoi ? soupira-t-elle.

— Parce que je suis comme ça. Et vous ne m'avez pas répondu.

— Oui, elle était belle ! Oui, oui, oui ! Mais je n'ai pas envie d'en parler maintenant. Ni d'elle, ni de lui, ni d'eux. Vous comprenez ?

Elle se tut. Lui aussi. Le film était toujours sur « pause ».

— Dites-moi, reprit Spencer. Votre père était beau ?

Elle soupira.

— Très. Il plaisait beaucoup aux filles, d'après ma grand-mère. Mais ça ne l'intéressait pas. Il était trop intelligent pour accorder trop d'importance à son physique.

— Mais votre mère...

— Elle était intelligente, elle aussi, mais s'en fichait complètement. Quand elle se regardait dans la glace, elle voyait un Botticelli. Comme tous les hommes autour d'elle. Et la première fois qu'elle est tombée amoureuse, ce n'était pas de mon père, elle a cru que ce serait pour la vie, car sa beauté lui semblait éternelle. Et quand il a rompu, au bout de quelques mois, elle ne s'en est pas remise. Elle n'arrivait pas à le croire.

— Pourquoi a-t-il rompu ?

— Je l'ignore. Elle ne l'a jamais dit. Je ne pense pas qu'elle l'ait jamais raconté à qui que ce soit, même à mon père. La seule chose qu'on sache, c'est qu'elle s'est fait deux brûlures de cigarette sur les poignets pour surmonter cet insupportable rejet.

Spencer haussa les sourcils.

— Je vous avais dit. Elle est complètement maboule.

— Et Andrew, comment est-il ?

— Spencer !

— D'accord, d'accord, fit-il avant de prendre

une profonde inspiration. Vous savez que vous n'êtes pas si mal, vous non plus.

— Hum, ça n'a rien à voir.

— Et vous, vous croyez que l'amour est réservé aux beaux ?

— Oui. Je ne peux pas m'empêcher de songer que Joshua serait resté si j'avais été plus belle.

— Comment serait-ce possible ? Le premier amoureux de votre mère ne l'a-t-il pas quittée malgré sa beauté ?

— Sans doute qu'il lui a trouvé des défauts que sa beauté n'a pas su compenser.

Elle se tut. N'avait-il pas dit : « Comment serait-ce possible ? » Elle le dévisagea mais il s'était retourné vers l'écran.

— Et pour répondre à votre question idiote, Andrew ne ressemble pas du tout à ma mère, reprit-elle en appuyant sur « play ».

Il sourit.

— Lil, arrêtez de vous sous-estimer. Vous ne voudriez pas de la grande beauté de votre mère ni de ses problèmes. Regardez où ça mène.

La sonnette de la porte retentit. Pas celle de l'interphone. Celle de l'appartement. Lily appuya sur « pause ». Il était six heures du soir.

Spencer se leva.

— Vous attendez quelqu'un ?

— Non. C'est peut-être Rachel. Vous pouvez aller voir ?

Spencer s'approcha de la porte et regarda par l'œilleton.

Il se retourna lentement vers Lily.

— Je ne sais pas comment vous annoncer ça. Ce sont vos deux sœurs et votre grand-mère.

— Oh, non ! Oh, non !

La sonnette retentit à nouveau mais Lily était dans une telle confusion qu'elle n'avait plus la force de se lever.

— Je dois leur ouvrir, Lily.

— Spencer, elles vont...

Il ouvrit la porte.

... faire un sac, continua-t-elle intérieurement, devinant, avant même de les voir, la tête d'Amanda, d'Anne, et de sa grand-mère, qui arrivaient chargées de victuailles, quand elles verraient Spencer.

Et elle trouva Spencer vraiment très décontracté dans son jean élimé, son sweat-shirt, avec son arme posée sur la table basse, ses bottes près de la porte, tandis qu'il les faisait entrer dans l'appartement où il était seul avec Lily.

Personne, pas même lui, ne sut quoi dire.

Ce fut Lily qui brisa le silence.

— Grand-mère, Anne, Amanda, vous vous souvenez de l'inspecteur O'Malley ?

Elles ne dirent rien, les mains crispées sur leurs plats.

Spencer prit son revolver, sa veste et enfila ses bottes.

— À plus tard, Lily.

— À plus tard.

Dès qu'il eut fermé la porte, elles la foudroyèrent d'un regard qui exigeait une réponse, des explications, mais elle ne savait que dire. Était-il venu dans le cadre de son enquête, pour harceler une pauvre fille dans sa dixième semaine de chimio ? Où était-il venu lui tenir compagnie ? Et qu'est-ce qui était le pire ?

— Que voulez-vous que je vous dise ? Il a donné ses dimanches à Joy.

— De tous les gens qui habitent New York, tu n'as rien trouvé de mieux que de ramener cet homme chez toi ?

Leur visite fut aussi brève que glaciale. Vingt minutes plus tard, elles étaient reparties et Lily se retrouvait seule.

38

Foutaises, le cancer !

Sa famille cessa de lui parler, à part Anne, qui, bizarrement, continua à l'appeler et à lui demander si elle n'avait besoin de rien. Et Lily répondait : « Non. Et toi ? » Amanda ne téléphona plus et sa grand-mère se retrancha à nouveau chez elle, prétextant auprès de Joy le retour de son agoraphobie pour ne plus venir voir Lily. Son père n'appelait plus.

Mais ce fut sa mère qui lui ôta tous ses doutes sur ce silence général. Oh, pourquoi avait-elle décroché ce maudit téléphone ? Pour une fois que sa mère était capable de s'exprimer correctement !

— Tout le monde t'en veut de fréquenter cette ordure.

— Quelle ordure ?

— Tu sais très bien de qui je veux parler. Sans compter qu'il est assez vieux pour être ton père, n'as-tu pas honte de vivre avec un homme qui veut mettre ton frère derrière les barreaux ? Ton propre frère !

— Mais je ne vis pas avec lui, qu'est-ce que tu racontes ?

— Oh, arrête de me prendre pour une idiote. Oui, il y a une génération entière entre vous,

339

mais tu as tout de même vingt-cinq ans, tu n'es plus une enfant. Il a décidé de démolir notre famille et tu le reçois chez toi à bras ouverts ! C'est un envoyé du diable. Un ennemi. Tu ne tournes pas rond, Lily, si tu ne t'en rends pas compte. Il faut vraiment que tu n'aies ni cœur ni conscience.

— Mais maman, de quoi tu parles ? J'ai un cancer. Il m'apporte à manger...

— Oh, foutaises, ton cancer ! Ce n'est pas une excuse, Lil. Ça ne t'empêche pas de réfléchir ou d'agir intelligemment. Pourquoi ne lui dis-tu pas que ton frère est innocent ?

— Je l'ai fait, et je n'ai pas envie de parler de ça, je dois y aller.

— Amanda me dit que tu mènes une vie lamentable. Que tu ne fais rien pour te reprendre. Tu ne sors pas, tu ne fais aucun exercice. Tu ne peins pas, tu ne lis pas... pas étonnant que tu te sois entichée de cet homme. Tu t'ennuies, Lil, mais il faut te secouer.

— Je me secoue, maman. Et toi ?

— Pourquoi ton frère ne veut-il plus te parler, à ton avis...

Lily lui raccrocha au nez.

Comment sa mère osait-elle lui parler ainsi ? Comment osait-elle ?

Elle retomba sur son lit, anéantie.

Bonté divine, pourquoi avait-elle décroché ?

Finalement elle en arrivait à se demander si elle ne préférait pas voir sa mère ivre morte ! Quelle horreur !

340

Elle souffrait de plus en plus, minée par quatre mois de chimio. Elle n'éprouvait plus aucun soulagement à l'idée que ce serait bientôt terminé car elle avait chaque jour un peu plus l'impression qu'elle ne s'en sortirait pas.

Plus que deux traitements. L'avant-dernier juste avant Noël.

À Noël, Lily accepta à contrecœur d'accompagner Spencer chez sa mère, à Farmingville. Elle commença par prétendre qu'elle devait aller chez Andrew mais il n'en crut pas un mot.

— Vous m'avez déjà menti à Thanksgiving pour finalement vous retrouver seule chez vous. Il n'est pas question que je vous laisse seule à Noël, Lily, c'est tout.

Elle l'accompagna donc.

— Et comment allez-vous leur expliquer ma présence ? demanda-t-elle dans la voiture.

— Je suis un grand garçon. Je n'ai pas d'explication à donner.

Sa famille avait la taille d'un bataillon mais pas sa discipline... Il la présenta en disant : « Voici Lily. » C'est tout. Deux de ses sœurs (elle était incapable de se souvenir d'un seul nom) les avaient dévisagés avec un peu d'insistance, sans plus. Il y avait des cris, de la musique ; les enfants couraient dans tous les sens en hurlant, les adultes essayaient de se faire entendre au-dessus de ce vacarme. Lily, dont le crâne n'était plus isolé par l'épaisseur des cheveux, avait l'impression d'avoir la tête comme un tambour. Et loin de repousser les enfants, ses cheveux rasés les attiraient. Ils voulaient tous toucher, malgré les adultes qui protestaient, l'oncle Spencer le premier : « Laissez-la donc tranquille ! »

— Oncle Spencer a déjà une petite amie, lui annonça Sam, un neveu de huit ans. Elle est à Chicago, dans sa famille. Maman dit qu'il t'a amenée juste parce que tu avais un cancer.

— Sammy ! s'étrangla sa mère, écarlate.

Lily sourit sans regarder Spencer qui était assis à table, à côté d'elle.

— Lily, je n'ai jamais dit ça, je vous en prie, excusez-le, protesta la mère en fusillant son rejeton du regard.

— Ce n'est pas grave. Vraiment. Et Sammy, ta maman a raison, c'est parce que je suis malade que ton oncle m'a amenée ici.

Un terrible silence s'abattit sur la table le temps qu'on apporte la dinde et les patates douces. Lily mangea de bon appétit et se fit resservir deux fois, avant d'aller tout vomir dans la belle salle de bains bien propre de la mère de Spencer.

— Sam n'est qu'un enfant, dit Spencer au bout d'un long silence, alors qu'ils revenaient en voiture. Et vous savez bien que ce n'est pas vrai.

— Oh, je m'en fiche.

— Alors qu'est-ce qui ne va pas ?

— Rien.

— Allez, c'est Noël.

— Oui, je sais, vous me l'avez déjà dit. Merci de votre grande charité, inspecteur O'Malley.

— Ah, vous voyez que ça vous a touchée.

— Pas du tout. Ce n'était que la vérité.

342

— Lil, je vois bien que ça ne va pas. Qu'est-ce qui vous arrive ?

Elle ne répondit pas.

— Je vous en prie.

— Qu'est-ce que vous croyez ? Je serais bien allée passer Noël chez Andrew avec ma famille. Mais je n'étais pas invitée. C'est Amanda qui m'a transmis le message. « Lil, vu les circonstances, il vaut mieux que tu restes chez toi. Tu comprends. Il faut laisser les choses se tasser. »

— Je suis désolé. C'est ma faute.

Oui, aurait-elle voulu lui répondre. Et aussi la mienne.

— Ils m'en veulent terriblement.

— Je sais.

— Vous ne pouvez pas comprendre.

— Ah bon ?

— C'est évident ! Ils pensent que je les trahis !

— Vous plaisantez ?

Il la fixa si longuement qu'il faillit quitter la route.

— Vous ne leur avez pas dit que vous étiez la pire des indicatrices qu'on puisse imaginer ? Vous êtes une vraie cata comme témoin, vous ne vous souvenez de rien. Et les rares fois où la mémoire vous revient, vous vous gardez bien de me le dire !

— Ils ne me croient pas et ils n'ont plus confiance en moi.

— Ce n'est pas votre faute, non ?

— Oh, Spencer ! Ce n'est pas eux, le problème.

Elle ne dit plus rien. Son problème, c'était lui. Ils avaient raison. Sa mère avait raison. Lily avait l'impression de commettre un sacrilège en passant le jour de Noël avec un homme qui ne pensait qu'à mettre son frère en prison. Comment avait-elle pu en arriver là ? Et comment se faisait-il que ce soit elle qu'ils traitent en pestiférée alors que c'était son frère qui avait perturbé leur vie à tous ?

— Mais de quoi ont-ils peur ? reprit Spencer. Ça fait plus d'un mois que je ne m'occupe plus de votre frère. Je suis débordé par une douzaine d'autres affaires. Noël est la période la plus pénible dans notre service. Il y a tant de personnes disparues que leurs familles voudraient retrouver avant les fêtes. Il marqua une pause. La plupart des gens normaux rêvent de passer Noël entourés de ceux qu'ils aiment.

— Oh, arrêtez. Arrêtez de juger ma famille. Écoutez, vous voulez savoir exactement qui est mon frère ? C'est ça qui vous intéresse.

— Non. Je veux que vous fassiez la paix avec eux. Et avec vous-même !

— Vous voulez le savoir ou pas ? Ça ne vous aidera pas, mais tant pis. Il y a quelques années, commença-t-elle d'une voix chevrotante, quand il était en fac de droit, il rentrait un week-end sur deux à la maison. Et le dimanche, il m'emmenait à New York. Il avait vingt ans et moi, à peine trois. Il m'emmenait au musée d'Histoire naturelle, au Metropolitan et au Guggenheim. Parfois au cinéma, ou manger une glace à Serendipity, ou visiter les Cloîtres, Battery Park, l'Empire State Building, les Twin Towers. J'ai appris à aimer New York parce que, pendant quatre ans, il me l'a fait découvrir. Il me tenait par la main dans le métro, me portait sur ses épaules au retour. J'avais sept ans la dernière fois qu'il m'a emmenée, et il m'a encore portée. Puis il s'est marié, il a eu d'autres choses à faire, je l'ai vu moins souvent, mais il a continué à m'emmener au restaurant, au cinéma ou dîner le soir, de temps en temps. Il m'appelait, on parlait. Et jamais une seule fois il ne m'a laissée tomber comme ça.

Elle le vit crisper les mains sur le volant. Il fixait la route d'un œil sinistre.

— J'avais une véritable vénération pour lui, vous comprenez ? Et qu'Emmy ait une aventure avec lui, ça me fait l'effet d'un inceste. Andrew sait combien il m'a déçue. Il n'a plus le courage de me regarder en face. C'est pour ça qu'il n'est pas venu me voir, et pas pour les horribles raisons invoquées par ma mère, ni à cause de vos soupçons aussi ridicules qu'injustifiés.

Il leva la paume de sa main vers elle.

— D'accord, Lily.

— D'accord quoi ?

— Vous êtes malade, vous avez un cancer, et je n'ai aucune intention de me disputer à ce sujet avec vous. Alors calmez-vous.

— Oh, foutaises, le cancer !

Ils firent le reste du trajet en silence et quand il voulut l'aider à monter l'escalier, elle lui dit qu'elle y arriverait et qu'elle n'avait plus besoin de son aide.

— Vous savez quoi ? dit-il en la prenant par les épaules. Vous irez peut-être très bien une fois que je vous aurai raccompagnée là-haut, mais il n'est pas question que je vous laisse monter sans moi, alors arrêtez vos bêtises.

Une fois arrivés, il lui demanda si elle voulait qu'il reste.

— Non !

— Joyeux Noël, lança-t-il avant de repartir.

Sa dernière séance de chimio se déroula juste avant le nouvel an. Joy avait pris quelques jours pour fêter le millénaire. Sa grand-mère, contrainte et forcée, invita Lily à venir chez elle, à Brooklyn mais Lily refusa : elle était trop malade, elle saignait du nez sans interruption et, en outre, elle ne supporterait pas un seul mot sur Spencer, qui, lui aussi, était pris le samedi du réveillon. Elle ne savait pas où il était, il n'en avait rien dit, elle n'avait pas posé de question. Le samedi soir, Rachel et Paul passèrent avec une bouteille de champagne. Ils la supplièrent de les accompagner à un gueuleton au *Palladium*, mais elle n'avait pas la force de quitter son lit. Ils restèrent une heure et, à dix heures, partirent en la laissant avec un verre de champagne sur sa table de nuit.

Lily passa la nuit du réveillon à dormir mais elle laissa sa fenêtre ouverte pour entendre, à travers ses rêves sombres, le bruit des bouteilles que l'on débouchait et les rires qui fusaient des fenêtres voisines.

39

Larry DiAngelo joue les Imhotep

DiAngelo demanda à voir Spencer en particulier.

— Inspecteur O'Malley, j'aurais besoin de votre avis.

— Que se passe-t-il ? Que donne sa biopsie ?

C'était la première semaine de la nouvelle année et Lily avait terminé sa chimio.

— Elle est bonne. Excellente même. Sa moelle est nettoyée. Son sang aussi. La numération globulaire est encore basse, mais ça ne m'inquiète pas trop. Elle a très bien réagi, vraiment.

Pourtant le médecin n'avait pas l'air content.

— Alors pourquoi cet air abattu, docteur ?

— Eh bien... DiAngelo toussa. Elle s'est révélée positive pour un marqueur protéique qu'on appelle l'antigène CD56.

— Qu'est-ce que ça veut dire ? C'est bon ou mauvais ?

— En fait, ce marqueur génétique provoque une résistance à la chimio en l'immunisant contre elle. Un quart des malades atteints de leucémie myéloïde ont un test positif à cette protéine.

— Une résistance à la chimio ?

— Oui. Bien que les cellules cancéreuses aient

été éradiquées, la présence de CD56 permet d'anticiper des problèmes de récidive.

— Quel genre de problèmes ?

— Une rémission de courte durée, une rechute prolongée, un pronostic encore plus mauvais.

Spencer dévisagea le médecin.

— Vous venez juste de l'apprendre ?

— Je le sais depuis environ un mois. C'était inutile d'en parler alors que les dernières semaines ont été si difficiles.

— Alors quel avis attendez-vous de moi ?

— Dois-je le dire à Lily ? J'ai toujours été franc avec elle jusqu'à présent. Elle a confiance en moi. Mais elle vient de traverser de telles épreuves...

— Pas question de lui dire quoi que ce soit ! l'arrêta Spencer. Vous allez la voir avec un grand sourire, vous vous comportez comme si elle avait toute la vie devant elle, et vous la renvoyez chez elle.

— Compris.

Lily bavardait avec Marcie lorsque DiAngelo entra d'un air détendu.

— Eh bien, mademoiselle Quinn, vous avez réussi. Regardez !

Il brandit sa feuille d'analyses si près de son visage qu'elle loucha.

— J'ai réussi ma biopsie ?

— Avec mention. Spencer vous attend pour vous ramener chez vous. Marcie va vous aider à vous habiller.

Marcie lui embrassa le haut du crâne.

— Vous voyez, mon petit hérisson, je vous avais bien dit que tout se passerait bien.

— Je rentre chez moi, et après ?

— Bonne question. Après, vous devrez revenir tous les mardis pour les analyses de sang.

— Pendant combien de temps ?

— Pendant combien de temps quoi ?

— Pendant combien de temps devrai-je revenir ?

— Cinq ans.

Elle se pencha pour voir s'il plaisantait.

— Une fois par semaine pendant cinq ans ?

— Non, juste les six premiers mois. Ensuite une fois tous les quinze jours. Dans un an, une fois par mois. Dans trois ans, une fois par trimestre... Et ainsi de suite. C'est clair ?

Elle n'en était pas sûre.

— Des questions ?

— Pourquoi le mardi et pas le lundi ?

— Au cas où vous feriez un peu trop la fête le week-end. Je veux que votre organisme ait le temps de récupérer avant d'analyser votre sang.

— Connaissant votre amie Rachel, gloussa Marcie en lui pinçant le coude, je vous sens prêtes aux pires bêtises, toutes les deux.

— Quand me sentirai-je en pleine forme ?

— Ce n'est pas la question que j'attendais.

— Non ?

— Non.

— Alors pourquoi je me sens si mal ?

— Vous vous êtes débarrassée de tout ce que vous aviez de mauvais, mais aussi de tout ce que vous aviez de bon. Ne vous inquiétez pas.

Donnez-vous quelques semaines, un mois, et vous découvrirez une nouvelle Lily. En attendant, évitez les endroits publics. Ils sont pleins de microbes.

— Est-ce que je risque d'avoir un autre cancer ?

— Encore une question qu'il ne faut pas se poser. Mais je vais quand même essayer de vous donner une réponse. Vous ai-je déjà dit que j'avais eu un quintuple pontage, l'an dernier ? Non ? Eh bien, c'est vrai. Et personne n'imaginait que je reprendrais mes consultations. Mes médecins pensaient même que je ne pourrais plus jamais marcher.

— Avec tout le jogging que vous faites !

— Oui, je tiens à leur prouver qu'ils avaient tort.

— Quel rapport...

— Prouvez-moi que j'ai tort ! Prouvez que les statistiques se trompent. Réalisez l'impensable. Même maintenant, alors que vous êtes effondrée au fond de votre lit, incapable de bouger. Remuez, Lily. Prouvez-vous le contraire.

— Je le ferais si je pouvais.

— Je bouge moins qu'avant, quand même. Et j'ai dû réduire le nombre de mes patients. Mon vieux cœur n'est plus aussi résistant, ajouta-t-il en se frappant la poitrine.

— Un oncologue malade du cœur ?

Lily sourit à cette idée.

— Vous voulez que je vous confie un secret ?

— Si vous voulez.

— Ma troisième femme me trouvait trop sensible. Pour la quatrième, je suis le dernier des salauds, n'est-ce pas, Marcie ?

— C'est vrai, docteur.

— Ma première femme... ah, la première ! C'était quelque chose ! Elle avait des jambes interminables. Je l'ai épousée en pensant que j'aurais de la chance si j'arrivais à la garder jusqu'à la fin de notre lune de miel. J'avais raison. Elle a rencontré quelqu'un au club de gym pendant notre voyage de noces, à Sainte-Croix.

— Et l'épouse numéro deux ?

— Je ne m'en souviens même plus.

— Je vois. Si vous êtes si nul, pourquoi votre femme actuelle vous a-t-elle épousé ?

— Elle ne le sait pas elle-même. Mais c'est pour me piquer mon fric qu'elle divorce.

— Oh ! Vous divorcez ?

— Ça dure depuis deux ans. Même mon divorce, je le rate.

Lily éclata de rire.

— Mon heure a sonné l'an dernier, reprit-il. Là, je vis mon bonus. Et vous vivez le vôtre. Alors voilà les deux seules questions qui doivent vous préoccuper. Ce sont celles que les Égyptiens se posaient pour déterminer quel genre de vie les attendrait après la mort.

— *Après* la mort ? répéta-t-elle.

— La première question était : Avez-vous été heureux ? Et la seconde : Avez-vous donné du bonheur aux autres ?

— Vous vous moquez de moi ?

— Je suis venu à la philosophie sur le tard. Jusqu'à présent, ma seule passion, c'était la pêche. Transcendantal en soi, mais sans plus. Il se leva et remonta la fermeture de son haut de survêtement, sa casquette des Yankees d'une main, les résultats de Lily de l'autre. Levez-vous, Lily. Vous rentrez chez vous. Peu importe comment vous vous sentez. Levez-vous et profitez de votre bonus. Donnez du plaisir. Et prenez-en.

Troisième partie

La fin du jeu

... d'où l'on peut conclure, semble-t-il, que l'amour (rarement d'ailleurs) entrera non seulement dans un cœur à découvert, mais, si l'on ne fait bonne garde, dans un cœur bien fortifié.

FRANCIS BACON
Traduction de Maurice Castelain

La puissance d'une chose, ou l'effort par lequel elle tend à persévérer dans son être, n'est rien de plus que l'essence donnée ou actuelle de cette chose.

BENJAMIN SPINOZA
Traduction de Saisset (1842)

40

Lily

Lily n'avait plus besoin de Joy. L'infirmière fit ses bagages, prit son chèque, serra le pauvre corps décharné de Lily contre elle et partit. Lily se retrouva seule dans son appartement, seule avec son petit sac de l'hôpital et ses fusains. Plus de chimio le lundi, plus de chimio le mardi. Plus de jours perdus dans la semaine.

Plus de comédies avec Spencer ? Après Noël, ils avaient eu des relations assez tendues. Depuis qu'ils évitaient de parler des choses qui fâchaient, elles s'amélioraient.

Il était deux heures de l'après-midi. Avait-elle faim ? Soif ? Sommeil ? Avait-elle envie d'une douche, d'un film, d'un manteau ? On était en janvier et on gelait.

Que faire ?

Que faire ?

Elle était allongée sur son lit mais elle n'était pas bien. Elle alla se coucher sur celui d'Emmy, mais c'était devenu celui de Joy. Lily retourna dans sa chambre, ouvrit pour aérer et regarda l'appartement du couple qui faisait l'amour sans baisser les stores.

Les stores étaient tirés, le chat parti.

Elle alla se faire une tasse de thé, la première qu'elle se préparait depuis quatre mois, s'assit sur le canapé, alluma la télévision et passa d'une chaîne à l'autre. Il n'y avait que des infos ou des feuilletons sans intérêt.

Elle s'arrêta sur l'histoire d'une femme enceinte de son amant. Devait-elle le dire à son mari ? Il avait l'air fort compréhensif d'habitude, mais là, elle avait des doutes. Lily s'endormit sur le canapé, sa tasse de thé vide à la main, avant de savoir comment ça se terminait.

Quand elle se réveilla, il faisait nuit, la télévision était toujours allumée et Spencer était assis à côté d'elle. Il l'avait débarrassée de sa tasse et avait mis une couverture sur elle.

— Spencer ? murmura-t-elle. Joy est partie.

— Je sais. Elle a trouvé un autre poste à mi-temps. Votre famille va-t-elle vous aider, Lil ?

— Je n'ai plus besoin d'eux. Je vais guérir.

— Il ne faut pas rester fâchée avec eux à cause de moi. Ça n'en vaut pas la peine.

— C'est ce que je n'arrête pas de leur répéter.

— Très drôle, Arlequin. Vous n'avez qu'à leur dire que je ne viens plus. Que je ne venais que parce que vous étiez malade. Et que maintenant que vous allez mieux, vous préférez que je vous laisse tranquille.

Si c'était vrai, pourquoi se sentait-elle si dépendante de lui ?

— Spencer ?

Il baissa le son de la télévision.

— Oui ?

— Je voulais juste vous poser une question. Vous croyez que vous avez trouvé le bonheur ?

— Quoi ?

Lily lui parla de la philosophie de DiAngelo. Il réfléchit.

— Eh bien, oui, dans une certaine mesure. Quoique je n'exerce pas un métier qui rende particulièrement heureux. Comme votre médecin. Il en voit trop.

— Et pourtant ?

— Et pourtant il y a des moments où je me sens heureux. Comme au baptême de mes filleuls. Sur mes trente neveux et nièces, je suis le parrain de six. Et je me suis toujours bien amusé au mariage de mes frères et sœurs. Et aussi quand je jouais au foot avec mes frères aînés sur la pelouse de notre maison, à Farmingville. Ou quand je jouais au base-ball pour la ligue de la police de Hanover. Et j'adore quand je vais en vacances chez mes parents et que ma mère s'agite pendant que nous regardons un match à la télé avec mon père, et que les enfants nous grimpent dessus en chahutant. J'adore ça. Mon appartement est si calme parfois que le bruit me manque. J'adore l'été. Je déteste l'hiver. J'aimerais vivre dans une région où il fait toujours chaud. Attendez, qu'est-ce que j'aime encore ? Ah, je ne déteste pas les soirées entre célibataires. J'en ai connu des pas tristes, dirons-nous, ajouta-t-il avec un sourire. Et les tournois de bowling de la police ! C'est à mourir de rire. On est tous ronds comme des queues de pelle. Il faut le voir pour le croire.

357

Lily ne dit rien.

— Ai-je répondu à votre question ?

— Mmm...

— Et vous ?

Elle s'endormit. Quand elle se réveilla, c'était le matin et il était parti.

On était le jeudi 6 janvier 2000. C'était le premier jour du reste de sa vie. Elle devait réapprendre à vivre.

Très bien.

Par où commencer ?

Elle avait de l'argent, ce qui lui mettait un certain baume au cœur, au milieu des angoisses de sa convalescence. Elle était vivante et riche, alors que faire ?

Sa grand-mère l'appela.

— Eh bien, nous sommes jeudi. Je t'attends !

Lily répondit qu'elle viendrait peut-être la semaine suivante.

Le mardi, elle devait retourner à l'hôpital pour ses analyses de sang. Joy, malgré ses nouvelles obligations, trouva le temps de passer la prendre. Lily protesta en disant que ce n'était plus la peine qu'elle se dérange.

— Ça me fait plaisir, répondit Joy. Je le fais en tant qu'amie, comme Spencer. Je ne veux pas être payée.

DiAngelo fit lui-même la prise de sang. C'étaient normalement les infirmières qui se chargeaient de ça. Où était Marcie ?

Puis elle remarqua que Joy portait une jolie jupe neuve, qu'elle était maquillée et que le

Dr DiAngelo n'y était pas indifférent. Les résultats de ses analyses étaient excellents, mais Lily trouva cette attente un des moments les plus pénibles de sa nouvelle vie. Elle vit Joy sourire, rougir, le Dr DiAngelo lui sourire à son tour. C'est ainsi qu'en plein cœur de l'hiver Lily découvrit qu'il y avait de l'idylle dans l'air.

Spencer appela le mardi afin de connaître le résultat des analyses. Elle lui demanda s'il pouvait la retrouver à midi.

— Spencer, vous ne le croirez jamais, mais je pense que DiAngelo est amoureux de Joy ! annonça-t-elle alors qu'ils déjeunaient à l'*Odessa*.

Spencer dévorait, elle jouait avec sa soupe.

— Arrêtez de tourner cette cuillère, Lil, et mangez ! Je n'ai pas beaucoup de temps. Et il faut que je vous raccompagne avant d'aller au stand de tir.

— Vous avez entendu ce que je disais ?

— Oui.

— Et alors ?

— Quel esprit d'observation ! C'est maintenant que vous vous en rendez compte ? DiAngelo en pince pour elle depuis leur première rencontre.

— C'est vrai ?

— Est-ce que je vous mentirais pour ça ?

— Oh, vous en seriez bien capable.

— Si je vous le dis !

— Je n'arrive pas à le croire ! Ce n'est pas le genre de choses qui m'échappe d'habitude.

Il la dévisagea et elle baissa les yeux.

— Permettez-moi d'en douter, vu votre aveuglement devant ce qui s'est passé chez vous, sous votre nez...

— Nous y revoilà !

Elle se leva péniblement et enfonça son bonnet sur son nez.

— Je n'ai plus faim. Allons-nous-en.

Ils revinrent chez elle en silence. Elle n'avait toujours pas de force dans les jambes. Il lui offrit son bras.

— Non, merci. Ça va.

Une bravade de plus. Elle en avait assez de sa charité !

Elle trouva un vieux dessin à elle dans un livre, l'après-midi, et décida de le refaire. Puis elle le peignit à l'aquarelle et le mit à sécher. Et quand Spencer vint la voir le mardi suivant, après les analyses, il tomba en arrêt devant.

— Qu'est-ce que c'est ?

— Oh, ça vous plaît ? Je l'ai fait la semaine dernière.

— Quand ça ?

— La semaine dernière.

C'était un portrait de lui avec Mary à son bras, devant les bouquets de fleurs de Dagostino's.

— Vous vous rappelez, quand je vous ai croisés, l'été dernier ?

— Oui, très bien. Mais ce que j'aimerais savoir, c'est comment vous avez pu si bien vous souvenir d'elle. Vous l'avez vue à peine deux secondes, non ?

— Oui, mais je l'ai dessinée juste après. Et je n'ai fait que reprendre le croquis.

— Vous devriez reprendre plus souvent vos vieux dessins.

— Vous n'en voulez pas ?

— J'aurais du mal à expliquer d'où ça vient. Et j'ai horreur de donner des explications.

41

La thérapie par les courses

Celui qui a dit que l'argent ne faisait pas le bonheur ne devait vraiment pas en avoir, songeait Lily. Elle allait mieux et reprenait des forces ; elle mangeait un peu. Pendant quinze jours, elle éprouva un grand plaisir à courir les magasins et à rentrer chez elle les bras chargés de paquets. Elle s'était lancée dans une débauche de cachemire : manteau, tailleur, pulls. Et elle adorait ses bottes, son sac et surtout son superbe bibi rouge qui cachait le duvet qui lui couvrait le crâne. Elle s'acheta des boucles d'oreilles, des livres, des DVD et encore des comédies. Elle offrit à Joy un manteau en cachemire. À Amanda, une voiture, pour emmener ses filles. À Anne, un mois de plus dans son appartement. Elle paya les taxes foncières de sa grand-mère pour cinq ans. Et après deux semaines de dépenses chez Gucci et Guess, plus l'emplette d'un fabuleux imperméable de chez Prada, elle passa à l'équipement. Elle fit l'acquisition d'un appareil photo numérique, d'une caméra numérique, d'une nouvelle chaîne et d'un nouveau robinet pour sa cuisine, car l'ancien fuyait. Elle acheta aussi un iMac. Et une nouvelle couette en plumes pour son lit, des oreillers moelleux, un tapis, un vase.

Et maintenant ?

Elle appela Spencer.

— Que pourrais-je vous offrir ?

— Rien, je vous l'ai déjà dit.

— Allez. Ne soyez pas si conformiste. Oubliez nos rapports d'inspecteur et de témoin.

— Et de quoi s'agit-il alors ?

Bonne question.

— Quand est votre anniversaire ?

— Je n'en ai pas.

— Et si je vous offrais un costume Armani ?

— Vous voulez me faire perdre mon boulot ?

— J'ai envie de déménager, soupira Lily.

— Bonne idée. Pour aller où ?

— Je n'en sais rien. À l'ouest de Central Park ? À Soho ? Chelsea ? Qu'en pensez-vous ?

— Vous serez toujours mieux qu'ici !

Juste pour s'amuser, elle décida de visiter des appartements. Elle lui demanda de l'accompagner. Mais bien qu'il eût promis de venir, il ne donna aucun signe de vie le samedi suivant et elle eut beau le biper, il ne rappela pas. Elle ne le vit pas le dimanche, ce qui était étonnant. Quand il l'appela le mardi, après ses analyses, il lui promit de l'accompagner le prochain samedi mais, lorsque le week-end arriva, il ne donna aucun signe de vie, une fois de plus.

Certes, il n'était pas tenu de l'accompagner, mais alors pourquoi le lui promettre ?

Elle y alla avec Rachel et Paul, qui ne voulait pas qu'elle déménage.

363

— Lil, tu ne peux pas quitter ton appartement. Tu imagines si Emmy revient et qu'elle ne te trouve plus là ?

— C'est pour rire, Paul, le rassura-t-elle en lui pressant le bras.

— Vous avez un appartement à vendre ? demanda la négociatrice de l'agence immobilière.

Lily lui répondit que non, qu'elle était en location.

Le visage de la femme se renfrogna aussitôt.

— Vous aurez besoin d'un prêt ?

— Non, répondit Lil. Je paie comptant.

— Les appartements que nous visitons aujourd'hui sont assez coûteux.

— Je sais.

— Oh !

Lil éprouva une bouffée de plaisir de lui avoir rabaissé son caquet.

Ils visitèrent un loft à Greenwich Village, un studio dans le West Side, un deux-pièces dans Hell's Kitchen, un minuscule trois-pièces dans le Upper East Side, qui coûtaient tous autour d'un million de dollars.

— Si vous aviez deux millions, je pourrais vous montrer des endroits vraiment très beaux. Vous pourriez peut-être emprunter le second million.

— Ce ne sera pas nécessaire, rétorqua Lil, avec une nouvelle jubilation.

Après deux week-ends de visites à travers Manhattan, Lily découvrit le rêve de sa vie : un appartement de quatre cents mètres carrés au sommet d'un immeuble flambant neuf de la 64e Rue, donnant sur Central Park, qui était vendu, nu, neuf millions de dollars ou onze avec toutes les options et des moulures au plafond.

— Ça fait cher la moulure ! rétorqua Spencer quand Lily lui en parla.

L'appartement lui plaisait tant qu'elle organisa une seconde visite le dimanche matin pour le traîner là-bas, puis elle l'emmena prendre le brunch qu'elle lui promettait depuis si longtemps au *Plaza*. Ils s'assirent à une petite table sur Palm Court. Lily était habillée en rouge des pieds à la tête – béret, imper, bottes de caoutchouc. Lui tout en gris ; ses cheveux repoussaient. Le fin duvet de Lily était caché sous son béret.

— Alors, qu'en pensez-vous ?

— Pourquoi voulez-vous vivre dans l'Upper East Side ? Vous n'avez pas le style du quartier.

— Eh bien, monsieur Je-sais-tout, sachez que j'ai décidé de le prendre.

Le serveur vint leur proposer une coupe de mimosa, un délicieux mélange de champagne et de jus d'orange. Lily accepta. Spencer prit juste un jus d'orange et un café noir. Un violoniste et un joueur de flûte de pan interprétaient le pas de deux de la danse hongroise nº 1 de Brahms.

— Il vous faut une chambre et un atelier. Qu'avez-vous besoin de cinq chambres, d'une bibliothèque et de tout le reste ?

— Il faudra bien que j'accroche mes tableaux.

— Ils peuvent tenir dans un placard. Et vous n'allez pas les garder ! Vous allez les vendre, non ? En tout cas, vous devriez pouvoir stocker vos futures œuvres pour moins de onze millions de dollars.

— Je veux un ascenseur qui conduise tout droit à mon appartement. Je veux avoir la vue sur le parc. Je veux des moulures.

— Et à quoi vous serviront cinq salles de bains. Vous devrez toutes les nettoyer.

— Je n'en utiliserai qu'une seule.

— C'est bien ce que je dis, les autres seront inutiles.

— Oh, Spencer ! Il ne vous plaît pas, cet appartement ?

— Vous n'avez pas besoin d'une superficie pareille.

— Je n'en ai pas besoin, j'en ai envie.

— Et vous n'avez pas onze millions.

Une chose était sûre : elle ne pouvait plus vivre avec le fantôme d'Emmy. L'appartement était trop petit pour eux deux. Surtout que plus Lily reprenait des forces, plus le fantôme d'Emmy en reprenait, lui aussi.

Elle avait en outre la désagréable impression qu'on l'observait. Elle ferma ses fenêtres, tira ses rideaux. Comme les deux femmes qui occupaient désormais le logement du couple en face.

Était-ce de la parano ? Ou simplement l'envie d'aller vivre dans un appartement de onze millions sur la Cinquième Avenue ?

Elle demanda à Spencer s'il n'avait rien trouvé sur Milo. Non ? Elle revendit sur e-Bay son second sac Prada, sa seconde paire de chaussures Stuart Weitzman et son second bracelet

Tiffany. Elle loua les DVD et acheta des pinces pour fermer les sacs de nourriture entamés et éviter qu'ils ne moisissent. Elle avait soudain l'impression d'avoir une longue vie devant elle. Il ne fallait plus jeter l'argent par les fenêtres. Après tout, viendrait peut-être un jour où elle en aurait besoin.

Et elle continuait à avoir l'impression qu'on l'épiait.

À chacun son karma. Et je n'y peux rien si je suis persuadée de mourir jeune ! lui avait dit un jour Emmy. Des paroles qu'elle aurait sans doute oubliées si Emmy n'avait pas disparu depuis neuf mois. Neuf mois que Lily les ressassait chaque soir quand elle éteignait les lumières de l'appartement et passait devant la porte close de la chambre d'Emmy pour aller se coucher. Mais le jour, quand elle mangeait avec Spencer, qu'elle dessinait ou faisait les courses, Lily ne cessait pas une seule seconde d'espérer que son amie se trouvait en sécurité quelque part.

En vie.

42

Pérégrinations financières
et alimentaires
d'une gagnante du gros lot
ayant survécu au cancer

Début février, après cinq semaines d'analyses de sang excellentes, le retrait en grande cérémonie de son cathéter, et la conclusion qu'elle n'avait pas les moyens de s'acheter un appartement de onze millions de dollars, Lily décida de consulter un conseiller financier.

Elle donnait toujours de l'argent à Anne. Et le mari d'Amanda l'avait appelée pour lui demander, avec force raclements de gorge, si elle ne pourrait pas lui faire un « petit prêt » pour lancer sa propre carrosserie à Bedford. Il y avait un terrain très bien situé à vendre, mais les banques se faisaient tirer l'oreille. Pourrait-elle lui prêter deux cent cinquante mille dollars pour améliorer la vie de sa sœur et de ses nièces ? Lily donna l'argent, avec le secret espoir qu'Amanda l'aimerait à nouveau, et recommencerait à l'appeler.

Ce fut un succès. Les relations furent rétablies entre elles. Mais il était temps que Lily songe à son avenir. Après tout, elle avait une famille à entretenir.

Elle prit un nom au hasard dans l'annuaire. N'était-ce pas le hasard qui l'avait fait gagner au loto ? Autant se fier à lui pour choisir celui qui gérerait son argent.

Le conseiller se révéla être une conseillère. Une certaine Katherine, la quarantaine, vice-présidente de Smith Barney. Une femme grande, mince, intimidante. Elle dévisagea longuement Lily, lui demanda de l'appeler Katie et lui dit des paroles qui la touchèrent profondément, prouvant que c'était avant tout une femme de cœur.

Katie et Lily calculèrent que si Lily restait dans son trou à rat de la 9e Rue, en comptant la nourriture, ses frais courants, les sorties et ses fournitures de peinture, ses dépenses annuelles se monteraient à cinquante mille dollars, y compris le budget cadeaux de Noël et anniversaires. Ses six millions de dollars restants, mis sur un placement sûr, lui rapporteraient trois cent soixante mille dollars par an.

— Vous pourriez acheter un grand appartement à crédit, dit Katie en tambourinant sur son bureau avec son stylo, partir en vacances, faire des dons à des organismes humanitaires pour les déduire de vos revenus... Je vous signale au passage que les cadeaux à sa famille ne sont pas considérés comme des œuvres de charité... Et il vous restera encore cent mille dollars par an pour vos à-côtés.

Lily se mordilla les lèvres et s'éclaircit la gorge avant de demander d'une voix timide :

— Un crédit, dites-vous ? À combien se monteraient les remboursements... juste pour savoir... pour un appartement de onze millions de dollars ?

Katie en lâcha son stylo.

— Environ cent mille dollars par mois. Plus d'un million par an. Je ne pense pas que nous choisissions ce genre d'investissement, ajouta-t-elle en haussant les sourcils.

— Peut-être devrions-nous choisir des placements plus agressifs. Sans doute moins sûrs, mais plus rémunérateurs ?

Après avoir passé une nouvelle heure à étudier différents fonds communs de placement, tandis que Lily regrettait de ne pas avoir ses fusains pour dessiner cette femme en tailleur assise devant son ordinateur, avec ses murs couverts de livres en guise d'œuvres d'art, elles finirent par choisir un placement qui, bon an mal an, sauf en cas de catastrophe mondiale, devrait rapporter entre quinze et vingt-six pour cent par an. Cela représentait un sérieux revenu. Et comme elle n'aurait besoin que de cinquante mille dollars pour vivre, elle réinvestirait ses dividendes, et son capital doublerait en trois à quatre ans. En d'autres termes, arrivée au bout de ses cinq années de traitement du cancer, Lily, si elle vivait frugalement, et si elle survivait tout court, pourrait s'acheter comptant l'appartement de ses rêves et avoir encore de l'argent devant elle.

Voilà un plan qui lui plaisait. Lily signa les papiers, remplit les formulaires, reçut de nouveaux carnets de chèques, de nouvelles cartes de crédit. Quand elle ressortit en confiant la totalité de son argent aux bons soins de Katie, elle songea qu'elle aurait payé le double pour ne pas perdre son après-midi dans ce bureau étouffant. Était-ce cela travailler ? Ce qui l'attendrait quand elle aurait obtenu son diplôme et qu'elle ferait les petites annonces du *New York Times* le dimanche ?

Cette pensée suffit à la jeter dans une nouvelle frénésie de dépenses. Cette fois en fournitures artistiques. Elle demanda à Spencer de l'aider à mettre les affaires d'Emmy au garde-meuble, ce qu'il fit avec grand plaisir. Elle acheta trois rouleaux de toile, des planches, une agrafeuse, de la térébenthine, de l'enduit au plâtre, quatre chevalets, des pinceaux et des peintures ! Des peintures à l'huile et acryliques, des pastels, de l'aquarelle, des crayons de couleur et des marqueurs, des fusains et des crayons de papier qui étaient si beaux qu'elle s'assit aussitôt sur son lit pour dessiner Katie de mémoire, dans son tailleur strict, à son bureau, entourée de ses livres, avec derrière elle la fenêtre ouverte sur les arbres au feuillage printanier et l'Hudson, au loin. Et posés à côté d'elle, *Le Monde selon Garp*, *Un mariage poids moyen* et *L'Hôtel* New Hampshire. Quand, deux jours plus tard, Lily retourna voir Katie, elle lui apporta le portrait qu'elle avait peint.

Katie le regarda longuement puis demanda à Lily combien elle en voulait.

— Rien du tout ! répondit Lily, surprise. Je ne

vais pas vous prendre votre argent. Au contraire, c'est moi qui vous ai donné le mien. Au fait, combien ai-je gagné depuis deux jours ?

— Vingt et un *cents*. Mais à votre place, je ne m'inquiéterais pas pour cet appartement sur la Cinquième Avenue, Lilianne, ajouta-t-elle, les yeux rivés sur son portrait. J'ai comme l'impression que vous l'aurez plus tôt que prévu.

Lily ne sut pas comment interpréter cette déclaration, mais le lendemain, Katie l'appela pour lui demander si elle accepterait de faire le portrait de ses enfants, mais à condition qu'elle la paie, cette fois. Lily accepta, peignit les deux petits enfants, un garçon, une fille, assis l'un contre l'autre, dans un parc de Brooklyn, avec un ballon orange entre eux qui ressemblait à une citrouille.

Katie lui donna un chèque de cinq cents dollars que Lily encadra et accrocha à son mur, car c'était le premier revenu que lui rapportait sa peinture.

Elle passa la semaine à faire des esquisses : le réfrigérateur, les lampes, les arbres dehors, un chat couché sur l'appui d'une fenêtre, une femme endormie sur son lit, dans l'immeuble en face. Puis installée dans la chambre d'Emmy qu'elle avait transformée en studio, elle en tira des aquarelles, des pastels, et même deux peintures à l'huile sur toile qui lui prirent son jeudi et son vendredi. Sur la première, on voyait un chat qui contemplait les arbres avec sa maîtresse endormie sur le lit derrière lui ; sur la seconde,

Spencer vautré sur le canapé qui regardait la télévision d'un air renfrogné.

— Ça ne me ressemble pas, dit-il, la mine sombre.

Elle éclata de rire.

— Non ?

— Et c'est quoi cette odeur ?

— La térébenthine. Je m'en sers pour la peinture à l'huile. Ça vous gêne ?

Elle n'en avait pas souffert : elle travaillait la fenêtre ouverte et n'avait pas encore recouvré son odorat.

— Ce n'est pas très appétissant comme odeur.

— C'est ça la peinture ! Et je vous annonce que je vais vendre mes tableaux sur la 8e Rue, le samedi matin.

Il fit le tour de l'atelier en examinant ses œuvres.

— Alors ? Qu'en pensez-vous ?

— Ça m'étonnerait que vous vous débarrassiez de mon portrait, même en le donnant.

Le samedi matin, Lily emporta en taxi une vingtaine de toiles, une table et une chaise pliantes et alla s'installer sur la 8e Rue, le rendez-vous des artistes de Greenwich Village.

À midi, elle était de retour à la maison. À une heure, Spencer sonna à sa porte. Elle fut très surprise de le voir.

— Que s'est-il passé ? Je suis allé sur la 8e et vous n'y étiez plus. Il ne faut pas se décourager si vite.

— Hmm.

— Oui, c'est comme la pêche, faut être patient. Ça finira par mordre. Il suffit qu'il fasse beau.

— Il a dû faire vraiment beau parce que j'ai tout vendu.

— Quoi ?

— Oui, j'ai tout vendu ! hurla-t-elle en sautant de joie. Jusqu'à la dernière toile ! Y compris la vôtre, monsieur le grincheux. Pour les deux dernières, on se serait cru à une enchère. Quatre clients se les arrachaient. Et je les ai vendues cent dollars pièce.

— Cent dollars ! Quelle affaire !

Elle le regarda en biais.

— Vous vous moquez ?

— C'est moins que le prix du cadre ! Autant les donner. Combien avez-vous gagné au total ?

— Assez pour vous inviter à déjeuner. Allons-y.

— Combien ?

— Mille dollars.

Spencer siffla.

— Ça vous permettrait presque d'en vivre.

— Hé ! J'espère bien arriver à réunir onze millions !

Spencer éclata de rire et Lily aussi.

Par un froid samedi de février, Spencer l'emmena dîner à l'*Odessa*, puis il lui proposa d'aller au cinéma.

— On joue *Scream 3* à Union Square.

Lily passa la séance à se cacher les yeux. Elle détestait les films d'horreur et ne savait pas ce que Spencer aimait le plus, le film, assez moyen, ou les regards terrorisés qu'elle jetait vers l'écran.

Ils avaient chacun leurs pop-corn et leur boisson, mais quand elle fit leur portrait la semaine suivante, elle ne peignit qu'un seul sac de pop-corn dans lequel ils plongeaient la main en même temps.

Elle peignait des mains pleines de pop-corn, des sourires, des mèches de cheveux. Des yeux charbonneux, des larmes et des chats. Le jardin de Tompkins Square, avec ses arbres aux branches dénudées, ses bancs vides, ses fontaines en pierre et ses grilles en fer. Elle peignit les mains jointes de Spencer quand il réfléchissait.

Elle attendait le printemps avec impatience pour pouvoir passer plus de temps dehors. Enfermée des journées entières dans l'ex-chambre d'Emmy, elle se transportait par la pensée n'importe où... dans les magasins, les jardins, sur l'eau. Et le samedi matin, elle s'asseyait avec ses chevalets sur la 8e Rue et, quel que fût le nombre de toiles qu'elle avait réalisées, elle rentrait chez elle avec seulement une petite liasse de billets.

Son appétit revenait petit à petit. Trente-six kilos, trente-sept et soudain un grand bond, trente-neuf. Ça devait venir de tous ces biscuits au chocolat qu'elle engloutissait. Quand elle le dit à sa grand-mère, celle-ci lui en fit livrer un plein carton. En deux semaines, il avait disparu et Lily pesait quarante et un kilos. Et elle se gavait de beignets à la confiture, de milk-shakes à la vanille. Sans compter les gâteaux et les éclairs sublimes de Vaniero's, la meilleure pâtisserie de la planète. Elle absorbait des protéines matin, midi et soir. Et prenait ses petits déjeuners et ses dîners à l'*Odessa* et au *Veselka*, le restaurant ukrainien de la Deuxième Avenue, près du commissariat de Spencer. Et le jeudi, quand elle rendait visite à sa grand-mère, celle-ci la gavait de brownies.

— Tu ne vois plus cet homme, n'est-ce pas, Lily ? s'inquiéta la vieille dame. Tu vas mieux maintenant, et c'est du passé, cette histoire, pour ton frère.

— Je préfère ne pas en parler, grand-mère.

— Lily.

— Grand-mère.

Si c'était du passé pourquoi son frère ne l'appelait-il pas ? Et pourquoi n'arrivait-elle pas à lui téléphoner ? Et où était Emmy ?

Cinquante-quatre kilos. Elle avait l'air très mince mais plus squelettique. Ses analyses étaient toujours bonnes. Ses cheveux repoussaient, mais irrégulièrement et Spencer continuait à les couper. Elle préférait que ce soit lui qui le fasse plutôt que Paul parce qu'elle adorait quand il lui tenait la tête de la main gauche tout en la rasant de la droite. C'était la seule occasion où il la touchait.

Rachel lui dit que, dès que ses cheveux

auraient bien repoussé, elle lui présenterait un garçon à se pâmer.

Comme si elle en avait envie ! Elle avait l'impression que la chimio n'avait pas tué que son cancer mais aussi tout désir sexuel.

— Tu te laisses pousser les cheveux, d'accord ?

43

Insondable Spencer

Elle commença à remarquer qu'il se repliait parfois complètement sur lui-même. Et aussi qu'il allait mieux la semaine. Et elle se demandait pourquoi il était nettement de meilleure humeur que le dimanche.

— Pourquoi ne riez-vous pas ? lui demanda-t-elle un dimanche soir. Elle mit *Roxanne* sur « pause ». C'est drôle, non ?

— Oui.

Elle lui jeta un regard étonné.

— Et alors ? Je ris intérieurement.

— Pourquoi intérieurement ?

— Je suis comme ça, c'est tout.

— Je vous trouve... morose.

— Hum...

— Qu'est-ce qui ne va pas ?

— Rien.

— Vous avez envie d'en parler ?

— Non.

— Donc il y a bien quelque chose qui vous tracasse.

Il tourna lentement la tête vers elle. Elle rougit sous son regard d'inspecteur.

— Lily-Anne, inutile d'utiliser mes méthodes d'interrogatoire contre moi. Ça ne marche pas.

— Spencer, reprit-elle après quelques secondes d'hésitation, je vois bien que vous n'êtes pas comme d'habitude.

— Erreur, Lily. Je suis toujours comme ça. C'est quand je ne suis pas sombre et renfermé que je ne suis pas dans mon état normal.

— Vous n'étiez pas comme ça quand j'étais malade.

— Quand on est malade, on ne voit rien, répondit-il sans la regarder, les yeux fixés sur ses mains jointes.

— Permettez-moi d'en douter.

— Je vous assure que si.

— Non. Il y a quelque chose qui vous perturbe, je le sais.

— Pas du tout.

— Vous avez des problèmes au travail ?

Il sourit.

— Non, tout va bien de ce côté-là. Il se tourna vers elle. Écoutez, votre intérêt me touche beaucoup, mais, je vous en prie, ne vous faites pas de soucis pour moi. Si on regardait plutôt le film, vous voulez bien ?

Lily n'avait aucune intention d'abandonner. Tant qu'il ne s'énervait pas, elle pouvait continuer. Et puisqu'elle n'arrivait pas à ses fins par la douceur, elle tenta de l'apitoyer.

— Vous n'êtes pas forcé de venir me voir, vous savez, si vous n'avez pas envie. Je vais bien maintenant. Ce n'est plus comme avant. On peut me laisser seule. Je peux prendre soin de moi. Rien ne vous oblige à venir.

Spencer se passa une main sur le visage.

— Qu'est-ce qui vous arrive ? Aurais-je parlé de votre frère sans m'en rendre compte ?

— Non, non. Et inutile de me jouer la comédie. Si vous avez envie d'être ailleurs, rien ne vous force à rester avec moi. C'est vrai, à quoi bon ?

— Nous aimons bien regarder ensemble des films comiques.

— Quand nous rions, oui.

— Lily, vous avez passé quatre mois à les regarder sans le moindre sourire. Mais je savais que vous ririez un jour, et je n'ai jamais fait la moindre réflexion. Alors il ne faut pas m'en vouloir s'il m'arrive un dimanche de ne pas rire.

— Ce n'est pas ça. C'est...

Elle ne le savait pas elle-même.

— Qu'est-ce qui vous tracasse ? reprit-elle. Allez, dites-moi. Vous m'avez tellement aidée. Dites-moi.

— Je n'ai rien à dire.

— Vous voulez que je vous laisse tranquille ?

— Surtout pas.

Quand était-ce arrivé ? C'était inévitable après ces jours, ces semaines, ces mois où elle avait pris l'habitude qu'il vienne la voir, qu'il reste seul avec elle, qu'il l'accompagne faire ses courses, qu'il mange avec elle. Oui, c'était couru d'avance. Elle n'aurait vraiment pas été normale si elle n'avait pas commencé à l'attendre avec une certaine impatience. Il était devenu un ami, comme

Paul. Et Paul comptait beaucoup pour elle. C'était forcé qu'elle s'attache autant à Spencer, après tout le temps qu'il avait passé auprès d'elle pendant sa maladie. C'était de la gratitude, rien de plus...

Sauf que son cœur ne faisait pas des bonds dans sa poitrine quand Paul l'appelait. Et elle ne guettait pas ses réactions sur son visage, elle n'essayait jamais de le faire rire, ça ne la perturbait pas quand il était maussade.

Oh, mon Dieu ! Que lui arrivait-il ? Elle venait à peine d'échapper à la mort. La cicatrice de son cathéter n'était même pas refermée. Ses cheveux repoussaient à peine. C'était le traitement qui lui donnait des hallucinations. Elle était sourde d'une oreille, elle voyait flou d'un œil, elle ne sentait plus rien. Ses idées stupides étaient sans doute provoquées par toute cette gentillesse qu'il lui avait témoignée, et la peur qu'il ne l'abandonne maintenant qu'elle était guérie.

Elle déraillait. Il fallait peut-être qu'elle s'inscrive à ces réunions de survivants du cancer. Où était Joy ? Où était Marcie ? Où était le Dr DiAngelo ?

Elle décida d'appeler Spencer, pour mettre les choses au point. Que m'arrive-t-il ? voulait-elle lui demander, et il lui répondrait avec sa douceur habituelle : Lily-Anne, je ne vois vraiment pas de quoi vous parlez.

Mais elle sut qu'elle filait un mauvais coton quand elle ne fut plus capable d'appeler son bipeur juste pour dire bonjour, ou demander s'il voulait venir déjeuner, s'il passait dans le coin, ou quel film il voulait louer. Oui, elle s'aperçut que ça n'allait pas du tout quand elle voulut aller voir *Mon voisin le tueur* à Union Square, et ne put se résoudre à appeler Spencer pour lui proposer de l'accompagner.

Elle appela Rachel à la place. Rachel Ortiz, la spécialiste des accoutumances.

Mais quand Paul et Rachel lui rendirent visite, ils se saoulèrent à la margarita en écoutant Tori Amos, Enya et autres musiques sinistres, sans cesser de se plaindre. Paul venait de rompre avec Ray, et Rachel avait des problèmes avec Tonio. Oh, comme ils étaient en manque d'amour !

— Pas moi, déclara Lily. J'ai Spencer.

Rachel et Paul éclatèrent de rire et se donnèrent une bourrade en disant qu'elle était très drôle. Ne comprenant pas en quoi ses propos pouvaient déclencher une telle hilarité, elle renonça à se confier.

Spencer était impénétrable. Il ne disait pas un mot qu'elle pût interpréter dans un sens ou dans l'autre. Il était, comme toujours, courtois, attentionné. Toujours prêt à regarder un film avec elle, à bavarder, à l'emmener se promener, à déplacer les meubles... Il l'appelait après chaque analyse de sang, passait ses dimanches avec elle. Elle l'observait de son regard acéré d'artiste, à l'affût d'autre chose, d'autres expressions, d'autres pensées, à tel point qu'un jour il lui demanda, en la prenant par le menton :

— Mais à quoi pensez-vous donc ?

Elle sursauta.

— Quoi ?

— Vous ne répondez pas à ma question.

— Ce que je pense ?

— Vous gagnez du temps.

— Non, non. Je ne pensais à rien. Non, rien du tout.

— Oh, vous voilà bien évasive. Ça ne devait pas être convenable. Vous pensiez à Keanu ?

Oui. C'était bien ça. Pour lui, elle n'était qu'une malade. La sœur d'un suspect. Un témoin dans une enquête.

Parfois, cependant, elle surprenait une faille dans sa carapace. Un dimanche soir, ils venaient de regarder *Un poisson nommé Wanda*, et Spencer se leva pour aller chercher à boire pendant qu'elle s'étirait, à plat ventre sur le canapé. Elle surprit, à son insu, son reflet dans l'écran plasma de la télévision. Il s'était arrêté sur le seuil de la cuisine, un Coca à la main et contemplait ses hanches et ses jambes légèrement écartées, moulées dans un caleçon noir. Le cœur palpitant, elle scruta son visage.

— Vous avez besoin d'autre chose avant que je m'en aille ?

Elle s'assit.

— Non, ça va.

Se serait-elle trompée ?

Le dimanche suivant, quand il vint regarder avec elle *New York Miami*, elle peignait dans son atelier.

Il frappa à la porte.

— Entrez. J'ai fini.

Elle venait de peindre la pluie verglacée sur l'appui de la fenêtre. Elle portait un caleçon taille basse et un petit débardeur jaune qui laissait voir son nombril. Elle n'avait pas mis de soutien-gorge.

— Mais qu'est-ce que vous faites ? On gèle ici.

— Je suis forcée de laisser la fenêtre ouverte à cause de la térébenthine, répondit-elle d'une voix innocente avant de boire à même une canette de Coca. Vous en voulez ?

— De la térébenthine ?

Lily crevait de froid dans son petit débardeur. Elle n'avait pas beaucoup de poitrine mais ses mamelons pointaient. Et quand Spencer lui prit la canette des mains, qu'elle tenait à hauteur de ses seins, il marqua un temps d'arrêt avant de lever lentement les yeux vers elle et là, elle sut qu'il l'avait remarqué.

— On ferait mieux de fermer la fenêtre, murmura-t-elle dans un souffle. Vous avez raison. On gèle ici.

Et elle alla rabattre les battants, en retenant un grand sourire. Puis elle enfila un cardigan et ils s'installèrent chacun à un bout du canapé, comme toujours. Mais cette séance de cinéma était agréablement pimentée par ce qui venait de se passer. Lily était tout émue de la façon dont il avait regardé ses seins. Derrière ses grands airs insensibles, Spencer était un homme comme les autres !

Il avait suffi qu'elle prenne des rondeurs. Sa grand-mère et ses amies avaient raison. Et peut-être que si elle devenait énorme, Spencer ne pourrait plus la quitter des yeux. Alors elle se mit à dévorer et se lança dans de nouveaux achats. Finis les survêtements en molleton de Gap. Elle les remplaça par de sublimes tenues en velours de Bloomingdales, à la taille si basse qu'on voyait le haut de son string noir sur ses fesses à nouveau rebondies. Et elle fit une telle razzia de lingerie chez Victoria Secrets, LaPerla et Saks que ses placards menacèrent d'exploser sous ce déferlement de dentelle et de soie.

Elle se mit de la mousse dans les cheveux pour les gonfler, du baume et du brillant sur les lèvres, comme une gamine qui espère attirer l'œil du garçon de ses rêves. Elle s'enduisit le corps de crème, pour avoir la peau douce et parfumée, quand il s'assiérait sur le canapé à côté d'elle. Elle trouva un jean sublime chez Bergdoff's. Et quand Spencer débarqua chez elle, habillé décontracté, et qu'il la vit dans son jean avec des boots à talon, son rouge à lèvres le plus écarlate, son mascara le plus noir, il la dévisagea comme s'il s'était trompé d'appartement.

— Où allons-nous ? s'enquit-il, sa surprise passée.

— À l'*Odessa*, répondit-elle, en rougissant.

— Ah bon ! Et vous avez l'intention d'aller danser, après ? Cette bonne vieille Rachel vous a trouvé un petit copain ?

Lily marmonna quelque chose d'inaudible,

abattue. Après un dîner silencieux, il la raccompagna chez elle. Et au moment de la quitter, il lui lança d'une voix enjouée :

— Bonne soirée, Lily, amusez-vous bien !

Bravo ! Ce n'était vraiment pas le résultat escompté !

44

L'inspiration

Elle commençait, tout doucement, à avoir sa clientèle qui venait voir chaque samedi ses nouveautés. Elle dut planifier sa semaine. Le dimanche, elle peignait dans son atelier en attendant Spencer. Le lundi et le mercredi, elle parcourait Manhattan, pour croquer des objets ou des sujets possibles. Le mardi, après l'hôpital, elle déjeunait avec Spencer puis rentrait peindre chez elle. Le jeudi, elle faisait des esquisses de Brooklyn car elle était avec sa grand-mère. Le vendredi et le samedi, elle transformait ses croquis en aquarelles ou en pastels. Elle réalisait très peu de peintures à l'huile bien que ce fût ce qu'elle préférait. Une toile lui prenait la journée entière et mettait une éternité à sécher, mais c'était ce qui partait en premier. Elle crut qu'elle ne les vendait pas assez cher. Elle eut beau monter ses prix, ses huiles partaient toujours avant les autres.

On lui demanda si elle peignait des nus. Si elle ne pourrait pas peindre la plaine du Serengeti pour une chambre d'enfant. Un nu d'une femme enceinte ? Un homme et une femme faisant l'amour pour leur dixième anniversaire de mariage ?

Elle peignit le visage de Spencer de mémoire, à l'huile. Puis lui en entier. Ses mains d'abord, noueuses et nerveuses, qu'elle avait remarquées juste après ses yeux expressifs et ses lèvres mobiles. Il se tenait debout devant son bureau, le téléphone collé à l'oreille. Il la regardait, le visage sérieux. Ce n'était pas quelqu'un de souriant. Pourtant, avec ses solides dents blanches, il avait un sourire éblouissant. Rare hélas...

Il portait un pantalon gris, une ceinture noire, une chemise blanche au col déboutonné sous sa cravate noire desserrée. Ses vêtements flottaient sur son corps mince. Il avait un physique d'athlète, comme s'il faisait du sport intensivement. Elle laissa deviner sa musculature sous le tissu de la chemise. Elle le peignit tout en dégradé de gris, avec juste une touche de rouge sur ses lèvres et de bleu sur ses yeux. Lily, avec son regard d'artiste, était particulièrement sensible à l'esthétisme de sa bouche ourlée à la perfection. Elle s'aperçut avec une certaine gêne, qu'elle reproduisait un portrait gravé au fond de son cœur. Ses yeux enfoncés, grands ouverts, bleus comme le jour, implacables, des yeux de limier, encadrés par la fine monture de ses lunettes noires. Elle lui fit d'épais cheveux ondulés, car ses cheveux longs étaient synonymes de santé pour elle. Elle finit son visage par une barbe de plusieurs jours, des pommettes marquées, une mâchoire carrée et un grand front dégagé. Elle eut honte du soin qu'elle mettait à peindre son portrait.

— Ce n'est pas moi, décréta-t-il dès qu'il le vit.

Je ne suis pas aussi beau. Où sont mes yeux cernés et rougis de fatigue, mon teint brouillé, les taches sur ma cravate ? Et ma chemise n'a jamais été aussi bien repassée, voyons ! C'est de l'art, pas la réalité.

— Qui vous achèterait si je vous peignais tel que vous êtes ? plaisanta-t-elle. Il faut que je gagne ma vie.

Le samedi, elle refusa de le vendre et pourtant quelqu'un lui en proposa mille dollars !

— Je vous avais bien dit que personne n'en voudrait, dit Spencer quand il arriva en fin de matinée et vit que le tableau était toujours là.

— C'est parce que vous n'êtes pas à vendre.

Au même moment, une passante s'approcha de ses tableaux.

— Combien vaut l'homme à la fenêtre ? demanda-t-elle en montrant le portrait.

— Désolée, ce tableau n'est pas à vendre, il est juste en exposition.

La femme haussa les épaules, se tourna vers Spencer pour le prendre à témoin, sursauta, le dévisagea et contempla à nouveau le tableau.

Spencer haussa les épaules à son tour.

— Je suis moins bien au naturel, hein ?

— Elle est vraiment très douée, répondit la jeune femme avant de s'éloigner.

— C'est gentil, dit Spencer en se retournant vers Lily.

Non, ce portrait ne l'avantageait pas, aurait voulu répondre Lily, mais elle se contenta de faire semblant de compter son argent.

45

Cours magistral de chimiothérapie

Mi-mars, nouveau mardi, nouvelles analyses de sang.

Elle attendait en général une heure. Cette fois, cela dura le double. Quand DiAngelo revint, il ne dit rien pendant quelques secondes, impassible. Et Joy, sur son trente et un, impassible, elle aussi, ne souriait pas et il ne la regardait pas.

— Vous ai-je déjà parlé de l'Alkeran ? demanda-t-il enfin.

— Non, qu'est-ce que c'est ?

— Un petit comprimé de rien du tout. À prendre trois fois par semaine. Qu'il ne faut surtout pas oublier.

— Ça sert à quoi ?

— Juste à vous garder toute propre à l'intérieur.

Lily fronça les sourcils.

— Que voulez-vous dire ?

— Rien. Vous vous souvenez, je vous avais dit que le traitement prenait du temps. Et parfois on régresse. Nous avons avancé à pas de géant. Mais vos globules blancs remontent à nouveau...

Elle secoua la tête.

— ... et vos globules rouges ne se reproduisent pas aussi vite que je l'espérais. Vous êtes de nouveau en dessous de la barre. Alors un petit traitement d'entretien...

Elle continua à secouer la tête.

— Ne vous inquiétez pas, c'est pour cela que nous vous contrôlons toutes les semaines.

— C'est impossible !

— Je sais, je suis désolé. Mais l'Alkeran est facile d'utilisation et très efficace. Vous pouvez le prendre par voie buccale, avec un peu de Prednisone. Ce n'est que pour quelques semaines et je pense qu'il résoudra tout de suite vos problèmes.

— Je vous en prie. C'est impossible !

— Voyons, ce n'est rien, comparé à ce que vous avez subi.

— Non, je vous en prie.

— Lily.

Elle ne voulait pas en entendre parler. DiAngelo et Joy s'assirent à côté de son lit.

Lily savait ce que signifiait l'Alkeran. Il lui donnerait de nouveau des nausées et avait comme effet secondaire l'inconvénient de détruire la moelle qu'il était censé sauver. Et de réduire ses défenses contre les infections : la simple vue d'une personne avec un Kleenex à la main l'effraierait plus que *Scream 3*. Elle n'aurait plus le droit de sortir, plus le droit d'aller au cinéma ou au restaurant. Et elle pourrait dire au revoir à ses ventes du samedi matin.

Un traitement d'entretien ! Comme si elle était une vieille voiture qui avait besoin d'une vidange et de quelques réglages ! Pourquoi ne pas changer quelques courroies et durits tant qu'on y était ?

Elle resta à l'hôpital toute la matinée pour une

391

ponction sternale et une rapide transfusion de globules rouges. Le myélogramme révéla que sa moelle produisait à nouveau des blastes.

Sa sœur Anne surgit alors, vêtue d'un tailleur Armani, payé grâce à l'argent de la loterie.

— Je vous l'avais dit ! explosa-t-elle en levant les bras au ciel, quand elle rejoignit le médecin dans le couloir, hors de portée des oreilles de Lily. Combien de temps allez-vous continuer à la torturer ? Vous lui donnez de faux espoirs, vous la gardez artificiellement en bonne santé et vous avez vu le résultat ? Elle qui était si heureuse à l'idée de ne plus remettre les pieds ici !

— Certes, elle est déçue, mais c'est tout à fait normal, il n'y a pas de quoi s'inquiéter pour le moment.

— Parlez pour vous !

— Madame Ramen, elle a un cancer. Et c'est pourquoi nous la soignons. Et nous la soignerons tant qu'il le faudra. Elle fait une légère rechute, nous tentons de l'enrayer, votre sœur le comprend parfaitement.

— Moi, je ne comprends pas !

— Anne ! appela Lily.

Anne continua de tempêter.

Lily sortit dans le hall en tirant sa perfusion derrière elle.

— Anne, tu peux venir, s'il te plaît ?

Anne la suivit à contrecœur.

— Arrête, Anne, tu ne m'aides pas, tu sais.

— Il nous avait dit que tu n'avais plus rien.

— Oui, je n'avais plus rien. Sauf une petite

392

cellule que la biopsie du mois de janvier n'a pas détectée. Et maintenant qu'elles sont deux millions, nous devons réagir.

— Oh, mon Dieu ! Mon Dieu !

Anne se prit les cheveux à pleines mains comme si elle allait se les arracher, avant de continuer :

— Quand cela finira-t-il ? Combien de temps devrons-nous supporter encore ce calvaire ?

Lily se détourna.

Sans doute jusqu'à la fin, songea-t-elle.

Une fois rhabillée, elle refusa qu'on la raccompagne et rentra lentement à pied, par la Cinquième Avenue, serrée dans son imperméable rouge, son béret enfoncé sur sa tête. Il se mit à pleuvoir. Elle ouvrit son grand parapluie rouge.

Elle entra dans la cathédrale Saint Patrick, au coin de la 51e Rue, s'assit sur le premier banc, et se mit à pleurer, persuadée que c'était l'encens qui lui brûlait les yeux. Un prêtre vint s'asseoir à côté d'elle, sans doute apitoyé par ses larmes et son crâne rasé.

— Êtes-vous catholique ?

— Disons que je suis une catholique new-yorkaise.

Il haussa les sourcils d'un air interrogateur.

— Ce qui veut dire que je n'ai pas remis les pieds dans une église depuis ma communion.

— Comme la plupart des gens qui viennent me voir.

— Ils viennent quand même.

— Oui, chercher des réponses à leurs questions.

C'était un vieux prêtre aux cheveux gris, bon et rassurant.

— Vous qui pleurez, savez-vous que parfois, pendant la messe, les bébés pleurent si fort qu'on ne peut poursuivre l'office ? Et que, dans certaines églises, une pièce leur est réservée ? On l'appelle la chambre des larmes.

— J'aurais aimé que ma mère m'y emmène. Le problème, ajouta-t-elle après un long silence, c'est que ma mère a dû y entrer et ne jamais en ressortir.

— Hélas, nombreux sont ceux qui viennent me voir avec une telle souffrance. Savez-vous que l'évêque de Rome se rend aussi dans la chambre des larmes, juste avant d'endosser la robe papale ?

Lily opina, plongée dans ses réflexions.

— À mon avis, continua le vieux prêtre, tous les moyens sont bons pour se réconforter. Quels qu'ils soient. N'y a-t-il rien qui puisse vous procurer un peu de joie ?

Elle le dévisagea à travers ses larmes et reconnut sur son visage la même lassitude désabusée que chez sa grand-mère.

— On dirait que vous connaissez ma grand-mère ?

Il sourit.

— Elle doit être de la génération de la guerre. Celle qui a vu des horreurs que nous ne pourrons jamais oublier, mais qui nous permettent de trouver le réconfort dans les plus petits riens.

— Oui, si nous avions connu la torture et la faim, nous irions sans doute mieux, reconnut Lily, sans la moindre aigreur.

— Comment vous appelez-vous ?

— Lily.

— Quel merveilleux prénom ! Lily, vous vous lamentez de ce que vous n'avez pas. Mais pensez plutôt à tout ce que vous avez... Et à tout ce que vous ne voudriez avoir pour rien au monde...

— J'ai déjà beaucoup de choses dont je me serais passée. J'ai un cancer...

— Je suis désolé.

— ... ma meilleure amie a disparu sans laisser de trace. Et personne ne sait ce qu'elle est devenue.

— Quelle souffrance pour ses pauvres parents !

— Oui. Mais expliquez-moi pour ma mère. Elle a beaucoup souffert, et pourtant rien ne semble la réconforter.

— C'est qu'elle doit trouver beaucoup de réconfort dans sa souffrance.

Lily se releva avec difficulté.

— Oui, je crois. Mais dites-moi, mon père, où se trouve la chambre des larmes ? J'aimerais que vous m'y emmeniez.

Il traça sur elle le signe de la croix.

— Elle est en vous, où que vous alliez, mon enfant. C'est l'apanage des affligés. Nous nous y réfugions tous. La question est de savoir si nous en ressortons... Si nous y restons... Qui nous y entraînons derrière nous...

De retour chez elle, Lily commença par se déchausser et alla directement à la cuisine se servir à boire. Soudain le fardeau de sa vie lui parut insoutenable : elle s'effondra sur le sol, anéantie. Et ne put se relever.

Le téléphone sonna. Lily décrocha, persuadée que c'était Spencer.

Mais c'était Jan McFadden qui l'appelait pour les inviter, avec Paul et Rachel, au huitième anniversaire des jumeaux.

— Cela nous serait d'un grand réconfort de vous avoir avec nous, ce jour-là. Vous viendrez, n'est-ce pas ?

Mme McFadden ne semblait pas non plus très bien aller.

— Nous viendrons, promit-elle. Bien sûr que nous viendrons.

Elle entendit qu'on frappait, puis qu'on tournait la clé dans la serrure.

— Lil ? appela Spencer.

Il lâcha ses clés sur la table, la chercha dans son atelier revint vers la cuisine, s'arrêta sur le seuil et vint s'asseoir par terre à côté d'elle.

— Salut.

— Vous êtes au courant ?

— Oui. N'ayant pas de nouvelles, j'ai fini par appeler DiAngelo. Mais pourquoi cette mine sinistre pour un tout petit comprimé ? Je prends vingt Advil par jour et je ne m'effondre pas pour autant.

Elle leva vers lui son visage noyé de larmes.

Il se releva d'un bond et la prit sous les bras pour l'aider à se redresser.

— Debout. Je vous emmène à l'*Odessa* faire un

gueuleton. Ensuite nous irons voir *Wonder Boys* avec Michael Douglas, à Union Square.

Il l'aida à descendre l'escalier, puis il lui offrit son bras, qu'elle prit sans se faire prier, et l'abrita sous son grand parapluie rouge. Et tandis qu'ils se dirigeaient vers l'*Odessa* sous le crachin de mars, elle lui parla du prêtre et de la chambre des larmes. Il se frotta le menton d'un air à la fois pensif et approbateur.

Au cinéma, il acheta un pot de pop-corn pour deux, qu'il mangea presque à lui seul. Elle garda les mains croisées sur ses genoux pendant tout le film.

On lui demandait des tableaux d'enfants, de chiens, de chats, de poissons et même une fois d'anaconda. En général, Lily refusait. Comment dire qu'elle prenait désormais de l'Alkeran et que le Dr DiAngelo pouvait lui annoncer du jour au lendemain qu'elle devait retourner à l'hôpital pour une perfusion de Vépécide ? Elle réalisa des autoportraits la représentant malade, perdant ses cheveux, chauve, un cathéter sur sa poitrine. Puis seulement ses yeux assombris par l'angoisse. Spencer prit ce dernier tableau. Et se permit de lui donner un conseil. Elle ne vendait pas ses toiles assez cher, c'est pour ça qu'elle croulait sous les commandes. Le samedi suivant, elle augmenta ses prix. Les commandes baissèrent.

46

Révélations en chanson

Fin mars, Lily, Paul et Rachel se rendirent en train à Port Jefferson pour assister à l'anniversaire du frère et de la sœur d'Emmy. Lily se maintenait, mais elle avait de nouveau perdu l'appétit et ses cheveux poussaient moins bien.

La fête avait lieu un samedi et quand Lily avait vu Spencer, deux jours auparavant, elle ne lui en avait pas parlé. Sans bien savoir pourquoi. Sans doute parce qu'elle pensait en profiter pour passer chez son frère, qui habitait à quelques kilomètres à peine de chez Emmy. Ou peut-être parce qu'elle craignait de voir réapparaître son regard d'inspecteur derrière ses yeux bleus.

En surface, la maison ressemblait à n'importe quelle maison où l'on s'apprêtait à fêter l'anniversaire d'un garçon et d'une fille de huit ans : une nuée de ballons décorait le séjour, un magnifique gâteau décongelait sur le comptoir, des bougies d'anniversaire étaient sorties sur la table de la cuisine, il y avait une pile de cadeaux enrubannés dans un coin, une nappe de Disney sur la table de la salle à manger et quelques saladiers remplis de chips.

Cependant le père des enfants, vautré devant la télévision, leva à peine les yeux quand ils entrèrent et la mère s'affairait encore à la cuisine, pas maquillée, négligée, un verre à la main, les yeux rouges.

Ils se dirent bonjour, et Jan pensa quand même à leur proposer à boire. Quand ils eurent tous un verre de Coca à la main, un silence gêné s'installa. Paul, qui avait horreur des situations pénibles, s'empressa donc de parler des enfants, puis des chiens qui aboient et enfin du salon où il travaillait avec Rachel.

— Et comment vas-tu, Lil ? s'enquit Jan McFadden. Tu as bien meilleure mine. Ça fait si longtemps que je ne t'ai pas vue. Je suis désolée de ne pas être allée te voir.

— Vous aviez d'autres préoccupations, madame McFadden.

— Oui, oui. Mais tu tiens le coup ?

Lily hocha la tête.

— Ça va.

— Elle a recommencé la chimio, madame McFadden, intervint Rachel. Elle allait beaucoup mieux il y a quelques semaines.

— Oui, Paul m'a dit que tu avais repris ton traitement.

— En partie, dit Lily. Mais le printemps arrive. Je reste optimiste.

Jan se tourna vers l'évier et fit couler de l'eau froide.

— Au moins, toi, tu vis. Pas mon Emmy.

Mais Emmy avait vécu, elle, faillit protester Lily. Emmy avait dansé et fait la fête tous les week-ends. Et elle avait chanté, même si elle ne savait pas chanter. Et peint même si elle ne savait pas peindre. Et elle avait changé de couleur de cheveux tous les deux mois, grâce à Paul. Emmy avait fréquenté des restaurants luxueux et à la mode, et porté des vêtements chics et branchés. Elle avait fait du ski, du roller, du ski nautique, elle avait participé au marathon de New York, elle avait joué au tennis. Et si elle avait beaucoup travaillé, elle s'était encore plus amusée. Elle avait bu, fumé du hasch. Elle avait même joué la comédie.

Emmy avait été amoureuse. Au lycée et après.

Et surtout, Emmy avait été aimée. Oui, on l'avait aimée ! Elle avait vécu !

Paul qui ne supportait pas qu'on soit triste un jour de fête, décida de prendre la situation en main.

— Ne parlons pas d'Emmy aujourd'hui, protesta-t-il en chatouillant Lily. C'est un jour de fête. Et notre Lily n'a pas le choix. Elle va s'en sortir avec les honneurs. Et vous savez pourquoi ?

— Paul, arrête, dit-elle, prise d'un fou rire.

Rachel se jeta sur elle pour la chatouiller.

— Je sais pourquoi ! Parce c'est la Mighty Quinn !

— Exactement ! s'écria Paul avant de chanter à tue-tête : *And you ain't seen nothing like the Mighty Quinn*[1] *!*

---

1. « Et vous n'avez jamais rien vu de tel que le puissant Quinn ! » (phrase extraite de *Quinn the Eskimo* de Bob Dylan). *(N.d.T.)*

400

Jan se retourna vers eux, les yeux remplis de larmes, sa cuillère en bois à la main.

— Emmy fredonnait souvent cette chanson. La première fois, justement, c'était à l'anniversaire des jumeaux, il y a trois ans. Nous ne l'avions pas vue depuis des mois et elle était arrivée avec des fleurs de cerisier dans les cheveux en chantant cette chanson... et...

Jan enfouit son visage entre ses mains.

— Je n'en peux plus. Je n'ai plus la force de vivre. Plus la force de me lever le matin...

La glace fondait sur le comptoir. Les jumeaux qui avaient fini par déballer les cotillons se poursuivaient en poussant des hurlements tandis que leur père continuait à regarder la télévision qui beuglait. Et Lily dévisageait Jan, pétrifiée.

— Qu'est-ce qui t'arrive ? s'inquiéta Rachel. Tu ne te sens pas bien ? Assieds-toi.

— Lil, ça ne va pas ?

Lily ne connaissait pas encore Emmy au printemps, il y a trois ans. Elles ne s'étaient rencontrées qu'à l'automne, en cours de peinture. Lily en était certaine.

Elle dit alors la seule chose qui lui vint à l'esprit.

— Vous avez des cerisiers en fleur, par ici ?

— Non, non. Lily les avait rapportées de Washington.

Pourtant c'était deux ans auparavant qu'elles étaient descendues à Washington, fin mars, rendre visite à son frère. Et elles s'étaient mis des fleurs de cerisier dans les cheveux, quand elles étaient allées se promener autour du Tidal Basin, près du Jefferson Memorial. Elles avaient traversé le Mall jusqu'au Capitole. Et quand elles avaient retrouvé Andrew, essoufflées et en sueur, comme il était content de les voir !

— Vous voulez dire il y a deux ans ? protesta Lily en se cramponnant à la table en formica.

— Non, c'était pour les cinq ans des jumeaux, dit Jan McFadden à travers ses larmes. Emmy n'était pas là pour leurs six ans. Ni pour leurs sept ans, l'an dernier. Non, la dernière fois qu'elle est venue à leur anniversaire, c'était bien il y a trois ans.

Lily se laissa tomber sur une chaise.

— Qu'est-ce qui ne va pas, Lily ? demandèrent Paul et Rachel d'une seule voix.

Jim, le mari de Jan, arriva au même moment et crispa les poings en voyant sa femme en pleurs.

— Tu sais que tu as encore deux enfants ? Et qu'ils t'attendent au salon pour fêter leur satané anniversaire ? Alors tu comptes t'apitoyer encore longtemps sur ton sort ?

Pendant les deux heures qui suivirent, il y eut un peu d'animation avec l'ouverture des cadeaux, des chansons, une partie de chaises musicales, une partie de foulard, le gâteau. Lily ne desserra pas les dents, mais, avant de partir, elle demanda à Mme McFadden si elle pouvait passer un coup de fil dans les environs et monta dans la chambre des maîtres de maison.

Elle appela Andrew. Ce fut Miera qui décrocha.

— Bonjour, c'est Lily. Pourrais-je parler à Andrew ?

— Il ne veut pas te parler ! répondit sèchement Miera avant de couper la communication.

Lily rappela, toute tremblante.

— Miera, je t'en prie, ne raccroche pas. Je t'en supplie. Je veux juste lui dire bonjour.

— Il ne veut pas te parler.

— Pourquoi ?

— Oh, je t'en prie ! Écoute, tu peux rappeler autant que tu veux, ne compte pas sur moi pour te le passer.

— Je suis à Port Jefferson, insista Lily d'une voix tremblante. Je voulais savoir si je pouvais venir vous voir cinq minutes.

Miera éclata de rire.

— Tu plaisantes ou quoi ? Après ce que tu nous as fait, pas question que tu remettes les pieds chez nous !

Lily entendit qu'on décrochait l'autre poste.

— Andrew ? C'est toi ?

Seule une forte respiration lui répondit.

— Andrew, je t'en prie, c'est moi, Lily. Il faut que je te voie !

— Non, Lily. Surtout ne m'approche pas. Je t'en prie. C'est mieux ainsi.

— Miera, je pourrais parler à mon frère en privé ?

— Non, répondit Andrew. Tout ce que tu as à me dire, tu peux le dire devant ma femme.

— Andrew, dis-moi, ce n'est pas vrai que ta

liaison avec Emmy datait d'avant que je la connaisse ? demanda-t-elle les joues ruisselantes de larmes.

La communication fut coupée.

Lily resta assise à pleurer dans la chambre jusqu'à ce que Rachel et Paul viennent la chercher.

— Oh, mais qu'est-ce que tu fais encore ? gémit Paul. Décidément, les habitants de Port Jefferson ont une curieuse manière de fêter les anniversaires !

Ils allèrent dîner chez la mère de Paul puis ils rentrèrent à New York par le train. Paul et Rachel raccompagnèrent Lily chez elle et restèrent jusqu'à quatre heures du matin à boire des margaritas pour essayer de lui remonter le moral.

Quand Spencer arriva le dimanche, elle dormait encore. Il frappa à la porte de sa chambre et entra. Elle remonta sa couette sur elle.

— Ça va ?

— Je ne sais pas.

— Qu'est-ce qui vous arrive ?

— Quelle heure est-il ?

— Une heure de l'après-midi.

— Oh !

Il sourit.

— Vous vous êtes couchée tard, hier soir ?

— Non. Enfin, si. Paul et Rachel sont venus.

Il la dévisagea.

— Pourquoi avez-vous pleuré ?

404

— Non, je suis juste mal réveillée.

— Je vois bien que vous avez pleuré. Vous avez les yeux bouffis. Et les joues aussi.

— Rien ne vous échappe, inspecteur. Eh bien, laissez-moi le temps de prendre une douche et de m'habiller et je suis à vous. Vous avez faim ?

Lily se sentait sans défense devant son regard inquisiteur, ses questions, son insistance. Et elle était trop perturbée pour donner le change. Mais pas question qu'elle lui dise quoi que ce soit. Cela ne pourrait que nuire à son frère. Elle s'attarda une éternité dans la douche. Quand elle sortit enfin, il posa son journal et la considéra des pieds à la tête.

— Ça doit vraiment être grave pour que vous mettiez quarante-cinq minutes à vous résoudre à m'affronter.

— Non, ça n'a rien à voir avec vous, je vous promets.

Il se leva et prit sa veste.

— Lily, écoutez, je vais vous simplifier les choses. Si vous n'avez pas envie que je vienne...

— Pas du tout, Spencer !

— Donc si vous n'avez pas envie de me voir, vous n'avez qu'à laisser un message sur mon répondeur. Ou m'envoyer une lettre, me biper, me faire passer le message par Joy. Je ne peux pas vous dire mieux. Mais ce que je ne veux pas, c'est que vous me mentiez, à tel point que vous n'osez même plus me regarder en face.

Elle tenta de s'excuser, de lui expliquer qu'elle avait trop bu, qu'elle ne se sentait pas bien, qu'elle n'avait pas assez dormi. Bref elle n'avait pas fini sa liste de mensonges qu'il dévalait les cinq étages et disparaissait dans la rue.

EMMY CONNAISSAIT ANDREW AVANT DE LA RENCONTRER !

Comment était-ce possible ?

Elle se souvint brusquement qu'Emmy avait laissé ses cartes de crédit, son argent, sa carte d'identité sur sa commode dès le début de leur cohabitation. Oui, dès qu'elle avait emménagé, il lui était arrivé de disparaître plusieurs jours d'affilée, et de s'absenter le vendredi en fredonnant cette fameuse chanson. Et Lily qui, dans sa naïveté, croyait que c'était pour elle ! Quelle idiote ! Tu parles d'une Mighty Quinn !

Emmy connaissait Andrew avant de rencontrer Lily. Mais comment s'étaient-ils connus ? Et pourquoi Emmy avait-elle quitté Hunter pour venir s'inscrire dans la classe de Lily, à City College ?

« Salut ! Cette place est libre ? Je ne sais pas ce que je fais dans ce cours. Tout le monde a l'air si doué. Mon Dieu, comme tu dessines bien ! Toi, tu as vraiment un don. Tu es sûre qu'il n'y a personne à côté de toi ? »

Le dimanche soir, Lily essaya à nouveau d'appeler Andrew. Miera la menaça de porter plainte pour harcèlement et lui raccrocha au nez.

Elle était encore plus choquée par l'attitude d'Andrew que par celle d'Emmy. Car, non seulement il lui avait caché la vérité, non seulement il lui avait joué la comédie, lui aussi, mais il continuait à mentir à O'Malley. Si leur liaison datait d'avant, pourquoi le cacher ?

Lily fut incapable de peindre cette semaine-là. En fait, la duplicité de son frère l'écœura tant qu'elle recommença à avoir des nausées avant même de reprendre l'Alkeran.

47

Harkman

Gabe McGill sauta sur O'Malley dès son arrivée, le lundi matin.

— O'Malley. Tu as passé un bon week-end ? Moi aussi, merci.

— Qu'est-ce qui t'arrive ? Tu es tombé du lit ?

— Ah, je ne sais pas ce que tu as encore inventé, mais Whittaker veut nous voir tous les deux dans son bureau, immédiatement.

— O'Malley, qu'avez-vous encore fait à ce pauvre Harkman ? s'enquit Whittaker dès qu'ils entrèrent dans son bureau. Vous lui avez jeté un sort ?

— Quelqu'un pourrait m'expliquer ce qui se passe ?

— Harkman est à l'hôpital.

— Qu'est-ce qui lui arrive encore ?

— Il a eu une attaque !

— Et alors ? s'esclaffa Spencer, en voyant Whittaker et McGill le fixer d'un air accusateur. Vous n'allez pas me dire que c'est ma faute ?

— C'est sa quatrième attaque. Son médecin dit qu'il ne peut plus travailler. Cela lui serait fatal.

— Quoi ? Vous croyez que je lui ai donné trop de travail ? Il n'a pas quitté le bureau depuis des mois ! Je me farcis tous les déplacements en solo. Et j'ai même mis Sanchez à son service. Parlez-en à Sanchez, vous verrez. J'ai fait tout ce qui était humainement possible. Harkman n'était jamais content. Vous n'allez pas me le reprocher ?

— Ne plaisantez pas, O'Malley. Il risque d'y rester. Alors un peu de respect, s'il vous plaît. C'était un bon flic. Même s'il n'a jamais retrouvé une seule personne disparue, c'était un bon flic.

— Ne dites pas ça, protesta Spencer. Il a quand même résolu certaines affaires de garde et retrouvé plusieurs fugueurs.

Whittaker balaya sa protestation d'un geste de la main.

— Ouais, ceux qui sont rentrés d'eux-mêmes à la maison ! Enfin, peu importe, il n'est plus là et il va falloir le remplacer. Où en êtes-vous ?

— Quelle question ! Je suis débordé. Je travaillais déjà tous les soirs jusqu'à neuf heures quand il était là. Alors maintenant...

— Il vous faut un partenaire le temps qu'on vous trouve une solution définitive.

Harkman était parti. Spencer n'en revenait pas. Il était enfin débarrassé de cet incapable qui lui avait pourri la vie. Quel soulagement !

Spencer se tourna vers McGill qui leva les yeux au ciel.

Gabe McGill était un jeune inspecteur d'origine irlandaise formé à l'école du « Faut pas m'emmerder ». Il n'était absolument pas fait pour le travail d'enquête. Il aurait été bien mieux à patrouiller dans East Village avec ses cheveux un tantinet trop longs, ses vêtements froissés, son visage mal rasé. En costume, il avait l'air déguisé. Ses chemises semblaient toujours trop petites pour son cou massif et ses bras de docker. Comparé à lui, Spencer avait l'air d'une gravure de mode. Il ne comprenait pas pourquoi il l'aimait tant.

— Je vous donne donc McGill en attendant, conclut Whittaker.

— Attention, O'Malley, je te préviens. C'est temporaire. On n'est pas mariés pour la vie. C'est juste un arrangement. Moi je reste à la criminelle et je t'aide quand t'as besoin de moi. Compris ? Chef, vous pouvez lui expliquer ?

— Bien sûr que vous restez à la criminelle, McGill. Mais tant qu'on n'a pas trouvé d'autre solution, vous êtes l'esclave de O'Malley.

— Oh, non, chef, pitié !

Spencer sourit.

— McGill, nous avons huit inspecteurs à la criminelle en plus de vous et d'Orkney, mais aux Personnes disparues, il est le seul, depuis que Sanchez et Smith ont été transférés à la judiciaire. Votre ami a besoin de vous.

— Je commence une vie nouvelle, Gabe ! jubila Spencer alors qu'ils entraient dans la salle commune.

— Simplement parce que je suis là ?

— Oui. Tu imagines les réactions quand j'annoncerai : je suis l'inspecteur O'Malley et voici l'inspecteur McGill, de la criminelle.

— Tu crois que c'est ça qui nous permettra de retrouver la petite McFadden ?

— J'aimerais bien. Ça va faire un an qu'elle a disparu et je ne pourrai pas garder son dossier sur mon bureau si je ne découvre pas d'éléments nouveaux.

Spencer n'avait aucune envie que son cas se retrouve classé dans les « affaires non résolues », avec des douzaines d'autres, une voie de garage d'où l'on ne le ressortirait que dans une décennie pour le mettre, cette fois, s'il n'y avait toujours rien de neuf, dans celui des « affaires non résolues datant de plus de dix ans ». C'était là que pourrissaient les dossiers des personnes disparues. Leurs familles continuaient à vivre, les policiers aussi, mais Spencer savait que Jan McFadden ne s'en remettrait jamais. Sa vie s'était arrêtée le 14 mai 1999. Elle s'accrochait au fol espoir que sa fille était encore en vie et reviendrait. Tout ce qu'elle demandait, c'était une bribe d'information qui lui permette de ne pas passer le reste de sa vie dans cette incertitude qui la rongeait. Et Spencer était bien décidé à lui trouver l'information qui la sortirait de ce doute infernal.

Gabe et Spencer quittèrent le commissariat et se dirigèrent vers la Deuxième Avenue avec l'intention d'aller manger chez *McCluskey's*.

— Tu crois qu'on devrait aller voir Harkman à l'hôpital ? demanda McGill.

Spencer réfléchit deux secondes.

— Qu'il aille au diable !

Ils venaient de tourner au coin de la Deuxième Avenue lorsque Spencer entendit qu'on l'appelait.

411

Il se retourna et vit Lily qui se dirigeait vers eux, toute souriante, ses cahiers de croquis sous le bras. Il faisait un temps splendide et elle était vêtue de rose, de la tête aux pieds, les jambes nues sous sa jupe courte.

Il fit un pas en arrière.

— Bonjour monsieur l'inspecteur, dit-elle d'un ton qui se voulait formel.

— Bonjour Lily, répondit-il en essayant de garder son sérieux. Je vous présente l'inspecteur McGill.

— Bonjour Lily, ravi de faire votre connaissance, dit Gabe avec un grand sourire, en lui retenant la main. Je vous en prie, appelez-moi Gabe.

— Monsieur l'inspecteur ira très bien, grommela Spencer.

— C'est donc vous le célèbre inspecteur McGill ! Spencer m'a souvent parlé de vous.

— Quoi qu'il ait pu vous raconter, ce ne sont que d'odieux mensonges ! s'esclaffa-t-il.

Il mit Lily au courant de ce qui était arrivé à Harkman.

— Je suis désolée pour lui. Mais l'inspecteur O'Malley doit être content de travailler avec vous, répondit-elle, l'œil espiègle.

— Eh bien, je ne sais pas si vous savez, au sujet de l'inspecteur O'Malley, mademoiselle...

— Quinn.

— ... mademoiselle Quinn, mais l'inspecteur est du genre exténuant. Et je n'ai aucune intention de me tuer à la tâche...

— Bon, ça va, vous deux, dit Spencer en saluant Lily de la tête. Faut qu'on se dépêche.

— Nous allons déjeuner, vous voulez vous joindre à nous ? proposa McGill.

Lily regarda Spencer qui se mordait la lèvre.

— Non, merci. Peut-être une autre fois. Je voudrais aller dessiner à Astor Place pendant qu'il fait beau. J'ai été ravie de faire votre connaissance, inspecteur McGill. À plus tard, inspecteur O'Malley.

Gabe fronça les sourcils.

— Vous avez bien dit que vous vous appeliez Lily Quinn ? Vous ne seriez pas apparentée à...

— Gabe, on y va ! Je ne vais pas passer la journée piqué au milieu du trottoir.

Spencer arriva enfin à entraîner Gabe vers le restaurant. Et quand il se retourna, Lily avait disparu.

— O'Malley, j'ai comme l'impression que tu as tout fait pour m'éloigner de cette adorable créature, remarqua Gabe quand ils furent attablés.

— Oui, et cela pour de nombreuses raisons que je n'énumérerai pas.

— Cite m'en une, mis à part celle qui me saute au yeux.

— Une ? Très bien... voyons voir... ta femme et tes deux enfants, peut-être ?

— Dis donc, toi aussi, tu as une régulière et ça ne t'empêche pas de fréquenter des filles qui ont la moitié de ton âge. Au fait, pourquoi a-t-elle les cheveux si courts ?

— Le cancer.

Gabe contempla la coupe très courte de Spencer.

— C'est grave ?

— Y a des hauts et des bas.

— Elle a un lien avec l'affaire Emmy McFadden ?

— Gabe, je n'ai vraiment aucune envie de parler de ça maintenant.

48

Les rubans jaunes

Les rubans jaunes qu'ils avaient attachés aux poteaux, près des photos d'Emmy, avaient passé avec le temps. Et Lily avait entrepris, avec Paul et Rachel, de changer les affiches et les rubans, lorsqu'elle sentit qu'on l'observait. Bien qu'on fût en plein jour, elle resta pétrifiée, incapable de parler. Du coin de l'œil, elle crut voir une silhouette arrêtée sur le trottoir d'en face qui les épiait... Elle mit quelques secondes à trouver le courage de tourner la tête. Elle aperçut plusieurs personnes mais aucune ne les regardait : un homme achetait des fleurs, un autre parlait à un commerçant, un couple examinait le menu d'un restaurant. C'est alors que son regard fut attiré par un homme en haillons qui s'éloignait en traînant les pieds. Et soudain, il se mit à courir tel un sportif, à longues enjambées rapides, en balançant les bras, pas du tout comme un clochard. Peut-être qu'elle avait mal vu, et que ce n'étaient pas des guenilles qu'il portait mais un long manteau brun.

Elle continua d'attacher les rubans d'une main tremblante. Son imagination lui jouait des tours. C'était de la parano, un soupçon irrationnel, comme cette angoisse qui lui faisait baisser ses stores, parce qu'elle avait l'impression qu'on l'observait. Le fantôme d'Emmy, avait-elle pensé. Mais ici, un mercredi matin, en plein East Village, qu'allait-elle encore imaginer ?

49

Le base-ball

Le samedi après-midi, Spencer la trouva assise sur un banc de Tompkins Square, après la vente de ses toiles, en train de distribuer aux mendiants des billets de vingt dollars.

— Achetez-vous quelque chose de bon avec ça, leur disait-elle.

Et ils marmonnaient :

— Oui, oui, ma petite dame, on va le faire, vous inquiétez pas, merci beaucoup, Dieu vous bénisse.

— Mais qu'est-ce que vous fichez ? s'exclama Spencer en l'entraînant vers la sortie du jardin. Qu'est-ce qui vous prend de leur donner de l'argent ?

— C'est pour retrouver Emmy.

— Comment ça ?

— En fait, j'espérais reconnaître l'un d'eux.

— Vous en connaissez beaucoup des SDF ?

— Non, mais vous verrez, je finirai par retrouver ce Milo ! C'est lui que je cherche.

— Qu'est-ce que vous croyez ? Moi aussi !

— Ça va vite se savoir que je distribue de l'argent et il viendra, je le sais.

— Vous espérez l'appâter comme ça ? Dans ce cas, il faudra peut-être que vous augmentiez la mise. Vingt dollars, ça ne fait pas beaucoup, même pour un clodo.

— Il me trouvera. Comme elle m'a trouvée.

— Quoi ?

— Rien, s'empressa-t-elle de répondre, le regard soudain assombri. Vous avez faim ? Vous voulez qu'on aille déjeuner ?

— Non.

Il s'éclaircit la gorge.

Elle le dévisagea et attendit.

— Vous savez que les Yankees jouent contre les Angels ?

— Ah bon ?

Elle retint son souffle. Allait-il l'inviter ? Et passer, pour une fois, son samedi après-midi avec elle ? Elle pourrait oublier son cancer, Emmy. Il n'y aurait plus que lui, elle... et cinquante-cinq mille étrangers.

— Quand avez-vous assisté à un match pour la dernière fois ?

— Quand j'avais seize ans.

— Vous êtes donc un vétéran. Ça vous dirait ?

— Bien sûr !

Elle sourit avec un petit haussement d'épaules, d'un air de dire pourquoi pas, alors qu'elle en aurait sauté de joie.

— Donnez-moi juste le temps de passer chez moi prendre un chapeau.

Elle voulait se maquiller, se changer, se parfumer, bref, se faire belle pour l'accompagner.

— Non, il faut y aller tout de suite, sinon nous raterons le début. Je vous achèterai une casquette des Yankees.

Quel homme surprenant ce Spencer ! Grâce aux contacts des œuvres de la police, il leur avait obtenu des places fort bien situées, juste derrière la première base. Il avait dû s'en occuper à l'avance. Pourquoi ne lui en avait-il pas parlé plus tôt ?

On était en avril et il faisait un vent glacial. Lily, malgré ses épaisseurs de vêtements, frissonnait. Quand il s'en aperçut, Spencer lui donna son blouson de policier avec écrit NYPD dans le dos. Un blouson si beau que l'affreux derrière eux, qui n'arrêtait pas de hurler et de cracher, tapa sur l'épaule de Spencer.

— Il est génial, ton bomber ! Où tu l'as dégoté ?

— À la police de New York, répondit Spencer en sortant son badge.

Lily éclata de rire et quand Spencer se retourna, elle vit qu'il riait, lui aussi. Oui, Spencer riait ! Elle voyait même ses dents !

Mais elle continuait de frissonner, malgré le beau blouson.

— Vous avez toujours froid ? s'inquiéta Spencer et quand elle hocha la tête, il lui passa un bras autour des épaules.

Elle se lova doucement contre lui.

Quand elle se leva d'un bond pour applaudir, le bras la lâcha. Elle fit la vague avec la foule et chanta *Take Me Out to The Ballgame* et *We Will Rock You* avec son haleine qui dessinait de petits nuages dans le vent glacial d'avril.

Les Yankees égalisèrent à la fin de la neuvième, tous les spectateurs se dressèrent, Lily et

Spencer aussi, et quand elle se tourna vers lui, rayonnante de joie, elle vit qu'il la dévisageait.

— Qu'est-ce qu'il y a ?

En guise de réponse, il se pencha et l'embrassa, comme ça, au milieu de la liesse générale. Et il avait les lèvres les plus chaudes, les plus tendres du monde. Oui, Spencer Patrick O'Malley, inspecteur de police, avec son Glock 26 dans son holster, quarante-trois ans, l'avait embrassée avec des lèvres d'ado, une ardeur d'ado et Lily, que personne n'avait embrassée depuis plus d'un an, leva le visage vers lui, se colla contre lui et passa la main derrière sa tête, pour se serrer contre lui. Et elle se fichait pas mal que les Yankees gagnent ou perdent, mais quand ils finirent par l'emporter, elle ne rêva que d'une chose, que Spencer l'embrasse à nouveau et il le fit. La joie inonda son cœur et parcourut ses veines affaiblies par la chimio.

Et pendant tout le trajet en métro jusque chez elle, *We will/we will rock you* ne cessa de résonner à ses oreilles.

Elle ne savait pas comment lui demander de rester. Elle se sentait asexuée. Moche. Vieille, même. Voyons, ils s'étaient laissés emporter par la fièvre générale. Qui ne se serait embrassé dans un moment pareil ? Comme lors de la victoire finale, même si ce second baiser délicieusement long lui avait coupé le souffle.

Et elle fut stupéfaite qu'il monte avec elle. Elle n'avait même pas eu besoin de le lui proposer.

Il s'assit à côté d'elle.

— Vous devez être fatiguée. La journée a été longue.

Elle ne dit rien.

Il attendit.

— Je n'ai pas envie de partir...

— Je ne veux pas que vous partiez.

Il prit son visage entre ses mains et l'embrassa longuement, puis il la souleva dans ses bras et l'emporta dans la chambre. Il s'assit sur le bord du lit, la posa debout devant lui, entre ses jambes. Il déboutonna son chemisier, l'enleva, son jean aussi. Elle se retrouva en string et en soutien-gorge noirs transparents. D'une main, il dégrafa le soutien-gorge et le laissa tomber par terre. Elle resta devant lui, en string, la pointe de ses seins au niveau de son menton pendant qu'il lui caressait tout le corps. Il respirait fort, elle retenait son souffle.

— Spencer...

— Attends.

Il se déshabilla puis il l'allongea sur le lit et se coucha sur elle en se soutenant sur ses coudes et ses genoux de crainte de l'écraser.

— J'ai peur de te faire mal.

— Mon Dieu, n'aie pas peur, je t'en prie...

Et pendant qu'à la radio passaient Nina Simone, Johnny Cash, Peter Paul and Mary et bien d'autres, Spencer lui fit l'amour aussi vigou-reusement que le permettait sa fragilité. Elle sentit son corps ressusciter sous ses caresses. Et quand il s'endormit, épuisé, Lily, comblée et incapable de dormir, songea que si cette journée devait être la dernière de sa vie, elle n'aurait aucun regret.

Elle avait vécu aujourd'hui. Elle avait mangé des hot-dogs et bu du Coca, elle avait hurlé, applaudi, trépigné, crié de joie et ri.

Spencer l'avait embrassée. Il l'avait aimée. Il l'aimait. Elle l'aimait. L'air embaumait le printemps. Il lui avait murmuré « Lily, tu es si belle... » et elle se sentait de nouveau jolie, de nouveau jeune, de nouveau femme. C'était un jour parfait.

Oui, Spencer lui avait offert le jour qu'elle rêvait de vivre avant de mourir.

50

Le mois des fous

Lily n'en revenait pas de son bonheur. Elle avait fait l'amour ! Elle aurait voulu le crier sur les toits, l'annoncer à tous ceux qu'elle croisait dans la rue. Elle aurait voulu faire l'amour les fenêtres ouvertes, les stores relevés. Ou dans l'escalier, dans la rue, dans le bus, dans le métro.

— J'ai fait l'amour ! annonça-t-elle à Paul, quand elle se précipita au salon, le lundi, pour sa couleur.

— C'est vrai ? Félicitations ! Tu entends, Maria ? s'écria-t-il à travers le salon. Notre Lily a fait l'amour !

— C'est pas vrai ? Mais avec qui !

— On s'en fiche, la gronda Paul. C'est pas ça l'important.

Et quand Rachel arriva à son tour, Lily n'eut pas le temps d'ouvrir la bouche que Paul lui avait déjà tout raconté.

— Quoi, tu as couché avec un homme de quarante ans ! s'exclama son amie d'un ton sceptique. Je ne savais pas que c'était possible.

— La preuve.

— Et c'était bien ?

— Génial, évidemment ! Pourquoi ?

— Je ne sais pas. Je croyais qu'à cet âge les hommes n'étaient plus très performants.

— D'où tu sors une bêtise pareille ?

— J'ai dû lire ça dans *Cosmo*. Un problème de libido, je crois. Il paraît qu'ils ne peuvent plus bander.

— Le frère de Lily y arrivait encore, apparemment ! lâcha Paul.

— Mais pourquoi faut-il que vous gâchiez toujours tout ! protesta Lily.

— Alors raconte, gloussa Rachel. Comment tu t'es débrouillée ? Tu l'as envoûté ?

— Il suffit d'avoir une maladie mortelle, répondit Lily avant de s'en aller, les ongles des pieds et des mains faits, les jambes épilées, ses cheveux rehaussés d'éclats cuivrés.

Il avait dormi chez elle et passé le dimanche entier en sa compagnie. Ils avaient commandé un repas chinois, qu'ils avaient mangé au lit, et ne s'étaient levés que le temps de voir un film dans la pièce à côté, elle ne se souvenait plus de ce que c'était. Puis le soir, il était rentré chez lui car il travaillait le lendemain.

Et on était le lendemain. Elle passa devant le commissariat avec l'envie d'aller lui dire bonjour, ou au moins de le biper mais préféra vite rentrer chez elle voir si elle avait des messages. Depuis quand s'intéressait-elle tant à son répondeur ? Depuis qu'elle avait recommencé à faire l'amour !

Et il avait laissé un message ! Même sa voix avait changé, elle semblait plus grave, plus rauque, c'était une voix qui avait fait l'amour avec elle.

« Salut ! » disait-il. Lily adora cette familiarité. Même pas « C'est moi ». Juste Salut. « Salut. Où es-tu ? Décroche. Je pars toute la journée dans le New Jersey et ce soir je serai à Washington Heights. Je te rappellerai plus tard. »

Elle passa sa journée à côté du téléphone. Elle n'osa même pas écouter de la musique de peur de ne pas entendre la sonnerie. Elle vérifia trente-six fois que l'appareil était chargé et branché, et que toutes les lumières étaient vertes.

Quand il sonna, elle était à la salle de bains, évidemment, et quand elle décrocha ce fut avec le « Allô » le plus impatient de sa vie.

— C'est grand-mère. Comment vas-tu ?

La communication dura dix minutes. Lily espéra que le signal de double appel fonctionnait. Elle reprit ses pinceaux, ses crayons. Mais il ne lui venait à l'esprit que des corps nus, des corps virils et musclés, à la taille mince. Ou leurs mains entrelacées au plus fort de leurs ébats. Ou deux grandes mains masculines crispées sur ses mollets. Les lèvres divines de Spencer entrouvertes, impatientes. Elle ne pourrait pas vendre ces toiles dans la rue, le samedi après-midi, alors que les New-Yorkais se promenaient en famille. Elles étaient presque pornographiques.

Presque ?

À sept heures, alors qu'elle finissait de dessiner

une cuisse d'homme, elle entendit frapper bruyamment à sa porte. Elle se leva d'un bond, puis se força à ouvrir d'un air calme, mais elle haletait et il se tenait là, devant elle, souriant. Oui, souriant.

— Salut !

— Salut !

— Tu avais dit que tu m'appellerais, lâcha-t-elle, incapable de se retenir.

Il parut étonné.

— J'ai passé la journée avec Gabe, je ne pouvais pas te parler.

— Tu as oublié ta clé ?

Il secoua la tête.

— Tu ne l'as peut-être jamais remarqué, mais je frappe toujours avant d'entrer.

— Ah bon !

— Dis-moi, as-tu faim ?

— Je suis affamée.

— Moi aussi.

Et soudain, ils se retrouvèrent allongés sur le canapé, lui couché, tout habillé, sur elle, complètement nue.

Puis ils se firent livrer à dîner, et éclatèrent de rire en voyant la tête de Pedro, le livreur de l'*Odessa*, quand Spencer lui ouvrit, à moitié nu.

Ce soir-là, Spencer rentra chez lui à minuit.

— Je dois être au commissariat à sept heures, et de toute façon, je ne peux pas faire ça toute la nuit, Lily, je suis un vieil homme.

Le lendemain, il téléphona alors qu'elle était sous la douche pour lui dire qu'il rentrerait tard, qu'il la rappellerait, mais elle attendit en vain. À minuit, elle entendit la clé tourner dans la serrure, puis Spencer traverser le salon dans le noir jusqu'à sa chambre. Il s'agenouilla près d'elle ; elle lui ouvrit les bras. Il rentra chez lui à trois heures du matin.

Elle n'avait connu que des gamins avant lui. Des garçons impatients, maladroits, qui n'avaient jamais pensé qu'à leur plaisir.

— Tu me fais perdre la tête, dit-elle un soir alors qu'ils venaient, une fois encore, de faire l'amour. Je crois que j'ai oublié de prendre mon médicament, lundi, et je ne suis pas allée faire mes analyses, hier.

— Oh, non !

— Heureusement qu'ils ont téléphoné.

— Et qu'est-ce que tu vas faire ?

— J'irai demain.

Mais elle n'avait aucune intention de reprendre son traitement. Elle avait décidé de ne pas penser à son cancer cette semaine.

— Qu'est-ce que tu as fait lundi pour oublier.

— Euh... je suis allée me faire vernir les ongles...

— C'était vital, bien sûr.

— Une coloration...

— Essentiel...

— Et une épilation brésilienne.

Il se rallongea sur elle.

— Ça, j'avais remarqué !

— Je croyais que tu ne t'en étais pas aperçu. Tu n'as rien dit.

— Hum... c'était difficile de l'ignorer. Et je

croyais que mes assiduités suffisaient à le prouver.

Le jeudi, elle rendit visite à sa grand-mère, comme d'habitude, car elle ne voulait surtout pas que sa famille s'inquiète à son sujet. La vieille dame lui proposa de rester à dîner et Lily accepta pour lui faire plaisir. Spencer l'appela sur la ligne de l'appartement.

— Comment as-tu trouvé ce numéro ? dit-elle en rougissant, très flattée qu'il l'ait cherchée jusque-là.

— Ça fait partie de mon boulot. Je passe te prendre ?

— Attends...

Sa grand-mère sauterait au plafond si elle la voyait monter dans sa voiture.

— Dans une heure ?

— Non, Spencer, attends.

— Lily, tu viens ? cria sa grand-mère dans la pièce à côté.

— Elle ne me lâchera jamais, soupira Lily.

— Moi non plus, répondit Spencer avant de raccrocher.

— Lily ! Tu as perdu la tête ? À quoi tu joues, bonté divine !

En une matinée, sa grand-mère avait ameuté tout le monde, oui, vraiment tout le monde, car même son amie coréenne Soo Min appela Lily pour lui faire la leçon.

— Comment crois-tu que ton frère réagira quand il saura que tu sors avec l'inspecteur Javert ?

— Tu dramatises toujours, grand-mère !

— Je ne crois pas.

— Surtout que mon frère est mal placé pour donner des leçons aux autres, tu ne penses pas ?

Après lui avoir dit et répété qu'elle trouvait sa conduite scandaleuse, sa grand-mère lui demanda de ne plus venir le jeudi.

— Une fois de plus, je suis la seule à mal me tenir ! Vous êtes tous des saints dans la famille. Finalement, je suis de ton avis, grand-mère, il vaut mieux que je ne vienne plus pendant quelque temps.

— As-tu pensé à appeler ta mère ?

— Inutile, c'est elle qui m'a téléphoné. Et elle m'a envoyée au diable après m'avoir raconté une histoire sordide de fille qui mourait après avoir été maudite par sa mère.

— Tu n'as pas le droit de la critiquer. Tu ne sais pas ce qu'elle a traversé.

Ils se trompaient tous pour Spencer. C'était un homme bien.

Le soir où il était venu la chercher à Brooklyn, il était allé se garer aux docks de Greenpoint, face aux lumières de Manhattan et ils avaient fait l'amour sur la banquette arrière de sa Buick, comme deux gamins, pendant que Bruce Springsteen chantait *Ramrod* à la radio.

Le vendredi soir, Spencer alla en Pennsylvanie récupérer deux jumeaux de douze ans enlevés par leur père pour les rendre à leur mère. Il l'avait prévenue qu'il rentrerait directement chez lui, le soir, mais qu'il la rejoindrait à sa vente, le samedi. Elle écoula ses tableaux érotiques jusqu'au dernier (en un temps record, devait-elle reconnaître), et attendait assise devant sa table vide lorsqu'elle décida de se dessiner ainsi. Une jeune femme en minijupe lui acheta l'esquisse avant qu'elle ne soit terminée. Puis elle demanda à Lily de la dessiner. Et quand Spencer arriva, il la trouva en plein travail.

— Tu vois, tu me forces à faire des heures supplémentaires, le taquina-t-elle d'un ton faussement plaintif, mais il se précipita sur elle et l'embrassa avec une telle fougue qu'elle en lâcha son crayon. Et elle offrit le dessin à sa cliente.

La semaine suivante, elle dessina une dizaine de versions de l'homme en jean qui embrassait à pleine bouche la jeune fille au chemisier blanc, assise sur sa chaise, le visage levé vers les cieux. Elles furent vendues en quelques minutes.

Le samedi soir, ils se mirent sur leur trente et un et allèrent dîner à l'*Union Square Café*, où ils commandèrent des calamars, du rôti cocotte, et de la charlotte aux pommes.

— Prendrez-vous un apéritif ? proposa le serveur.

Spencer commanda deux Cosmos et Lily avait encore la tête qui tournait quand ils rentrèrent du cinéma. Et ils firent l'amour avec passion.

Le lendemain soir, lors de leur traditionnelle soirée vidéo, il la déshabilla dès le début de *Moonstruck* et la caressa une bonne moitié du film avant de lui faire l'amour. Elle n'entendit rien de ce que disaient Nicolas Cage et Cher, uniquement captivée par les mots tendres que lui susurrait Spencer. Il rentra chez lui le dimanche soir. Et le lundi, elle se traîna jusqu'au Mount Sinai, où on lui rappela sans ménagement tout ce qu'elle avait oublié pendant cette semaine d'euphorie, c'est-à-dire que ses neutrophiles, ses plaquettes, ses globules rouges et blancs étaient lentement détruits par l'Alkeran qui la maintenait néanmoins en vie. On lui fit une injection de Vépécide et d'antiémétique pour calmer ses nausées. Il ne fallait plus qu'elle oublie son Alkeran, et le Vépécide la fatigua tellement qu'elle alla directement se coucher en arrivant chez elle. Elle ne se réveilla que le lendemain matin, avec l'impression de se désagréger de l'intérieur. Et elle se sentait de nouveau asexuée. Comme son bonheur avait été de courte durée ! songea-t-elle en vomissant dans les toilettes.

Elle décida d'arrêter l'Alkeran. Il ne changeait rien à sa numération sanguine et détruisait sa vie sexuelle. C'était soit le cancer, soit le sexe. Elle choisit les deux.

Et là, miracle ! Ses plaquettes remontèrent la semaine suivante à cent cinquante, sans médicaments ! Les globules blancs n'étaient pas élevés, les rouges presque normaux. DiAngelo, très impressionné par les résultats et les joues rouges de Lily, la félicita chaleureusement.

Elle sortit de l'hôpital, par la 66e Rue, rejoignit la Cinquième Avenue, passa devant la cathédrale Saint Patrick et sa chambre des larmes sans s'arrêter. Elle n'avait pas la patience d'attendre d'être rentrée chez elle pour appeler Spencer, et le bipa alors qu'elle traversait une rue bruyante, près de l'Empire State Building. Comme il ne la rappelait pas, elle le sonna encore cinq minutes après.

— Tu sais quoi ? s'écria-t-elle quand il la rappela enfin. Je suis guérie.

— Vraiment ?

— Oui, guérie !

— Excellente nouvelle. Merci de m'avoir prévenu.

— Toutes mes analyses sont bonnes. Finie la chimio, Spencer. Tu te rends compte ? Fini l'Alkeran. Finies la fatigue, les nausées, la mauvaise mine.

— Je comprends.

— Où es-tu ?

— En voiture.

— Dans ta voiture de police ?

— Oui.

— Tu es seul ?

— Non.

— Je vois.

Elle était presque hors d'haleine, mais folle de joie, heureuse, l'humeur espiègle.

— Imagine que tu sois seul dans ta voiture et que tu me voies dans une tenue... disons indécente sur la voie publique, tu m'arrêterais ?

— Oui.

— Et tu me plaquerais les mains dans le dos, tu me forcerais à me coucher sur le capot de ta voiture.

— Eh bien, c'est parfait, merci d'avoir appelé.

— Et tu remonterais les mains le long de mes cuisses...

— Si, sincèrement, cela me sera très utile. N'hésitez pas à me contacter si vous avez d'autres informations.

— Parce que, monsieur l'inspecteur, je dois vous avouer que je n'ai pas de culotte sous ma minijupe...

— Merci, bonne journée à vous aussi.

Il raccrocha au nez de Lily, hilare.

— Quel bon acteur tu fais, O'Malley! s'esclaffa Gabe, qui conduisait. Mais tu n'espères quand même pas tromper un inspecteur de la criminelle avec ton petit manège ?

— Je vois que rien ne t'échappe, McGill, répondit Spencer, essayant de reprendre ses esprits.

Ils remontaient à pied vers la Cinquième Avenue pour aller déjeuner, lorsque Gabe reconnut Lily dans une cabine téléphonique. Elle leur tournait le dos

— Ce n'est pas ton amie ?

Au même moment, le bipeur de Spencer sonna. Gabe haussa les sourcils. Spencer regarda le message. C'était juste écrit : Arlequin.

Il fit signe à Gabe de ne pas faire de bruit, poussa son holster en arrière de peur de la cogner avec, arriva sans bruit derrière elle et l'attrapa par les hanches en disant :

— C'est très, très vilain ce que vous faites.

Comme il s'y attendait, elle se retourna,

affolée, en poussant un cri, avant d'éclater de rire en les reconnaissant.

— N'est-ce pas illégal d'effrayer de jeunes citoyennes ? Bonjour, inspecteur McGill.

— Bonjour, Lily. Je suis ravi de vous revoir.

— Vous allez déjeuner chez *McCluskey's* ?

— Oui, voulez-vous vous joindre à nous ? Vous venez d'appeler l'inspecteur O'Malley. Tout va bien, j'espère ?

Elle échangea un clin d'œil avec Spencer.

— Tout va bien, merci. Mais je ne voudrais pas vous retarder. Vous devez être pressés.

— En effet. Tu viens, O'Malley ?

Mais Spencer dévorait Lily des yeux.

— Gabe, tu me donnes une minute ? Je te retrouve là-bas.

Gabe lui tapa dans le dos.

— Si on se retrouvait plutôt à deux heures au bureau. Il faut qu'on soit à Trenton à trois heures et demie, alors ne sois pas en retard.

Dès que Gabe eut disparu, Lily se serra contre Spencer et il lui passa le bras autour de la taille. Quand Gabe se retourna au moment d'entrer chez *McCluskey's*, Lily, avec sa minijupe en jean et son petit haut court, disparaissait complètement dans les bras de Spencer qui l'embrassait comme si la guerre venait de se terminer.

Chaque samedi, elle se faisait conduire, avec ses peintures de la semaine, jusqu'à la 8e Rue où, parfois, une demi-douzaine de clients l'attendaient, impatients de voir ce qu'elle avait réalisé.

Ses toiles ne représentaient plus qu'elle et

Spencer. On les voyait dévorant des gaufres au lit ou déjeunant à l'*Odessa*, se promenant dans Tompkins Square, mangeant une glace au coin de la 9e Rue et de l'Avenue C, dégustant un hot-dog dans le petit square au pied des Twin Towers.

Les tableaux où ils s'embrassaient partaient toujours les premiers. Lily en fit de plus en plus. Chaque fois, ils disparaissaient jusqu'au dernier, même la semaine où elle en dessina vingt-sept.

— Je suis ravi que tu m'immortalises, remarqua Spencer, mais tu n'as pas peur que je retrouve un jour mon portrait accroché à Wall Mart entre la papeterie et les cotillons ?

— Et pourquoi pas près de la quincaillerie ?

Elle peignit Spencer qui l'embrassait dans le cou, par-derrière, près de sa voiture de police dont les lumières clignotaient. Spencer lui embrassant les mains dans leur box de l'*Odessa*, Spencer et elle, enlacés devant les tulipes d'avril, dans les rues de New York. Lily, assise sur ses genoux, sur un banc de Central Park, ses bras passés autour de son cou, leurs lèvres soudées.

— Dis-moi, coquine. J'espère que tu ne me peins pas tout nu, quand même ? Il ne faut pas exagérer !

Elle lui montra une toile où on le voyait nu, debout devant elle, assise au pied de leur lit. On le voyait de face, elle, de dos, les yeux et les seins levés vers lui. Le tableau dégageait un tel érotisme, qu'elle l'avait caché derrière les autres. Spencer en eut le souffle coupé.

— Voilà à quoi tu t'occupes pendant que je travaille ? Tu fais ça de mémoire ? C'est incroyable ! Je croyais que les artistes avaient besoin d'avoir leur modèle devant eux ? Et moi, pauvre mortel, qui me croyais protégé !

— Pas de moi. Ton corps nu est gravé dans mon esprit.

— Et tu es forcée de me voir nu à ce point-là ? s'esclaffa-t-il d'une voix enrouée par le désir.

En ce délicieux mois d'avril, Lily connaissait le bonheur et le dispensait largement autour d'elle.

Ils étaient couchés. Elle le dévisageait tout en effleurant ses lèvres, son visage du bout des doigts.

— Spencer ?

— D'accord ? Tu peux parler mais à condition de ne pas arrêter tes caresses.

— Parle-moi de Mary.

— Oh, non ! Mais qu'est-ce que tu veux savoir ?

— Tu... tu la vois toujours ?

Elle n'en revenait pas d'avoir pu poser la question. Et si elle découvrait qu'elle n'était qu'une aventure ? Qu'une passade ? Cette pensée l'angoissait trop. Il fallait qu'elle sache la vérité même si elle ne savait pas ce qu'elle ferait s'il lui donnait la mauvaise réponse.

— Non.

Elle poussa un tel soupir de soulagement qu'il éclata de rire.

— Tu es drôle, toi ! dit-il en lui couvrant le visage de baisers. Je ne peux avoir qu'une femme à la fois. Je ne peux pas mener une vie aussi compliquée que ton frère.

— Oh, que je suis contente ! Et quand as-tu cessé de la voir ?

— Début mars.

— Tu la voyais encore en mars ?

Pourquoi cette nouvelle la surprenait-elle si désagréablement ?

— Oui, plus ou moins, dit-il en la prenant dans ses bras. Elle était mon assurance contre les complexités d'une certaine Lily.

— Qu'est-ce que tu veux dire ?

— Je ne voulais pas me laisser déstabiliser inopinément par tes petits seins pointus que tu affichais sans vergogne, pour m'attirer dans ton lit, expliqua-t-il en lui mordillant le bout d'un mamelon.

— Spencer !

— Quoi ? Tu étais si vulnérable, si malade, si fragile. Parfois, je souffrais à la seule idée de venir te voir. Alors tu imagines quand je m'asseyais à côté de toi sur le canapé. La chair est faible, Lily. Je ne voulais pas qu'un obscur désir assombrisse mon jugement. Il était déjà assez obscurci comme ça.

— Tu as continué à coucher avec Mary pour éviter que ton jugement ne soit obscurci par ton désir de coucher avec moi ?

— Tout à fait.

— Et pourquoi as-tu changé d'avis ?

— J'en avais vraiment trop, trop envie, Lily.

Elle voulait se nourrir de lui. Elle voulait sentir ses bras autour d'elle, elle voulait lui prendre son humour, son sang irlandais, ses lèvres, son cœur, tout son être, son âme. Elle voulait lui dire tant de choses et ne pouvait trouver les mots. Alors elle le serrait à l'étouffer en espérant que ce serait plus éloquent que n'importe quelle parole.

Elle n'avait jamais imaginé qu'elle tomberait amoureuse à ce point de Spencer. Ce n'était pas un coup de foudre, c'était un raz de marée !

51

Retour des Affaires internes

On le demandait encore en haut. Il ne comprenait pas. Il y avait des mois qu'il ne s'intéressait plus à l'affaire McFadden et Harkman était définitivement hors circuit. Alors pourquoi le rappelait-on dans l'antre du lion ?

Il s'assit, bras et jambes croisés. Il n'avait même pas salué Liz Monroe et ses sbires d'un signe de tête en entrant dans la pièce.

Elle réagit aussitôt à cette marque ostensible d'hostilité.

— Nous ne sommes pas des ennemis, inspecteur O'Malley.

— J'ai du travail qui m'attend. Vingt-cinq cas de disparition tous plus pressants les uns que les autres.

— Nous devons aussi faire notre travail, rétorqua-t-elle. Notre rôle est d'enquêter sur les plaintes de corruption ou de fautes professionnelles graves portées contre nos collègues.

— Je sais ce que vous faites, mademoiselle Monroe. Avez-vous de nouveaux témoins ? Avez-vous reçu de nouvelles preuves dont vous aimeriez me parler ?

— Oui.

— Je vous écoute.

— Inspecteur, une Firebird Pontiac, correspondant à la description de votre voiture, a été aperçue, tard dans la nuit, à la gare d'Old Greenwich. Vous n'allez pas me dire que c'est une simple coïncidence si votre voiture était garée à trois kilomètres à peine de chez Nathan Sinclair, juste avant qu'on ne le retrouve mort ?

Il éclata de rire et secoua la tête.

— Mademoiselle Monroe, vous ne parlez pas sérieusement, j'espère ? Accompagnez-moi à la gare d'Old Greenwich et je vous montrerai au moins une quinzaine de Firebird comme la mienne.

— Le parking était vide à ce moment-là. C'était en pleine nuit.

— Aucun parking de Long Island n'est jamais vide, même la nuit, mais peu importe. En revanche, je suis sûr qu'en cherchant bien, vous finirez par trouver quelqu'un qui aura vu une Firebird à la station-service, au restaurant du coin ou sur le parking du supermarché. Allons, mademoiselle Monroe, j'ai du travail.

— Le témoin qui nous a donné cette information ne savait pas que vous possédiez une Firebird, inspecteur. Mais comme il tient une carrosserie dans les environs, il s'y connaît en voitures. Il n'a fait que décrire ce qu'il a vu sur le parking cette nuit-là.

— Peu importe, mademoiselle Monroe. Ça ne change rien à ce que je vous ai dit. Parce que, quoi que votre carrossier ait vu à la gare, ma Firebird roulait sur la route de Long Island, ce soir-là, à minuit. Et si votre témoin avait vu une

Firebird sombre passer sur l'Interstate 95, également à trois kilomètres de chez Nathan, vers minuit, là, ça pouvait être moi.

Il faillit ricaner mais se retint à temps. Elle était déjà bien assez mauvaise !

— Et de qui viennent tous ces renseignements ? demanda-t-il.

Elle continua à écrire fébrilement sans répondre, et le laissa finalement partir. Spencer ne se faisait pas d'illusions. Maintenant qu'ils avaient commencé à fouiner, ils ne le lâcheraient que lorsqu'ils auraient quelque chose à se mettre sous la dent.

52

Échec à la première épreuve

On était le 14 mai, un jour déjà douloureux en lui-même. En plus, Lily ne se sentait pas très bien. La veille, un samedi, Spencer s'était montré pour le moins morose. C'est vrai que, mis à part le jour où il l'avait invitée au match de base-ball, le samedi était un mauvais jour pour lui. Lily était allée vendre ses toiles au Village. Elle avait passé sa semaine à peindre Emmy et avait vendu une superbe huile d'elle sept cents dollars. D'ailleurs même son acheteuse s'en était étonnée :

— Pas de scène d'amour, cette semaine ?

Si, l'amour d'Emmy, aurait-elle voulu répondre.

Elle était allée ensuite déjeuner avec Paul et Rachel. Et ils avaient parlé de Jan McFadden à qui Lily n'avait pas eu le courage de téléphoner.

Et le dimanche soir, au lit, Lily avait fondu en larmes dans les bras de Spencer.

— Spencer. Réponds-moi honnêtement. Que dis-tu à Mme McFadden quand elle te demande si Emmy est encore en vie ?

— Elle ne me pose jamais cette question.

— Jamais ?

— Jamais.

— Eh bien, moi, je te la pose.

— Non, je t'en prie.

— Si, réponds-moi.

— Je pense qu'elle est morte. Oui, elle est morte depuis le 14 mai dernier.

— Oh, Spencer !

Spencer l'embrassa, la serra contre lui.

— Mme McFadden doit le sentir, au fond de son cœur, elle aussi, reprit-elle. Le mois dernier, à l'anniversaire des jumeaux, elle n'a pas arrêté de pleurer. Nous ne savions plus quoi faire. Son mari n'en peut plus, tu sais.

Spencer ne dit rien pendant un long moment, pris de court. Allongée contre lui, elle ne pouvait voir son visage. Et elle était tellement plongée dans ses pensées qu'elle ne remarqua pas son silence.

Lily avait vu Jan McFadden et ne lui avait rien dit !

Il respira profondément. Il se souvint de ce dimanche matin où il lui avait trouvé les yeux bouffis. Elle avait fui son regard, comme elle le faisait souvent quand il était question d'Andrew. Sur le moment, il n'avait pas compris pourquoi.

Mais maintenant...

— Jim s'inquiète pour elle, répondit-il enfin. Et la dernière fois que je l'ai eu au bout du fil, ça n'allait pas du tout. Il était au bout du rouleau.

— Oui, je l'ai senti.

Elle était donc allée chez eux pour l'anniversaire des jumeaux. Cela n'avait rien de répréhensible, au contraire. Pourquoi le lui avait-elle caché ?

Qu'avait-elle découvert de si contrariant sur son frère pour ne pas oser lui en parler ?

Il resta allongé à son côté sans rien dire. Que faire ? Lui aussi avait du mal à parler de ce qui le préoccupait. Et si Lily avait laissé échapper qu'elle avait revu Jan McFadden, c'était parce qu'ils venaient de faire l'amour, qu'elle se sentait en sécurité dans ses bras et qu'elle avait baissé sa garde. C'était en fait à Spencer qu'elle venait de confier par inadvertance un secret qu'elle cachait depuis six semaines à l'inspecteur O'Malley.

Il se leva, alla boire un verre d'eau et resta penché sur l'évier, à se creuser les méninges.

Elle vint le rejoindre quelques minutes plus tard, intriguée.

— Qu'est-ce qui ne va pas ?

— Rien.

Il finit son verre.

Il la dévisagea et détourna les yeux. Puis il retourna se coucher.

— Spencer ?

— Oui.

Ils s'endormaient, tendrement serrés l'un contre l'autre.

— Que fais-tu les week-ends où je ne te vois pas ? Où vas-tu ?

Spencer recula, elle le sentit se crisper.

— On ne pourrait pas passer cinq minutes tranquilles sans que tu gâches tout ! grommela-t-il.

Elle s'assit, incapable de poursuivre cette discussion confortablement allongée.

— Pourquoi me fais-tu des cachotteries ? C'est vrai, qu'est-ce que tu penserais à ma place ?

— Parce que toi, tu ne me caches jamais rien ?

Son regard intense la troubla.

Et sans attendre sa réponse, il se leva et s'habilla.

— Tu t'en vas ?

— Je rentre chez moi.

— Pourquoi prends-tu la fuite dès que je m'intéresse à toi ?

— Non, juste quand tu abordes cette question. Pourquoi ne pas accepter que je refuse d'en parler. Toi aussi, tu as des choses que tu préfères garder pour toi.

— Quoi, par exemple ?

— Je ne sais pas justement. À toi de me le dire.

Son cœur s'emballa.

— De quoi tu parles ?

— De rien, ce n'est pas grave.

— Tu veux parler d'Andrew ? Mais ça n'a rien à voir. Ça ne concerne pas notre relation. Ça, oui.

— Non.

— Explique-moi, je peux comprendre. Tu es marié ?

— Tu penses que j'avais caché ma femme dans un placard quand tu es venue chez moi ? Pour quel étalon me prends-tu ? Toi, Mary, une épouse... où trouverais-je le temps de travailler ?

— Pourquoi te fâches-tu ?

Il s'assit sur le bord du lit, habillé de pied en cap.

— Écoute-moi bien. Je ne veux plus jamais aborder ce sujet. Toi aussi, tu as tes petits secrets. Mais rassure-toi, ce que je fais certains de mes week-ends n'a rien à voir avec nous deux.

— C'est bien ce que je craignais.

— Mais puisque je te répète que ça n'a aucun rapport avec toi et moi !

— Dans ce cas, pourquoi ne pas me le dire ?

— Pourquoi insistes-tu ? Nous étions bien tranquillement couchés l'un contre l'autre, heureux, ou du moins le croyais-je. Et toi, pendant ce temps-là, tu guettais l'instant propice pour lancer la conversation sur un sujet que je refuse d'aborder, tu le sais très bien. Tiens, si je te disais que ce n'est pas le genre de question à me poser alors que je viens de te faire l'amour, pourrais-tu le comprendre ? Choisis donc un autre moment.

— J'ai compris, répondit-elle d'une petite voix.

Il se leva.

— Non, tu n'as pas compris. Je n'ai pas envie de t'en parler. Ça ne te regarde pas. Et rien de ce qu'il y a entre nous ne t'autorise à m'interroger ni à attendre une réponse. Rien.

— Et toi, quand tu m'interroges sur mon frère ? explosa-t-elle. Y a-t-il quoi que ce soit entre nous qui t'y autorise ?

À peine eut-elle prononcé cette phrase qu'il se ferma.

Il recula d'un pas ; elle retomba sur l'oreiller.

— C'est un comble ! Ce n'est pas moi qui ai lancé cette discussion. Je n'ai fait aucune allusion à ton frère que je sache ! Vraiment, tu exagères !

Et il était parti, furieux, à une heure du matin.

53

Flic avant tout

Spencer avait le choix entre trois attitudes. Il pouvait retourner chez Lily et insister pour qu'elle lui dise ce qu'elle savait. Ce ne serait pas long. Elle était si malléable. Mais il ne se le pardonnerait jamais. Ou il pouvait aller voir Jan McFadden, en feignant de ne pas être au courant de la visite de Lily. Il s'en voudrait aussi, mais moins. Ou il pouvait ne rien faire du tout. Et feindre de n'avoir rien entendu, de s'en moquer. Ce qui ne lui convenait pas non plus.

Il rendit donc visite à Jan McFadden et la trouva plus déprimée que jamais. Jim menaçait de la quitter en emmenant les enfants. Ils parlèrent de choses et d'autres. De Paul, de Rachel, de Lily. Oui, Lily allait beaucoup mieux. Jan avait dû le remarquer quand elle était venue la voir. Qu'avaient-ils fait ce jour-là ? Ça s'était bien passé ?

C'était le matin et Jan était toujours en peignoir. Elle dut se sentir en confiance avec lui car elle posa deux verres et une bouteille de Chivas sur la table devant eux.

— Inspecteur, je peux nous faire du café, mais ça ne me dit plus rien, le matin. C'est si dur quand les enfants sont à l'école et Jim au travail.

Je tourne en rond dans la maison. Vous me tenez compagnie ?

Spencer déglutit péniblement.

— Je dois reprendre la voiture, Jan. Mais ne vous gênez pas pour moi.

— Juste une goutte. Pour ne pas me laisser boire toute seule.

— Bon, juste une goutte, alors.

La conversation glissa sur Emmy. De fil en aiguille, Jan en vint à parler du jour où Emmy était revenue, des fleurs de cerisier dans les cheveux, en fredonnant *Mighty Quinn*, trois ans auparavant.

Spencer rentra directement chez lui, et s'assit devant sa bouteille de whisky, en se demandant quelle décision il devait prendre. Vu de l'extérieur, il avait le choix. Il pouvait ne rien faire du tout, ne plus s'occuper du frère de Lily, classer le dossier, et abandonner à son triste sort une mère qui gâchait sa vie et celle de ceux qu'elle aimait, faute de pouvoir faire le deuil de sa fille.

Il passa une nuit blanche à dessouler, sans répondre aux messages qu'avait laissés Lily. Et le lendemain matin, à huit heures, il filait avec Gabe McGill à Port Jefferson et franchissait le barrage des agents de sécurité qui gardaient la porte de l'honorable député.

— Bonjour, monsieur le député, dit-il. Je vous présente l'inspecteur Gabe McGill, de la criminelle. Pouvons-nous entrer ?

Comme par enchantement, au seul mot de criminelle, Andrew leur ouvrit la porte en grand et serra même la main de Gabe.

— Cela fait des mois que je ne vous ai pas vu, monsieur l'inspecteur, dit-il à Spencer. Que puis-je faire pour vous ?

Spencer entra et, sans perdre de temps en politesses avec le député ni avec Miera, qui préparait le café dans la cuisine, se dirigea tambour battant vers le bureau, Andrew et Gabe sur ses talons.

— À quoi dois-je l'honneur de cette visite, monsieur l'inspecteur ? Je pensais que nous en avions terminé.

— Nous en aurons terminé lorsque vous me direz où est Emmy.

— Si je le savais... Mais en quoi puis-je vous aider ? Je vous sens au bord du désespoir.

Il décocha un sourire affable à Gabe qui se tenait devant son bureau, la mine patibulaire, les bras croisés.

— Jusqu'à hier, je pensais en toute bonne foi que vous aviez fait la connaissance d'Emmy par l'intermédiaire de votre sœur, il y a deux ans. D'après votre déposition, votre liaison n'aurait duré que quelques mois. Or, hier, la mère d'Emmy m'a laissé entendre que votre liaison avec sa fille remontait à trois ans au moins. Votre première rencontre devant votre sœur n'était donc qu'une comédie. Alors je vous pose la question une nouvelle fois. Depuis quand connaissiez-vous Emmy ?

— Je... je ne sais pas.

— Monsieur le député, intervint Gabe. Répondez à la question. Connaissiez-vous Emmy il y a trois ans ?

— Je... je ne comprends pas où vous voulez en venir. Je vous avais dit que je ne me souvenais pas. Ça durait peut-être depuis plus longtemps que ça, finalement.

— Monsieur le député ! hurla Gabe, à la stupéfaction de Spencer. Arrêtez de dire « je ne sais pas », c'est intolérable. Cette fille a disparu depuis plus d'un an. Alors cessez de vous dérober et de vouloir nous cacher la vérité !

Le visage d'Andrew exprimait la consternation la plus totale.

— Messieurs, messieurs...

Il leva les mains en l'air comme pour les calmer.

— Écoutez-moi, je vous en prie, reprit-il d'un ton conciliant. Nous avons joué cette comédie pour cacher notre liaison à Lily, c'est tout. C'est pour ça que nous avons fait semblant de ne pas nous connaître. Et si je me suis trompé dans les dates, il ne faut y voir aucune mauvaise intention.

— Qui a parlé de mauvaise intention ? demanda Gabe, les yeux plissés.

— Ce n'est pas la question que nous vous avons posée, reprit Spencer. Et je voudrais aussi comprendre pourquoi vous avez poussé Emmy à changer d'université.

— Comment ça ? Je n'y suis pour rien.

— Si ce n'est par vous, comment Emmy aurait-elle su que Lily suivait des cours d'art plastique à City College ?

— Nous parlions souvent de moi et de ma famille, c'est évident. Emmy savait beaucoup de

450

choses sur ma vie, inspecteur O'Malley. C'est normal, quand on a une liaison avec quelqu'un, on se confie. Et parfois, l'autre utilise ces informations contre vous ou vos proches. Si vous voyez ce que je veux dire, inspecteur ? ajouta-t-il d'un ton amer.

Spencer pâlit et recula d'un pas, incapable de prononcer une seule parole.

— Vous aviez l'impression qu'Emmy utilisait vos confidences contre vous ? finit-il par demander.

— Je n'irai pas jusque-là, mais j'ai été très contrarié quand elle a changé d'université et qu'elle s'est liée d'amitié avec ma sœur. Je lui ai même dit que c'était inconvenant. Que cela ne ferait que nous compliquer la vie. Hélas, elles avaient déjà emménagé ensemble.

— Vous ne lui avez jamais demandé pourquoi elle avait fait ça ?

— Bien sûr que si. Elle m'a dit que c'était pour être plus près de moi. Que son amitié avec Lily nous permettrait de nous voir plus souvent. Que ça régulariserait les choses, d'une certaine manière. Avec toutes mes responsabilités, il nous était parfois difficile de nous retrouver. Et par l'intermédiaire de Lily, nous avons pu nous voir plus souvent, tout en sauvant les apparences. Aux fêtes de famille, ou au restaurant, tous les trois, ou quand elles ont participé à ma campagne. Oui, cela nous a effectivement permis de nous voir plus fréquemment.

Spencer, incapable de démêler le vrai du faux, échangea un regard dubitatif avec Gabe.

— Mais arriver à prolonger cette comédie

devant votre sœur si longtemps, ça tient du prodige ! finit-il par s'exclamer.

— C'était plus facile que vous ne le croyez. Lily se montre parfois d'une naïveté surprenante, ajouta-t-il avec un nouveau regard appuyé.

Spencer détourna les yeux.

— Mais si ce n'est pas Lily qui vous a présentés, comment l'avez-vous connue ? demanda alors Gabe.

— Je ne me souviens pas. Je crois qu'elle est venue, à mon bureau de Port Jefferson, demander des brochures.

— C'est elle qui est venue à votre bureau ! s'écria Spencer.

Andrew prit une profonde inspiration.

— Oui.

— Emmy McFadden est venue à votre bureau ?

— Oui. Et ensuite elle s'arrêtait de temps en temps, au passage.

Spencer n'en croyait pas ses oreilles. Cela allait à l'encontre de tout ce qu'il avait imaginé.

— Quand était-ce ?

— Je vous l'ai déjà dit, je ne m'en souviens pas. Je crois que c'était pendant les vacances de Noël. Fin 96.

Spencer mit quelques secondes à assimiler ce qu'Andrew venait de dire.

— Vous voulez dire que vous connaissiez Emmy depuis presque deux ans quand Lily vous a soi-disant présentés.

— Je ne me souviens pas exactement.

— Vous souvenez-vous si Emmy vous a aidé

lors de votre campagne de 92 ? La première fois que vous vous êtes présenté au Congrès ?

— Là, non, j'en suis sûr. Je ne la connaissais pas encore.

Et c'est alors que Spencer lui posa une question qui ne lui serait jamais venue à l'esprit auparavant, quand lui-même ignorait ce que c'était :

— Monsieur le député, étiez-vous amoureux d'elle ?

Andrew tressaillit.

— Eh bien, c'était juste une aventure, une passade, dirons-nous. Elle avait à peine la moitié de mon âge. Nous vivions aux antipodes l'un de l'autre. Mais j'avoue que j'ai eu un petit faible pour elle, à un moment. Savez-vous ce que c'est, inspecteur, d'être convaincu que ce qu'on fait est mal, mais de ne pas pouvoir s'en empêcher ?

Spencer se rembrunit à nouveau.

Le regard de Gabe allait de l'un à l'autre.

— Bon, comme personne ne pose la question qui m'intéresse réellement, je vais m'en charger, soupira-t-il. Monsieur le député, savez-vous où se trouve Emmy ?

— Non.

— Votre mémoire vous est-elle revenue en ce qui concerne ce Milo que nous recherchons et ses liens éventuels avec Emmy ?

Andrew tressaillit.

— Non.

Son trouble n'avait pas échappé à Gabe et Spencer qui échangèrent un nouveau regard entendu.

— Pourrait-il s'agir d'un de ses anciens amants ?

— Je l'ignore.

— Emmy vous a-t-elle parlé de ses années au lycée ? Ou du voyage qu'elle a fait avec ses amis avant de vous rencontrer ?

— Non, répondit-il avant de marquer une pause. Elle m'a seulement dit qu'elle avait eu une période mystique, et qu'elle s'était notamment intéressée à une Église indienne.

— Laquelle ? demanda Gabe.

— Je ne sais pas...

— La Native American Church, peut-être ?

— Peut-être.

— C'est elle qui a arrêté ? demanda alors Spencer, à brûle-pourpoint.

— Arrêté quoi ?

— Eh bien, votre relation. Ce n'est pas une question difficile, non ? Elle s'est jetée dans vos bras, elle est allée chercher votre sœur, elle s'est installée avec elle sans vous demander votre avis. Apparemment, c'était elle qui menait la danse. D'où je déduis que c'est elle qui a tout arrêté. Non ?

Andrew baissa les yeux vers son bureau.

— Ça devait bien finir un jour ou l'autre, voilà tout.

— Ce Milo a réapparu dans la vie d'Emmy juste au moment où elle a rompu avec vous. Y était-il pour quelque chose ?

— Je ne sais pas de qui vous parlez, bon sang ! Je vous l'ai déjà dit en octobre, quand vous m'avez interrogé à ce sujet. Et je vous le répète. Je ne connais pas ce type !

Spencer s'avança vers le bureau.

— Si vous le connaissez, à quoi bon le nier ? Cela pourrait vous aider, à quoi bon le cacher ?

— Qu'est-ce qui prouve que ça m'aiderait ? ricana Andrew.

— La mère d'Emmy ne pourra reprendre le cours de sa vie que lorsqu'elle saura ce qui est arrivé à sa fille. Pensez à votre sœur aussi.

— Je vous interdis, plus qu'à quiconque, de venir me parler de ma sœur, siffla Andrew entre ses dents. Vous croyez que je ne lis pas dans votre jeu ? Que je ne vous vois pas venir ? Vous profitez de sa maladie. Elle ne sait rien. Ce n'est pas elle qui vous apprendra quoi que ce soit.

Spencer crispa les poings.

— Vous ne m'avez pas bien compris, monsieur le député. Il n'est pas question de moi. Ni de votre sœur. Il est question de vous et d'une fille qui a disparu depuis douze mois et avec laquelle vous avez eu une liaison pendant plus de trois ans. Il ne s'agit que de ça. Vous avez tendance à l'oublier.

Andrew rapprocha son visage de celui de Spencer.

— Vous avez tort de me harceler, inspecteur, et vous risquez de le regretter, cracha-t-il d'un ton menaçant. Compris ?

Spencer voulut contourner le bureau mais Gabe l'arrêta.

— Non, laisse tomber. Ça n'en vaut vraiment pas la peine.

— Non, allez-y, le défia Andrew. Je n'attends que ça. Vous passerez dix à quinze ans au trou pour agression, et vous serez foutu à la porte de la police, alors vous gênez pas, fils de pute ! Montrez-nous votre vrai visage.

Spencer repoussa Gabe et se dirigea vers la porte.

— Je n'ai pas le temps, vous vous donnez trop de mal à vous cacher derrière un masque. Et vous avez tort de me mentir. Si vous croyez que vos menaces à travers les Affaires internes et vos interventions auprès de mes supérieurs vont me museler, vous vous trompez. Vous ne serez débarrassé de moi que lorsque j'aurai vos aveux signés sur le bureau de mon chef. Compris ?

Gabe voulut revenir sur cette conversation sur le chemin du retour, mais Spencer l'arrêta aussitôt.

— Je t'en prie, ne dis rien. Je ne veux pas parler de quoi que ce soit pour l'instant. D'accord ? Nous ferons notre rapport dès notre arrivée au bureau. Il faut que je rassemble mes idées.

54

Les Affaires internes

Il fut convoqué dès le lendemain.

— Spencer, qu'est-ce que vous avez fichu pour qu'ils soient toujours sur votre dos ? demanda Whittaker d'un ton compatissant.

Spencer éluda la question d'un haussement d'épaules.

— Ils n'ont sans doute rien de mieux à faire, que voulez-vous que je vous dise ? Mais dites-moi, chef, auriez-vous entendu parler de la Native American Church, par hasard ?

— Oui, l'Église indienne, c'est ça ? Vaguement. Tout ce que je sais c'est que ce sont les seuls aux États-Unis à pouvoir utiliser du peyotl en toute légalité dans leurs pratiques religieuses.

— Du peyotl ?

— De la mescaline. Ils prétendent que cet hallucinogène les rapproche de leur Dieu. C'est tout ce que je sais sur eux. Allez. Dépêchez-vous. Mlle Monroe vous attend.

Spencer se retrouva une nouvelle fois devant Liz Monroe et deux de ses sbires.

— Inspecteur, je n'irai pas par quatre chemins, nous avons un nouveau témoin.

Comme par hasard ! Dès le lendemain de sa visite au député !

— Il s'agit de Mlle Edith Stanley, qui vit dans la maison juste en face de celle de Nathan Sinclair. J'ai ici sa déclaration. Elle dit...

Liz Monroe s'arrêta le temps de chausser ses lunettes.

— Elle dit que la fameuse nuit, elle a vu une ombre...

La déposition était si vague que Spencer se demanda comment Liz Monroe osait s'appuyer dessus pour l'interroger.

— Vous n'avez qu'à organiser une confrontation, qu'elle dise si je suis l'ombre qu'elle a vue traverser sa pelouse à minuit. Elle vit toujours là-bas ? Je peux l'appeler moi-même si vous voulez. Nous pourrions aller la voir tout de suite.

— Je vous le déconseille fortement, inspecteur, le coupa-t-elle sèchement. D'abord elle n'habite plus Sound Beach Avenue...

— Oh ! Où vit-elle maintenant ? demanda-t-il d'un air innocent.

— Dans une maison médicalisée de Greenwich.

— Une maison de santé ! Mais comment en avez-vous entendu parler ? Comment l'avez-vous retrouvée ?

— Nous recevons des informations de bien des façons, inspecteur, comme vous devez le savoir.

— Effectivement. Et ça m'intéresserait de savoir comment vous avez obtenu celle-ci.

— Nous avons interrogé les habitants de Sound Beach Avenue.

— Ah bon ? Spencer se frotta le front. Mais vous venez de me dire qu'elle n'y habitait plus.

— C'est exact.

— Et c'est vous qui l'avez interrogée ?

— Non, pas personnellement. Mais quelqu'un de notre service...

— Ah... Et il a parlé au directeur de la maison de santé ?

— Ce n'est pas mentionné dans mes notes. Et je ne vois pas le rapport.

— Eh bien, si vous me permettez de poser une question indiscrète, quel âge a Mlle Stanley ?

— Inspecteur O'Malley...

— Quel âge a-t-elle ? Avez-vous sa date de naissance dans vos notes ?

— Elle est née en 1907, répondit-elle à regret.

— Alors, résumons, si vous le permettez, reprit Spencer d'une voix calme malgré son envie de hurler. Vous avez devant vous une déclaration sous serment d'une femme de quatre-vingt-treize ans qui dit avoir vu, il y a quatre ou cinq ans, une ombre dans son jardin ?

— Mlle Stanley a vu un homme vêtu de sombre qui repartait de chez Sinclair tard dans la nuit.

— Je suis désolé de vous interrompre à nouveau. Mais je suis encore perdu. Quelle nuit ?

— La nuit en question.

— Quelle date indique-t-elle dans sa déclaration pour cette nuit en question ?

Au geste saccadé de ses ongles manucurés, Spencer compris que Mlle Monroe était incapable de lui fournir cette information précise sur-le-champ.

— Nous devrions appeler le directeur de sa

maison de santé, vous ne croyez pas ? reprit-il. J'aimerais savoir pour quelle raison elle y a été envoyée.

— Je ne vois pas le rapport.

— Accordez-moi une seconde, mademoiselle Monroe, et vous comprendrez.

Il ouvrit son téléphone portable.

— Pouvez-vous me donner le numéro de cette institution ou dois-je appeler les renseignements ?

Elle lui dicta le numéro à contrecœur. Puis Spencer obtint le directeur, M. Cerone, au bout du fil et lui posa quelques questions.

— Vous voyez, c'est toujours utile de connaître les détails, dit-il à Mlle Monroe, après avoir raccroché. M. Cerone vous confirmera qu'Edith Stanley a été confiée à ses soins depuis bientôt trois ans, peu après son quatre-vingt-dixième anniversaire, quand le glaucome et la cataracte dont elle souffrait depuis des années n'ont plus permis qu'elle vive seule, car elle était pratiquement aveugle.

Liz Monroe resta figée comme une statue tandis que ses acolytes se trémoussaient nerveusement sur leur siège.

— Vous n'avez rien à ajouter, inspecteur O'Malley ?

Spencer se leva et lui décocha un sourire glacial.

— Je n'ai rien à ajouter, mademoiselle Monroe.

55

Second échec

Ce fut par les journaux que Lily découvrit les nouvelles allégations concernant Andrew et Emmy. Ce n'était pas Spencer qui aurait pu les lui apprendre. Elle n'avait pas eu de ses nouvelles depuis deux jours. N'y tenant plus, elle l'appela. Et c'est en écoutant sonner son bipeur, qu'elle prit soudain conscience que, s'il lui arrivait quelque chose, Spencer continuerait à vivre comme avant, alors qu'elle ne pouvait plus vivre sans lui, la preuve ! Elle passait ses journées à penser à lui, à attendre ses coups de fil, ses visites, à s'inquiéter pour lui, à le peindre. Elle pouvait se faire des reflets roux dans les cheveux, se maquiller, s'acheter des dessous affriolants, le résultat était le même : il pourrait vivre exactement pareil sans elle, alors qu'elle ne serait rien sans lui. C'était si pathétique que, lorsqu'il la rappela, elle ne répondit pas.

— Lil ? Allez, décroche ! l'entendit-elle dire quand le répondeur se mit en marche

Elle ne put résister plus longtemps.

— Bonjour.

— Bonjour.

Elle avait la gorge nouée. Elle se tut.

— Je viendrai ce soir, tard, après mon travail, ça te va ? demanda-t-il d'une voix grave, après un long silence.

Elle dessinait dans son atelier lorsqu'elle entendit sa clé tourner dans la serrure. Elle était contente qu'il puisse aller et venir à sa guise. Qu'il puisse entrer et sortir de sa vie comme il le voulait.

Elle s'avança dans le salon. Il était si beau, il avait l'air si sérieux, si grave et, pour une obscure raison, si tourmenté. Elle aurait voulu lui dire tout ce qu'il représentait pour elle, ce qu'elle éprouvait pour lui, mais il dut le comprendre à la seule manière dont elle chuchota « Spencer », d'une voix enrouée de larmes, quand il s'allongea sur elle, et à la façon dont elle fondit en larmes en s'accrochant à lui et en tremblant de tous ses membres quand ils eurent fini de faire l'amour.

Ils étaient couchés l'un à côté de l'autre, mais leur conflit n'était pas résolu, Lily le sentait. Faire l'amour n'avait que momentanément apaisé leurs tensions.

Et elle n'osait pas lui demander ce qui n'allait pas, elle avait trop peur de compromettre leur réconciliation par une nouvelle erreur.

Heureusement, il finit par vider son sac. Il lui raconta, sans passion, qu'il était poursuivi depuis huit mois par les Affaires internes.

— Je ne comprends pas, murmura-t-elle en lui prenant la main. De quoi t'accuse-t-on, exactement ?

— Ils pensent que je suis impliqué dans la mort de Nathan Sinclair.

Lily dut se forcer pour ne pas lui lâcher la main.

Et pourquoi avait-elle l'impression que lui aussi se retenait de lâcher la sienne ?

— Pourquoi ne leur as-tu pas dit que tu n'y étais pour rien ?

— Je l'ai fait.

— Et alors ?

— Ils n'ont pas dû me croire puisqu'ils continuent à me harceler.

Spencer n'avait pas envie d'en parler davantage, et bizarrement, elle n'avait pas envie d'en savoir plus.

— Et moi qui ne pensais qu'à moi, pendant ce temps-là, murmura-t-elle en se tournant vers lui. Pourtant, je savais bien que quelque chose te tracassait.

— Non, pas du tout. Je vais très bien. Cette affaire se tassera d'elle-même. Et quoi qu'il arrive, je suis prêt à en subir les conséquences.

— Quelles conséquences ?

— Tu sais, Lily, je vis dans la dure réalité. Comme toi, je crois en un univers où toutes les actions ont une répercussion, quelle que soit leur importance. Et je crois que Nathan Sinclair n'avait pas prévu toutes les conséquences de ses actes. Comme beaucoup de gens, ajouta-t-il d'une voix pleine d'amertume.

Sans savoir pourquoi, elle se sentit directement visée. Un frisson la parcourut. Elle s'écarta de lui et soudain elle eut un flash. C'était à cause d'elle que les Affaires internes s'acharnaient sur lui. À cause d'elle. D'Emmy. Et d'Andrew.

— Cela ne concerne pas que Nathan Sinclair, n'est-ce pas, Spencer ?

Il retira son bras et s'écarta à son tour.

— Non, Lily, ça va toujours chercher plus loin.

— Bon, arrêtons de tourner autour du pot. Quel rapport y a-t-il entre leur enquête et mon frère ?

— Le même rapport qu'il y a entre ton frère et le fait que tu m'as caché ta visite chez Jan McFadden.

Elle sentit son cœur s'arrêter.

— Je n'avais rien de spécial à te raconter.

— Cesse de mentir. Je connais la vérité maintenant. Et ton frère a décidé de me faire taire, c'est indéniable. Il a engagé des détectives pour découvrir une faille dans ma vie et me faire dessaisir de l'enquête. Ce n'est pas un hasard si chaque fois que je le confronte à une nouvelle preuve, les Affaires internes me tombent dessus dans les vingt-quatre heures, avec de nouveaux témoignages bidon. Il a dû chercher si je ne me droguais pas, si je n'avais jamais touché de pot-de-vin, si je n'avais jamais été impliqué dans la moindre corruption. Et tout ce qu'il a pu trouver contre moi, c'est la mort de Nathan Sinclair qu'il brandit au-dessus de ma tête, telle une épée de Damoclès.

— Spencer. Qu'est-ce qui t'arrive ? Tu deviens parano. C'est de mon frère que tu parles ! Pas d'un chef de la mafia. C'est un honnête député qui n'a rien à se reprocher. Tu délires !

— Lily, ton amie Emmy a passé trois ans à te mentir avec ton honnête député de frère...

Elle se leva d'un bond.

— D'accord, c'est un menteur et un salaud, il ne s'est pas conduit correctement, je suis d'accord, mais il ne l'a pas tuée ! hurla-t-elle. Non, il ne l'a pas tuée ! Tu ne le connais pas comme je le connais.

Il se leva aussi.

— Voyons, calme-toi.

— Il y a des enlèvements tous les jours, continua-t-elle d'une voix haletante. Il suffit de regarder la télé. On nous parle tous les jours de filles ou de gamines qui se font embarquer par des étrangers ou de vagues connaissances.

— Lily, tu oublies que nul n'est mieux placé que moi pour le savoir. Je vois des centaines de cas chaque année. Et ces filles ont toutes un point commun : leur extrême jeunesse. Ce ne sont pas des étudiantes de vingt-quatre ans. Emmy a disparu du jour au lendemain. En laissant son argent et sa carte d'identité derrière elle. Et contrairement au jour où elle est partie avec ses amis découvrir le monde, elle n'est jamais revenue. En plus, comme par hasard, elle a disparu à peine avais-tu le dos tourné.

Lily le regarda, horrifiée.

— Qu'est-ce que tu veux dire ?

— Eh bien, je pense que l'on t'a écartée sciemment.

— Mais écartée de quoi, pour l'amour du ciel ?

Elle revit alors dans un flash Emmy lui disant : « Oh, oui, pars, Lily. Il faut absolument que tu ailles à Maui. » Et Andrew la suppliant : « Lil, pars, pars le plus vite possible. »

Elle dévisagea Spencer avec stupéfaction.

— Alors que lui est-il arrivé ? reprit-il. Se bat-on pour avoir sa garde ? Y a-t-il eu une demande de rançon ? Quelqu'un réclame-t-il de l'argent pour la rendre ?

— Pas mon frère, en tout cas, murmura-t-elle d'une voix tremblante.

— Que sais-tu de lui vraiment ?

— Je sais qu'il n'aurait jamais pu la tuer.

— Pourquoi ?

Elle reprit soudain ses esprits.

— Parce qu'en dehors de ses aspirations politiques, en dehors de son rêve de devenir président des États-Unis, il n'a jamais eu d'autre passion dans sa vie ! Il n'a jamais fait le moindre écart, il a toujours suivi sa voie, sans jamais dévier de la ligne droite, sans jamais s'emballer. Oui, c'est un roc inébranlable !

— Comme toi, railla Spencer, en la regardant d'un œil ironique trépigner de colère devant lui, nue, dans le noir.

— Les gens comme lui sont incapables de tuer. Ils ont déjà du mal à couper les ponts. Ils cessent juste de vous appeler en espérant que vous ne le remarquerez pas.

Elle baissa les yeux.

— C'est un peu ta façon d'agir avec les femmes, Spencer.

Il baissa aussi les yeux, un bref instant seulement.

— Lily, je te le répète. Tu ne connais pas ton frère. Ni Emmy ni Milo. Tu te connais à peine toi-même. Emmy s'est fait transférer à ton université, s'est inscrite aux mêmes cours que toi, et vous avez vécu des années dans le même appartement minuscule sans que tu t'aperçoives qu'elle entretenait une liaison avec ton frère ! Pense à Jan McFadden qui l'attend encore. Voyons, tu es de mon côté, non ?

— Non ! Pas du tout ! cracha-t-elle, soudain frappée par l'évidence. Je ne suis pas du côté d'Emmy.

Elle baissa la tête, submergée par l'intensité de ses émotions.

— Je suis du côté de mon frère.

Spencer se leva avec raideur, les yeux étincelants.

— Eh bien, il t'aura fallu du temps pour le dire !

— Je ne ferai jamais, jamais rien que tu puisses retourner contre lui, même pour aider Jan McFadden, même pour Emmy, même pour toi ! Jamais, tu as compris ?

— Parfaitement.

— Et alors, que vas-tu faire maintenant, Spencer ? Tu vas le tuer, lui aussi ?

Spencer, le souffle coupé, inclina la tête, comme s'il avait été giflé.

— Ah, si j'avais su que tu nourrissais une telle

467

haine à mon encontre ! Et que tu retournerais mes confidences contre moi à la première occasion.

— Parce que tu t'en es privé, toi ? Tu savais que je ne voulais pas te parler de Jan McFadden, tu as profité d'un moment de faiblesse pour me sonder, et tu t'es ensuite empressé d'accabler mon frère un peu plus. Je ne vois pas où est la différence !

— Tu m'as menti, alors même que tu sentais que son attitude était louche.

— Pas du tout. En revanche, j'étais sûre que tu t'en servirais contre lui, comme chaque fois que je t'ai fait des confidences sur lui.

— Tu n'aurais pas dû me dissimuler si longtemps ta véritable personnalité, Lily, tu n'aurais pas dû me laisser perdre mon temps avec toi.

— Et moi, tu ne m'as pas fait perdre mon temps ? hurla-t-elle en fondant en larmes. Et j'en ai beaucoup moins à perdre que toi !

Il commença à se rhabiller.

— Qu'est-ce que tu crois ? Chaque minute nous rapproche de notre mort. Chaque dispute, chaque parole méchante, chaque mauvaise action nous rapproche de l'éternité. Tous autant que nous sommes, il n'y a pas que toi.

— Je t'en prie, laisse mon frère tranquille, supplia-t-elle à travers ses larmes, la voix brisée. Fais-le pour moi.

Il finit d'attacher son holster sans la regarder.

— Je t'en supplie. Et je te promets qu'il te laissera tranquille.

— Non, je ne le lâcherai pas, grommela-t-il en ramassant son portefeuille, ses clés et son bipeur. Mais n'aie pas peur. Toi, je te laisserai tranquille.

Il décida de passer par le pub *Michael's*. Gabe y était encore. Ils trinquèrent ensemble. Comme il jouait bien la comédie ! Raide comme un piquet sur son tabouret, il buvait du bout des lèvres, tout en parlant, comme s'il était entré dans le bar juste pour trouver un peu de compagnie. On n'était pas vendredi ni samedi, mais il ne savait pas comment affronter sans alcool le tumulte de ses pensées.

— Que se passe-t-il, O'Malley ? L'affaire McFadden te donne du fil à retordre ?

— Si ce n'était que ça, soupira-t-il. Je me suis foutu dans un sacré pétrin, McGill. Ouais, un sacré pétrin. Je ne sais pas comment m'en sortir.

— Ce n'est pas une histoire de nana ?

— Et si, mon vieux. Hélas !

Spencer demanda au barman de les resservir et lui fit discrètement signe, du pouce et de l'index, de lui mettre un double whisky.

Il ne pouvait plus continuer comme ça. Il était de son devoir de communiquer les informations découvertes par l'intermédiaire de Lily. Il devait choisir entre elle et la justice. Elle ou le whisky. Ce soir, c'était le whisky. Quel soulagement de ne plus avoir à penser à elle, de ne plus parler, de ne plus rien sentir.

Lily ne pouvait plus dormir.

Le week-end s'écoula sans que Spencer donne signe de vie. Le mardi arriva. Elle se rendit à l'hôpital. Ses analyses n'étaient pas excellentes. DiAngelo lui prescrivit à nouveau de l'Alkeran. Elle passa la nuit suivante à vomir. Quand elle put enfin tenir debout, elle couvrit ses toiles de bouches noires qui hurlaient, d'immeubles noirs et d'arbres noirs. Personne n'achèterait ces peintures du désespoir.

Elle voulait que Spencer revienne et qu'il laisse son frère tranquille.

Le mercredi fut une journée abominable. Elle avait passé la journée allongée sur le canapé, sans répondre au téléphone, ni se lever, ni manger, ni lire, ni regarder la télévision, ni écouter la radio, ni peindre, lorsqu'on frappa à la porte.

Faites que ce soit lui, supplia-t-elle en se mettant péniblement debout, faites que ce soit lui.

C'était lui.

— Mon Dieu, que t'est-il encore arrivé ? s'exclama-t-il après l'avoir longuement dévisagée.

— Rien, répondit-elle en titubant. Tu n'as pas ta clé ?

Pour toute réponse, il entra, la prit dans ses bras, la serra contre lui et l'emmena s'asseoir sur le canapé. Elle n'osa pas lui demander s'il voulait qu'ils aillent se coucher. Il était sa vie, la seule chose qui comptait pour elle. Allait-elle le laisser échapper sans lutter ?

Lui, tête baissée, ne disait rien. On n'entendait que le tic-tac des horloges.

— Je suis désolée, Spencer.

— Non, tu n'as pas à t'excuser.

— Si, si. Tu as toujours été merveilleux avec moi, et je... j'ai été odieuse, finit-elle d'une voix brisée.

— Pas du tout.

— Si. Tu t'es confié à moi, tu m'as parlé de tes ennuis, et je n'ai rien trouvé de mieux que de te les jeter à la figure.

— Mais non.

— Je t'ai dit de telles horreurs. Je suis vraiment désolée. J'ai raté mon examen.

— Il n'y a jamais eu d'examen, Lily.

— Si. Je ne me suis pas montrée à la hauteur. Je t'ai caché ce que je savais. Et j'ai été délibérément méchante avec toi. Malgré tout ce que j'éprouve pour toi, je t'ai traité comme un chien. Je n'ai pas de quoi être fière.

— Tu ne m'as pas traité comme un chien. Tu as juste oublié qui j'étais.

— Tu as eu raison de partir. Tu aurais dû le faire plus tôt.

Là, il ne protesta pas.

— Moi, je n'aurais jamais dû profiter d'une malade.

— Je ne suis pas malade. Je vais mieux.

— Je ne suis pas innocent non plus. Je t'ai torturée avec des choses que tu ne peux pas assumer. J'ai eu tort.

— Bien sûr que je pouvais les assumer. Fais-moi confiance. S'il te plaît. Crois-moi, je vais guérir et je pourrai t'aider et te soutenir. Tu pourras compter sur moi, t'appuyer sur moi.

Il prit ses mains entre les siennes. Elle se leva

du canapé et s'agenouilla devant lui, entre ses jambes et lui jeta un regard implorant.

— Je t'assure, Spencer. Je t'en prie, pardonne-moi, articula-t-elle douloureusement. Je vais faire des progrès. Je t'en supplie, donne-moi une seconde chance.

Il la lâcha, se leva et s'écarta du canapé.

— Lily, tu sais que tu pourras toujours compter sur moi mais...

Oh, non, non, pitié pas de mais !

— ... je ne peux plus continuer comme ça.

— Non !

Il la releva et la fit asseoir sur le canapé, mais il resta debout, loin d'elle.

— Je ne peux plus. Nous n'aurions jamais dû commencer, même si c'était inévitable, sans doute. Je ne sais pas ce qui m'a pris. Tu viens de vivre une terrible épreuve et j'ai profité de ta faiblesse. C'est ma faute.

— Non, je vais changer, Spencer, je te le promets. Je ne pensais pas ce que j'ai dit. J'étais bouleversée.

— Lily, je me moque de ce que tu as dit. Je ne veux pas que tu changes. Et en ce qui concerne ton frère, je n'aurais pas réagi différemment à ta place. Mais reconnais que nous nous trouvons devant un terrible dilemme, toi et moi.

— Non.

— Si. Tu le sais. Je le sais. Ta grand-mère le sait. Ton frère le sait. Nous avons fait semblant de l'ignorer, mais maintenant nous voilà au pied du mur.

— Oublie tout ça, oublie le reste. Je vais

guérir, je te promets. Je veux marcher à ton côté, c'est là que je veux être, je t'en supplie.

— Lily, tu ne veux pas comprendre. Nuit et jour, je ne pense qu'à une chose, retrouver Emmy. C'est vrai, je ne veux que ça. À tel point que si j'avais un vœu à f...

Il s'arrêta, avant de reprendre :

— Tu veux savoir la triste vérité, se reprit-il froidement. Eh bien, la voilà : si j'avais un vœu à formuler, je ne souhaiterais pas être riche, ni même que tu guérisses, non, je souhaiterais savoir ce qui est arrivé à Emmy. Et quand je suis avec toi, je dois avouer que ce n'est pas le cœur pur, sans arrière-pensée. J'ai toujours Emmy et ton frère plus ou moins à l'esprit. Ils y étaient dès le début, ils y seront jusqu'à la fin.

Il prit une inspiration avant d'ajouter :

— À chaque instant que nous partageons, même en ce moment, je continue mon enquête.

— Spencer, non !

— Si, Lily. Ce n'est pas facile pour moi de l'avouer, mais c'est la vérité. Tu as le droit de te taire parce que tout ce que tu diras pourras être retenu contre toi. Et nous ne pouvons pas continuer comme ça. Moi, je ne peux pas. Pendant un certain temps, il vaut mieux ne plus nous voir, même pas en amis, comme avant. Il faut que je recouvre mes esprits. Fais revenir Joy si tu as besoin d'aide. Je perds mon flair depuis que je suis avec toi. Je me ramollis. Je finis même par voir flou après toutes ces comédies que nous avons regardées, après tout ce temps à ne penser qu'à ta maladie.

Elle refusait de croire ce qu'elle entendait.

— C'est trop pour moi, poursuivit-il. Tu obscurcis mon jugement, tu émousses mes sens. Après une nuit avec toi, je n'ai pas les idées claires. Je pense à des bêtises, mon travail laisse à désirer et, pendant ce temps, les adolescentes disparues se prostituent, les fugueurs se droguent et les enfants enlevés ne sont pas retrouvés. Et Jan McFadden ruine son couple. En plus, il y a ces foutues Affaires internes dont je dois me protéger. Et au lieu de garder l'esprit clair, au risque de me retrouver en prison, je passe la journée à rêver béatement de ton corps.

Elle crut l'entendre ajouter qu'il était désolé, mais elle ne l'aurait pas juré.

Il retira sa clé de son trousseau, la posa sur la table de l'entrée et partit. Lily regarda la porte se refermer, pétrifiée.

Sur le chemin du retour, Spencer éprouva une sensation de liberté, oh ! combien fallacieuse, il le savait ! Il n'aurait pu lui cacher ses secrets plus longtemps. Et plutôt que de se dévoiler, il avait préféré la quitter sur un mensonge. Car s'il avait pu faire un vœu, ce n'aurait pas été de retrouver Emmy. Ni même que Lily guérisse.

Non, ce qu'il souhaitait vraiment, c'était d'arrêter de boire.

Il aurait pu ainsi offrir à Lily un homme sain, au lieu de cette épave qu'il était devenu.

56

Tempête à Maui

Les appels au secours de Maui se succédaient. Soit c'était son père, désespéré, au bout du rouleau. Soit c'était sa mère pour se plaindre de lui d'une voix pâteuse.

Allison menaçait de divorcer, peu importe ce que ça coûterait, son menteur de mari ne lui avait pas donné le centième de ce qu'il lui avait promis.

Son père ouvrit un compte personnel sur lequel il transféra trente mille dollars pris sur le compte commun.

Un jour, sa mère hurla si fort au téléphone qu'elle ameuta les voisins et Lily, les entendant menacer d'appeler la police, raccrocha précipitamment.

Son père rappela peu après. La police était venue et sa mère avait prétendu qu'il la battait en leur montrant ses jambes couvertes de bleus.

Lily aurait sans doute fait plus attention à ces appels si elle n'avait pas été elle-même si abattue.

Elle ne savait plus que faire de son temps. Ni de ses longues soirées. Ni de ses cheveux qui repoussaient. Ni de ses dimanches sans lui. Elle se sentait amputée d'une partie d'elle-même. Et les journées lui semblaient durer des années.

— Oh, je remercie le ciel que tu ne sois plus avec cet horrible type, dit sa grand-mère quand elle la mit au courant. Tu vois, c'est la preuve que Dieu veille sur toi, ma Lily.

Lily ne voulait pas en parler.

Heureusement qu'il y avait Paul et Rachel. Ils étaient le seul héritage qu'Emmy lui avait laissé et elle les adorait. Comme si Emmy avait su qu'elle allait partir et les lui avait légués afin d'adoucir un peu son existence. Mieux valait avoir des amis, même par personne interposée, que pas d'amis du tout. Mieux valait avoir des sœurs comme Anne et Amanda que pas de sœurs du tout. Mieux valait avoir un frère... et une grand-mère agoraphobe... et une mère alcoolique... Oui, maintenant que Lily touchait le fond du désespoir, elle préférait tous les avoir.

Elle passait ses journées dans son atelier, couchée par terre sur les taches qu'elle avait faites en peignant Spencer. C'était tout ce qui lui restait de lui, des couleurs de ses lèvres, de ses yeux.

C'était comme s'il était mort.

Comme si elle était morte.

Elle appela Jan McFadden. Comment allez-vous, madame McFadden ? Pas trop bien, Lily. Moi non plus. Et Jan avait pleuré, Lily aussi, toutes les deux anéanties par une perte irremplaçable.

Et si Emmy ne revenait jamais ?

Et si Spencer ne revenait jamais ?

Il valait mieux avoir Spencer à n'importe quelle condition, celle qu'il voulait, que de ne pas l'avoir du tout.

Le samedi, ses clients continuaient à lui acheter ses toiles.

Elle n'avait pas peint grand-chose. Juste quelques aquarelles. Les deux fenêtres encadrées de rideaux bleus, avec le soleil et le printemps dans le fond, et le lit vide devant.

— Comment a-t-il pu me quitter aussi facilement ? demanda-t-elle à ses amis, un vendredi soir, alors qu'ils allaient à Saint Mark's Place Comics acheter un cadeau à l'un des neveux de Rachel. Comment du jour au lendemain peut-il cesser de m'appeler, de prendre de mes nouvelles ?

Comme Paul ne disait rien, elle insista.

— Je t'en prie, explique-moi.

— Lil, à ton avis, comment font nos parents quand nous partons à l'université ? Ils ont pris soin de nous pendant dix-huit ans et soudain, du jour au lendemain, nous ne dormons plus chez eux, nous ne mangeons plus avec eux, nous disparaissons. Et pourtant ils s'en sortent très bien. Ils se mettent à voyager, à suivre des cours, à s'inscrire dans des clubs, à apprendre des langues étrangères. Et quand nous revenons le week-end, ils sont littéralement débordés ! Comment est-ce possible ?

— Je ne sais pas. Quel rapport avec Spencer ?

— La réponse est simple mais elle ne va peut-être pas te plaire. C'est difficile de prendre soin de quelqu'un d'autre. C'est une lourde responsabilité.

— Mais nous passions de bons moments ensemble. Il n'y avait pas que mon cancer. J'essayais d'en rire. Nous nous sommes rasé la tête tous les deux, nous faisions nos lessives ensemble, nous allions manger chinois, je l'emmenais prendre un brunch le dimanche, je le peignais, je lui ai appris plein de termes médicaux qu'il n'aurait jamais connus sans moi, sanglota-t-elle au souvenir de tout ce qu'ils avaient fait d'autre ensemble.

— Je n'ai jamais dit qu'il s'était ennuyé, ma chérie, la consola Paul en la serrant contre lui, tandis que Rachel lui prenait l'autre bras et hochait la tête d'un air docte. N'empêche que vous n'étiez pas à égalité quand tu étais malade et qu'il devait te soigner.

— Maintenant je suis guérie.

— Oui, bien sûr. Mais il ne sait rien de l'avenir, il ne connaît que le passé, déclara Rachel, avec une surprenante philosophie.

Lily ne répondit pas. Non, s'il l'avait quittée ce n'était pas parce qu'il en avait assez de prendre soin d'elle, car il l'avait fait de bon cœur. Non, en fait, elle l'avait déçu. Elle lui avait refusé ce qu'il attendait d'elle. Ou peut-être ne pouvait-elle pas le lui donner ?

Quand Joshua l'avait quittée, cela l'avait à peine touchée, elle s'en apercevait maintenant. La présence de ses amis l'avait réconfortée et aidée à traverser ce passage à vide. Mais rien ne pouvait remplacer la présence de Spencer, qu'elle aimait de tout son être.

Après avoir acheté les derniers jouets de Batman, ils s'étaient arrêtés au coin d'Astor pour décider s'ils allaient manger ukrainien ou indien lorsque Lily entendit qu'on l'appelait.

Une fraction de seconde, le temps de se retourner, Lily supplia le ciel que ce fût Spencer.

C'était Joshua. Et le visage de Lily dut trahir sa déception car il dit :

— Tu n'as pas l'air contente de me voir.

Lui, en revanche, semblait ravi de tomber sur elle. Après une poignée de main embarrassée, il lui demanda comment elle allait. Bien. Comment elle se sentait. Bien. Il répondit que ça se voyait, qu'elle avait une mine superbe.

Il l'appela plus tard dans la soirée, mais Lily était allée danser avec Rachel. Il laissa un message. Comme elle était trop fatiguée pour écouter son répondeur à son retour, elle n'en prit connaissance que le lendemain matin. « Lil, je pourrais te voir ? Je voudrais te parler. »

On était samedi, elle devait vendre ses tableaux. Elle l'appela pour lui dire qu'elle était prise. Il demanda s'il pouvait passer, juste en coup de vent, dans la soirée. Il fallait vraiment qu'il lui parle. Ils convinrent d'une heure. Il arriva une demi-heure plus tôt et lui proposa d'aller au restaurant et au cinéma avec lui.

Comme elle n'avait rien de mieux à faire, elle accepta. Ils virent *Bowfinger : roi d'Hollywood* avec Steve Martin. Joshua aurait préféré voir un drame, mais Lily l'avait prévenu qu'elle ne les supportait plus. Pendant qu'ils dînaient au *Republic*, un restaurant thaïlandais d'Union Square, il ne fut question que de lui, au grand soulagement de Lily qui n'avait aucune envie de parler d'elle. Puis il la raccompagna chez elle et ils s'assirent sur le canapé (Joli ! s'était exclamé Joshua).

— Lily, franchement, tu es super-mignonne. Tu es très sexy avec tes cheveux courts et roux, et tu as une silhouette d'enfer.

— Merci. Le cancer me réussit.

Il faillit s'étrangler.

— Je plaisante, sourit-elle.

— Non, mais sérieusement, ça y est, tu es guérie ?

— Va savoir ?

Elle aurait voulu écouter ses messages discrètement. Et si Spencer l'avait appelée ? De là où elle était assise, elle voyait l'appareil clignoter, mais pas le nombre de messages.

Joshua lui caressait les cheveux. Il était tard, ils avaient bu deux ou trois verres de vin, seule la cuisine était allumée.

— À propos, où est Shona, ce soir ? s'enquit Lily.

— Ça n'a pas marché entre nous, Lily. Elle n'était pas comme toi.

— Je ne suis plus celle que j'étais non plus, Joshua. Attends, on m'a appelée... fit-elle en se dirigeant vers le répondeur. C'est peut-être ma grand-mère. Elle ne va pas bien en ce moment.

Elle enfonça la touche en priant le ciel que ce fût Spencer.

Hélas, c'était bien sa grand-mère.

Lily n'avait pas envie de retourner s'asseoir à côté de Joshua.

— Il est tard. Tu ferais mieux de rentrer.

— Quoi ! Mais je viens à peine d'arriver.

— Je sais, mais je dois ressortir.

— À minuit passé ?

Elle ne dit rien. Lui non plus.

— Joshua, à une époque j'aurais tout donné pour que tu sois gentil avec moi, pour que tu reviennes. Tu es parti, Emmy aussi, et je me suis retrouvée bien seule. Mais ce temps est révolu. Et maintenant que j'ai connu autre chose, je peux te dire que ce qu'il y a eu entre nous ne valait rien. Alors, je t'en prie. Va-t'en.

— Lily, je sais que ça a été dur pour toi, et je suis désolé...

— Tu ne peux pas savoir. La Lily que tu as connue n'existe plus, Joshua. Elle a disparu. Comme Emmy. Tu ne me connais plus du tout. Je suis une étrangère pour toi.

Lui ne comprenait pas, il croyait qu'elle lui en voulait encore de la façon dont il l'avait abandonnée.

— Tu veux vraiment que je m'en aille ?

— Oui, plus que tout.

Il s'en alla, vexé. Elle partit juste après lui et courut jusque chez Spencer. Il n'était pas chez lui. Son appartement était plongé dans l'obscurité. Elle l'appela sur son téléphone, sur son bipeur et attendit devant sa porte. Puis elle

481

traversa la rue pour acheter une livre de cerises chez Dagostino's et les mangea sous l'auvent, sans cesser de surveiller sa porte. À deux heures du matin, lasse de l'attendre dans la rue, elle retraversa Broadway et repartit lentement vers chez elle.

57

Mauvaise rencontre
à Tompkins Square

Spencer et Lily rentraient un soir de l'*Odessa* lorsqu'ils avaient été accostés par un sinistre individu qui ressemblait vaguement à Michael Jackson.

— Z'auriez pas un dollar pour m'acheter de la dope ? leur avait-il dit en titubant.

Spencer lui avait mis son badge sous le nez.

— Tu vas finir ta vie en taule si tu continues. Fiche le camp.

— Qu'est-ce que tu me sors, mec ? avait rétorqué le gars. C'est pas un dollar, ça !

— Police de New York. Fous le camp, je t'ai dit !

Spencer avait entraîné Lily en passant un bras protecteur autour de ses épaules.

— Lily, je te défends de traverser seule Tompkins Square de nuit, tu m'entends ? avait-il insisté.

— Ça ne me viendrait pas à l'idée, avait-elle protesté.

Pourtant quand elle passa devant le square, à deux heures du matin, cette nuit-là, elle était si lasse qu'elle alla s'asseoir sur un banc. Quelques clochards hantaient les allées en marmonnant entre leurs dents, fouillant leurs poches trouées à la recherche d'un billet égaré ou d'un reste de poudre. Ils dégageaient une odeur immonde et elle ne s'attarda que le temps de retrouver suffisamment de forces pour rentrer chez elle se coucher et oublier cette journée, la seizième de son supplice.

Au moment où elle s'apprêtait à franchir les grilles du square, un homme surgit derrière elle et la bouscula violemment. Elle bascula en avant et serait tombée s'il ne l'avait agrippée par le coude. Elle poussa un hurlement en voyant son visage de cauchemar, tout droit sorti d'un film d'horreur. Elle enregistra, en un éclair, le crâne rasé, avec des mots tatoués au-dessus de ses sourcils que, dans sa terreur, elle ne put déchiffrer ; les yeux plissés d'un bleu délavé, presque transparent, injectés de sang ; le visage tuméfié, un œil à moitié fermé, une dent cassée sur le devant, le nez écrasé ; le marteau et la faucille tatoués sur sa pomme d'Adam, à peine visibles sous sa crasse incroyable. Il dégageait une odeur putride insoutenable. On le sentait brutal et aux abois. Elle resta pétrifiée, le souffle coupé tandis qu'il la dévisageait en haletant, sans la lâcher. Il ouvrit la bouche dans une horrible grimace qui dévoila ses dents gâtées. Et dans un souffle rauque, elle crut l'entendre chuchoter : « Lily ».

Un jeune homme surgit soudain de la rue sombre.

— Hé ! Que se passe-t-il ici ? cria-t-il en se précipitant vers eux.

Le clochard la lâcha et détala. Elle aussi s'enfuit, paniquée, sans se retourner, terrifiée à l'idée qu'il la poursuivait. Une fois dans son immeuble, elle monta l'escalier quatre à quatre. Quand elle fouilla son sac à la recherche de ses clés, son cœur cognait si fort dans sa poitrine qu'elle pensa que c'était ainsi qu'arrivaient les crises cardiaques.

Après avoir refermé derrière elle sa porte à double tour, mis la chaîne et poussé le meuble du téléphone contre le battant, elle appela Spencer sur son portable, laissa un message sur son bipeur, puis courut aux toilettes vomir la livre de cerises qu'elle avait mangée. À trois heures du matin, son téléphone sonna.

— Oh, mon Dieu, Spencer, si tu savais ce qui vient de m'arriver !

— Lily, c'est papa.

— Oh, mon Dieu. Papa, tu... tu as vu l'heure ? bredouilla-t-elle, la respiration entrecoupée, toujours sous le choc de l'affreux chuchotement qui résonnait encore à ses oreilles.

— Lily, il est arrivé un malheur. Ta mère vient d'appeler la police. Elle leur a dit que je la battais.

— Oh, papa ! Elle a bu ?

— Quelle question ? Tu ne l'entends pas qui hurle ?

— Tu... tu l'as frappée ?

— Lily !

— Eh bien, tu n'auras qu'à le dire aux policiers.

485

— Elle a dû se faire mal. Il y a du sang dans la baignoire. Et elle ne peut plus marcher. Je pense qu'elle est tombée en sortant de son bain.

Elle entendit le carillon sonner dans le lointain.

— Les voilà, murmura son père. Reste au bout du fil, Lily. Ne m'abandonne pas.

Les policiers entrèrent dans le patio.

— Je vais vous passer ma fille, leur dit-il. Elle va tout vous expliquer.

— Elle ne peut pas savoir ce qui est arrivé, répondit une voix d'homme.

— Si, si, insista son père, elle sait tout.

— Vous avez le droit de vous taire, entendit-elle dire une autre voix. Tout ce que vous direz pourra être retenu contre vous. Vous avez droit à un avocat.

Le policier prit le téléphone.

— Je vous en prie, dit Lily, n'arrêtez pas mon père. Il n'a rien fait. Au contraire, il a passé sa vie à prendre soin de ma mère.

Le policier ne voulut rien entendre.

— Votre mère est ivre, c'est évident. Mais elle a une vilaine coupure derrière la tête, elle a du mal à marcher et si elle dit que c'est votre père qui lui a fait ça, nous sommes obligés de l'arrêter.

— Laissez-moi parler à ma mère, le supplia-t-elle d'une voix éteinte.

— Je ne peux pas te parler maintenant, lui déclara sa mère avant de lui raccrocher au nez.

Lily rappela quatre fois. Allison lui répéta qu'elle n'avait pas le temps de lui parler, qu'elle

486

était occupée et enfin qu'au lieu de perdre son argent en communications, elle ferait mieux de le donner à sa sœur aînée.

Lily rappela une cinquième fois. Ce fut un policier qui répondit.

— Il faut venir, votre père ne peut pas s'en sortir tout seul. N'a-t-il aucun ami ici qui pourrait l'aider ?

Son père prit le téléphone à son tour.

— Je n'en peux plus. À peine rentré du commissariat, je prends mes cliques et mes claques et je m'en vais.

— Papa, le supplia-t-elle. Dis-leur que tu n'as rien fait, dis-leur que tu ne l'as jamais touchée !

— Ils ne veulent pas m'écouter. Du moment qu'elle se plaint de violences conjugales, ils sont forcés de m'arrêter, ajouta-t-il d'une voix tremblante, lui qui n'avait jamais eu affaire à la justice de sa vie.

— C'est ridicule. Ils voient bien qu'elle est ivre !

— Ils s'en moquent. Lil, tu peux leur parler ? J'ai besoin de toi, ma petite fille. Je ne sais pas quoi faire. Je t'en prie, fais quelque chose. Ton ami inspecteur n'est pas là ? Il pourrait peut-être leur dire un mot. Je ne le juge pas, crois-le bien. Je sais qu'il n'a fait que son boulot.

— Il n'est pas là, répondit-elle d'une voix brisée, mais passe-moi les policiers.

Un homme fort poli, très compréhensif, à l'accent hawaiien prononcé, prit le téléphone.

— Hélas, je n'ai pas le choix. C'est la loi, ici, à Maui. Si une épouse se plaint de violences conjugales, nous devons arrêter le mari. Ne vous inquiétez pas. Nous l'emmenons juste au commissariat le temps de verser une caution, puis il pourra repartir. Mais il aura interdiction de se représenter chez votre mère pendant vingt-quatre heures. Il faut que vous le raisonniez, mademoiselle Quinn. Il ne semble pas comprendre que c'est la loi.

— Je pense surtout qu'il a du mal à croire ce qui lui arrive.

Le policier passa l'appareil à son père.

— Lily, qu'est-ce que je vais devenir ? Comment je vais me sortir de là ?

— Ne t'inquiète pas, tout va s'arranger.

— J'ai besoin d'aide. Je ne peux plus m'occuper de ta mère. Là, c'est la goutte d'eau qui fait déborder le vase. Elle me fait vivre un véritable enfer depuis que j'ai parlé de revendre l'appartement.

— Oh, papa, je ne vois pas comment je pourrais t'aider.

— Je t'en prie, Lily. On ne peut pas la laisser toute seule, tu n'imagines pas dans quel état elle est. Il faut que tu viennes.

— Comment veux-tu que je fasse, papa ?

— Je te paierai, si c'est ça qui t'inquiète. J'ai de l'argent à moi. Ta mère ne m'a pas encore totalement castré.

— Ce n'est pas ça le problème...

— Alors viens. Tu lui parleras, tu essaieras de l'aider, tu prendras soin d'elle, tu lui donneras l'amour dont elle a besoin, moi, je n'y arrive plus.

Prends un billet de première classe, s'il le faut. Je paierai. Je dois te quitter. On va me prendre mes empreintes digitales et m'enfermer comme un vulgaire criminel. Maintenant je comprends ce dont Andrew avait peur.

Lily sentit le reproche même si ce n'en était pas un.

— Lily, je t'aime, ajouta son père avant que la police ne l'embarque.

— Qu'est-ce que tu as fait ? s'écria Lily quand sa mère lui téléphona, un peu plus tard. Mais qu'est-ce que tu as fait ? Tu as envoyé papa en prison, maman ! Tu te rends compte ?

— Il m'a frappée.

— Maman, quand la police s'apercevra que tu as menti, c'est toi qu'elle enfermera.

— Je ne t'ai pas appelée pour me faire engueuler ! cracha Allison avant de lui raccrocher au nez.

Lily ne put fermer l'œil de la nuit, hantée par l'horrible visage de l'homme qui l'avait attaquée dans le square. Elle sentait encore ses mains qui l'agrippaient. L'avait-il suivie ? Était-il tapi dans l'ombre pendant qu'elle attendait Spencer sur Broadway ? C'était à la fois inconcevable et terrifiant. Le lendemain matin, sa décision était prise. Elle jeta dans un sac une ou deux tenues d'été, un maillot de bain et ses carnets de croquis et sauta dans un taxi.

Spencer ne l'avait pas rappelée.

Elle ne savait pas quel vol elle prendrait. Arrivée à JFK, elle trouva une place en première sur Delta et, deux heures après, elle décollait.

Libre comme l'air.

Libre... de vivre ou de mourir.

58

Huit jours à Maui

À l'escale de Los Angeles, il y avait du brouillard, on ne voyait pas le ciel, mais Lily était sûre que l'air embaumait et qu'il faisait chaud.

Son père l'appela au moment où elle remontait dans l'avion.

— Ils m'ont passé les menottes et m'ont traité comme un malfrat. Et je n'ai pas pu t'appeler avant, j'étais en prison ! avait-il ajouté dans un éclat de rire.

En fait, à peine arrivé, il avait payé sa caution et on l'avait relâché. Mais c'était plus fort que lui, il fallait qu'il en rajoute !

— Que veux-tu manger ? demanda-t-il, comme si elle venait leur rendre simplement visite. Tu aimes les crevettes ? Je connais une délicieuse recette avec du céleri.

Lily détestait le céleri mais elle marmonna un oui.

Que faisait-il chez lui ? N'avait-il pas l'interdiction de remettre les pieds à son domicile pendant vingt-quatre heures ? Pourquoi n'en profitait-il pas pour faire ses valises ? Ne lui avait-il pas dit qu'il partait ? Non, il préparait le dîner, la cigarette au bec, comme si de rien n'était. Et de lui dire qu'il irait la chercher à l'aéroport, qu'il ne fallait pas qu'elle loue de voiture car il avait la Mercedes à sa disposition... Ne savait-il pas qu'elle n'avait jamais appris à conduire ? La seule fois où elle s'était assise sur le siège du conducteur, c'était dans la voiture de Spencer, à l'arrêt, et...

Pendant le vol, Lily lut presque entièrement *Comprendre l'esprit d'un alcoolique*, surtout pour s'occuper et ne pas penser à sa mère, paradoxalement. Elle n'eut pas de mal car elle ne songea qu'à Spencer.

Son père l'attendait à l'aéroport. Il y avait longtemps qu'elle ne l'avait pas vu. Elle le trouva épaissi, les cheveux plus gris que dans son souvenir. Ils s'embrassèrent.

— Lily, prépare-toi à un choc quand tu verras ta mère. Elle est dans un état affreux.

— Je sais.

Il secoua la tête.

— Tu ne peux pas imaginer. Tu ne l'as jamais vue comme ça. Elle a beaucoup vieilli. Et elle a un problème au pied. Il faudra que tu regardes.

— Qu'est-ce qu'elle a ?

— Je ne sais pas. Je ne suis pas médecin.

— Parce que moi je le suis ?

— Non, mais... tu as été malade. Tu es plus habituée. À propos, comment vas-tu ?

Sans attendre sa réponse, il ramena aussitôt la conversation sur Allison. Et il ne fut question que d'elle tandis qu'ils traversaient les collines volcaniques de Maui.

Lily trouva l'appartement dans un fouillis indescriptible avec des vêtements qui traînaient partout, des serviettes mouillées sur les meubles, les salles de bains dégoûtantes, le sol aussi, et ça sentait mauvais.

George insista pour qu'elle dîne avant d'aller voir sa mère dans sa chambre. Il lui servit des sashimis de thon dans le patio. Puis il lui raconta qu'il était rentré à pied du commissariat.

— Et faire vingt kilomètres à pied, ça remet les idées en place !

— Papa, je croyais que tu voulais t'en aller.

Il secoua la tête.

— Lily, tu n'imagines pas. Ta mère est incapable de vivre seule. Tu comprendras quand tu la verras.

— J'y vais tout de suite. Merci pour les sushis.

Sa mère dormait encore.

— Tu es venue remonter le moral de ton père ? marmonna-t-elle quand Lily finit par la réveiller.

Et quand elle permit à Lily d'examiner son pied, celle-ci faillit s'évanouir.

Un os saillait de son orteil qui faisait un angle bizarre et le pied tout autour semblait tuméfié, boursouflé.

— Maman, quand est-ce arrivé ?

— Que veux-tu que j'en sache ? répondit celle-ci d'une voix pâteuse. Je crois que c'est quand je suis tombée dans la baignoire. Ou quand j'ai essayé d'en sortir. Mais le plus grave, c'est ma tête. Tu peux regarder ?

Elle se tourna sur le côté et écarta les cheveux sur sa nuque. La blessure disparaissait sous le sang coagulé.

— Maman, il faut aller à l'hôpital.

— Alors là, pas question !

— Ne dis pas de bêtises ! Il faut te soigner !

— Non, ce n'est pas la peine. Nous n'aimons pas les hôpitaux autant que toi, Lily. Nous les trouvons très inconfortables. Et c'est inutile. Ma tête va mieux et mon pied finira par guérir. Je me demande seulement si je n'ai pas fait une commotion cérébrale.

Lily appela l'unique hôpital de Maui, le Maui Memorial. À peine eut-elle prononcé les mots « fracture ouverte » qu'on l'orienta vers le service des urgences, sur South Kihei Road. La réceptionniste du service ne savait pas ce qu'était une fracture ouverte. Lily demanda à parler à un médecin.

— S'il s'agit d'une fracture ouverte, je ne comprends pas pourquoi on vous adresse ici, répondit ce dernier. C'est à l'hôpital qu'il faut aller. Les fractures ouvertes s'infectent très vite, surtout dans les extrémités où l'afflux d'oxygène est limité.

Allison dit qu'elle ne voulait pas y aller, que c'était trop tard. Il était neuf heures du soir. George, qui avait passé la journée à remplir des papiers avec son avocat, à faire la cuisine et à s'occuper d'elle, n'avait pas envie non plus d'y aller.

— Ça attendra demain, décréta-t-il.

À la lumière du jour, aucun doute n'était possible. On voyait nettement des bulles sur le dessus du pied qui avait pris une vilaine couleur brune et qui empestait.

— Ça suffit, là on va à l'hôpital ! décida Lily.

— Pas question ! se rebiffa Allison.

— Fiche-lui, la paix, Lil. Ça va s'arranger.

Lily appela néanmoins les urgences.

— Son pied est marron, leur dit-elle.

Ils arrivèrent cinq minutes après. En quelques secondes, Allison se retrouva sur une civière, et l'ambulance démarra sans laisser à George le temps de dire ouf.

À l'arrivée, l'infirmière des urgences, surchargée de travail, dédaigna Allison jusqu'au moment où elle vit son pied. Elle appela aussitôt le chirurgien de garde.

Quand on fit entrer Allison dans la salle d'opération, elle fondit en larmes en disant qu'elle allait mourir.

Le jeune médecin examina son pied puis entraîna Lily à l'écart.

— Savez-vous ce qu'est la gangrène humide ? La gangrène gazeuse ?

Lily secoua la tête.

— C'est beaucoup plus grave que la gangrène sèche où le tissu est entièrement mort. Ici nous avons des cellules encore vivantes qui suintent et contaminent les tissus voisins, d'où le nom de gangrène humide. Et la gangrène de votre mère a atteint un stade encore plus critique. Les bactéries ont commencé à produire un gaz mortel, qui prospère dans les zones peu oxygénées

495

comme son doigt de pied fracturé. Il se forme de plus en plus de pus et des bulles gazeuses, ce qui permet à ce poison de s'étendre rapidement et entraîne une forte fièvre, ajouta le médecin en détournant les yeux.

— C'est pour cela qu'elle est à l'hôpital ! s'exclama Lily. Soignez-la !

— Il était temps que vous l'ameniez. Nous pourrons la sauver. Hélas... nous ne pourrons pas sauver son pied.

Lily dut s'asseoir.

— Nous allons la mettre sous antibiotiques. Mais il faut l'amputer. Dites-moi, votre mère a des problèmes ? Elle boit ?

Lily le regarda, incapable de prononcer une parole.

— Est-elle alcoolique ?

Lily réussit à hocher la tête.

— Est-elle en état de comprendre ces explications ?

— C'est moi qui ne suis pas en état de les assumer, soupira Lily.

L'intervention dura à peine une demi-heure. Son père alla fumer dehors. Quand il revint, c'était terminé.

— Bon, bon, bon..., dit-il à Lily. Autant rentrer à la maison. Tu dois être crevée. Il faudrait peut-être que tu préviennes tes sœurs et ton frère.

— Et grand-mère ?

— Et grand-mère, ajouta-t-il après réflexion. Ton énergie me sidère. Depuis combien de temps n'as-tu pas dormi ?

496

Lily n'avait eu que trois heures de sommeil en quarante-huit heures. Elle avait raté ses analyses de sang et n'avait pas de nouvelles de Spencer. Et il lui restait à peine la force de passer un dernier coup de fil. Elle le réserva à sa grand-mère, d'autant plus que c'était le moyen le plus rapide de répandre la nouvelle dans la famille.

Quand ils fouillèrent le placard d'Allison, ils y découvrirent une grosse bouteille de gin à peine entamée. Son père décida aussitôt de la jeter, puis se ravisa et alla la cacher dans le coffre de la Mercedes.

— Ce serait un péché de jeter un si bon alcool, dit-il pour se justifier.

Il proposa à Lily d'aller à la plage ; il semblait avoir oublié pourquoi il l'avait suppliée de venir.

— Papa, nous devons d'abord nous occuper de la police. Et aussi aller voir maman.

— Quel dommage qu'elle ne sache pas apprécier les plaisirs de la vieillesse ! soupira-t-il. Ce n'est pas elle qu'on verra avec « Le bonheur c'est d'être grands-parents » écrit sur son pare-chocs.

— Et on le verra sur le tien ?

Il ne répondit pas.

Il vivait à l'heure de Maui. Avec déjà six heures de retard sur le reste du monde. Et il était d'une lenteur !

Lily faillit appeler Spencer. Quelle heure était-il à New York ?

La torture continua au supermarché.

— Pourquoi prends-tu des crevettes ? grommela son père quand Lily en mit une barquette dans le caddie. J'ai déjà acheté du saumon fumé à ta mère.

Lily répondit qu'elle aimait aussi les crevettes.

— Pourquoi achètes-tu du thé glacé ? Ta mère n'aime pas ça.

— Moi, si. Et peut-être qu'elle en boira quand même.

— Ne prends pas de savon. Nous en avons plein la maison.

Alors qu'ils retraversaient la montagne pour aller à l'hôpital, Lily aperçut sur le bord de la route un arbre énorme avec de grosses fleurs rouges qui ressemblaient à celles d'un rhododendron. Elle décida de chercher son nom et de le peindre. Elle découvrait tout à coup ce que cette île, à peine surgie des entrailles de la terre, avait de grandiose et de magnifique. Pour elle, cet arbre majestueux était comme le symbole de cette île magique.

À l'inverse de l'arbre, Allison avait perdu toute dignité. Elle continuait à s'exprimer avec difficulté, comme si elle était toujours ivre.

Le Dr Aillard entra dans la chambre et déclara sans préambule, sans même les saluer :

— Il faut arrêter de boire, madame. Et tout de suite. Vous n'avez plus le choix !

Génial ! songea Lily. Pourquoi sa mère n'y avait-elle pas pensé plus tôt !

Allison contemplait sa jambe mutilée, les yeux écarquillés de stupeur. Lily n'en revenait pas, elle non plus, comme sa grand-mère, la veille, au téléphone.

— Ce n'est pas possible, ce n'est pas possible, avait répété la vieille dame. Pourquoi l'amputer ? N'y a-t-il rien d'autre à faire ?

— C'est trop tard. Son pied est gangrené.

— La gangrène, je connais. Ta mère a déjà failli être amputée quand elle était toute petite. Pourquoi faut-il que ça lui arrive maintenant, et aux États-Unis, en plus ! C'est grotesque !

Et ce médecin antipathique qui ne parlait que d'alcool. Ce n'était pas facile non plus.

Allison refusa de s'alimenter.

Un autre médecin, le Dr Matthews, vint leur annoncer que ce serait lui qui la suivrait désormais. George, dépassé par les événements, entreprit de lui raconter dans le désordre sa vie, son travail au *Post* à Washington, comment sa femme s'était déjà cassé un bras...

Matthews leur parla des difficultés du sevrage et dit qu'on lui administrerait de la morphine pour l'aider. Allison sourit enfin. De la morphine !

Matthews leur dit également qu'elle resterait dix jours à l'hôpital, le temps que son moignon cicatrise. Le mot les fit tiquer mais il ne sembla pas le remarquer. Il ajouta qu'il ferait également un rapport signalant que les blessures d'Allison n'étaient pas dues aux mauvais traitements de son mari afin de dégager George des charges qui pesaient contre lui.

Lily se précipita vers le téléphone et appela le

bureau du procureur. Sa mère n'avait plus qu'à retirer sa plainte et son père serait innocenté.

Après moult coups de fil, un policier vint enfin prendre sa déposition. Et quand Allison déclara « C'était entièrement ma faute. Je suis vraiment désolée », Lily pensa que Spencer aurait été fier d'elle. C'était le but qu'elle s'était fixé : rendre Spencer fier d'elle. Elle aurait voulu l'appeler. Et en même temps, lui, sa maladie à elle, tout cela lui semblait si lointain ! Ici, il n'était question que de déposition, de plainte et de gangrène. Peut-être que si elle s'installait ici, les mangues, les sushis et les palmiers finiraient par lui faire oublier Spencer et même qu'elle avait été malade. Elle avait les moyens, elle pouvait vivre où elle voulait, acheter une maison au bord de l'océan, sous les palmiers, loin de lui, loin d'Emmy et d'Andrew.

Quand le policier fut reparti, elle félicita sa mère.

— Bravo, maman, tu as eu beaucoup de courage.

— Ce n'est pas ça qui me rendra mon pied, rétorqua Allison sans la regarder.

Bien qu'il ait été innocenté, George se laissa aller le soir à un profond découragement.

— Nous n'arriverons jamais à la soigner, Lily. Elle ne guérira jamais, je m'en rends compte maintenant.

— Alors pourquoi faisons-nous tous ces efforts ?

Il répondit que le plus important ce n'était pas le but, c'était la lutte pour l'atteindre.

Elle eut l'impression d'avoir déjà entendu cette phrase quelque part.

Sur le chemin de la plage, Lily ne se lassait pas d'admirer les buissons rouges qui formaient un contraste éclatant sur le ciel et la mer, en se demandant comment elle avait pu ne pas les remarquer lors de sa visite de l'an dernier.

Et les palmiers qui se courbaient tels des archets sur le sable volcanique au soleil couchant !

Et le soleil qui s'enfonçait telle une boule de feu dans l'eau entre Lanai et Maui. Elle s'assit sur un rocher et le regarda disparaître. Puis elle se baigna. L'eau bienfaisante s'étala tel un baume sur ses paupières rêches comme du papier de verre, ses lèvres gercées par le stress, et son visage desséché. Quel bien-être merveilleux ! Ses sensations revenaient.

L'eau était chaude, l'air aussi. Lily nageait voluptueusement lorsque, tout à coup, elle songea que si elle percevait avec une telle intensité l'éclat des couleurs et la douceur de l'eau, c'était parce qu'elle les ressentait pour la dernière fois. Oui, elle avait la prémonition qu'elle ne reverrait jamais plus Maui.

Hantée par ce pressentiment, elle rentra sans un regard pour le ciel qui se livrait à une débauche de dégradés d'indigo et de lie-de-vin.

George avait préparé des crevettes aux champignons et aux oignons, accompagnées d'une sauce délicieuse et de riz. Lily en reprit deux fois ainsi que de la glace. Puis elle appela sa mère à l'hôpital. Le médecin orthopédiste n'était pas encore venu et Allison se plaignit que son moignon s'infectait. Il fallait changer ses pansements. Lily lui dit de ne pas s'inquiéter, que ça cicatrisait. Allison ne voulut rien entendre.

Le bureau du procureur de Maui avait appelé George.

— Ils ont reçu le rapport de la police et l'assistante du procureur propose de nous recevoir lundi prochain. Elle voudrait savoir si ta mère pourra venir. Qu'en penses-tu ?

— Comment veux-tu que je le sache ? Pourra-t-elle se déplacer en chaise roulante d'ici là ? En plus, je compte repartir samedi.

George la supplia de rester jusqu'au lundi. Elle finit par accepter, contrainte et forcée.

La nuit, le ciel de Maui était constellé d'étoiles en si grand nombre et si brillantes qu'il en semblait artificiel. Mais ce que Lily trouvait le plus stupéfiant, c'était l'énorme sphère lumineuse de Jupiter. Elle n'avait jamais rien vu de tel dans sa vie et rêvait de le montrer à Spencer, certaine que lui non plus n'avait jamais assisté à pareil spectacle.

Le jeudi, son père, de plus en plus pessimiste, n'arrêtait pas de se lamenter qu'ils seraient obligés de finir leur vie à Maui, qu'il passerait en jugement et qu'il serait condamné.

Juste avant d'entrer dans la chambre d'Allison, il fit promettre à Lily de ne pas rester plus d'une heure. Il avait envie d'aller à North Beach. Il avait besoin de se faire plaisir, lui aussi.

Ils trouvèrent Allison en train de dire au médecin qu'elle ne s'était mise à boire que depuis quatre mois, quand son mari lui avait annoncé son intention de quitter cet endroit paradisiaque.

Lily demanda au médecin si elle pouvait le voir un instant. Ils sortirent dans le couloir. Elle lui expliqua que sa mère buvait depuis au moins dix ans et que cela n'avait fait qu'empirer à Maui.

— Vous avez vu ses bleus ? Et il a fallu l'amputer d'un pied ! Vous croyez qu'on peut arriver à ce niveau d'alcoolisme en quatre mois ?

Ils revinrent dans la chambre.

— Madame Quinn, votre fille affirme que vous buvez depuis beaucoup plus longtemps que vous ne le dites.

— Elle ne m'a jamais vue boire, rétorqua Allison, en jetant un regard haineux à Lily. C'est lui qui lui a dit ça, ajouta-t-elle en montrant George du doigt. Ce sont des menteurs tous les deux.

Le médecin se tourna vers George.

— Monsieur Quinn, votre femme boit-elle autant que votre fille le prétend ?

George se racla la gorge.

— Malheureusement, ma fille est encore loin de la vérité. Mais j'aime ma femme et je continuerai à m'en occuper quoi qu'il arrive. La quitter équivaudrait à abandonner un paralytique au fond d'un bois, en pleine nuit.

Il fondit en larmes et quitta la pièce.

Allison se mit à hurler qu'elle souffrait terriblement, qu'il lui fallait de la morphine, qu'elle voulait que Lily s'en aille, qu'elle parte et qu'elle ne revienne plus jamais !

— Que voulez-vous qu'on fasse, madame Quinn ? demanda le Dr Matthews.

— Je veux qu'on me laisse seule. C'est tout.

— Vous voulez qu'on vous laisse seule pour boire ?

— Bien sûr que non !

— Vous voulez que votre mari vous quitte ? Qu'il fasse ses bagages et qu'il s'en aille ? C'est ça ?

Elle ne répondit pas.

— Sachez, madame Quinn, que je ne suis pas d'accord avec la comparaison de votre mari. Contrairement à un paralytique incapable de marcher, si vous étiez abandonnée au fond d'un bois, vous pourriez vous en sortir.

— Je ne peux pas marcher non plus !

— Si, il suffit que vous décidiez de vous soigner et de ne plus boire. Mais vous ne pourrez pas y arriver toute seule. Nous avons des centres de traitement, ici, à Maui. J'en connais un excellent, Aloha House.

Allison secoua la tête.

— Je ne veux pas y aller.

— Pourquoi ?

— J'adore ma maison. Je veux rentrer chez moi.

— Pour pouvoir boire ?

— Bien sûr que non !

— Je tiens à ce que vous alliez à Aloha House quand vous quitterez l'hôpital, confirma le médecin avant de s'en aller.

— Mais vous ne pouviez pas vous taire ? hurla Allison dès qu'il fut parti.

Son père préférait aller à la plage que d'aller voir sa mère. Et il refusait d'envisager les problèmes qu'ils devraient affronter quand elle reviendrait à la maison. Comment prendrait-elle sa douche ? Comment ferait-elle pour monter et descendre les marches...

De son côté, sa mère était décidée à rentrer chez elle coûte que coûte. Son père, ravi de la voir sobre, ce qui ne lui était pas arrivé depuis très longtemps, s'empressa d'acquiescer.

— Ta mère a raison. Inutile qu'elle aille à Aloha House. Nous n'avons plus une goutte d'alcool à la maison, et elle va nous promettre de ne plus boire.

— Bien sûr que je ne boirai plus, promit aussitôt Allison sans vergogne. J'ai compris la leçon.

— Non, mais vous vous moquez de moi ! s'écria Lily. Vous plaisantez !

— Voyons, Lily, la gronda son père. Je m'y connais plus que toi. Crois-en mon expérience.

Voilà pourquoi on disait que l'alcoolisme était une maladie familiale !

Dire que c'était le même homme qui, à peine quatre jours auparavant, se déclarait dépassé et suppliait Lily de venir à sa rescousse ! Et maintenant, il ne trouvait rien de mieux que de vouloir ramener sa femme à la maison !

— Maman n'a jamais su se contrôler par le passé et tu voudrais qu'elle y arrive du jour au lendemain ?

C'est à ce moment-là que Lily comprit que sa mère avait raison ! C'était la faute de son père si elle buvait, car il lui faisait toujours confiance. Chaque fois qu'Allison décidait de ne plus boire, ne serait-ce qu'une journée, une minute, non seulement elle y croyait, mais George aussi. Et il disait : Cette fois, c'est la bonne. Ta mère a déjà fait un grand pas en avant. Je peux l'aider à se désintoxiquer. Sans problème.

— Nous lui ferons signer la promesse de ne plus toucher à une goutte d'alcool, sinon c'est moi qui la ramènerai à l'hôpital, affirma-t-il d'un ton sans réplique.

Lily préféra ne pas répondre.

Comme elle aurait voulu avoir l'avis de Spencer ! Mais elle le connaissait d'avance ! Il aurait bondi devant de telles inepties.

Le Dr Matthews confirma à Lily qu'il ne laisserait pas sa mère quitter l'hôpital tant qu'elle n'aurait pas été prise en charge par Aloha House.

— Voilà pourquoi je ne voulais pas venir à l'hôpital ! s'écria Allison quand elle l'apprit. J'en étais sûre. Tu ne pouvais pas te taire, Lily ! Regarde ton père. Tu vois dans quel pétrin tu nous as fourrés !

— Ah bon ? Parce que c'est moi qui ai été

amputée d'un pied ? C'est moi qui suis tombée dans la baignoire ? C'est moi qui suis couverte de bleus ?

— C'est bien ce que je pensais, sanglota Allison. Je ne suis plus bonne à rien. Plus personne n'a besoin de moi. Je voudrais mourir.

J'ai eu besoin de toi, maman, songea Lily. J'ai encore besoin de toi. Où es-tu ?

Sur le chemin du retour, George, très contrarié, reprocha à Lily de ne rien comprendre.

À peine furent-ils arrivés à l'appartement qu'ils reçurent un appel d'Allison. Elle s'était renseignée. Et elle avait découvert qu'une fois à Aloha House, elle pourrait en partir quand elle le voudrait !

— Et le jour même de mon arrivée là-bas, je signerai la décharge et je rentrerai chez moi ! annonça-t-elle triomphalement.

— Maman, tu ne peux pas faire ça. Si on t'envoie à Aloha House, c'est pour te guérir.

— Alors autant que je reste à l'hôpital dans ce cas. Là, au moins, on me donne de la morphine et des somnifères.

— À quoi bon prendre de la morphine si tu n'as pas mal ? Tu veux échanger une dépendance contre une autre ?

— Mais je souffre terriblement. Tu oublies mon pied !

— Je ne t'ai jamais entendue t'en plaindre lors de nos visites.

— Comme si je gémissais chaque fois que j'ai mal !

Dès qu'il était question de son alcoolisme, sa mère mentait, et s'il y a un trait qui caractérise l'alcoolique, ce sont bien ses mensonges. À l'entendre, si elle buvait, c'était la faute de son père, d'ailleurs elle ne buvait pas tant que ça. En outre, elle pouvait arrêter quand elle le voulait. Mais elle n'avait pas envie. Pourquoi le ferait-elle ? Pour lui faire plaisir ? Et quoi encore ?

Lily découvrit qu'elle avait des rougeurs tout autour de la bouche. Elle ne se sentait pas bien. Un jour, à leur retour de la plage, elle s'évanouit dans le patio.

George supportait de moins en moins l'hôpital. À peine assis au chevet d'Allison, il se relevait, sortait fumer une cigarette, revenait. S'il se montrait plein de courage chez lui, quand il parlait avec Lily, devant un verre, il était beaucoup moins fier tête à tête avec sa femme, abrutie par la morphine.

Et il refusait de songer à ce qui l'attendait quand elle rentrerait. Comment ferait-elle pour descendre les marches ? Et pour monter dans la baignoire ? Quand son moignon serait totalement cicatrisé, elle pourrait avoir une prothèse, mais d'ici là ?

Lily avait hâte de rentrer chez elle. Son carnet était rempli de vues de Maui qu'elle rêvait de peindre dans son atelier. Et elle voulait sentir la brise de New York sur son visage, retrouver la Deuxième Avenue, acheter du poulet *tikka* chez

Baluchi's. Elle réalisa une petite aquarelle avec la plage, l'océan et Jupiter dans le ciel.

George s'adonnait à son art : la cuisine. Il apporta des petits plats à l'hôpital pour Allison. Celle-ci se plaignit qu'ils étaient trop salés.

Lily lui offrit l'aquarelle. Allison la regarda à peine.

— Tu vois, c'est ce soleil constant que je trouve déprimant, dit-elle en la laissant tomber sur la couverture.

Lily la déchira en mille morceaux et la jeta à la corbeille.

— Qu'est-ce qui te prend ? s'offusqua Allison.

Plus personne ne parlait d'Aloha House. Le Dr Matthews disait juste qu'il faudrait qu'Allison assiste chaque jour aux réunions des Alcooliques anonymes quand elle rentrerait chez elle, dans deux semaines. Allison hochait la tête, mais Lily n'était pas dupe : sa mère était prête à promettre n'importe quoi pour quitter l'hôpital.

De retour à l'appartement, Lily vida la bouteille qui était dans le coffre de la Mercedes et remplaça le gin par de l'eau. Deux assurances valaient mieux qu'une.

Allison finit par avouer à Lily à quel point elle buvait.

Cette révélation fut un choc pour George. Il comprenait soudain pourquoi sa femme n'avait jamais d'appétit, se plaignait toujours de la nourriture, et finissait par l'insulter avant de retourner s'enfermer dans sa chambre pour y boire en cachette.

Et George en voulait autant à Maui qu'à Allison. Cet endroit magnifique avait poussé sa femme au désespoir et il ne supportait plus la beauté de ses fleurs ni la splendeur de ses matinées. Il ne pouvait plus évoquer ses promenades quotidiennes sans penser que sa femme profitait de ces deux heures divines pour se détruire. Lily songea cependant qu'il y avait peut-être de l'espoir. Que son amputation avait peut-être servi de leçon à sa mère. Jusqu'au jour où Allison fit la connaissance de Shelly, conseillère aux Alcooliques anonymes.

— Tu vois, Lily, ce que j'ai, c'est une maladie, déclara Allison quand la conseillère partit, deux heures plus tard.

C'est moi qui suis malade, eut envie de répondre Lily.

— Oui, une véritable maladie. C'est Shelly qui l'a dit. Et il ne faut surtout pas que je culpabilise, ni que je me reproche quoi que ce soit.

— Tu crois que tu t'en veux beaucoup ?

— Oui, elle a remarqué que je n'arrêtais pas de dire que c'était ma faute.

— Voyons, maman, tu sais bien que tu n'en penses pas un mot ! Tu as passé ta vie à dire que c'était papa le responsable de tous tes ennuis, alors pourquoi prétendre le contraire devant Shelly ? En quoi ça va t'aider ?

— Je souffre d'une véritable maladie, ma fille ! Une maladie, tu entends !

— Dans ce cas, on peut te soigner.

Allison secoua la tête avec vigueur.

— Non, justement ! Il n'y a rien à faire. Tu sais ce que Shelly m'a dit ? Qui a bu boira ! Elle connaît des foules de gens qui n'ont pas bu depuis cinquante ans et qui se considèrent toujours comme des alcooliques. C'est incurable. Jusqu'à leur mort, ils n'auront qu'une envie, boire.

— Où veux-tu en venir ?

— C'est sans espoir, décréta Allison d'un ton catégorique. Je ne pourrai jamais guérir.

— Maman, combien de membres devras-tu perdre avant d'arrêter de boire ?

— Qui a bu boira, répéta Allison d'un ton hautain.

— Ça ne tient qu'à toi d'arrêter. Shelly n'a jamais dit que tu ne pouvais pas te contrôler, n'est-ce pas ?

— Non... mais j'aurai toujours envie d'un verre. Et elle a dit qu'on rechutait forcément, que personne n'était parfait.

Pourquoi Lily commençait-elle à détester cette Shelly ? Son intervention était une catastrophe. Allison n'avait pas besoin qu'on lui donne l'absolution !

— L'alcool serait-il ta chambre des larmes, maman ?

— Quoi ?

Lily lui parla de sa rencontre avec le prêtre de Saint Patrick.

Allison se détourna et lui fit une réponse des plus déroutantes.

— Non, ce n'est pas ma chambre des larmes. C'est juste le loup qui garde sa porte.

Sur la plage. Dimanche matin. Pas un nuage dans le ciel. La paix. Lily dessinait sans fin des palmiers et des hamacs, des falaises, des volcans et des flamboyants, des montagnes et des vallées.

Elle pensait à sa mère et à elle. Et que la plupart des gens étaient malheureux parce qu'ils ne menaient pas la vie qu'ils voulaient et ne savaient pas comment y remédier.

Tout le monde n'a pas la chance d'avoir un cancer, songea-t-elle sans ironie. Ou plutôt la chance d'avoir un cancer et de s'en sortir. Quelle expérience édifiante !

Pas comme l'alcoolisme.

Mais, sans alcool, que restait-il à sa mère ? Rien.

Allison avait l'impression d'avoir raté sa vie, elle se trouvait vieille. Elle avait vu un psy, pris des antidépresseurs – Zoloft, Prozac... Elle détestait sa vie quand elle était sobre. C'était elle qu'elle détestait quand elle avait bu, et davantage encore quand elle était à jeun. Au moins, quand elle était abrutie par l'alcool, le temps passait-il plus vite.

Et chaque perte de conscience la rapprochait de sa mort. Tant mieux. Pourquoi ne se suicidait-elle pas ? Par lâcheté. Par peur de Dieu. Pourquoi risquer le châtiment éternel ? Si elle se tuait en voiture, elle pourrait toujours laisser penser que c'était un accident. Et leur père qui, pendant des années, avait essayé de les effrayer avec l'éventualité de sa mort, ne voyait-il pas que c'était justement ce qu'elle cherchait ? Tout ce qui faisait sa vie, elle l'avait rejeté. Comme tout ce qui la rendait agréable, à part la brûlure du gin dans sa gorge et l'oubli qui s'ensuivait. Elle était déjà morte. Pour sa famille. Pour elle.

— Je peux arrêter quand je veux, fanfaronnait-elle. Mais je ne veux pas !

Son père fermait les yeux pour avoir la paix et elle ne demandait que ça.

Elle disait à Lily qu'il vivrait bien mieux sans elle. Et Lily pensait qu'elle avait raison. Il irait à la pêche, il regarderait la télévision, il ferait la cuisine. Ses journées seraient toujours aussi remplies. Sauf qu'il aurait du mal à cuisiner pour lui tout seul, c'était plus agréable pour deux, il aurait du mal à regarder un film le soir, c'était plus agréable à deux. Lily était bien placée pour le savoir. Mais pas question qu'elle se laisse aller à pleurer sur la plage. Non. Elle dessinait les yeux de Spencer regardant *Le Jour sans fin* avec elle. Ils riaient. Ils s'aimaient. Non, elle ne pleurerait pas !

L'alcoolisme de sa mère n'était pas une maladie. Ce n'en était que le symptôme. Sa maladie, c'était son vide intérieur. Et il lui fallait beaucoup d'alcool pour le remplir.

— Tu veux qu'on parle un peu toutes les deux ? proposa un jour Lily alors qu'elle était seule avec sa mère.

— Je n'ai plus rien à dire.

Lily ne sut que répondre.

— Tu veux me parler de... de ta chambre des larmes ?

513

Allison chassa l'idée d'un geste.

— Je fumerais bien une cigarette.

— Tu n'as pas le droit, ici, maman. Il y a des bouteilles d'oxygène partout.

— Oh, tous ces règlements, je ne les supporte plus. Qu'on me laisse donc rentrer chez moi et reprendre ma vie en main.

— Parce que tu crois que tu la tenais en main, avant de venir ici ?

Bref silence.

— Je te trouve bien impertinente. Comment veux-tu que je dise quoi que ce soit dans ces conditions ?

— Je suis désolée. Ça m'a échappé. Parle-moi de toi.

— Trop tard. Tu n'as qu'à demander à ta grand-mère si ça t'intéresse. Elle en sait plus que moi. Je suis même surprise qu'elle ne t'ait encore rien dit, elle qui n'arrête pas de ressasser le passé.

— Qu'est-ce qu'elle aurait dû me dire ?

— Je vais te poser une question. Réponds-moi franchement. Il t'arrive de souhaiter que je ne sois pas ta mère, non ? Tu aimerais avoir une mère différente, non ?

Lily resta silencieuse.

— Je le sais bien. Il suffit de voir comment tu prends toujours le parti de ton père, de ton frère. Contre toute raison...

— Maman...

— Tu ferais mieux d'être gentille avec moi, Lily. Parce que tu n'as que moi comme mère, ajouta-t-elle en se frappant la poitrine.

Lily devait repartir le lendemain. Comment tiendrait-elle jusque-là ?

Le lundi matin, l'hôpital laissa sa mère se rendre au bureau du procureur. Et si Kim Fallone acceptait de prononcer un non-lieu, tout se terminerait bien.

Pendant qu'Allison expliquait que ses blessures venaient de sa seule chute dans la baignoire, Lily et son père arpentaient le couloir. Lily pensait à tout ce qu'elle peindrait de retour chez elle. Elle avait découvert que le bel arbre rouge s'appelait un flamboyant. Elle adorait cet arbre. Elle s'en achèterait un.

— Tu sais la bouteille de gin qu'on a trouvée dans le placard de ta mère ? dit son père. Je l'ai jetée.

— C'est bien, répondit Lily, son regard caché par ses lunettes de soleil.

— Mais je ne comprends pas, je l'ai goûtée, et j'ai eu l'impression qu'elle ne contenait que de l'eau. C'est un mystère !

— Comme c'est bizarre !

— C'est toi qui as fait ça ?

Elle hocha la tête en essayant de garder son sérieux.

— Pourquoi ? Ce n'est pas moi qu'il faut surveiller !

— J'avais peur que tu la lui rendes une fois que je serais partie. Tu ne lui donnerais pas ta bière si elle te la demandait ? Juste une petite bière ? Rien qu'une ?

Il alla chercher du thé glacé. Après avoir râlé

contre elle, la première fois qu'elle en avait acheté, il avait fini par y prendre goût, lui aussi.

À son retour, il marmonna que si on lui avait dit qu'un jour il ne pourrait plus avoir la moindre goutte d'alcool chez lui, il serait parti en courant.

— Regarde-moi. Je maudis cette vie, je me plains de ne pouvoir rien faire de ce qui me plaît, et pourtant je la subis.

Elle ne répondit pas.

— Tu sais pourquoi ?

— Parce que tu aimes maman.

— Oui. Mais comment ça va se passer à son retour à la maison ? Elle aura du mal à se déplacer. Rien ne l'intéresse à part l'alcool.

— C'est bien là son problème !

— Elle m'a demandé ce qu'elle allait faire. Que veux-tu que je lui réponde ? Est-ce ma faute si elle n'a aucun passe-temps ? Est-ce ma faute si elle a besoin d'être surveillée constamment ?

— Ce ne sera pas facile, répondit Lily, songeant que la mélancolie dont sa mère ne pouvait se débarrasser représentait un problème encore plus grave.

Et cela lui rappela soudain un homme qu'elle connaissait bien...

Kim Fallone déclara l'affaire classée, à moins d'une nouvelle plainte similaire dans les douze mois. La mère de Lily s'essuya les yeux d'un air sincèrement soulagé. Dieu se pencherait-Il enfin sur elle, manifestait-Il sa présence à Maui ? Comme Il l'avait fait avec le 49, 45, 39, 24, 18, 1 ? Allison avait perdu un pied, pas la vie. Et s'il y avait bien quelqu'un qui avait besoin de Lui, c'était elle.

— Eh bien, maintenant, je dois vous quitter, annonça Lily. Ce n'est pas que je m'ennuie, mais j'ai un avion à prendre.

59

Et Spencer, pendant ce temps-là...

Quand Lily revint à New York, son répondeur était plein. DiAngelo l'avait appelée deux fois par jour, très inquiet.

— Lily, il faut faire vos analyses tous les quinze jours et ça fait trois semaines qu'on ne vous a pas vue. Appelez-moi.

Sur les vingt-sept messages, il y en avait un de Spencer. Le nouveau Spencer.

— Bonjour, c'est Spencer. (Comme si elle ne le reconnaissait pas !) Tu m'as appelé samedi soir et je voulais savoir si tout allait bien. Si tu as besoin de quoi que ce soit, rappelle-moi au commissariat, au...

Non, elle rêvait ! Il lui laissait son numéro !

Et le message suivant :

— Salut, c'est encore Spencer. Tu dois bien aller puisque je n'ai plus de nouvelles.

Elle aussi pouvait jouer à ce petit jeu-là !

Son voyage à Maui l'avait épuisée. Surtout ce maudit décalage horaire. Et sa mère ne l'avait pas aidée. Mais ses cheveux avaient repoussé et elle était toute bronzée. Elle enfila un petit fourreau en soie acheté à l'aéroport, chaussa d'adorables sandales, se maquilla, mit des boucles d'oreilles et se rendit au commissariat.

Elle informa Carl, le policier de permanence, qu'elle voulait porter plainte contre un homme qui l'avait agressée dans la rue. Carl, qui la connaissait, lui demanda si elle voulait voir l'inspecteur O'Malley.

— C'est inutile. Ce n'est pas l'inspecteur Sanchez qui s'occupe du vagabondage ?

— Si, mais...

— Il fera parfaitement l'affaire. Vous pouvez l'appeler, s'il vous plaît ? Dites-lui que Lily Quinn voudrait faire une déposition.

Dès que Sanchez fut prévenu, il alla trouver Spencer qui prenait un café dans le bureau de Whittaker.

— Carl vient de m'avertir que Lily Quinn était en bas. Elle vient porter plainte pour agression.

— Merci de m'avoir prévenu. Je m'en occupe.

Elle était appuyée au comptoir quand il arriva par l'escalier. Son cœur battait la chamade mais elle parvint à rester impassible. Elle nota son costume, sa chemise blanche, sa cravate bleue, ses cheveux ondulés qui avaient repoussé, son teint blême, ses cernes plus marqués.

— Bonjour, Lily.

— Oh, bonjour. Je croyais que c'était l'inspecteur Sanchez qui s'occupait des vagabondages.

— Veux-tu que je l'appelle ?

— Non, non.

— Très bien.

Ils restèrent un instant, face à face, sans rien dire.

— Alors ? Que t'arrive-t-il ? finit-il par demander.

Il parlait d'une voix tremblante, elle détourna les yeux et s'aperçut, à sa grande gêne, que Carl les écoutait.

— Lily, on ne vous voit plus, le samedi. Ma femme vous a cherchée. Vous ne pouvez pas savoir le nombre de personnes qui vous attendaient la semaine dernière.

— Je viendrai samedi prochain.

— Vous avez fait de jolies choses ?

— Vous verrez.

— Viens, montons dans mon bureau, dit Spencer.

Elle arriva au troisième étage un peu trop essoufflée à son goût. Et elle avait dû s'accrocher à la rampe pendant toute la montée de l'escalier.

Il lui ouvrit la porte pour la faire entrer dans la salle. Gabe McGill vint la saluer.

— Bonjour, Lily. Vous avez une mine superbe, vous êtes toute bronzée.

— Oui, je suis partie quelques jours.

— Quelle chance !

Pendant tout cet échange, Spencer resta de bois.

Gabe retourna s'asseoir à son bureau, juste à côté de celui de Spencer. Whittaker les observait à travers la glace. Ainsi que Sanchez, Smith et Orkney. Ils devaient tous savoir qu'il y avait eu quelque chose entre eux.

Spencer lui offrit un siège et s'assit à son tour.

— Alors comment ça va ? Qu'est-ce que tu deviens ? Comment tu te sens ?

— Bien, bien, répondit-elle d'un ton détaché. Je suis juste venue faire un rapport sur un clochard qui m'a importunée à Tompkins Square.

Il ouvrit son carnet en soupirant.

— Très bien. Quand était-ce ?

— Il y a deux samedis de ça.

— À quelle heure ?

Elle toussa d'un air embarrassé.

— Aux environs de deux heures du matin.

Spencer s'arrêta d'écrire et la dévisagea.

— Tu étais à Tompkins Square à deux heures du matin ?

— C'était peut-être trois heures, je ne suis pas sûre. Je n'ai pas regardé ma montre.

— Tu sais que tu ne dois prendre aucun risque.

— Je sais.

— Alors que faisais-tu là-bas à une heure pareille ?

— Je rentrais chez moi..., commença-t-elle sans oser le regarder.

Se revoyant soudain, debout, en bas de chez lui, barbouillée par la livre de cerises qu'elle avait avalée, à se demander où il pouvait bien être à une heure pareille, un samedi soir, elle éprouva une telle souffrance qu'elle n'eut plus qu'une idée, s'en aller. Elle se leva d'un bond.

— Je suis désolée, il faut que je parte.

Il contempla ses notes.

— Attends ! Tu ne m'as rien dit. Comment était-il ? Qu'a-t-il fait ? Peux-tu le décrire ?

— Je me demande si ce n'était pas M...

Elle s'arrêta net.

— Il devait me suivre. Oh, il faut que je m'en aille...

Il se leva à son tour mais elle s'éloignait déjà, pressée de quitter le commissariat, se retenant de toutes ses forces pour ne pas fondre en larmes. Il ne la suivit pas. Heureusement. Pleurant comme une madeleine, elle héla un taxi et se fit conduire chez Paul et Rachel.

Elle passa le reste de la journée en ville. Après avoir déjeuné avec ses deux amis, elle alla à la librairie acheter des magazines pour sa grand-mère. Puis elle retrouva Paul et Rachel après leur travail, ils dînèrent dans un restaurant indien avant de revenir chez elle boire une margarita. Ils parlèrent d'amour et d'Emmy, comme toujours. Ses yeux la brûlaient de sommeil.

Ils eurent un nouveau sujet de conversation : Milo.

À onze heures, on sonna à l'interphone.

— Qui cela peut-il être ? murmura Rachel.

Lily appuya sur le bouton.

— Qui est-ce ?

— C'est moi, dit Spencer.

Elle n'eut pas besoin de dire quoi que ce soit à Paul et Rachel : ils s'apprêtaient déjà à partir.

Elle ouvrit la porte. Spencer apparut, hors d'haleine, les cheveux en bataille.

— Tu te souviens de Paul et Rachel ? dit-elle bêtement.

Il les salua d'un hochement de tête, sans ouvrir la bouche, sans bouger.

— Tu veux entrer ?

Il continuait à les dévisager.

— Nous partions, dit Paul. Rachel, dépêche-toi. Ne me dis pas qu'il te faut une heure pour enfiler tes chaussures !

Spencer les laissa passer, puis il entra et claqua la porte derrière eux. Et soudain, ses mains furent dans les cheveux de Lily, son visage sur son visage, ses lèvres sur ses lèvres. Il sentait l'alcool. Lily le remarqua car c'était la première fois. Il la serra si fort qu'elle poussa un gémissement de douleur et leva les mains, comme pour se rendre.

Il l'assit sur le canapé et s'agenouilla devant elle.

— Où étais-tu passée ? demanda-t-il d'une voix rauque.

— Et toi ?

— Je suis venu sonner chez toi tous les jours.

— Spencer...

— Oh, Lily, ne pleure pas !

— Oh, Spencer !

Ils firent l'amour sur le canapé avec la télévision en arrêt image sur *Les cadavres ne portent pas de costume*. Lily le serra dans ses bras en pleurant.

— Chut, Lily, chut.

— Je comprends maintenant ce que tu voulais dire la première fois que nous avons regardé ce film. Et aujourd'hui c'est moi qui pourrais dire : « Il vous piétine le cœur sous ses bottes, puis il le passe au four, le hache menu, et quand il vous le sert sur des toasts, il voudrait que vous lui disiez : "Merci mon chéri, c'est délicieux." »

— Lily, je t'en prie, arrête.

Il la souleva et l'emporta dans la salle de bains.

— Tu as maigri, remarqua-t-il.

Puis il la ramena dans son lit et lui fit encore l'amour.

— Je suis désolé, Lily.

— Non, c'est moi qui suis désolée, Spencer. J'ai été égoïste et j'avais tort. Je ne pensais qu'à moi, à Andrew, à Emmy. Jamais à toi. J'ai été nulle sur tous les plans.

Elle s'écarta de lui pour le regarder dans les yeux. Elle l'embrassa doucement sur la bouche.

Il ne réagit pas. Elle l'embrassa encore.

— Tu m'as entendue ?

— Oui, fit-il sans un sourire. Où étais-tu passée ? Tu m'as manqué.

— Je suis allée à Maui. Ma vie était intenable, ici, sans toi.

Il ne dit rien.

Elle lui donna un coup de poing dans le dos et fondit en larmes.

— Comment as-tu pu me laisser si longtemps sans nouvelles ? Comment as-tu pu m'oublier comme ça ? Tu ne sais donc pas ce que j'éprouve pour toi ?

— Si, c'est pour ça que je ne t'ai pas appelée. Je ne te mérite pas.

Elle le serra dans ses bras et lui raconta Maui. Tout à coup, il ferma les yeux et s'écarta d'elle.

— Tais-toi. Arrête, la supplia-t-il, incapable d'en entendre plus.

Elle le dévisagea sans comprendre.

— Ne m'en dis pas plus. J'ai du mal à le supporter. Je sais ce que vit ta mère.

— Qu'est-ce que tu veux dire ?

Il marmonna entre ses mains.

Elle crut avoir mal entendu.

— Tu es passé par là ? demanda-t-elle en s'asseyant dans le lit. Qu'est-ce que tu racontes ? Ce n'est pas vrai ! Je ne t'ai jamais vu boire.

— Et pourtant...

— Arrête !

Il ne dit rien puis s'assit à son tour et ramena ses genoux contre sa poitrine.

— Spencer, reprit-elle avec un petit rire nerveux. Qu'est-ce que tu racontes ?

Il serra les lèvres.

— Tu ne bois pas, Spencer. Ce n'est pas ça qui s'appelle boire. Imagines-tu que ma mère est restée des jours avec une fracture ouverte et que son pied a fini par se gangrener parce qu'elle était trop ivre pour s'en rendre compte ? Et qu'elle ne voulait pas aller à l'hôpital par peur du sevrage, quitte à perdre son pied. Ça, c'est boire. Toi, tu as un travail, une vie, tu es entier...

— Non, je n'ai pas de vie. Seulement un métier. Je travaille du lundi au vendredi, et après je bois. C'est ça ma vie. Enfin, jusqu'à ce que je te rencontre, c'était ça ma vie.

— Tu bois le week-end ?

— Je ne fais rien d'autre.

Il se tut.

— Non, je ne comprends pas... c'est... c'est impossible. Ça n'a rien à voir avec le problème de ma mère. Tu as un métier avec des responsabilités, du stress... Tu fonctionnes normalement, c'est juste...

— Tu as raison. Tu ne comprends pas.

Elle pensa à tous les week-ends qu'il avait passés avec elle. À ses absences, ses oublis, ses silences, sa morosité, ses sautes d'humeur...

— Pourtant tu arrives à vivre sans, cinq jours sur sept.

— Oui.

— Et parfois même plus, quand tu viens me voir.

— Oui.

— Et tu n'as jamais senti l'alcool avant ce soir, dit-elle, soudain furieuse de s'apercevoir qu'elle avait encore envie de lui.

Il lui parlait des démons qui le hantaient et elle avait envie de lui. Elle eut l'impression de le trahir. Mais cela n'arrivait-il pas à certains hommes ? Les femmes leur dévoilaient leur âme pendant qu'eux ne pensaient qu'à coucher avec elles.

— Je n'ai jamais bu avant de venir te voir.

— Alors pourquoi as-tu bu ce soir, un mardi ? Pour te donner du courage ?

Il sourit.

— Tu ne me fais pas peur, Lil. C'est juste que, depuis que je ne te vois plus... je n'ai plus la force de résister.

— Tu veux dire que tu ne peux pas t'empêcher

de boire ? murmura-t-elle sans y croire une seule seconde.

— Exactement.

— Je ne te crois pas.

— Crois-moi, Lily.

— Mais tu arrives à te retenir, en temps normal !

— Parce que je sais que je me rattraperai plus tard. Et pour me récompenser de mes efforts, je bois jusqu'à en perdre conscience. Je bois jusqu'à ne plus tenir debout, jusqu'à ce qu'il n'y ait plus de whisky ou jusqu'à ce que je m'écroule.

— À ce point-là ?

— À ce point-là !

— Non, c'est impossible ! C'est... c'est ce que fait ma mère. Elle boit jusqu'à être ivre morte.

— Oui.

— Mais Spencer, ma mère est alcoolique !

Pendant un instant, on n'entendit plus que les chats qui miaulaient en bas dans la cour.

— Moi aussi, Lily, je suis alcoolique. Je suis le cas typique de l'alcoolique. Je ne peux pas m'empêcher de boire. Quand je commence, je suis incapable de m'arrêter. Et je me cache parce que les gens seraient horrifiés de voir tout ce que j'ingurgite. Tu dis que tu ne peux pas imaginer vivre sans moi. Eh bien, je ne peux pas imaginer vivre sans boire. Je n'ai pas été capable d'entretenir une seule relation durable avec une femme à cause de ça. Il ne leur faut pas un an pour prendre la fuite. Ou si elles s'imaginent pouvoir me changer, c'est moi qui disparais.

— C'est impossible, répéta Lily.

— Le vendredi soir, je bois. Le samedi aussi. Je passe mon dimanche à dessouler. C'est la journée la plus dure de la semaine. Et c'était plus facile quand je la passais avec toi, mon petit Arlequin, avec tes clowneries et ton cancer qui me faisaient oublier tout le reste. Et le lundi, je repars travailler.

— Tous les lundis sans exception.

— Sans exception.

— Tu n'en as jamais raté un seul ?

— Jamais.

Il écarta les mains.

— Que veux-tu que je te dise ? Il n'y a que l'apparence qui compte. Et il faut absolument paraître normal, pour pouvoir continuer à boire. Sinon, dès que tu perds les pédales, tout le monde te somme d'arrêter, ta famille, tes amis, tes femmes, ton employeur. Alors il vaut mieux se cacher et personne ne te demande rien.

Elle réfléchissait, plongée dans ses pensées. Il l'attira doucement contre lui et lui embrassa doucement le visage, les lèvres, les joues, les yeux, le front.

— Lil, tu es adorable de vouloir m'aider. Tu es solide comme un roc. Mais je suis incurable. J'ai commencé à boire à vingt ans. Il y a quelques années, quand je croyais avoir touché le fond, il me fallait une bouteille de whisky par week-end. Désormais, il m'en faut deux, parfois trois, voire quatre. Ça me coûte deux cent cinquante dollars par semaine, douze mille dollars par an. Presque ce que je dépense en loyer. Je n'ai plus d'argent pour le reste, même si je le voulais.

— Heureusement, je suis dans tes moyens. Je ne te coûterai pas un *cent*.

— Tu es aussi une sacrée drogue dans ton genre, murmura-t-il en baissant les mains sur ses hanches.

Elle le désirait si fort qu'elle avait du mal à se concentrer sur ce qu'il disait.

— Tu as été merveilleux avec moi. Toujours là quand j'avais besoin de toi. Et toujours avec le sourire.

Il l'embrassa.

— Oui, j'étais là. Parce que je savais que c'était temporaire. Je finissais toujours par rentrer chez moi. C'est avec l'alcool que je suis uni pour la vie.

— C'est pour ça que tu as toujours vécu seul ?

— Oui. Je ne veux pas que quiconque me voie dans cet état.

— Tu as essayé cette approche en douze étapes dont on parle beaucoup ? Ma mère vient de commencer.

— Ta mère joue la comédie.

Elle fut surprise par la rapidité et la brutalité de sa réplique. Qu'en savait-il ?

— Non, protesta-t-elle, voulant plus que tout lui donner de l'espoir, même si elle savait qu'il avait raison. Ma mère est sincère. Elle a vu sa vie défiler devant elle. Elle a perdu un pied, Spencer. Elle veut tout faire pour arrêter.

— Non, elle ne veut pas.

— Tu n'es pas comme ma mère, tu es beaucoup plus fort.

— Non, Lily. Je suis aussi faible qu'elle. C'est juste ma façon de boire qui est différente, parce que j'ai des responsabilités, un métier. Mais si je n'avais rien à faire, comme elle, Dieu seul sait combien de jours durerait mon samedi.

— Ne dis pas ça, Spencer. Tu n'es pas comme elle.

— Si, Lily, même si tu refuses de le croire.

— Eh bien, ma mère va aller aux Alcooliques anonymes.

— Alors elle est plus forte que moi.

C'était la chose la plus absurde qu'elle ait entendue de la soirée. Sa mère était si faible. Elle détourna la tête pour rassembler ses esprits, mais elle tremblait de tous ses membres. Qu'allait-il imaginer en la voyant ainsi ? Elle ne devait pas le laisser tomber, il devait pouvoir compter sur elle. Elle disait l'aimer ? Alors qu'elle le regarde en face et qu'elle se reprenne, pour l'amour du ciel ! Il n'y avait pas qu'elle qui existait. Pas qu'elle !

— Pourquoi n'essaierais-tu pas, toi aussi ?

— Qu'est-ce que tu crois ? J'ai essayé. Mais les Alcooliques anonymes exigent une abstinence totale, et je n'arrive pas à tenir plus de cinq jours. Quelques mois leur suffisent pour voir que je suis un imposteur.

Couchée sur lui, elle continuait à trembler de tous ses membres.

— Ne pleure pas pour moi, Lily.

Elle faillit lui répondre qu'elle pleurait aussi pour sa mère lorsqu'elle sentit qu'il la désirait à nouveau. Leurs angoisses s'envolèrent, tandis qu'un oubli bienfaiteur les soudait l'un à l'autre.

— Spencer Tracy O'Malley, tu n'es pas un

imposteur. Tu es l'être le plus sincère que je connaisse, chuchota-t-elle.

— Non, je suis corrompu, tu ne le vois donc pas ?

— Arrête, je vois surtout que tu souffres.

Ils se regardaient, allongés l'un contre l'autre, haletants dans la nuit moite.

— Alors qu'allons-nous faire ?

Qui avait prononcé ces mots ? Lui ? Elle ?

Ce fut elle qui répondit.

— On n'a pas le choix. Il est évident que je préférerais qu'il en aille autrement. Comme je préférerais que ma meilleure amie n'ait pas couché avec mon frère. Qu'elle n'ait pas disparu. Et tu ne crois pas que je préférerais aussi ne pas être malade ? Quoi qu'il en soit, nous sommes placés devant cet état de fait. Je ne savais pas comment orienter ma vie et c'est elle qui m'a prise en main. Et j'ai bien été forcée de suivre la route qu'elle me traçait.

Il l'observait en lui caressant les hanches, le ventre.

— Tu es allée voir DiAngelo ? demanda-t-il d'une voix calme.

— Non. Je dois y aller, je sais, répondit-elle tout aussi calmement. Nous venons au monde en criant et en donnant des coups de pied, et nous n'avons d'autre choix que d'aller jusqu'au bout de cette maudite vie.

60

Identité inconnue

Le mercredi matin à dix heures, il était encore au lit avec elle. Il appela son bureau, dit qu'il travaillait sur le terrain et qu'il arriverait tard.

— Tu appelles ça travailler sur le terrain maintenant ? s'esclaffa-t-elle.

— Exactement, répondit-il en l'attirant contre lui. Parce que tu vas me parler du vagabond qui t'a agressée. À moins que tu ne l'aies inventé que pour venir me rendre fou avec ton petit bout de robe ?

— Je ne dirais pas que ce n'était pas l'effet secondaire recherché. Mais je n'ai rien inventé.

Elle lui raconta ce qui s'était passé. Et sa sensation d'être espionnée le matin où elle nouait les rubans jaunes sur les poteaux, dans la rue.

— Mais l'autre nuit, Spencer, quand il m'a attrapée par le coude, ce n'était pas pour m'empêcher de tomber, il ne voulait plus me lâcher. Et il a murmuré « Lily », je n'ai pas rêvé. Si l'autre type n'était pas intervenu, je ne sais pas ce qui serait arrivé.

— Tu es incroyable ! Traverser ce square de nuit malgré mes avertissements.

— Ça ne serait pas arrivé si tu avais répondu quand je sonnais à ta porte !

— Avec des si... Enfin, tenons-nous-en à la réalité, tu veux bien ? À quoi ressemblait-il, tu t'en souviens ?

— Je peux te le dessiner si tu veux.

Elle alla s'installer dans son atelier car elle ne voulait pas associer ce souvenir angoissant à son lit douillet. Spencer en profita pour prendre sa douche et s'habiller.

— Merde alors ! s'exclama-t-il dès qu'il vit le portrait.

— Quoi ? Tu le connais ?

— Je suis sûr de l'avoir déjà vu quelque part.

— Tu crois que ça pourrait être Milo ?

Il prit la feuille.

— Je vérifierai avec Clive. Dans mon souvenir, il n'avait pas tout à fait cette allure. Toi, tu vas voir ta grand-mère et DiAngelo pendant ce temps-là.

— Mais Spencer... quel rapport ce type peut-il avoir avec Emmy ?

— Nous finirons par le découvrir.

— Oh ! Ce serait tellement génial si on trouvait enfin quelque chose...

... qui mette définitivement Andrew hors de cause dans la disparition d'Emmy, continua-t-elle intérieurement.

— Oui, et entre-temps, tu vas nous rendre un grand service à tous les deux. Promets-moi de ne plus sortir de ton appartement, le soir.

— Je te le promets. Mais dis-moi, quand je me suis sentie observée en pleine journée, sur la Deuxième Avenue, c'était qui à ton avis ?

— Sans doute de l'anxiété. Il y a de quoi.

Peut-être, mais, bizarrement, elle n'y croyait pas.

Pendant qu'il remettait son holster, elle lui demanda d'une voix timide ce qu'ils allaient faire concernant leur principal sujet de discorde, c'est-à-dire son frère et l'enquête.

Spencer la prit dans ses bras.

— Je vais te donner le conseil que je donne à tous ceux qui se retrouvent dans ce genre de situation. Tu as le droit de te taire.

Il l'embrassa.

— Tu n'as plus qu'à t'en convaincre de ton côté pendant que j'essaierai du mien.

Spencer passa la fin de la matinée à consulter les photos de criminels prises dans les années 2000, 1999, 1998. Rien. Pourtant il était convaincu d'avoir déjà vu l'homme que Lily avait dessiné. Et il était persuadé que c'était dans ces fichiers. Que lui avait dit Clive au foyer des sans-abri ? Qu'Emmy et Milo n'étaient venus au refuge qu'après sa prise de fonction. Et que Milo avait disparu pendant deux ans ? Ce qui le ramenait à 1997.

Il le retrouva enfin dans les archives de février 1997. Les photos avaient été prises dans un commissariat du Bronx. Son visage, qui ne portait ni coups ni tatouages, disparaissait sous une barbe. Il n'avait pas non plus le crâne rasé comme sur le dessin de Lily, mais ses yeux étaient les mêmes ; leur expression sinistre

534

n'avait pas changé. Avant d'appeler le commissariat qui l'avait arrêté, Spencer ne put s'empêcher d'éprouver une bouffée d'admiration pour Lily. Elle avait vraiment le don de saisir l'essence même de ses modèles. Et il avait fallu le cancer pour révéler son talent.

Il traîna Gabe jusqu'au commissariat du Bronx, demanda les documents concernant son suspect et découvrit qu'il avait été arrêté en février 1997, lors d'une descente dans un squat occupé par des drogués. Après avoir opposé une violente résistance aux policiers, il avait refusé de parler. Qu'il fût lucide ou drogué, il avait refusé d'ouvrir la bouche et même de décliner son identité, malgré un interrogatoire assez musclé. Pensant qu'il ne comprenait peut-être pas l'anglais, on avait fait venir un interprète espagnol, puis un Allemand et enfin un Grec, sans plus de résultat.

Il n'avait pas demandé à téléphoner. Ni à être libéré sous caution. Et lors de son inculpation, comme il refusait toujours de parler, c'était l'avocat commis d'office qui avait choisi de plaider non coupable. Il était accusé de résistance lors de son arrestation, voies de fait sur un policier, et d'usage et possession illicites de stupéfiants.

Il avait aussi refusé de parler à son avocat. Il avait été emprisonné pendant des mois, vu par un psychanalyste sans résultat, et même la menace d'une condamnation à dix ans de prison n'avait pu le forcer à dire qui il était. Tandis que le juge et la cour cherchaient ce qu'ils pouvaient faire de lui, on l'avait incarcéré au centre de détention du Bronx. Un juge avait alors décidé de le faire interner en psychiatrie en attendant la résolution de l'affaire. L'avocat commis d'office avait hurlé au scandale. L'internement forcé était contre la loi. L'accusé avait donc été renvoyé au centre de détention du Bronx, où il s'était fait oublier et avait choisi l'isolement plutôt que de partager une cellule.

On eut beau le menacer de la perte de ses rares privilèges, comme les livres ou son travail à la cafétéria, il n'avait pas cédé et avait même entamé une grève de la faim. Quand on en avait été réduit à l'alimenter par perfusion, son avocat avait porté plainte pour soins médicaux non autorisés, en violation des droits de l'homme. Puis il avait entrepris de le faire libérer en invoquant le huitième amendement, pour châtiments cruels et exceptionnels, et le quatorzième pour le droit à une procédure légale régulière. Le procureur avait protesté qu'on ne pouvait accorder ce droit à quelqu'un qui refusait même de dire son nom à la cour : la personne concernée devait s'impliquer un minimum dans la revendication de ses droits.

Finalement, en mars 1999, il avait profité de son transfert au centre Vernon Bain pour s'évader : il avait sauté dans l'East River après avoir assommé l'un des gardes avec un tuyau de plomb. C'était un miracle s'il ne s'était pas tué.

Et là où aurait dû figurer son nom, il était écrit : identité inconnue.

61

L'histoire d'Olenka Pevny

Lily alla donc à Brooklyn rendre visite, comme promis, à sa grand-mère, à qui elle avait rapporté d'Hawaii des noix de macadamia, du café Kona et des photos d'Allison avec un pied en moins.

— Lil, comment peux-tu revenir si pâle de Maui ? s'étonna sa grand-mère.

— Mais voyons, je suis bronzée, grand-mère.

— Non, je te trouve bien pâle. Et bien souriante aussi. Ne me dis pas que tu t'es remise avec cet homme ?

— Si, grand-mère, répondit-elle avec un sourire radieux.

— Alors tu devrais avoir meilleure mine ! Comment te sens-tu ?

— En pleine forme, mentit Lily.

Elles s'assirent sur le canapé devant un thé. Elles parlèrent de Maui, d'Andrew, d'Allison. Mais Lily n'avait qu'une idée : l'interroger sur sa mère.

Elle lui expliqua la chambre des larmes, et la conversation qu'elle avait eue avec sa mère et vit la tasse de la vieille dame trembler.

— Lily, pourquoi te tracasses-tu avec ces bêtises ? Tu n'as pas déjà assez de soucis ?

— Non, je veux savoir. Je t'en prie, grand-mère, dis-moi.

— Je ne suis pas sûre que tu sois prête à l'entendre.

— Tu sais, après ce que j'ai vécu la semaine dernière, je crois que j'ai le cœur bien accroché.

La vieille dame s'éclaircit la voix et commença.

— Comme tu le sais, nous nous sommes mariés en juin 1939, Tomas et moi, et j'ai été tout de suite enceinte. Le bébé était prévu pour mars, exactement neuf mois et un jour après notre mariage. Quand la guerre a éclaté en septembre, Tomas et ses trois frères sont partis sur le front, et moi, je suis restée dans ma famille, juste à côté de chez ses parents. Et il a fallu que je m'occupe des chèvres, des vaches et des poulets. Et comme, en plus, je me faisais beaucoup de souci pour Tomas dont je n'avais aucunes nouvelles, j'ai perdu mon bébé en octobre.

— Quoi ? Mais quel bébé ? Et ma mère ?

— Le bébé de Tomas, voyons. Et ta mère n'était pas encore née.

— Mais je n'y comprends rien !

— Tu vas comprendre. Laisse-moi continuer. La mère de Tomas était une femme encore ravissante, à quarante ans, et un jour, je me suis aperçue que, malgré sa minceur, elle prenait du ventre. Elle était enceinte ! Quel scandale ! Aucune femme n'osait plus avoir d'enfant après trente ans, alors à quarante, tu imagines !

« Les Allemands sont arrivés à Skalka en décembre 1939. Nos soldats se sont battus courageusement mais que pouvaient-ils faire avec

538

des chevaux contre des tanks ? Trois jours plus tard, Dantzig est tombé et notre village avec. Après nous avoir pillés, les Allemands se sont installés dans nos maisons. Enfin, dans celles des juifs. Et c'est comme ça qu'ils ont jeté dehors les parents de Tomas.

— Tomas était juif ?

— Oui. Et comme son père ne voulait pas quitter sa maison, les Allemands l'ont battu à mort.

— Oh, mon Dieu !

— Sa mère n'avait nulle part où aller, elle est donc venue vivre chez nous. Les Allemands l'ont forcée à porter un brassard jaune et comme elle n'avait pas droit à la moindre nourriture, nous avons partagé la nôtre avec elle.

— Grand-mère, pourquoi ne me l'as-tu jamais raconté ?

— Tu étais trop jeune.

— Et mes sœurs, mon frère ?

— Ils savent.

Lily n'en revenait pas.

— Que veux-tu que je te dise, Lily ? Même les gens proches de nous, même ceux qui nous aiment ont parfois leurs secrets. Certaines choses sont trop douloureuses à dire. Bref, la mère de Tomas est restée avec nous. Mais c'était une femme seule, déprimée et alcoolique par-dessus le marché.

Lily laissa échapper un grognement.

— Nous ne pensions pas qu'elle vivrait jusqu'à l'accouchement. Il lui arrivait de disparaître pendant des jours. Elle allait à Dantzig mendier de quoi boire. Ou se vendre. Ce qui ne l'a pas empêchée d'accoucher, en janvier 1940, d'une belle petite fille. C'était ta mère, Lily.

— Qu'est-ce que tu dis ? s'écria Lily, lâchant sa tasse sans même s'en apercevoir. Ma mère était la petite sœur de ton mari !

— Exactement.

— Grand-mère...

Lily la dévisageait, les mains plaquées sur la bouche. Sa grand-mère qui l'avait élevée, adorée, choyée n'était pas la mère de sa mère !

— J'aimerais pouvoir te dire que le père de Tomas était aussi le père de ta mère, mais rien n'est plus douteux. Quoi qu'il en soit, elle a eu son bébé au plus froid de l'hiver alors qu'elle était allée à Dantzig, une fois de plus. Et quand mes parents l'ont retrouvée avec son bébé nu, roulé dans son manteau, elles étaient presque mortes de froid.

« Après la naissance, elle a miraculeusement cessé de boire. Il y avait longtemps que nous avions mangé les vaches et les chèvres, nous n'avions plus de lait et personne d'autre n'avait de bébé. Pas même moi. On ne trouvait plus de lait nulle part et il fallait bien qu'elle la nourrisse, sinon la petite Olenka serait morte de faim.

— Grand-mère... sa mère... elle s'appelait... Anya ou Anna ? Anika ? Anne ?

— Oui, comment l'as-tu deviné ?

— Comme ça, murmura-t-elle d'une voix inaudible, sidérée par la perspicacité de Spencer.

— Bref, tu comprends de qui ta mère tient son problème...

— Grand-mère, je t'en prie...

— Anya est restée sobre le temps de la sevrer. Puis elle est retournée à Dantzig, en l'emmenant pour mendier. Au début, bizarrement, elle me ramenait Olenka avant de boire, puis disparaissait avec sa bouteille dans les bois, comme un ours. Mais une ou deux fois, nous avons dû aller la rechercher à Dantzig, avec ma mère. Et nous l'avons retrouvée, ivre morte, en pleine rue, son bébé pleurant contre elle.

— Tais-toi, grand-mère. C'est horrible !

— Tu comprends pourquoi nous ne t'avions rien dit.

— Si j'avais su, je n'aurais jamais rien demandé. Jamais. Ma mère est juive alors ? Et moi aussi ?

— Non. Tu sais bien que tu as été baptisée. Et nous avons dû aussi baptiser ta mère.

— Pourquoi ?

— Parce que fin 1942, tous les juifs de notre village ont été envoyés au ghetto de Varsovie.

— Elles aussi ?

— Oh, si tu savais ma Lily !

— Je t'en prie, continue.

— En décembre 42, les Allemands ont fait irruption chez nous en disant que tous les juifs devaient prendre immédiatement le train pour Varsovie. Et que la femme au brassard jaune et son bébé devaient partir, eux aussi. À ce moment-là, Anya a éclaté de rire : « Mais ce n'est pas mon enfant. J'ai quarante-cinq ans et quatre grands fils adultes, voyons ! » Elle m'a alors mis sa fille dans les bras en disant : « Tiens, Klavdia, tu ne peux plus compter sur moi pour la garder. Il faut t'en occuper maintenant ! » Puis elle s'est retournée vers les soldats et elle a ajouté : « C'est sa fille. Regardez comme elle lui ressemble. Moi, je ne suis qu'une ivrogne, je lui empruntais le bébé pour mendier, n'est-ce pas, Klavdia ? » Et j'ai dit : « C'est vrai. » Les Allemands m'ont dévisagée. J'avais les cheveux blonds à cette époque, comme ta mère, alors qu'Anya était brune aux yeux noirs. Ce sont ses cheveux qui ont sauvé Olenka, car en dehors de sa blondeur, elle était le portrait craché de sa mère. Les Allemands sont donc partis en emmenant Anya, finit la vieille dame en fondant en larmes, au grand désarroi de Lily qui ne l'avait jamais vue pleurer.

« Quand ils ont emmené sa mère, la petite m'a échappé des mains en criant : "Maman ! Maman !" Les nazis se sont retournés mais je l'ai attrapée et serrée contre moi en disant : "Chut, chut, tout va bien, maman est là, mon bébé. Maman est là." Oh, je suis sûre qu'ils n'ont pas été dupes, pourtant ils me l'ont laissée. Mais pendant trois jours, Olenka est restée derrière la fenêtre couverte de givre à attendre le retour de sa mère.

Lily et sa grand-mère se turent un long moment. On n'entendait que les sanglots de Lily.

— Et vous avez su ce qu'Anya était devenue ? reprit Lily, quelques minutes plus tard.

— Non. Elle a dû subir le sort de tous les juifs du ghetto de Varsovie.

Un long moment s'écoula avant que Lily ne recouvre la parole. Elle finit par se lever et annonça qu'elle devait rentrer. Elle remercia sa grand-mère pour le thé et promit d'appeler le lendemain pour lui donner les résultats de ses analyses.

— Tu sais, grand-mère, dit-elle au moment de sortir dans le couloir, je crois que maman n'a toujours pas quitté sa chambre des larmes. Oui, elle est encore derrière la fenêtre couverte de givre.

Au lieu de se diriger vers le métro, Lily partit à l'opposé, en direction du port de New York, et alla s'asseoir un long moment, sur la promenade de l'East River, qui donne sur l'Hudson et Manhattan. Il devait être tard. Le Dr DiAngelo serait-il encore là ? Autant rentrer chez elle. Quand Spencer saurait ça ! Sa pauvre mère !

62

Lindsey

Cette nuit-là, Lily fit une chose qui ne lui était pas arrivée depuis très, très longtemps. Elle appela sa mère à Maui.

Ce fut son père qui répondit. Sa mère était rentrée à la maison, ne se sentait pas bien pour l'instant, elle dormait, non, non, tout allait bien, elle dormait juste, rien de plus. Tout se passait au mieux. Elle allait chaque jour à sa réunion des Alcooliques anonymes qui se déroulait sur une grande pelouse, face à l'océan.

— Ta mère fait de grands progrès. Shelly est très fière d'elle.

— Tu lui diras que j'ai appelé ?

— Promis. Ça lui fera plaisir.

Quand elle raccrocha, elle vit que Spencer la dévisageait.

— Elle va toujours à ses réunions, lui annonça-t-elle.

Il ne dit rien et lui ouvrit les bras.

Lily essaya de peindre la fenêtre givrée de Skalka, en Pologne, mais elle pleura sur la toile et le givre bleuté se dilua en tache grise.

Le soir, alors qu'ils étaient lovés au fond de leur lit, Spencer écouta l'histoire d'Olenka Pevny, et Lily écouta celle de l'homme sans nom qui refusait de parler.

— Spencer, tu crois qu'il s'agit de Milo ?

— Oui. J'ai montré ton portrait à Clive. Il a reconnu ses yeux. Il dit que ce Milo-là est plus propre que le clochard qui venait l'an dernier. Je l'ai montré aussi à Paul. Lui ne l'a jamais vu.

— Comment allons-nous le retrouver ?

— Comment ça, nous ? Toi, tout ce que tu dois faire c'est aller voir DiAngelo, demain matin. Moi, j'irai voir Jan McFadden, mais seul, sans Gabe, pour ne pas l'effrayer. Peut-être notre mystérieux inconnu lui rappellera-t-il une ancienne connaissance d'Emmy, quoique j'en doute. J'ai déjà essayé de la faire parler. Elle ne sait vraiment rien de la vie de sa fille.

— Il faut insister, Spencer. Tu sais si bien faire parler les gens.

— Tu vas voir ce que je sais faire, murmura-t-il en lui mordillant l'épaule.

— Je suis sûre que c'est à cause de ce Milo qu'Emmy a disparu, continua Lily, luttant pour poursuivre cette conversation.

Il lui embrassa la gorge et elle ferma les yeux en gémissant.

Jan, en robe de chambre et les cheveux en bataille, ouvrit la porte à Spencer.

— À quoi bon venir si vous n'avez rien de nouveau à m'annoncer ? grommela-t-elle.

— Je voulais vous montrer le portrait d'un clochard avec qui Emmy s'était liée d'amitié.

Est-ce que vous le reconnaissez ? J'espérais que vous sauriez son nom.

Jan regarda le dessin en secouant la tête.

— Non, j'ai jamais vu cette tête-là. Vous l'avez arrêté ?

— Non. Nous avons lancé un mandat de recherche contre lui. Il est connu sous le nom de Milo. Si nous le retrouvons, je pense que nous saurons où se trouve Emmy.

— Je n'ai jamais connu de clochard ! Et je ne pense pas que mon Emmy en connaisse non plus. Vous vous trompez !

— Son ami Paul m'a dit qu'elle avait fréquenté des gens un peu marginaux à une époque, continua Spencer en rangeant le portrait.

— Je vous ai déjà dit que je ne les avais pas connus.

— Oui, mais peut-être qu'en réfléchissant bien...

— Vous pouvez insister autant que vous voulez, ça changera rien.

Elle écrasa sa cigarette en soupirant.

— Est-ce qu'au moins on continue à fouiller Central Park ? demanda-t-elle d'une voix sèche.

Il ne répondit pas. Après avoir vainement passé au peigne fin les trois cent quarante et un hectares de bois, la police avait fini par abandonner les recherches le mois dernier.

Elle lui proposa à boire.

— Je veux bien un café.

— Je pensais plutôt...

— Non, merci.

— C'était simplement pour ne pas boire toute seule.

— Non, vraiment.

Seuls ses démons savaient l'effort qu'il devait faire pour prononcer ce non.

Il chercha d'autres questions à lui poser, les yeux rivés sur le verre de Chivas qu'elle contemplait tristement.

Il lui demanda une fois de plus si Emmy avait appartenu à des clubs. Si elle faisait du sport, de la musique...

— Elle allait juste à la chorale, dit Jan.

— Et elle ne faisait pas de politique ? Elle s'était présentée au conseil des étudiants ? Comme trésorière ? Présidente ? Appartenait-elle au club des jeunes conservateurs d'Amérique ?

— Non, elle allait à la chorale, c'est tout.

— Votait-elle ?

— Je n'en sais rien.

— Bien sûr que tu le sais, dit alors Jim qui venait de rentrer d'un jogging et se servait un verre d'eau glacée. Elle a voté à l'élection de 1992, quand elle était en terminale.

Jan le regarda, stupéfaite.

— Ah bon ? Je n'en savais rien. Elle aimait surtout chanter. C'était une artiste. Elle a peut-être voté, mais la politique ne l'intéressait pas.

Ça devait l'intéresser quand même un peu, si elle était allée voir Andrew Quinn, songea Spencer qui préféra garder cette réflexion pour lui. Jan était déjà bien assez tendue comme ça.

— Peut-être que si tu t'abstenais de boire du

547

Chivas dès le matin, tu aurais une meilleure mémoire et ça permettrait à l'inspecteur de retrouver notre fille ! lança Jim.

— Oh, arrête ! Tu ne crois pas que si je pouvais l'aider, je le ferais ? Si seulement je savais quelque chose !

Spencer s'engouffra dans cette brèche.

— Connaissait-elle... le député Quinn... à cette époque ?

— Bien sûr que non ! Quelle idée ? Je ne pense même pas qu'elle ait voté pour lui, elle s'en fichait. Mais qu'est-ce que vous attendez de moi exactement ?

— Juste le nom d'un de ceux avec qui elle est partie en voyage, ou le prénom, n'importe quoi !

— Je vous l'ai déjà dit mille fois, je n'en sais rien. J'ai oublié. Ou je n'ai jamais su. L'année de sa terminale, j'étais submergée par mes deux bébés. Et elle avait dix-huit ans !

Jan se redressa, au bord des larmes.

— Franchement, comment voulez-vous que je me souvienne ? C'était il y a sept ans ! Et avec tout ce qui s'est passé, c'est étonnant que je me rappelle encore mon propre nom.

— Ne me dites pas que vous l'avez laissée partir en camping-car sans savoir avec qui !

— Comment ça, je l'ai laissée ? Qu'est-ce que vous croyez ? Elle ne m'a pas demandé mon avis ! Moi, je voulais qu'elle aille à l'université.

— Juste un prénom...

— Arrête, tu n'en pouvais plus, intervint soudain Jim, excédé. Autant que l'inspecteur le sache. Emmy était odieuse, elle te désobéissait constamment, elle te tenait tête... Tu ne la supportais plus. Tu avais les jumeaux, tu n'avais pas envie de te gâcher la vie avec elle. Et quand elle a annoncé qu'elle partait découvrir les États-Unis, tu lui as dit : « Bon débarras ! » Tu l'as même fichue dehors quand elle t'a annoncé qu'elle n'irait pas à l'université.

— Je ne l'ai pas fichue dehors !

— C'est pour ça que tu ne sais rien. Tu n'as pas voulu savoir. Tu t'en fichais !

— Lindsey ! hurla Jan.

Spencer recula d'un pas contre le comptoir.

— Lindsey. C'était une des filles de la bande qu'elle fréquentait.

— Lindsey comment ?

— Vous m'avez demandé un prénom, je vous ai donné un prénom.

— Et cette Lindsey vivait...

— Ici même, en bas de la rue. Monsieur l'inspecteur, si ça ne vous ennuie pas... je suis très fatiguée. J'ai besoin de m'allonger un peu.

Jim le raccompagna à la voiture.

— Jan m'inquiète beaucoup. Elle perd la boule.

— Oui.

— Je ne sais pas combien de temps je vais pouvoir tenir, mon vieux. Je suis au bout du rouleau.

— Il faut tenir. Elle a besoin de vous.

— Lindsey ? Lindsey ? répéta Paul quand Spencer vint le trouver au salon. Ce ne serait pas

Lindsey Kiplinger, par hasard ? Non, ça m'étonnerait qu'Emmy ait été amie avec elle, elles avaient une classe de différence. En fait, je ne connais son nom que parce qu'elle est morte, il y a quelques années, dans un accident de voiture, quelque part dans l'Ouest. Au Nouveau-Mexique ou dans l'Utah, je crois.

Spencer appela les Kiplinger à Port Jeff. Leur répondeur l'informa qu'ils étaient en vacances.

De retour au commissariat, il trouva un message de DiAngelo.

— Vous pouvez venir ? demanda le médecin quand il le rappela. Je sais que c'est le milieu de la journée, mais Lily a besoin de vous. Je viens de la faire transférer à Sloane Kettering.

— J'arrive. Que se passe-t-il ?

— Elle est très malade, inspecteur O'Malley.

— Oui, je sais, mais...

— Elle est mourante.

63

Traitement du cancer
en phase terminale

— Lily, où étiez-vous passée ?

— Je croyais que je ne devais venir que tous les quinze jours.

— Ça fait un mois que je ne vous ai pas vue !

— Je suis partie à Maui et... Pourquoi ? Les résultats ne sont pas bons ?

— Non, pas bons du tout.

Elle respira profondément.

— Pourtant ça ne fait que trois semaines.

— Non, quatre. Et avant, ils n'étaient déjà pas satisfaisants.

— Et... et là ?

DiAngelo ne répondit pas.

— C'est reparti ?

— C'est reparti.

— Mon sang ressemble de nouveau à du caviar ?

Pas de réponse.

Trois semaines de traitement d'induction, treize semaines de consolidation, une semaine de pneumonie, six autres d'entretien, un nouveau traitement radical censé attaquer seulement les cellules cancéreuses, sans toucher aux autres, douze mois de ma vie, de la vie de Spencer, de la vie d'Emmy, de la vie de ma famille et tout ça pour que mon médecin se taise !

– Qu'est-ce qu'on fait ? reprit Lily au bout de quelques minutes. On reprend la chimio de consolidation ?

— Non, les blastes sont désormais immunisés.

— Même à la chimio ?

— Oui. Apparemment, ils le sont à l'Alkeran.

— Alors que reste-t-il ?

— Eh bien, nous avons encore deux possibilités...

Pourquoi se sentait-elle soudain incapable d'en entendre plus ? Que lui arrivait-il ? Ses mains tremblaient.

— Il ne faut surtout pas vous décourager. Je sais que ce n'est pas facile après ce que vous avez déjà subi. Mais je vous avais prévenue que ça serait dur.

— Oui, oui...

— Et je ne vous ai jamais caché la vérité. N'était-ce pas ce que vous vouliez ?

— Vous savez, docteur, murmura-t-elle en se levant péniblement, je me rends compte aujourd'hui que moins on en sait, mieux on se porte.

— Allons ! Vous n'en pensez pas un mot.

Il fit le tour de sa table et lui passa un bras autour des épaules.

— Ne vous avais-je pas dit que cette maladie ferait tout pour que vous baissiez les bras ? Alors pas question de céder. Vous êtes devenue ma croisade personnelle. Et cette saleté ne nous aura pas, Lily. Maintenant, asseyez-vous.

Mais elle n'avait qu'une idée, s'en aller. Elle se précipita dans les toilettes, et s'appuya le front contre le carrelage froid, les yeux fermés, les paumes pressées contre le mur, submergée de panique.

— De l'arsenic ?

Elle avait réussi Dieu seul sait comment à regagner sa chaise. DiAngelo était toujours assis sur le coin de son bureau.

— Mais n'est-ce pas un poison mortel ?

— Si.

Lily essaya de se remémorer ce qu'elle avait appris en classe.

— Et l'exposition à l'arsenic n'entraîne-t-elle pas le cancer ?

— Si. Mais souvenez-vous, nous traitons le poison par le poison. Les cellules cancéreuses sont sensibles au poison. Et ce sont elles que nous visons.

— Le cocktail de médicaments n'a pas eu d'effet. L'Alkeran, votre remède miracle, non plus.

— Ne vous inquiétez pas. Ça, ça marchera. Une nouvelle étude, justement réalisée ici, à Sloane Kettering, vient de démontrer que les patients atteints de leucémie aiguë myéloblastique pour qui le traitement standard a échoué ont eu une rémission presque totale avec le trioxyde d'arsenic. Je pense que ça vaut la peine d'essayer.

— Avons-nous le choix ?

— Pas vraiment, avoua-t-il après un silence.

Lily se perdit dans la contemplation de ses

mains. Elles étaient tachées de feutre indélébile noir depuis qu'elle avait dessiné le portrait de Milo.

— Et cette thérapie a été faite à quelle échelle ?

— C'est une thérapie expérimentale, bien sûr !

— Sur combien de personnes ?

— Dix.

— Dix ?

Elle le dévisagea.

— Dix ? répéta-t-elle.

Il hocha la tête en levant les yeux au ciel.

— Et combien de cas de rémission, docteur ?

— Six. Et sur ces six, quatre ont présenté des tests négatifs.

— Et les deux autres ?

— Décédés.

— Du cancer ou de l'arsenic ?

— Lily !

— C'était juste une question. Donc, si je résume, dans cette grande étude fondée sur dix personnes, six sont mortes.

— Que vous arrive-t-il ? Nous ne sommes pas au tribunal. Quarante pour cent de rémission quand tout le reste a échoué, c'est très encourageant.

Quand tout le reste a échoué...

— Et quelle est l'autre solution ?

— La greffe de moelle.

Elle se ragaillardit aussitôt.

— On en dit beaucoup de bien sur Internet.

— Je vous avais demandé de ne plus fouiner là-dessus.

— Je sais, je sais. Mais ce que j'ai lu était très encourageant. Et qui doit fournir cette moelle ?

— L'une de vos deux sœurs. Ou votre frère. C'est chez eux que vous avez le plus de chance de trouver des compatibilités.

— Alors qu'attendons-nous ?

DiAngelo contempla ses mains.

Lily contempla les siennes.

— Une greffe de moelle est une opération extrêmement lourde et débilitante. Le receveur doit être en bonne santé et n'avoir aucune infection. Ses fonctions cardiaques, pancréatiques et hépatiques doivent être normales. Or, vos globules blancs sont remontés en flèche, je ne les ai jamais vus aussi haut, comme si votre corps luttait contre une infection depuis des semaines. Et vos plaquettes sont inexistantes. Les cellules malignes battent tous les records. Qu'avez-vous fait subir à votre organisme depuis la dernière fois que nous nous sommes vus ?

— Rien, répondit-elle en se demandant ce qu'elle aurait été sans le cancer, sans Spencer, sans sa mère, sans son frère. Nous sommes donc dans une impasse, si je comprends bien.

— Oui, dans un beau pétrin, Lil.

— Banco pour l'arsenic alors.

— Banco !

Elle se leva en se tenant à son siège.

— Et quels sont les effets secondaires de ces injections de poison dans le sang ?

— Il y en a étonnamment peu.

— Enfin une bonne nouvelle ! Quand commence-t-on ? Demain ?

— Tout de suite.

Elle joua les braves.

— Crise blastique, docteur ?

— Crise blastique.

Joy réapparut dans sa vie, mais sans s'installer chez elle, cette fois-ci. Elle ne venait que lorsque Spencer n'était pas là, pour conduire Lily à Sloane Kettering, sur la 68e Rue. Les jours où ils ne travaillaient pas, Paul et Rachel venaient lui tenir compagnie lors de son administration quotidienne d'arsenic, par perfusion. On lui avait réinstallé son cathéter.

Ses sœurs et sa grand-mère étaient bouleversées. Chaque fois qu'elles venaient la voir, seules ou à deux, elles pleuraient. DiAngelo finit par interdire leurs visites jusqu'à ce que Lily aille mieux. Il passait la voir chaque jour, bien qu'elle ne fût pas soignée dans son service. Lily se sentait si proche de lui qu'elle lui fit don de deux cent mille dollars pour la salle des enfants cancéreux de Mount Sinai. Puis, à la réflexion, abandonnant ses rêves d'appartement sur Central Park, elle le remplaça par un chèque d'un million de dollars et DiAngelo donna son nom à la salle, et elle alla même en personne couper le ruban lors de la cérémonie d'inauguration.

L'arsenic est un poison lent. Elle commençait à sentir le métal dans son cerveau, sa bouche, ses membres. Elle souffrait peu de la fatigue, des vertiges, et beaucoup plus du goût dans sa bouche.

Et DiAngelo continuait à passer la voir chaque

fois qu'elle se rendait à Sloane Kettering, même quand il ne travaillait pas.

— Vous n'êtes pas forcé de venir tous les jours, finit-elle par lui dire. Mon chèque n'a fait que payer ma dette envers vous.

— Spencer, tu as le choix, tu sais. Ça ne tient qu'à toi d'arrêter de boire, lui dit-elle un soir, après avoir fait l'amour, alors qu'ils étaient allongés bien au chaud sous les couvertures.

— Tu crois vraiment que c'est une question de choix, Lily ? demanda-t-il avec un sourire.

— Bien sûr. Chaque fois que tu es à jeun et que tu prends un verre, c'est toi qui décides, non ? Nous choisissons ce que nous voulons être, la vie que nous menons. C'est ma grand-mère qui, elle, n'a pas eu le choix. Je parle de la mère de ma mère, ajouta-t-elle d'une voix brisée. Mais c'était la guerre. Tu vois la différence ?

Il ne réagit pas. Il n'essaya même pas de se défendre. Il resta allongé, un léger sourire sur les lèvres. Elle ne put résister et se pencha sur lui pour l'embrasser.

— T'as de la chance d'être aussi mignon !

Il l'embrassa à son tour puis s'écarta.

— Ce choix dont tu parles est purement théorique. Ça fait bien quand on en parle, mais c'est une réalité, comme ta maladie, pas juste un sujet de conversation entre cinq septuagénaires autour d'une table de poker.

— Octogénaires, mais peu importe.

— Lily, tu crois que je choisis vraiment de ne pas pouvoir boire un verre aux mariages, aux fêtes de Noël ? De ne pas pouvoir prendre tranquillement un apéritif avec toi ? De ne plus pouvoir jouer au bowling et plaisanter avec mes amis autour d'une bière ? Tu crois que je choisis de passer un sixième de ma vie ivre mort.

— Oh, Spencer !

— Je sais qui je suis, Lily. Je ne me fais pas d'illusions. Je suis un flic. Un ivrogne d'Irlandais. C'est tout. Tu veux savoir à quoi se limite mon choix ? Où intervient ma volonté ? Quand je lutte chaque jour que Dieu fait contre l'envie de whisky jusqu'au moment où je n'en peux plus, où ma résistance même a besoin d'être récompensée par un bon Glenfiddich. Et plus je tiens longtemps, plus je considère que je mérite un whisky coûteux. Un mois d'abstinence ? J'ai droit à du Johnny Walker Blue Label. Et ce ne sont ni les Alcooliques anonymes, ni Dieu, ni la raison, ni la peur, ni la menace qui m'empêcheront d'en avoir envie. D'en mourir d'envie. C'est une guerre comme une autre. Toi, qui veux guérir, continuer à vivre, même dans l'état où tu es, tu te bats aussi. Moi, je me bats chaque dimanche contre mon esprit qui me serine que je peux boire juste un verre et m'arrêter après, je me bats chaque lundi pour me lever et aller travailler, c'est la guerre pour moi. Ce que ta mère a vécu, ne me dis pas que ce n'était pas la guerre non plus, contre elle-même, contre toi, contre ton père.

Lily ferma les yeux.

— Elle ne s'en est pas bien sortie.

— C'est le moins qu'on puisse dire.

— Tu t'en sors mieux.

— À peine. Depuis que je te connais, j'ai fait de gros progrès, c'est certain, dit-il avec un sourire. Mais ça n'irait pas mieux si je vivais à Maui. Je serais comme elle, vautré dans le patio, à me demander où trouver mon prochain verre. Crois-tu qu'elle a moins envie de boire maintenant qu'il lui manque un pied ? Crois-tu qu'elle a compris qu'elle avait tort de boire ?

Spencer poussa un soupir dubitatif.

— Non, elle en a envie plus que jamais. Tout son être est concentré sur ce besoin et elle n'aura de cesse de trouver un moyen de se rendre jusqu'au prochain drugstore malgré son pied amputé. Et tout ça, parce qu'elle est comme nous un être humain et que l'homme est faible.

Il caressa le visage de Lily qui le contemplait.

— Qu'essaies-tu de me faire comprendre, Spencer ? Tu veux qu'une fois que je serai rétablie et que l'heure de la passion sera passée, nous restions simplement bons amis ? Tu veux que j'aille vivre avec quelqu'un d'autre ?

— Non, je veux juste que tu comprennes que, malgré nos efforts pour nous soigner mutuellement, je ne peux pas me passer de l'alcool. Je ne peux pas quitter ma chambre des larmes. Ou plutôt je ne peux pas m'empêcher d'y retourner. Et ce n'est pas une vie pour toi.

— Comment peux-tu savoir ce que j'attends de la vie ? Tu n'en sais rien. Ai-je encore le droit de choisir de vivre avec toi, ou ce droit m'a-t-il été aussi retiré ?

— Tu as le choix. Ne te fâche pas. Cette existence est non seulement la seule que je connaisse, c'est aussi la seule que je sache mener. J'essaie d'être le plus honnête possible.

— J'aimerais que tu le sois un peu moins.

Il se tut. Ce silence parut encore plus insupportable à Lily.

— Spencer, dis-moi, tu crois que l'arsenic va marcher ? Il n'y a que quarante pour cent de chances de réussite. Tu crois que ça va marcher pour moi.

— Bien sûr, Lily.

Elle essaya de s'écarter de lui mais il la retint, la ramena contre lui, lui caressa les seins tout en lui embrassant la nuque.

J'exerce mon libre arbitre, songea-t-elle en se retournant vers lui et en le prenant dans ses bras. Et je l'ai choisi, lui. Oui, quoi qu'il arrive, malgré nos blessures, nos maladies, nos douleurs, moi, mourante, lui alcoolique, dans notre chambre des larmes, avec le loup à jamais devant notre porte, c'est lui que j'ai choisi.

Spencer ne vint ni le vendredi soir ni le samedi soir. Lily ne dit rien. Elle n'y fit aucune allusion. Elle employa une autre méthode.

— Spencer, demanda-t-elle après s'être éclairci la voix. DiAngelo voudrait que j'aille le vendredi faire une prise de sang et une injection d'arsenic.

— Le vendredi ?

— Oui. Maintenant je prends de l'arsenic sept jours sur sept. Et j'ai des prises de sang trois fois par semaine. Est-ce que tu pourrais venir me rechercher ? Paul et Rachel travaillent.

Il vint la chercher.

Et toujours après s'être éclairci la voix :

— Spencer, je n'ai plus la force de descendre mes tableaux, le samedi matin. Regarde tout ce que j'ai peint depuis que tu es revenu. Tu crois que tu pourrais m'aider à les transporter ? Et à installer ma table ?

Et, le visage blême, il venait l'aider le samedi matin puis restait assis à côté d'elle sur une chaise pliante.

— Ah ! c'est donc lui votre muse ! disaient les clientes en le reconnaissant.

Elle peignit une série de sept tableaux qu'elle intitula *Whisky entre les mains*. Elle représentait différentes mains serrées, du lundi au dimanche, autour d'une bouteille, d'un verre vide, plein, cassé, des mains qui saignaient. Un homme très élégant et grave l'acheta, avec comme seules paroles : « Je vous en donne dix mille dollars. »

Et elle continua.

— Hum, hum... Spencer ? Tu sais que je n'ai jamais vu Bruce Springsteen en concert ? Il passe au Madison Square Garden. Il paraît que c'est le samedi soir qu'il y a le plus d'ambiance. Dommage que ce soit impossible d'avoir des billets !

Comme la police de New York assurait la sécurité, Spencer obtint des places, au premier rang sur la droite de l'allée centrale. Et il emmena Lily le 1er juillet assister au dernier concert de Bruce Springsteen au Madison

Square Garden. Pendant trois heures, Lily, au comble de l'allégresse, chanta les vingt-huit morceaux jusqu'au dernier, dansa jusqu'au dernier bis, et repartit, épuisée, heureuse.

Ce n'était qu'un début...

— Hum, hum... Spencer, tu ne peux pas savoir comme j'ai peur, seule dans cet appartement. Depuis que j'ai vu Milo, j'ai mal au ventre. Et si jamais il venait chez moi ? L'autre jour, je n'avais plus de lait, mais j'avais tellement la frousse que j'ai failli appeler la police pour m'escorter au supermarché.

— Il fallait m'appeler, je suis policier, non ?

— C'est ce que je fais, Spencer.

Il vint s'installer chez elle.

Lorsque, début juillet, DiAngelo n'assista pas à son injection dominicale. Lily ressentit cruellement cette absence, comme si on la privait d'eau une journée.

En revanche, le lundi matin, il arriva de bonne heure.

— Il est temps d'appeler vos sœurs et votre frère, Lily. Et de voir si leur moelle est compatible avec la vôtre.

Ses globules blancs croissaient de façon exponentielle, inversement proportionnelle à la vitesse à laquelle ses plaquettes diminuaient.

La guerre faisait toujours rage en elle, même si ça ne se voyait pas. Elle ferma les yeux.

— Spencer m'a invitée au pique-nique annuel des œuvres de la police, dans quelques semaines.

— À votre place, je ne ferais pas trop de

projets, répondit le médecin. Notre priorité, c'est la greffe de moelle maintenant.

Il arrêta l'arsenic, fit revenir Lily dans son hôpital et commença en externe une chimio modérée. Modérée car c'était tout ce que Lily pouvait supporter.

Spencer se rasa la tête à nouveau, puis il rasa celle de Lily. Mais cette fois-ci, quand il eut terminé, il embrassa chaque centimètre carré de son crâne, en lui tenant la tête à deux mains.

Elle n'avait plus le droit d'aller au cinéma, de vendre ses peintures, ni de fréquenter aucun lieu public. Elle continuait à peindre quand elle avait la force de se lever. Spencer installa une chaise devant ses chevalets. Mais souvent elle peignait par terre. Le samedi matin, c'était lui qui allait vendre ses toiles, et certaines de ses clientes pleuraient.

— Elle guérira, leur disait-il. Elle se repose simplement. Regardez, elle peint encore.

Elle peignit Spencer sur le canapé, très grand, avec elle sur ses genoux, transparente, qui s'estompait, toute petite.

Elle peignit une belle femme brune, assise sur un banc dans un village verdoyant, en été, avec une petite fille blonde appuyée contre elle.

Et quand il rentrait, il la trouvait couchée sur son lit, bercée par le tic-tac des pendules qui égrenaient le temps...

Amanda revint plus tôt de ses vacances dans le Montana pour le prélèvement d'échantillon de moelle.

Anne se présenta au Mount Sinai, et en profita pour coincer DiAngelo et exiger de connaître le pronostic de Lily.

DiAngelo n'arrivait pas à rétablir son équilibre sanguin. Il ne maintenait ses globules rouges qu'à coups de transfusions. Il n'en dit pas un mot à Anne.

— Elle est très courageuse. Elle ne se plaint jamais.

— Mais quel est son pronostic, docteur ?

— Madame Ramen, votre sœur a besoin d'un échantillon de votre moelle afin de déterminer s'il y a compatibilité entre vous. Occupons-nous d'abord de ce qui est vital, nous verrons l'accessoire plus tard, ajouta-t-il en la poussant vers le laboratoire.

— Depuis quand considère-t-on le pronostic comme accessoire ? N'est-il pas essentiel pour déterminer le traitement ?

— Si, et nous n'avons qu'une chose à faire, lui donner ce dont elle a besoin pour vivre, c'est-à-dire la greffe de moelle. Alors finissons-en.

— Mais quelles sont ses chances, docteur ?

— Je pense qu'il y a de fortes chances de compatibilité, malgré vos différences de caractère. Oui, vraiment.

Lily prenait son mal en patience, stoïque, tel Marc Aurèle. *Celui qui a le plus vécu et celui qui aura dû mourir le plus prématurément font exactement la même perte ; car ce n'est jamais que du présent qu'on peut être dépouillé, puisqu'il n'y a que le présent seul qu'on possède, et qu'on ne peut pas perdre ce qu'on n'a point.*

Jusqu'à cet après-midi où Spencer vint la voir à l'hôpital, un bouquet de lys blancs à la main.

— Ne m'offre plus jamais de fleurs ! hurla-t-elle en jetant le bouquet par terre.

Spencer demanda à Marcie de les laisser seuls une minute. Dès qu'elle fut sortie, il ramassa les lys et les mit dans la corbeille. Puis il s'approcha de Lily. Elle avait les yeux remplis de larmes.

— Qu'est-ce qui t'arrive ? Andrew doit venir demain donner son échantillon de moelle. Tout va bien.

— Non. Rien ne va. Ouvre les yeux ! Tu ne vois pas dans quel état je suis ?

— Je ne t'apporterai plus de fleurs, promit-il, tellement accablé de tristesse qu'il en tremblait.

— Parfait. Et je voudrais que tu enlèves tes affaires de mon appartement.

Silence.

— D'accord.

— Et ce n'est plus la peine de venir. J'ai Joy, j'ai Marcie.

— D'accord, Lily.

Elle voulut s'asseoir mais n'en avait pas la force. Il l'aida et elle s'accrocha au revers de sa veste qu'elle secoua d'une main faible. Il s'assit à côté d'elle sur le lit. Elle se serra contre lui avant de le repousser et de le dévisager d'un air déses-péré.

— Dis-moi, Spencer O'Malley, comment peux-tu venir me voir en prétendant que tout va bien, que la greffe réussira, si l'on trouve un donneur compatible, bien sûr, et que tout va pour le mieux dans le meilleur des mondes, alors que tu n'es pas allé vendre mes peintures, samedi dernier ? Dis-moi pourquoi tu t'es encore caché derrière ta bouteille ?

Il cligna les yeux, se leva et recula d'un pas, soudain dépassé, incapable d'en supporter plus. Depuis qu'il avait appris que l'arsenic était sans effet, il n'avait plus le courage de vendre ses peintures, affolé à l'idée que ce serait peut-être bientôt tout ce qui lui resterait d'elle.

— J'aurais préféré me faire écraser par un bus. Ou disparaître comme Emmy. Connaître une mort subite, irréversible. Par bien des côtés, j'ai l'impression d'être déjà morte, sauf que je respire. Les gens autour de moi se comportent comme si j'étais morte depuis un an, comme s'ils attendaient juste que mon corps veuille bien suivre le mouvement.

Il recula encore d'un pas.

— Moi, je me comporte comme ça ?

— Oui, quand tu m'apportes des fleurs alors que je suis encore en vie, quand tu refuses de vendre mes toiles, quand tu marches sur la pointe des pieds, quand tu n'oses plus me toucher. Oui. Tu penses que ce n'est plus qu'une question de quelques jours et la vie reprendra son cours normal. Eh bien, va au diable, Spencer ! Je ne suis pas ta pénitence !

— Lily...

— Quoi, ce n'est pas vrai ? Ce que je vis est

atroce. Je voudrais en finir et vite, que tu puisses reprendre le cours de ta vie au lieu de m'enterrer vivante sous des lys blancs.

— Crois-tu que la mère d'Emmy a repris le cours de sa vie ?

— Si l'on retrouve Emmy, elle la reprendra.

— La mort c'est la mort, soupira-t-il mais elle ne l'entendit pas.

— Tu sais que DiAngelo arrête ma chimio. Il dit que ça ne me faisait aucun bien, au contraire. Il a raison. C'est toi qui lui as donné ce conseil ? Ne m'as-tu pas dit un jour : « Si tu veux te noyer, à quoi bon te torturer à chercher une eau peu profonde ? »

— Je faisais allusion à tout autre chose.

— Bref, finie la chimio. Et regarde-moi, je ne suis ni vivante ni morte. Que suis-je ? Où serais-je sans mon cathéter ? On me nourrit par perfusion, on me transfuse toutes les cinq minutes, je ne suis plus capable de produire le moindre globule rouge. Mon foie, mes reins ne pensent qu'à me lâcher. Tu parles d'une eau peu profonde ! Je suis sous dialyse, le cœur sous monitoring... Oh, je sais, tu vas me dire que j'ai passé les vingt-trois premières années de ma vie sans rien voir, rien sentir... mais j'étais si heureuse ! Mon Dieu, j'aurais encore vécu cent ans à passer à côté de la vie. Tout... tout ce que je voudrais, continua-t-elle d'une voix implorante, les mains jointes, c'est être stupide et ignorante. Aller au cinéma, dormir, peindre, m'asseoir dans Central Park, le dimanche, sentir la pluie, vivre comme tout le monde, comme si j'étais immortelle. Mais ça, je n'en veux plus.

Elle se tassa au fond de son lit. Il n'osait plus s'approcher.

— Que veux-tu, Lily ?

— Rien. Juste vivre.

64

Emmy et Andrew

Andrew se présenta à son tour au Mount Sinai, afin de donner un échantillon de sa moelle, et en profita pour rendre visite à Lily, flanqué de Miera et de deux gardes du corps. Lily le trouva maigre, les cheveux grisonnants, le teint cireux.

Et il avait amené Miera ! Lily n'en revenait pas. Elle échangea un regard avec Spencer : il baissa les yeux.

— Qu'est-ce qu'ils font là ? demanda-t-elle avec un geste vers les gardes du corps.

— Ils me protègent. Je ne me sens plus en sécurité.

— C'est plus sage, opina Spencer.

Ignorant sa remarque, Andrew demanda s'il pouvait parler seul à seule avec Lily.

— Et moi, pourrais-je te parler seule à seul, sans Miera ? rétorqua-t-elle.

— Miera fait partie de la famille.

— Dans ce cas, Spencer restera là.

— Alors c'est moi qui partirai.

— Génial ! Je ne t'ai pas vu depuis novembre et tu parles déjà de partir.

— C'est moi qui m'en vais, dit Spencer en se levant.

— Non !

— Je vais juste dans le couloir, insista-t-il avant de sortir sous le regard haineux d'Andrew.

— Tu n'as pas mauvaise mine, Lily, remarqua Miera, juchée sur ses hauts talons, vêtue d'Armani des pieds à la tête, élégamment coiffée.

— Tu t'attendais à pire ?

— Je ne sais pas. Nous savions que tu étais très malade. Mais tu n'as pas l'air...

Sa voix se brisa :

— Je... j'essayais simplement d'être gentille, Lilianne.

— Merci.

Andrew lui prit la main.

— Alors, comment te sens-tu, Lil ?

— Bien, merci, répondit-elle dans un soupir. Et toi ?

— Ça va. Je tiens le coup.

— Moi aussi. Je suis si contente de te voir, ajouta-t-elle, refoulant ses larmes.

Andrew s'assit sur le bord du lit et la prit dans ses bras.

— Lil, ma petite Lil.

Elle lui tapota le dos et attendit.

— Miera, tu pourrais nous laisser seuls ? demanda-t-il enfin.

— Andrew, mais tu avais dit...

— Je sais. Juste une minute, Miera.

Elle sortit d'un air outragé.

— J'ai fait un beau gâchis, murmura-t-il à voix basse dès qu'ils furent seuls. Tout est ma faute. J'espère que ma moelle sera compatible. Je suis tellement navré. Pourras-tu jamais me pardonner ?

— Te pardonner quoi ?

Il s'écarta.

— De ne pas être venu te voir depuis trois mois.

— Oh, ça ! Bien sûr que je te pardonne.

— J'avais tellement honte, Lil. Je n'avais pas le courage de te regarder en face. C'est pour ça que je ne suis pas venu.

— Je le savais. C'est ce que j'ai dit à Spencer.

— Ne me parle plus de lui.

— Il ne faut pas lui en vouloir. Il ne fait que son travail.

— Non, il me hait. Il s'acharne sur moi.

— Tu te trompes, Andrew.

— Écoute, je n'ai pas envie de parler de lui maintenant. Attendons que tu sois rétablie.

Elle détourna la tête, s'en voulant de sa faiblesse, de ne pas avoir la force d'aborder le seul sujet qui comptait. Comment avait-elle pu imaginer qu'Andrew se confierait à elle ?

— À quoi servent ces tubes ? s'enquit-il sans la lâcher.

— Eh bien, mon cœur est relié directement au poison que tu vois dans ce petit sac.

— Et qu'y a-t-il dans les autres ? Dans la perfusion ?

— Des antibiotiques, du glucose, de la morphine.

Andrew se mit à pleurer. Lily lui tapota le dos.

— Je t'en prie. Tout ira bien. Je t'assure. Ne t'inquiète pas.

Il la serra dans ses bras et la berça, sa tête appuyée contre son épaule.

— Lil, tu te souviens quand je te portais ?

— Andrew, je t'en prie. Mon cœur va lâcher.

— Oh, Lily. Il y a tant de choses dont je ne peux pas te parler, à cause de lui. Tu as l'impression que je t'ai laissée tomber, mais moi aussi je me suis senti trahi par toi. Et si j'ai demandé à Miera de m'accompagner, c'était pour me protéger de toi. Mais maintenant je ne veux pas repartir sans te dire la vérité.

— Je t'écoute, murmura-t-elle dans un souffle.

— J'étais désespérément amoureux d'Emmy ! J'allais tout quitter pour elle. Je l'aimais plus que tout. Plus que mon travail, ma carrière, mon avenir, ma famille. Il n'y avait plus qu'elle qui comptait au monde.

— C'est vrai ?

— Oui, elle a bouleversé ma vie. Je ne m'attendais pas à tomber amoureux comme ça. Et elle non plus. Ça l'a prise par surprise, elle aussi. Au début, ce qui lui plaisait, c'était d'avoir une aventure avec un homme en vue, rien de plus.

— Mais si tu l'aimais, pourquoi l'as-tu quittée ? C'est bien toi qui l'as quittée, n'est-ce pas ?

— Non, c'est elle qui m'a annoncé en avril qu'elle ne voulait plus me voir.

— Vraiment ?

— Oui, du jour au lendemain. Elle a dit... qu'elle ne m'aimait plus et qu'elle ne voulait plus continuer.

— Et tu l'as crue ?

— Au début, non. J'ai pensé que c'était une

ruse afin de me faire quitter ma femme plus vite ou m'empêcher de me présenter au Sénat. Mais il a bien fallu que je me rende à l'évidence. Elle ne m'aimait plus. Elle ne m'a laissé aucun doute là-dessus

— Comment ça ?

— Par son attitude. Elle est devenue glaciale. Elle m'a rayé de sa vie. Par ses paroles. Elle a dit des choses...

— Lesquelles ?

— Je t'en prie, Lil. Tu es ma sœur, cesse de vouloir me tirer les vers du nez comme ton inspecteur.

— Justement. Pourquoi ne lui as-tu pas raconté tout ça ?

— Pour qu'il le retourne contre moi, comme tout le reste ?

— Oh, Andrew !

— Tu sais, Lily, j'ai perdu la tête quand je suis tombé amoureux d'elle. Plus rien ne comptait. Si tu dois lui répéter quelque chose, répète-lui ça.

— Et toi, Andrew, il faut que tu saches que l'inspecteur O'Malley ne me parle pas de son travail. Et je pense franchement que ça vaut mieux, vu les circonstances.

— Moi aussi.

Ils sourirent.

— Je suis désolé de ce qui s'est passé, Lil.

— Moi aussi, Andrew chéri. Moi aussi.

— Et il vit avec toi, maintenant ?

— Oui.

— C'est bien, ma Lily. C'est bien.

Dès qu'Andrew repartit, Spencer revint s'asseoir près d'elle.

Lily se pencha vers lui, lui retira ses lunettes et plaqua ses mains sur ses yeux.

— Qu'est-ce que tu fais ?

— Cessez de me regarder de cet œil inquisiteur, inspecteur. Je ne vous rendrai la vue que lorsque Spencer sera revenu.

Il lui embrassa les mains, les écarta en souriant et rechaussa ses lunettes sans rouvrir les yeux.

— Arrête de me dévisager, soupira-t-il.

— Tu as les yeux fermés. Comment sais-tu que je te regarde ?

— Parce que tu n'arrêtes pas de me contempler d'un air béat.

Elle se laissa retomber doucement sur son oreiller. Il ne bougea pas.

— Qu'est-ce que tu fais maintenant ?

— Rien, répondit-elle avec un petit sourire en coin. Suivant tes tendres conseils, j'exerce mon droit de garder le silence.

Spencer alla leur chercher un sandwich et de la soupe. Elle la mangea lentement, par petites cuillerées. Elle avait tant de mal à garder la nourriture.

— Bon, tu veux savoir ce qu'il m'a dit ? demanda-t-elle quand elle eut terminé.

Elle ferma les yeux pour résister à la nausée.

Spencer lui prit la main et la porta à ses lèvres.

— Ma chère Lily, tu veux que je te le dise ? Il t'a raconté qu'Emmy lui avait arraché le cœur, l'avait jeté par terre, avant de le piétiner sous ses talons aiguilles, de le passer au four, de le hacher menu et de le lui servir sur des toasts. Et elle aurait voulu qu'il lui dise : « Merci ma chérie, c'était délicieux. »

Elle rouvrit les yeux et le dévisagea, stupéfaite. Il la fixait de ses yeux perçants, l'air pensif.

— Spencer...

— Lily, je n'ai jamais pensé qu'Emmy aimait Andrew. Non, c'était l'inverse.

— Pourquoi ?

— Pour plusieurs raisons.

— Cite-m'en une seule.

— Parce qu'elle donnait les bijoux qu'il lui offrait.

— Quoi ?

— Oui. Une femme ne donne pas à un clochard des bijoux de chez Tiffany, à moins de ne pas aimer celui qui les a offerts et d'aimer le clochard.

— Tu délires ! Emmy, amoureuse de Milo ? Je n'ai jamais rien entendu d'aussi absurde ! Tu sais quoi ? Tu ne comprends vraiment rien aux femmes.

— Merci.

— Tu es peut-être imperméable aux charmes de mon frère mais sache qu'aucune femme ne lui résiste. Et même si Emmy l'a piégé avec sa crinière auburn, il a ses trucs lui aussi. C'est impossible de ne pas succomber.

— Tu veux dire qu'elle l'aimait ?

— Exactement.

— Retrouve Emmy et je te croirai.

65

Dernier épisode Nathan Sinclair

— Non, mais je rêve ! s'exclama Spencer en entrant dans la salle de conférences où l'attendait Liz Monroe.

— Nous avons reçu de nouvelles déclarations sous serment dont nous voulions vous parler.

Il regarda autour de lui. Elle avait dit « nous », mais elle était seule, cette fois.

— Si vous vous asseyiez ? Elle ouvrit une lettre. Ceci vient de Constance Tobias.

Il s'assit.

— Vous savez de qui il s'agit ?

— Évidemment, mademoiselle Monroe !

Elle s'éclaircit la voix.

— Constance Tobias a déclaré sous serment que, quelques semaines avant la mort de Nathan Sinclair, vous êtes allé la voir au quartier de haute sécurité du New Hampshire, dont elle vient juste de sortir, après une peine de six ans de prison, effectuée, précise-t-elle ici, pour un crime qu'elle n'a pas commis.

Spencer ne dit rien.

— N'avez-vous aucun commentaire à faire ?

— Non. Je ne vois pas ce que je pourrais ajouter.

— Pour un crime qu'elle n'a pas commis.

— Pardon, mademoiselle Monroe. Pour un crime qu'elle dit ne pas avoir commis. Ce qui est très différent. Les prisons sont remplies d'innocents si l'on en croit les détenus.

— Êtes-vous convaincu de sa culpabilité ?

— Je suis convaincu qu'elle a décidé de plaider coupable pour ne pas passer sa vie en prison. Je suis convaincu qu'elle a préféré ne pas être jugée par un jury car les preuves étaient trop accablantes contre elle. Et je suis surtout convaincu que s'il y a des innocents en prison, elle n'en fait pas partie.

— Elle prétend dans cette lettre que vous avez semblé perturbé par votre conversation avec elle.

— Ni plus ni moins que par d'autres conversations de ce genre, mademoiselle Monroe. Y a-t-il autre chose ?

— Attardons-nous encore sur ce sujet, si vous n'y voyez pas d'objection. La lettre de Mlle Tobias laisse entendre que vous avez pu croire à son innocence, et peut-être même cherché qui avait pu commettre le crime dont elle était accusée. Est-ce possible, inspecteur ?

— Si c'est possible ? répéta Spencer en haussant les épaules. Ce n'est pas impossible.

— Puisqu'il est question de déclarations sous serment, laissez-moi vous préciser que j'en ai deux autres de vos collègues. L'une de votre ex-partenaire, Chris Harkman, et l'autre de Gabe McGill. Nous les avons interviewés...

— Le pauvre inspecteur Harkman arrive encore à donner des interviews de son lit d'hôpital ? Alors qu'il est à la retraite ?

577

— Je ne vois pas ce que cela a de surprenant, inspecteur O'Malley. Voici ce qu'il nous a déclaré. D'après lui, vous lui auriez confié, il y a quelques années, après quelques verres, je le cite : « Ce salaud de Greenwich a eu ce qu'il méritait. »

Spencer éclata de rire.

— Attendez une minute. J'aurais déclaré à mon partenaire, après quelques verres, que le salaud de Greenwich avait eu ce qu'il méritait ?

— Oui.

— Très bien, même en supposant que ce soit vrai, vous croyez que c'est une preuve de meurtre.

— Je vous communique seulement ce que j'ai dans votre dossier, inspecteur O'Malley. En revanche, Gabe McGill qui a bu lui aussi avec vous et qui vous connaît depuis cinq ans, jure de votre irréprochabilité, ivre ou à jeun. Votre capitaine également.

— C'est gentil, mais pour en revenir à cette déclaration, en quoi peut-elle constituer un aveu ?

— Ce n'en est pas un en soi.

— Ah !

— Mais cela représente une preuve indirecte contre vous.

— Oh, une toute petite preuve indirecte, mademoiselle Monroe, si vous me permettez. Je ne pense pas qu'un tribunal la retiendrait.

— Inspecteur O'Malley, n'auriez-vous pu rendre ostensiblement visite à la victime, afin d'avoir une explication toute prête si jamais on retrouvait, sur la scène du crime, vos empreintes, des cheveux vous appartenant, ou des fibres provenant de vos vêtements ?

— Non.

— Non ? Et n'auriez-vous pu acheter des vêtements noirs et des bottes trop grandes afin de donner le change, et un sac noir pour les jeter après, et prendre une arme non identifiable, facilement démontable, avant de forcer Nathan Sinclair à tirer le premier ?

— Non.

— Inspecteur, laissez-moi vous poser une autre question. N'auriez-vous pu décider de rendre justice vous-même, torturé à l'idée de laisser un meurtrier impuni ? N'auriez-vous pu risquer votre situation, votre place dans la police, votre propre liberté et votre existence pour jouer les justiciers ?

Spencer posa ses paumes sur la table.

— Mademoiselle Monroe, je passe ma vie à voir des malfrats échapper à tout châtiment. Ceux qui vendent de la drogue aux gamins, les parents qui prostituent leurs enfants pour s'acheter de l'héroïne, des pères qui maltraitent leurs enfants à tel point que ceux-ci préfèrent s'enfuir. Des mères qui noient leur nourrisson dans un lac, et prétendent ensuite qu'il a disparu. Dites-moi. Tous ces criminels sont-ils derrière des barreaux ? Certainement pas. Je ne suis qu'un homme, je n'y suffirais pas. Je fais ce que je peux, ajouta-t-il en se levant. Et ce dont vous m'accusez n'est corroboré ni par mon dossier, ni par mon passé, ni par mes vingt-deux ans de service dans la police, ni par les avis de mes supérieurs ou de mes collègues. Alors, reprit-il, après avoir marqué une pause, vu ce que vous savez de moi et ce que peut révéler mon travail depuis un quart de siècle, la réponse est NON.

Elle le transperça d'un regard glacial.

— Inspecteur, j'ai rencontré le chef Whittaker. Et son supérieur également. Et le président de votre syndicat. Et aussi vos collègues. Vous avez raison. Vous êtes estimé de tous. Votre superviseur ne tarit pas d'éloges à votre sujet. En dehors de cette enquête, personne ne s'est jamais plaint de vous, vous n'avez jamais été soupçonné de brutalité, de corruption ni d'extorsion de fonds. Cependant certaines rumeurs continuent à courir sur vous, dans la police du comté de Suffolk. Ce serait d'ailleurs à cause de ces rumeurs que vous seriez parti. Pour une raison que j'ignore, Nathan Sinclair semble être votre pierre d'achoppement.

— Le fait que Nathan Sinclair ait été assassiné n'est pas pour m'attrister, je l'avoue. Je n'ai pas l'habitude de pleurer la mort des gangsters. J'ai déjà du mal à pleurer celle des honnêtes gens, ajouta-t-il, la gorge serrée. Que puis-je faire d'autre pour vous ?

Monroe referma son dossier.

— Rien. Je vais procéder à mon évaluation et ferai mes recommandations en conséquence. En attendant, vous restez en fonction.

— Je meurs d'impatience de lire votre compte rendu, mademoiselle Monroe, dit-il en lui tendant la main.

— Dans son rapport, Harkman a laissé entendre que vous buviez trop. Soyez prudent.

Elle retint sa main un bref instant, comme si elle craignait qu'il ne prenne cette mise en garde pour un reproche.

— Merci. Je suis toujours prudent.

— C'est le moins qu'on puisse dire, inspecteur.

— Je vous en prie, après tout ce que vous m'avez fait subir, appelez-moi Spencer.

66

Un bateau à Key Biscayne

— Lil, il se pourrait bien que je perde mon boulot.

— Quoi ?

Il lui raconta ce qui s'était passé avec les Affaires internes. Elle l'écouta avec attention.

— Mais c'est ridicule !

Il ne dit rien.

Quelques heures plus tard, alors qu'elle avait du mal à s'endormir, elle l'attira contre elle et lui murmura à l'oreille :

— Spencer Patrick O'Malley, je te fais entièrement confiance. Et je n'ai pas besoin d'en savoir plus.

— Tant mieux. Tu en sais déjà trop.

— Enfin, après le harcèlement que t'a fait subir Liz Monroe, tu peux comprendre ce qu'a éprouvé mon frère quand tu t'es acharné sur lui.

— Ce que je comprends surtout, c'est que les mensonges, les secrets, les tromperies finissent toujours par remonter à la surface. Et que la vérité finit toujours par exploser au grand jour.

On était au cœur de l'été, la fenêtre était grande ouverte. Le regard de Lily passa de Spencer allongé, nu à côté d'elle, à *La Fille de Times Square* qu'il avait accrochée au mur en face du lit, puis au tableau d'affichage, couvert de témoignages de la vie qu'elle menait du temps où Emmy était là, où elle n'était pas mourante. Et punaisé au milieu, le billet de loterie qu'on lui avait rendu comme souvenir, 49, 45, 39, 24, 18, 1. Avec, à côté, quatre photomatons en noir et blanc où elle faisait le clown avec Spencer.

— Si tu perds ton boulot, nous pourrons quitter New York et aller vivre au soleil.

— Où aimerais-tu aller ?

— En Floride, par exemple. Quelque part dans les Keys ? À Key Biscayne ? Il paraît que c'est magnifique. On pourrait acheter une maison au bord de l'eau. Tu aurais un bateau...

— Oui, et toi, qu'est-ce que tu ferais ?

Je serais avec toi, eut-elle envie de répondre. Et je t'embrasserais. Je pourrais apprendre à faire la cuisine. Je te ferais du ragoût irlandais, des spaghettis, des boulettes de viande et de la cuisine polonaise. Je te peindrais, et je peindrais pour toi. Je viderais les poissons de ta pêche. Nous nous baignerions toute l'année, l'eau est si chaude là-bas, et nous vivrions dehors. Nous serions ensemble. Vivants. Je serais vivante.

C'était un rêve merveilleux.

Elle n'en dit pas un mot. Ils vivaient dans un pays en paix. Ils n'avaient pas à faire la guerre. Son grand-père s'en était chargé. Ils pouvaient aller s'installer ailleurs, trouver un autre travail, partir avec juste leurs affaires empilées dans la voiture et aller où bon leur semblait. Grâce à Tomas et Klavdia, ils étaient libres de vivre où bon leur semblait, à New York ou à Miami, de travailler dans la police ou de faire du bateau.

D'aimer ou de ne pas aimer.

De boire ou de ne pas boire.

D'avoir le cancer ou de ne pas l'avoir.

Dans une clarté fulgurante, il lui apparut soudain que la paix n'était peut-être qu'une illusion. Peut-être fallait-il constamment se battre pour simplement avoir le droit de vivre.

— Bon, d'accord, on verra pour le bateau, dit-elle, avec un entrain forcé. On pourrait aussi ouvrir notre agence de détectives privés. L'agence Spencer et Lily. Et je porterais des bottes de cow-boy à talons avec une minijupe. Et je dirais : « Ce sera tout, détective O'Malley ? »

— Voilà un rêve qui me plaît, répondit-il en l'embrassant.

67

Cabo San Lucas

DiAngelo arrêta la chimiothérapie, lui donna du Vicodin contre la douleur, des antibiotiques, et renvoya Lily chez elle.

— Si la douleur devient insupportable, revenez nous voir, nous vous donnerons de la morphine.

— Et vous avez les résultats des analyses de moelle ?

— Pas encore. Nous cherchons parallèlement dans le registre international de donneurs de moelle, on ne sait jamais. Nous allons même faire un prélèvement sur l'inspecteur O'Malley.

— Tout va bien ? demanda Lily en observant DiAngelo.

— Aussi bien que possible. Ne vous inquiétez pas. Nous vous trouverons un donneur. C'est juste une question de patience.

Sans la chimio, Lily avait moins de nausées et sa bouche cessa de saigner. Mais elle avait de nouveau des bleus plein les jambes. On aurait dit celles de sa mère. Elle s'étiolait. Elle perdait ses forces au fil des jours.

Elle savait pourquoi elle dépérissait : elle ne peignait plus.

Cela ne l'empêcha pas d'accompagner Spencer

au pique-nique annuel des œuvres de la police, fondé et organisé par Bill Bryant.

C'est ainsi qu'elle se retrouva par un dimanche après-midi, sur la grande pelouse de Central Park. Spencer lui avait confié ses lunettes de soleil, sa chemise et son arme. Il avait joué au foot avec les agents de police de Brooklyn, et maintenant il jouait au base-ball contre la brigade antibanditisme du Queens. La fête battait son plein. Avec pop-corn, barbe à papa, bière et cacahuètes à volonté. Les officiers étaient tous venus avec leurs familles. On avait monté des trampolines et organisé des parties de Frisbee.

Le maire de New York fit une apparition. Le préfet de police aussi. En revanche, son ami Bill Bryant, le conseiller municipal de New York qui avait fourni les vestes en kevlar aux policiers de la ville, était souffrant. Il délégua sa charmante épouse pour le représenter.

Lily s'était installée loin de la foule, à l'ombre d'un chêne, un verre de jus d'orange dans une main, les lunettes de Spencer dans l'autre. Elle portait un chapeau de paille et, bien qu'il fasse chaud, un corsaire et un chemisier à manches longues pour cacher ses bras et ses jambes squelettiques. Elle avait demandé à Spencer depuis combien de temps il assistait à ces pique-niques et il lui avait répondu que c'était la première fois. Pourtant il avait l'air de s'amuser comme un fou.

Une dame d'un certain âge vint s'asseoir sur le banc à côté d'elle, un verre de mimosa à la main.

— Je suis Cameron Bryant, se présenta-t-elle au bout de quelques minutes de conversation. C'est mon mari qui offre cette petite fiesta. Tout le monde a l'air de bien s'amuser, non ? Ça lui fera plaisir. Il est malade. Comme vous.

— Mais je passe une très bonne journée, répondit Lily.

La vieille dame lui parla de sa propre lutte contre la maladie. Elle avait eu un cancer du sein, vingt ans plus tôt. Elle avait subi une mammectomie totale, puis de la chimio. Elle avait rechuté deux fois, s'était battue pendant dix ans, et n'avait plus rien depuis.

— Je suis ravie que vous soyez guérie, dit Lily.

— Vous guérirez aussi, vous verrez. Mais de qui êtes-vous donc l'épouse ?

— Je ne suis pas mariée. Je n'ai que vingt-cinq ans.

— Oh, mais à votre âge, non seulement j'étais mariée, mais j'avais déjà trois enfants.

Lily sourit et but une gorgée.

— Vous savez comment nous sommes, les filles d'aujourd'hui. Nous sommes trop occupées à nous chercher pour penser à nous caser.

— Et vous êtes-vous trouvée ?

— Oui, grâce à lui, répondit Lily en faisant signe à Spencer de venir. Il sera ravi de faire votre connaissance. Et de vous remercier personnellement pour sa veste en kevlar. Mais je ne suis pas sûre qu'il m'ait vue sans ses lunettes. Il est myope. Hou, hou ! Spencer !

Mais sa voix ne portait pas assez. Lily se leva,

suivie de la vieille dame, et agita les bras. Spencer l'aperçut enfin et courut vers elles, hors d'haleine, en sueur.

Il mit sa chemise et Lily le présenta.

— Quand j'étais malade comme votre femme, dit Cameron Bryant, les médecins m'ont conseillé de partir me requinquer au soleil. Il n'y a rien de tel, ne serait-ce que quelques jours.

— C'est une excellente idée ! répondit Spencer. Dès que Lily ira mieux, j'ai bien l'intention de l'emmener à Maui.

Lily éclata de rire.

— Je n'ai rien contre Maui, continua Cameron Bryant, sans comprendre la plaisanterie, mais permettez-moi de vous recommander Cabo San Lucas. C'est le paradis terrestre !

Spencer n'en avait jamais entendu parler. Elle leur expliqua qu'il s'agissait de la pointe sud de la péninsule de Baja, qu'elle était entourée d'eau de toutes parts et qu'ils y louaient régulièrement une case au bord de l'océan, avec son mari.

— Bill et moi avons voyagé dans le monde entier mais c'est là que nous allons fêter notre anniversaire de mariage, chaque année. Nous y avons fêté le cinquante et unième, en mai dernier. Vous imaginez ? Être mariée depuis cinquante et un ans ?

— Surtout au même homme ! s'esclaffa Lily.

Spencer éclata de rire. Il lui prit doucement ses lunettes des mains et les chaussa.

— Votre anniversaire est en mai, dites-vous ?

— Oui, le 15.

— Ah ! Et vous y restez longtemps ? Ça fait un long voyage. Il faut passer par Mexico, non ?

— Nous y séjournons au moins une semaine, bien sûr. Nous partons toujours deux ou trois jours avant notre petite fête.

— C'est merveilleux ! poursuivit Spencer sans regarder Lily qui avait posé une main sur son bras et lui murmurait d'une toute petite voix : « Spencer, je t'en prie. » Et vous y êtes allés aussi il y a deux ans ?

— Bien sûr. C'étaient nos noces d'or ! Nous y sommes même restés dix jours. Du 10 au 20 mai, je crois. Nous avions emmené toute la famille. Il y avait de l'ambiance, croyez-moi. Nous avons sept arrière-petits-enfants. Ils ont adoré.

— Eh bien, je vous remercie, madame Bryant, murmura Lily, les lèvres crispées, les doigts plantés dans le bras de Spencer. Nous allons rentrer. Ce fut un plaisir de vous rencontrer.

— Oui, renchérit Spencer. Vous m'avez appris des choses passionnantes sur Cabo San Lucas.

— Tout le plaisir était pour moi.

Ils regardèrent la vieille dame s'éloigner sans rien dire. Spencer se dégagea doucement des mains de Lily, la fit asseoir et s'assit à côté d'elle. Ils restèrent quelques minutes, le regard dans le vide, toujours sans parler. Puis ils allèrent prendre congé de Gabe et des autres, et rentrèrent en taxi.

Une fois chez Lily, ils posèrent clés, sac et revolver sur la commode, préparèrent du thé et s'assirent sur le canapé.

Il lui demanda ce qu'elle voulait voir comme film. Elle répondit que ça lui était égal.

Ils regardèrent *Ace Ventura* et réussirent même à en rire.

Puis ils allèrent se coucher et s'allongèrent, dos à dos.

— Spencer... je t'en prie, retourne-toi.

Il se retourna.

— Spencer, reprit-elle d'un ton suppliant. Ne crois pas que je veuille t'empêcher d'aller voir mon frère. Il est évident que le conseiller avait oublié son voyage quand il a noté Andrew sur son agenda à cette date-là. Mais je voudrais d'abord que tu retrouves Milo. C'est tout ce que je te demande. Va voir les Kiplinger, ils ont dû rentrer de vacances. Ils te donneront des informations. Trouve Milo. Peut-être que ça te mettra sur une piste. Je t'en prie, Spencer, attends un jour ou deux, le temps de mettre la main sur lui.

Spencer ne disait toujours rien.

— Je sais ce que tu penses.

— Ça m'étonnerait, marmonna-t-il.

— Si, si. Andrew n'a plus d'alibi. C'est mauvais, très mauvais pour lui. Je t'en prie. Je te demande juste deux jours. Juste le temps de retrouver l'homme à qui Emmy donnait les bijoux d'Andrew.

— Tu sais qui connaît Milo ? dit enfin Spencer. Ton frère. Il tremble chaque fois que je prononce son nom. Il le connaît mais il ne le dira pas.

Ils s'endormirent.

Le lendemain matin, Spencer et Gaby se rendirent à Port Jefferson afin d'interroger la mère de Lindsey Kiplinger.

Elle les accueillit comme des chiens dans un jeu de quilles et les fit entrer avec réticence dans sa cuisine.

— Je ne vois pas quelles questions vous pouvez avoir à me poser. Ma fille est morte depuis cinq ans.

— Et nous en sommes vraiment navrés, madame Kiplinger, dit Gabe, d'un ton grave.

Mais il avait une mine tellement patibulaire qu'on aurait dit qu'il allait assommer la pauvre femme.

Spencer s'empressa de prendre la direction de la conversation.

— Perdre un enfant est horrible, surtout par la faute d'un alcoolique. Le chauffard a été retrouvé ?

Mme Kiplinger les dévisagea d'un air effaré.

— Mais qu'est-ce que vous racontez ? Ce n'était pas la faute d'un alcoolique !

— Non ? J'étais pourtant sûr d'avoir noté...

Il se mit à feuilleter son carnet vierge.

— Inutile de chercher dans votre calepin, je sais de quoi ma fille est morte tout de même ! Lindsey était droguée. Oui, elle avait pris une drogue hallucinogène. D'après l'autopsie, elle avait une forte dose de mescaline dans le sang.

Lentement Spencer referma son carnet.

— C'est terrible ! Mais j'ignorais que la mescaline était mortelle...

— Elle le devient quand celui qui en a absorbé jette sa voiture du haut d'une falaise de la montagne de la Superstition.

— Oh, c'était votre fille qui condui...

— Mais non, voyons, c'était son petit ami ! D'où tenez-vous vos informations, bon sang ?

— C'est affreux. Vous pouvez nous donner le nom de ce garçon qui s'est tué avec elle ?

— Ce salaud n'est pas mort, qu'est-ce que vous croyez !

— Ah bon ?

— Non, lui, il a survécu. Mais il était grièvement blessé. Enfin c'est ce qu'on m'a dit. Ça ne m'étonnerait pas que sa famille ait inventé ça pour que je ne porte pas plainte. En tout cas, on ne l'a jamais revu dans les parages, ça, j'en suis sûre. Quelle importance, de toute façon ? ajouta-t-elle en plissant les yeux.

— Il n'y avait que Lindsey et lui dans la voiture ?

— Dans la voiture, oui. Mais ils étaient toute une bande dans cette histoire.

— Dites-moi, madame Kiplinger, la Native American Church, ça vous dit quelque chose ?

— Encore une de ces âneries de jeunes. Je n'en avais jamais entendu parler avant l'accident.

— Lindsey en faisait partie ?

— À quoi bon ces questions maintenant ?

— Parce que nous recherchons ce type, répondit Spencer en lui tendant la photo de Milo.

Elle recula, plissa les yeux puis déclara qu'elle

s'en souviendrait si elle avait déjà vu ce visage. Pourtant, Spencer aurait parié qu'il ne lui était pas si inconnu que ça.

— Donnez-nous le nom de famille du petit ami de votre fille et nous vous laisserons tranquille.

— Clark. Ils habitent Old Post Road. Mais je ne vois pas à quoi ça pourra vous servir...

— Nous voulons juste éclaircir un ou deux détails, répondit Gabe. Merci beaucoup. Vous nous avez été d'une grande aide. Passez une bonne journée. Et bonne chance.

Quand ils furent dans la voiture, Spencer se tourna vers lui.

— Non, mais qu'est-ce qui t'a pris de lui souhaiter une bonne journée et bonne chance pardessus le marché !

— Oh, moi, je suis pas fait pour ces trucs-là. Les politesses, c'est pas mon truc.

— Sans blague ?

— Dis donc, qu'est-ce que la Native American Church vient faire dans cette histoire, à ton avis ?

— S'ils en faisaient réellement partie, ils pouvaient se procurer du peyotl, ou de la mescaline si tu préfères, gratuitement et légalement.

— Mais ils étaient combien ?

— Six, d'après Lily. Il y avait Lindsey et son petit ami. Emmy et sans doute Milo. Plus deux autres. Et sur les six, trois ont disparu : le fils Clark, Milo et Emmy. Et Emmy a dit à Lily que les trois autres étaient morts.

— Tu parles d'une joyeuse équipée !

— Allons voir Mme Clark, nous en saurons plus, j'espère. Et fais-moi plaisir. Souris et hoche la tête poliment, mais quoi qu'il arrive, n'ouvre pas la bouche.

Mme Clark avait encore moins envie de leur parler que Mme Kiplinger et n'ouvrit sa porte que lorsque Spencer la menaça de revenir avec un mandat d'arrêt. Mais elle refusa de les laisser entrer et ce fut sur son perron, les bras croisés, qu'elle répondit à leurs questions.

— Il a fichu sa vie en l'air, ce jour-là, leur dit-elle, les yeux rivés sur sa pelouse fraîchement tondue. Il a réussi à trouver un semblant de paix. Vous ne pouvez pas le laisser tranquille ?

Spencer essaya de lui faire comprendre qu'un crime avait sans doute été commis, ce que corroborait la présence de l'inspecteur McGill de la brigade criminelle.

— C'est contre mon fils qu'un crime a été commis ! déclara-t-elle.

— Par qui ?

— Par les minables avec qui il est parti. Ils lui ont empoisonné l'esprit avec leurs idées, ils lui ont fait subir un véritable lavage de cerveau. Et maintenant c'est un invalide.

Spencer lui tendit le portrait de Milo réalisé par Lily, puis la photo de l'homme sans nom.

— L'un d'eux ressemblait-il à ce type ?

— Non, je ne l'ai jamais vu, répondit-elle sans manifester la moindre réaction, comme indifférente au faciès terrifiant de Milo. Et ce nom de

Milo ne me dit rien non plus, ajouta-t-elle, sur ses gardes.

— Votre fils connaissait bien Emmy McFadden ?

Elle haussa les sourcils.

— C'est donc ça qui vous intéresse ? Vous pensez qu'elle est allée le rejoindre ?

— Je ne sais pas. La connaissait-il bien ?

— Non, elle était dans la classe en dessous de la sienne, c'est tout ce que je sais.

— Savez-vous qui d'autre elle fréquentait ?

— Non, je l'ai vue juste une ou deux fois avec cette Lindsey qui sortait avec mon fils.

— Est-ce à cause de Lindsey que votre fils est parti ?

— Oh, il disait qu'il l'aimait, mais ce n'était qu'une tocade. Elle ne lui arrivait pas à la cheville.

— Alors pourquoi est-il parti ?

— Ils lui ont fait un lavage de cerveau, je vous dis. Pourtant, je lui avais dit que c'étaient des bons à rien. Et que c'était pas bien de nous cacher ce qu'il faisait. En plus, cette Emmy ne me disait rien qui vaille. Mais Jerry a continué à nous faire ses cachotteries et un jour il est parti ! Quand une année s'est écoulée sans qu'il donne de nouvelles, j'ai compris qu'il était fichu. J'ai même dit à mon mari, tu verras, on recevra un coup de téléphone en pleine nuit, un de ces quatre. Et un an après... Ah, jamais je ne l'aurais laissé partir si j'avais su ce que je sais maintenant !

— Et que savez-vous maintenant ?

— Ils sont tous morts.

— Vous savez bien que ce n'est pas vrai. Votre fils est en vie.

— Si l'on peut dire. Mais les autres sont morts.

— Pas Emmy. Elle est revenue à New York.

— Et où est-elle maintenant ?

— Milo n'est pas mort non plus.

— Lui, je ne sais pas qui c'est.

Elle refusait de dire où son fils se trouvait. Elle ne voulait pas qu'on le « dérange ». Spencer insista d'abord gentiment, puis il la menaça de demander le contrôle de ses comptes bancaires. Il verrait bien ainsi à qui allait le virement qu'elle devait faire chaque mois. Elle finit par leur avouer que son fils finissait ses jours (elle employa cette expression) dans un couvent des augustines, au Mexique, au sud de Nogales, dans l'Arizona. Et quand Spencer lui demanda pourquoi elle ne le faisait pas venir près d'elle, Mme Clark répondit :

— Connaissez-vous beaucoup de missions catholiques à Long Island, monsieur l'inspecteur ?

— Votre fils a-t-il réellement besoin d'une mission catholique ?

— C'est soit les augustines soit l'hôpital psychiatrique.

— Gabe, nous allons sans doute devoir faire un peu de tourisme, annonça Spencer quand ils regagnèrent leur voiture.

Gabe éclata de rire.

— Parce que tu crois que Whittaker va nous envoyer à quatre mille kilomètres voir un cinglé gardé par des bonnes sœurs mexicaines ? Et pour lui demander quoi ? Où est Milo ? Comment était ton dernier trip au peyotl ? Eh bien, je peux te répondre sans aller si loin. Leur trip, il était mauvais, mec, très, très mauvais.

Comme prévu, Whittaker rejeta leur demande.

— Passe encore que vous alliez vous balader dans le New Jersey, en Pennsylvanie ou dans le Delaware, O'Malley. Mais si vous tenez à vous rendre à l'autre bout du continent, libre à vous de le faire sur vos deniers et votre temps libre. Ah ! Ça vous tente moins dès qu'il s'agit de mettre la main à la poche, n'est-ce pas ? Ça vous paraît tout de suite moins important. C'est dommage, pour une fois que vous suiviez une autre piste que celle de Quinn !

Évidemment, Spencer se garda bien de lui dire ce qu'il avait appris sur Bill Bryant.

— Vous n'avez qu'à lui téléphoner à ce Jerry Clark !

— Il se trouve dans un couvent.

— Et alors ? Y a pas le téléphone dans les couvents ?

Whittaker haussa les épaules avant de reprendre :

— C'est leur problème, hein ? Enfin, quoi qu'il en soit, je n'ai pas les moyens de vous envoyer au Mexique, O'Malley. Vous n'avez pas pris une seule semaine de vacances d'affilée depuis cinq ans. Mettez-vous en congé et allez donc découvrir l'Arizona. Ça vous fera du bien, vous avez une mine affreuse.

Spencer ne savait pas quoi faire. Même s'il avait l'autorisation de partir, restait le problème de Lily. Comment la laisser alors qu'elle était si malade ? Et si on trouvait un donneur ? Ou si son état empirait soudain ?

Quand il lui parla de Jerry Clark, Lily décréta qu'il devait aller le voir sans attendre.

— Tu auras enfin des réponses. Ça fait si long-temps que tu n'as rien de nouveau. Je serai ton Bill Bryant, ton bienfaiteur personnel.

Il hésita.

— Et toi ?

— Moi ?

Elle sourit.

— Combien de temps as-tu l'intention de t'absenter ? reprit-elle. Je te laisse de jeudi à dimanche. Je compte sur toi pour notre séance de rire dominicale. Tout ira bien. Depuis que j'ai arrêté la chimio, je me sens beaucoup mieux. La preuve : je ne jette plus tes fleurs par terre.

— Je ne pense pas que c'était la faute de la chimio, dit-il en la serrant dans ses bras. Et j'aurais besoin que Gabe m'accompagne aussi.

— Emmène tous les gens qu'il te faut.

— Et toi, promets-moi de ne pas t'éloigner de la maison.

— Comme si j'en étais capable !

— En tout cas, ne sors pas la nuit. Je vais demander à ce qu'on mette une équipe de sur-veillance en bas de chez toi pendant mon absence, au cas où. Mais je t'en prie, toi aussi, sois prudente.

— Promis, juré.

— Je parle sérieusement. Je te ferai tes courses avant de partir. Et s'il te manque quelque chose, appelle Joy. Ou Anne, ou la vieille Colleen au bout du couloir, compris ?

— Compris.

— Et bipe-moi, si tu as besoin de moi. Essaie de ne pas oublier le numéro, cette fois-ci.

68

La visite au couvent

Le crépuscule nimbait de mauve le désert de Sonoran. Les fleurs blanches des cactus géants tremblaient dans l'air encore brûlant. Spencer éprouvait une grande sensation de calme et de paix devant ce paysage pourtant désolé. Ce n'était peut-être pas un endroit si mal trouvé pour un garçon brisé. Spencer desserra sa cravate, retira sa veste, retroussa ses manches et baissa les vitres. Gabe dormait torse nu, sur le siège du passager, indifférent à la splendeur du panorama.

Le petit couvent de l'Ascension se composait d'une église modeste et d'un monastère du XVIᵉ siècle construit autour d'une cour dans laquelle on entrait par un passage voûté. Il se trouvait au nord-ouest du Mexique, à une bonne soixantaine de kilomètres de la frontière américaine, à quatre mille kilomètres de Lily. L'abbesse, une petite femme à la tête couverte d'un voile noir, vint les accueillir, encadrée de deux révérendes mères drapées de noir. Il se révéla qu'elles parlaient fort bien l'anglais.

Elles semblèrent aussi peu impressionnées par le titre d'inspecteur de Spencer que par sa qualité de catholique. Bien que l'abbesse, mère

Agnès, les bénît tous les deux d'un signe de croix, elle refusa de leur communiquer la moindre information sur l'état de Jerry Clark, en dehors du fait qu'il se faisait désormais appeler Hobbit.

— Nous n'avons pas à répondre à vos questions, inspecteur, rétorqua-t-elle, peu impressionnée.

Spencer n'ouvrit plus la bouche. On leur dit qu'il était tard et qu'il n'était pas question de déranger Jerry. Leur demande serait reconsidérée le lendemain matin. On les conduisit rapidement à leurs quartiers, les faisant accélérer le pas devant la grande porte ouverte sur la salle à manger où une trentaine de jeunes religieuses prenaient leur repas. On leur apporta du chorizo avec des haricots et du riz, de la tequila et du thé. Le chorizo en abondance, pas la tequila.

— Spencer, tu ne sens rien dans l'atmosphère ? demanda Gabe en finissant la dernière goutte de thé, une fois que tout le reste fut englouti.

— Non.

— Tu ne sens pas cet air chargé d'érotisme : toutes ces jeunes filles qui n'ont pas vu un homme depuis des années ?

— Pas de blasphème dans un lieu saint, mon fils, le rabroua Spencer avec un sourire en coin. Tu ferais mieux de dormir. Une grande journée nous attend.

— C'est la nuit qui va me sembler longue, rétorqua Gabe.

Le lendemain, ils retrouvèrent l'abbesse et les deux révérendes mères comme convenu.

— Alors, c'est quoi son problème ? demanda Gabe, avec son manque de tact habituel.

— Nous aimerions le voir maintenant, ajouta Spencer, plus diplomate.

Au regard assassin qu'elles jetèrent à McGill, Spencer retrouva les sueurs froides qu'il avait éprouvées devant les religieuses de son enfance. Il s'éclaircit la gorge et serra ses mains l'une contre l'autre, dans un geste implorant.

— Ma mère, l'affaire est très grave. Je sais que votre pensionnaire est très malade, mais la vie d'une jeune fille est en jeu. Nous devons absolument le voir. Nous pensons qu'il pourrait nous aider à la retrouver.

— Elle a récemment disparu ? demanda l'abbesse sans le moindre signe de compassion.

— Oui ! répondit-il, espérant ainsi la sensibiliser à l'urgence de la situation.

— Alors c'est inutile. Il ne pourra rien vous dire. Il n'est pas sorti de sa chambre depuis quatre ans !

— C'est une fille qu'il a connue avant son accident.

— Il ne reçoit aucune visite en dehors de celle de ses parents, à Noël. Ni aucune communication téléphonique. C'est à peine s'il parle aux médecins. Et il évoque rarement son passé ou le drame qui l'a conduit chez nous. Vous ne trouverez aucune réponse ici, inspecteur.

Spencer insista, joua de son charme, rien n'y fit. Ce n'est que lorsqu'il en vint à la menacer de faire interner Hobbit dans un hôpital psychiatrique de Nogales que l'abbesse finit par céder, mais non sans lui avoir fait promettre de ménager son malade (« Il fait de tels progrès »).

— O'Malley, nous avons intérêt à le faire parler et vite, lui glissa Gabe alors qu'elle les conduisait au troisième étage. Parce que je ne passerai pas une nuit de plus ici. Cet endroit est trop dangereux pour un pécheur comme moi. Surtout que ça fait au moins dix ans que je n'ai pas mis les pieds dans une église.

— C'est le moment ou jamais d'implorer le pardon de tes offenses. Et je commencerais tout de suite, à ta place. Dix ans, ça fait beaucoup.

L'abbesse s'arrêta sur le palier, devant une étonnante toile complètement vierge.

— Inspecteur, je vous rappelle que c'est une âme à la dérive.

Comme nous tous, songea Spencer, les yeux fixés sur la toile. Lily en aurait fait des merveilles. Pourquoi était-elle accrochée ici, telle une œuvre d'art ? Attendait-elle que Hobbit la remplisse lui-même ?

— Il n'a plus de protection, il est à vif, sans défenses. Nous essayons de le sortir du gouffre par la prière et des paroles apaisantes. Mais il passe ses journées prostré. Il ne sait plus qui il est. Ou alors il s'affole, persuadé qu'on veut le tuer, l'enterrer vivant. Il voit des serpents venimeux dans sa chambre, des vipères dans son lit, des scorpions sur les murs, tout lui paraît horriblement effrayant. Parfois quand il aperçoit des inconnus, un nouveau médecin, un nouvel infirmier, ou même une nouvelle religieuse, cela lui fait revivre son traumatisme originel. Voilà pourquoi nous refusons les visites. Il peut mettre des semaines, voire des mois, à se remettre de ces crises. Nous n'arrivons à le calmer que par la prière.

— Et vous pensez que c'est le traitement qui convient, ma mère ? Ça fait cinq ans maintenant.

— C'est un processus qui prend du temps, inspecteur.

— Un processus très long, dit-il, les yeux fixés sur la toile.

— Il ne guérira peut-être jamais. Et je préfère vous prévenir qu'il ne parle pas beaucoup. Un rien suffit à le contrarier. Je vais entrer avec vous, et je vous demande de le ménager, inspecteur, vous m'entendez ?

Il se tourna vers elle.

— Oui, j'ai entendu chacune de vos paroles, ma mère. Et je le ménagerai de mon mieux. Mais nous devons lui parler seuls à seul.

— Non, il a besoin que je sois là.

— Il faudra qu'il se passe de vous. S'il parle, cela ne prendra pas plus de cinq minutes. Mais dites-moi, est-ce que le téléphone cellulaire passe ici ?

— Le téléphone cellulaire ? répéta-t-elle comme s'il s'agissait d'une liaison directe avec Lucifer.

Spencer soupira. Même son bipeur ne recevait que par intermittence. Il n'avait plus de nouvelles de Lily depuis qu'il avait quitté Tucson, la veille au matin. Il espérait que tout allait bien.

La petite cellule dépouillée donnait sur les

montagnes. Spencer nota le lit aux draps blancs, la lampe blanche, le tapis tissé, la chaise devant la fenêtre. Et sur la chaise, un jeune homme, petit, au visage émacié, qui paraissait d'autant plus petit qu'il n'avait plus de jambes. Et beaucoup plus âgé que ses vingt-six ans.

Sans savoir pourquoi, Spencer regretta brusquement d'avoir laissé Lily toute seule.

69

Un anarchiste à l'œuvre

Lily sortit dans l'après-midi, prise d'une subite envie de cerises. Il n'y avait pas d'erreur possible, son sang ressemblait peut-être à du jus de navet, mais elle se sentait mieux sans chimio.

Elle salua les policiers assis devant son immeuble et remonta lentement ses cinq étages, marche après marche. Il était grand temps qu'elle déménage. La cage d'escalier empestait. Quinze cents dollars par mois pour un immeuble qui puait comme s'il était squatté par les clochards du quartier ! Et l'odeur empirait au fur et à mesure qu'elle gravissait les étages. Quand elle ouvrit la porte de son appartement, la pestilence la frappa de plein fouet. Un cri s'étrangla dans sa gorge. L'homme aux yeux de glace était assis sur son canapé, ses guenilles crasseuses étalées sur ses couvertures et ses coussins.

Elle pivota aussitôt pour fuir, mais il se leva d'un bond et, en moins d'une seconde, lui plaqua une main sur la bouche, et approcha son faciès au nez cassé et enflé tout près de son visage. Maintenant elle pouvait lire les mots tatoués sur son front. « honneur » au-dessus d'un sourcil, « aryen » au-dessus de l'autre. Et sur sa gorge, le marteau et la faucille. Il la traîna à l'intérieur et referma la porte à double tour. La puanteur la submergea et, avec une satisfaction à peine consciente, elle lui vomit sur la main.

Ce fut lui qui la lâcha avec répugnance ! Il la poussa vers la cuisine où elle se nettoya comme elle put pendant qu'il s'essuyait avec une serviette en papier et retournait s'asseoir sur le canapé, sans la quitter des yeux.

— Que voulez-vous ? réussit-elle à articuler.

Il ne bougea pas, ses yeux de glace fixés sur elle. Qu'est-ce que cet être abject avait à voir avec son amie si pleine de joie de vivre, si élégante, si raffinée ?

— Où est passée Emmy ? demanda-t-il, en gommant les consonnes comme s'il avait la bouche pleine.

Sa question résonna comme un coup de cymbales dans la tête de Lily.

— Quoi ?

— Où est Emmy ?

Dire que c'était à lui qu'ils voulaient poser cette question. S'il ne le savait pas, qui pourrait le savoir ?

— Je... je ne sais pas.

Il poussa un soupir théâtral et se pencha en avant.

— Écoute-moi bien, articula-t-il lentement, afin qu'elle comprenne chacune de ses paroles. C'est bien d'avoir laissé son nom sur sa chambre, dit-il en montrant la petite plaque qui était encore accrochée à la porte d'Emmy, mais tu n'aurais pas dû la transformer en atelier. Tout ça pour barbouiller des toiles que tu vends dans la rue, comme une va-nu-pieds. Et si tu as pris sa chambre, c'est que tu savais qu'elle ne reviendrait pas. Tu sais donc où elle se trouve. Où est Emmy ?

— Qui êtes-vous ?

Comment était-il entré ? Avec les flics en bas... Il avait dû passer par la porte de service et le sous-sol.

— L'autre nuit, dans le jardin, tu m'as reconnu, c'est donc qu'Emmy t'a parlé de moi. Je m'appelle Milo. Maintenant dis-moi ce que vous avez fait d'elle ?

Elle recula en titubant contre la porte d'Emmy.

— Ça fait plus d'un an qu'on la cherche.

— Ne mens pas. Je t'ai suivie, tu ne la cherches pas du tout. Tu passes ton temps à t'occuper de toi et de ta petite maladie. Tu as trouvé un peu d'argent quelque part, tu le dépenses. Et tu batifoles avec ton inspecteur de mes deux, qui serait incapable de voir un éléphant sous son nez. Je suis fatigué de vos petits jeux. Finie la plaisanterie. Maintenant je veux savoir où se trouve Emmy.

— Je n'en sais rien ! cria-t-elle d'une voix stridente.

Son regard tomba sur les trente-six horloges accrochées au mur, au-dessus de lui. Quelle heure était-il en Arizona ? Ici, c'était la fin de l'après-midi.

Il laissa échapper un petit rire rauque et cassant.

— Oui, très branchées tes pendules qui

égrènent les heures qu'il te reste ! Et à ta mine, il ne doit pas t'en rester beaucoup. Tu devrais en acheter qui retardent, ça te ferait gagner du temps.

Lily calcula la distance qui la séparait de la porte. Il surprit son regard.

— Il ne viendra pas. Le vendredi, c'est son jour de repos. Ce soir, il ramène ses bouteilles de Soho pour se saouler.

Il sourit, découvrant ses chicots.

— Lui aussi, je l'ai suivi. Comme toi. Mais ne va pas croire que je m'intéresse à vous. Il n'y a que deux personnes qui m'intéressent. Emmy d'abord. Et tu veux savoir qui d'autre ?

Lily secoua la tête et se laissa glisser jusqu'au sol avant d'entendre la suite.

— Eh bien, ton frère, l'honorable député, Andrew Quinn !

Lily sentit sa tête tourner. Bon sang ! Où était Spencer ?

— Tu crois qu'il sait où se trouve Emmy ? Parce que s'il le sait, tu dois le savoir toi aussi.

— Il ne le sait pas. De toute façon, il ne me dit rien.

Mon Dieu, que pouvait-elle faire ? Spencer ! Spencer ! Elle fit alors la seule chose dont elle était capable : elle s'évanouit.

Quand elle revint à elle, elle était allongée sur le plancher et lui, toujours assis sur le canapé, la contemplait d'un œil indifférent.

— Tu veux un verre d'eau ? Je pourrais te proposer différentes petites poudres mais je crains qu'aucune ne te fasse du bien, dans ton état, alors que, moi, elles me réussiraient plutôt.

Il avait relevé ses manches et Lily aperçut avec horreur son avant-bras couvert d'ecchymoses bleu et vert, puis l'autre qui disparaissait sous une nuée de symboles : des croix gammées noires se mêlaient à des étoiles de David bleues, des croissants islamiques verts et des marteaux et des faucilles rouges. Et ce n'est qu'après qu'elle aperçut le caoutchouc serré autour de son bras et la seringue qu'il tenait à la main.

— J'espère que la vue des aiguilles ne te fait pas tourner de l'œil, Lily ? Surtout que c'est grâce à elles que tu tiens la mort à distance. Hélas, elle ne rôde pas très loin, juste derrière ta porte, dans le couloir.

Il planta l'aiguille dans son bras et vida lentement la seringue. Presque instantanément, son regard se voila. Il renversa la tête en arrière. Des gargouillements sortirent de sa gorge.

Et s'il mourait ici d'une overdose ? songea-t-elle, de plus en plus affolée, tout en rampant vers son portable qu'elle attrapa et dissimula sous son chemisier. Milo releva la tête, les yeux mi-clos. Elle recula vers la porte, enfonça la touche appel et composa le numéro du bipeur de Spencer à l'aveuglette. Elle attendit une seconde, plaqua les doigts sur le haut-parleur le temps que la voix de Spencer lui demande de laisser un message, puis elle tapa frénétiquement 911, 911, 911, 911.

Puis elle appela le 911. Mais elle n'osa pas parler car Milo la dévisageait.

— Qu'est-ce que tu fais ?

— Je vous l'ai dit, je ne sais pas où est Emmy, répondit-elle en coupant la communication. Sinon, ça ferait longtemps qu'on l'aurait retrouvée.

Il soupira à nouveau, mais il avait l'air heureux et même détendu.

— Qu'est-ce que vous voulez ? chuchota-t-elle.

— Quoi ? Ta meilleure amie ne t'a jamais parlé de moi ?

— Qui êtes-vous ?

— Nous sommes la révolution, Emmy et moi. Nous sommes venus changer l'ordre des choses.

Le téléphone sonna sous son chemisier. Spencer !

Milo haussa les sourcils. Ses yeux de glace se rapprochèrent. On aurait dit un spectre avec son teint cadavérique et sa peau couverte de coups, de cicatrices et de tatouages. Il semblait tout droit sorti d'un autre monde, tel le chevalier de l'Apocalypse. Lily n'essaya pas de voir qui l'appelait. Elle enfonça la touche pour répondre et hurla :

— Spencer ! Au secours !

Milo se leva lentement, comme dans un rêve, et la gifla à toute volée. Elle perdit connaissance.

70

Massacre Grounds[1]

L'abbesse avait raison, Hobbit n'avait pas envie de parler. Il ne leur accorda pas le moindre regard quand ils entrèrent. Gabe et Spencer s'assirent sur le lit pour paraître moins impressionnants mais cela parut le perturber car son corps fut alors agité de soubresauts et ils finirent par se relever.

Quand ils l'interrogèrent sur Emmy McFadden, ses yeux cillèrent mais il ne répondit pas. Quand ils l'interrogèrent sur Lindsey Kiplinger, ses yeux se remplirent de larmes, mais il ne dit rien. Quand ils l'interrogèrent sur Milo, il recommença à trembler. Et quand ils lui montrèrent sa photo, il fondit en larmes.

Enfin ! Quelqu'un qui reconnaissait Milo. Quelle intuition, cette Lily !

Mais Hobbit pleurait en silence et refusait toujours de parler. Spencer lui dit qu'il ne partirait pas tant qu'il ne lui aurait pas donné l'information dont il avait besoin.

— Nous sommes là parce qu'Emmy a disparu,

---

1. Piste sur laquelle, d'après la légende, des chercheurs d'or mexicains auraient été assassinés par des Apaches au début du XIXe siècle. *(N.d.T.)*

Hobbit. Et nous soupçonnons cet homme. Malheureusement, nous ne lui connaissons que le nom de Milo. Nous voulons simplement savoir qui il est. Et quel rapport il a avec Emmy.

Toujours aucune réponse.

Gabe et Spencer se mirent à arpenter la pièce. Cela déplut à Hobbit. Spencer s'assit par terre, en lotus, près de sa chaise. Cela parut le rassurer.

— Qui est Milo, Jerry ? demanda à nouveau Spencer.

Hobbit prononça alors sa première phrase intelligible.

— Je m'appelle Hobbit.

— Qui est Milo, Hobbit ?

Cinq longues minutes s'écoulèrent avant qu'il ne réponde.

— L'Église indienne disait que c'était l'Antéchrist.

— Quelle Église ? La Native American Church ?

— Oui, elle l'a expulsé.

— Et pourquoi l'appelait-elle l'Antéchrist ?

Silence. Hobbit évitait de croiser son regard.

— J'ignorais que cette Église observait les préceptes chrétiens, remarqua calmement Spencer, le bout de ses doigts pressés les uns contre les autres.

Sept minutes s'écoulèrent. Spencer se sentait bouillir. « Accouche ! » avait-il envie de hurler.

— Oui, dit enfin Hobbit, comme lisant dans ses pensées. C'est pour cela qu'on m'a pris à Asunción. Notre Église se réfère à la Bible et invoque le Christ. Elle pratique la communion.

Mais pas sous la forme que vous connaissez, vous, les catholiques.

Quelle éloquence inattendue ! Dépression ou pas, psychose ou pas, le langage c'était comme la bicyclette, ça ne s'oubliait pas !

— Sous quelle forme la pratique-t-elle alors ?

— Une autre forme, répondit Hobbit après un autre silence.

— Sous la forme du peyotl, peut-être ? insinua Gabe, les poings crispés, et Spencer lui fit signe discrètement de se calmer.

— Le peyotl est l'incarnation de Dieu, répondit Hobbit d'un ton hautain. Tout comme le Christ est descendu sur terre sous la forme d'un homme, dans la croyance de l'Église indienne, Dieu a été réincarné dans le peyotl. Quand nous prenons du peyotl, nous absorbons Dieu. Nous ne sommes pas censés le faire pour avoir des visions mais pour nous purifier, comme par la communion, pour ne faire qu'un avec Dieu. À travers le peyotl, nous recevons le corps du Christ.

— Hobbit, Hobbit, le coupa Spencer, que l'impatience gagnait à son tour. Je ne suis pas venu vous entendre blasphémer en voulant me faire croire qu'une drogue hallucinogène représente désormais l'eucharistie. Tout ce que je veux savoir c'est...

— Je voulais simplement vous expliquer pourquoi le chaman de Nogales disait que Milo était l'Antéchrist. D'après lui, Milo ne croyait en rien. Il le traitait d'anarchiste.

— Comment vous étiez-vous connus ?

614

— Au lycée.

— Comment s'appelait-il ?

— Ben Abrams. Mais Ben Abrams est mort pour laisser la place à Milo. Tout comme Jerry est mort pour laisser la place à Hobbit.

Spencer échangea un regard avec Gabe. Ce nom lui disait quelque chose. Son esprit galopait. Il regrettait de ne pas avoir de réception satellite pour interroger les services de police avant de poursuivre l'entretien.

— Je croyais que Milo était... mort, continua Hobbit.

— Pourquoi ?

Hobbit haussa les épaules.

— À cause de ses blessures.

Quelles blessures ? se demanda Spencer. Mais il remit la question à plus tard.

— Non, il n'est pas mort. Et je voudrais savoir ce qu'il y avait entre lui et Emmy ?

— C'étaient eux le noyau.

— Le noyau de quoi ?

— Le noyau de notre petit groupe de révolutionnaires. Nous voulions changer le monde.

— Emmy autant que Milo ?

— Si ce n'est plus.

— Ils étaient ensemble ?

— Oui.

Spencer lui montra à nouveau la photo de Milo.

— Vous voulez dire que ce type crasseux et givré était avec la séduisante et élégante Emmy ?

— Il était notre chaman. Il n'a pas toujours eu cette allure, inspecteur. Il avait même une sacrée classe autrefois. Et Emmy était complètement sous son charme. Elle était en rébellion contre ses parents, elle n'avait pas de but, elle ne connaissait rien, elle était plus jeune que nous, je crois. Il l'a séduite. Et il l'a prise sous son aile.

Hobbit commençait à montrer des signes de nervosité. Spencer songea que Milo avait dû en séduire plus d'un et que Jerry Clark avait sans doute subi sa domination, lui aussi.

— Hobbit, comment se sont passés ces deux ans avec lui.

— Nous allions où il nous disait d'aller. Quand il nous a dit d'écouter Bane, nous avons écouté Bane. Quand il nous a dit d'adhérer à ATWA, nous avons adhéré. Adhérez à l'American Nihilist Underground Society, nous avons adhéré. Quand il nous a dit de nous intéresser aux anarchistes russes, nous nous y sommes intéressés. Quand il nous a dit de lire les communistes libertaires, Penti Linkola, les humanistes rationalistes, nous les avons lus. Il nous a dit d'aller à Nogales, nous y sommes allés. Nous étions libres, jeunes, curieux, nous détestions cette moralité bour-geoise tyrannique dont on nous avait gavés. Nous ne voulions pas de cette vie. Nous croyions en d'autres valeurs. Et nous avons suivi Milo.

— ATWA, répéta lentement Spencer. Ce n'était pas le petit groupe de Charles Manson, dans la vallée de la Mort ?

— Quelle importance ? On essayait tout, dit Hobbit avant de se fermer à nouveau comme une huître.

Spencer attendit un long moment. Puis il se leva et alla s'asseoir sur le lit. Hobbit sursauta, mais Spencer ne bougea pas, cette fois.

— Jerry, je sais que vous ne voulez pas qu'on vous appelle comme ça. Et je sais que vous n'aimez pas que je m'asseye sur votre lit. Mais ma patience est à bout. Alors faites un effort et répondez-moi. Je ne partirai que lorsque je saurai tout. Avez-vous adhéré à cette Église vraiment pour vénérer le peyotl ?

— Ne prononcez pas ce mot de cet air dégoûté. Je vous l'ai dit, le peyotl est indispensable à l'Église. Il représente le dieu de l'Église.

— Cela ne laisse pas beaucoup de place pour le Dieu réel, vous ne trouvez pas ?

— Au contraire, il vous permet de vous rapprocher du Christ...

— Quel Christ, Hobbit ? Le Christ n'a jamais professé l'anarchisme que vous semblez tous avoir adopté.

— Qu'en savez-vous ?

— Je ne suis peut-être pas un catholique très pratiquant, mais je connais suffisamment le Christ pour savoir qu'il n'a jamais professé que la vie était inutile et les valeurs humaines méprisables. Ce n'était pas un sceptique qui niait tout.

— Il a pourtant exigé le rejet de la religion établie et des pratiques morales de son époque.

— Oui, en exigeant plus de rigueur de chacun et non pas l'inverse ! rétorqua Spencer, qui faillit presque rire de l'absurdité de la conversation.

— Nous voulions atteindre un nouveau niveau

de conscience, protesta Hobbit qui se tortillait de plus en plus sur son siège.

Gabe ne put se retenir plus longtemps.

— Assez de sornettes, Hobbit. L'anarchisme, ATWA, les nihilistes, Bane, arrêtez vos conneries ! Vous avez pris trop d'acide. Deux ans à courir le pays sans rien faire, ça ne vous a pas réussi. Nous ne sommes pas aussi naïfs que vos religieuses. Que s'est-il passé pendant votre dernier trip au peyotl quand vous avez tué Lindsey ?

Hobbit sursauta et fut soudain parcouru de tremblements convulsifs. Ses yeux roulèrent dans ses orbites.

Spencer jeta un regard de reproche à Gabe et laissa à Hobbit le temps de se calmer un peu.

— Hobbit, reprit-il d'une voix apaisante, avez-vous tous été expulsés de l'Église avec Milo ?

— À l'époque, nous étions avec les Comanches d'Oklahoma. Ils étaient une bonne soixantaine. On partageait tous le peyotl autour du feu et Milo trouvait qu'on n'en avait pas assez. C'est à ce moment-là qu'il a eu l'idée géniale de descendre à Nogales, en Arizona, afin d'organiser une cueillette juste pour nous six.

— Pourtant le peyotl n'entraîne pas de phénomène d'accoutumance...

— Non... enfin... tout le monde ne réagit pas de la même manière. Il est surtout censé nous aider à voir ce qu'il y a en nous, ce que nous ne pouvons pas voir par nous-mêmes. Le mara'akame, c'est-à-dire notre chaman, prétendait que les visions provoquées par le peyotl venaient du fond de nous-mêmes. Et nos visions étaient si belles, que nous étions tous amoureux de nous. Nous nous voyions en dauphin, en aigle, en léopard... Si vous n'avez jamais essayé, je vous le recommande.

Spencer leva les yeux au ciel, exaspéré.

— Je vous remercie mais j'ai déjà assez de visions comme ça ! Avançons. Vous êtes donc allés à Nogales. Et ensuite ?

— C'est là que Milo s'est fait expulser de l'Église. Il voulait qu'on parte aussitôt à la cueillette, mais le mara'akame lui a dit que c'était réservé à une élite, que nous devions attendre. Milo n'a pas voulu l'écouter. Il voulait qu'on y aille dès le lendemain. C'est là que le chaman lui a dit qu'il ne le méritait pas. Que ses visions ne le conduisaient pas à l'union avec Dieu, ni à la recherche de son être profond. D'après lui, ce que Milo avait en lui ne devait pas être extériorisé. Il disait que Milo souillait le peyotl et méprisait trop l'humanité pour avoir sa place au sein de la Native American Church.

— Milo les méprisait vraiment ?

— Ils nous ont dit de partir, éluda Hobbit, qu'il n'y aurait plus de cueillette de peyotl ni de danse pour nous. Milo était dans une telle rage qu'il a enlevé le chaman et l'a forcé à nous conduire dans le désert, à la tombée de la nuit. Et je ne me souviens plus très bien de la suite. C'est la première fois que j'en parle. Les sœurs vous ont dit depuis combien de temps je suis ici ?

— Oui, cinq ans.

— Oui, et ce n'est que le début de ma pénitence, inspecteur.

— Quelle pénitence ?

— Nous étions jeunes et stupides, et malheureusement, nous avons commis des erreurs irréversibles. Nous étions tellement pris dans la philosophie et nos délires anarchiques, tellement convaincus que la drogue nous aidait à voir clair en nous ! Et nous avons donc forcé le chaman à chercher du peyotl au Mexique. Nous pensions que l'Église nous devait bien ça. Et que nous pourrions prendre du peyotl sans aucun risque. Milo nous l'avait assuré. Il était extrêmement convaincant, Milo. C'était notre mara'akame, notre peyotl à nous. Il aurait convaincu les anges du ciel. Nous avons donc conduit le chaman jusqu'au plateau, au nord-ouest du Mexique, pas très loin d'ici et nous avons commencé la cueillette du peyotl. Vous en avez déjà vu ?

— Non.

— C'est un spectacle inoubliable. Nous marchions au milieu d'arbres rabougris et de broussailles, à quelques kilomètres de Tubutama, lorsque nous en avons découvert plusieurs centaines d'un coup. Ça ressemble à des petites citrouilles surmontées d'une fleur blanche. Le chaman nous a dit de ne prendre que ce que nous pouvions tenir dans nos mains. Mais nous avions apporté des sacs et nous avons tout ramassé. Le chaman répétait que c'était mal, que c'était contraire à la volonté de Dieu.

Jerry baissa la tête et contempla ses mains noueuses.

— Une fois notre récolte terminée, nous avons ramené le chaman à Nogales. Milo voulait le tuer. Une chance qu'Emmy ait réussi à l'en dissuader ! Le chaman nous a mis en garde. « Vous croyez pouvoir contrôler l'incontrôlable, mais ce sera lui qui vous contrôlera. »

Spencer sentit un frisson lui parcourir l'échine, malgré la chaleur.

— Nous sommes ensuite repartis vers le nord et la montagne de la Superstition, à quatre heures de route...

— Pourquoi aller si loin ? le coupa Spencer.

Hobbit sourit. Il avait les dents noires.

— Par pure superstition, inspecteur. Nous avons donc pris l'autoroute, puis nous nous sommes enfoncés dans la montagne, en pleine nuit, sur Massacre Grounds, une piste non goudronnée, et nous avons organisé notre danse du peyotl. Nous avons allumé un feu de camp, nous avons ouvert les fleurs et broyé leur cœur pour en extraire le jus. Puis nous avons chanté, dansé et prié. Nous avons joué du tambour et de la calebasse, nous avons confessé nos péchés, prié encore... C'est ainsi que nous avons franchi sans nous en apercevoir le point de non-retour. Et quand nous avons voulu revenir, c'était trop tard.

71

Cancer du corps
contre cancer de l'esprit

Quand Lily revint à elle, elle gisait dans une flaque d'eau glaciale, appuyée contre un mur en ciment et avait mal dans tous les membres. Milo était assis en face d'elle. Ils se trouvaient dans un couloir, séparés par quelques dizaines de centimètres à peine. Il devait y avoir une fuite car le sol inégal disparaissait sous de l'eau croupie. Milo aurait pu les installer un peu plus loin, dans un endroit moins mouillé mais il semblait planer, l'air détaché de ce monde, sous les tatouages et la crasse qui couvraient son visage.

Quelque chose coulait de sa bouche là où il l'avait frappée. Elle s'essuya. C'était du sang.

— Qu'est-ce que je vais faire de toi, Lily ? On était bien chez toi, on bavardait gentiment et il a fallu que tu appelles la police. Maintenant tu es trempée, mal installée, tu saignes...

— Il faut m'emmener à l'hôpital, balbutia-t-elle.

— Oh, je crois que je vais plutôt t'emmener voir ton frère. Qu'en penses-tu ? Tu as un portable ? Tu pourrais l'appeler. Lui dire que tu es en danger. Que tu as été enlevée par Emmy. On verra sa réaction.

Elle se lécha la lèvre. Elle saignait beaucoup.

— Ttt, ttt. Tu crois que personne ne s'intéresse à toi, mais Emmy m'a parlé de ta famille. Ta sœur aînée ne pense qu'à travailler, la seconde est submergée par ses rejetons. Ta mère a oublié ton existence. Ta grand-mère n'a rien à offrir. Il ne nous reste donc plus que ton frère.

Emmy, son Emmy avait parlé d'elle à cet immonde individu. Lily eut l'impression d'avoir été violée.

— Que voulez-vous ? De l'argent ? Je vous en donnerai. Combien voulez-vous ?

Il rit sans bruit.

— Emmy et moi, nous sommes des révolutionnaires, Lily. Et l'argent n'intéresse pas les révolutionnaires. As-tu lu par hasard le *Catéchisme révolutionnaire* de Michel Bakounine ?

Elle secoua la tête.

De quoi venait-il lui parler ? Ça devait être l'effet de l'héroïne. Quand se dissiperait-il ? Et quand sa lèvre cesserait-elle de saigner ? Elle passa à nouveau sa langue dessus. Jamais. Elle saignerait jusqu'à ce qu'elle se soit vidée de son sang sur le sol crasseux.

— Bakounine était l'antithèse de Marx, de Lénine, du tsarisme, de l'impérialisme, du colonialisme, de l'islamisme, du fondamentalisme, de tout ce qui finit en *isme*. Il les détestait car ils enchaînent l'homme. Et Serge Netchaïev, un autre anarchiste encore plus exalté que lui, a écrit dans son catéchisme à lui, que le révolutionnaire était un homme maudit : « Il n'a ni intérêts personnels, ni affaires, ni sentiments, ni

attachements, ni propriété, ni même de nom. »
C'est comme ça que je suis devenu Milo.

— Qui étiez-vous avant ?

— « Tout en lui est absorbé par un seul
intérêt, continua-t-il, une seule pensée, une seule
passion – la révolution. Au fond de lui-même,
non seulement en paroles mais en pratique, il a
rompu tout lien avec l'ordre public et avec le
monde civilisé, avec toute loi, toute convention
et condition acceptée, ainsi qu'avec toute moralité. En ce qui concerne ce monde civilisé, il en
est un ennemi implacable, et s'il continue à y
vivre, ce n'est qu'afin de le détruire plus complètement[1]. » Voilà exactement ce que je suis, Lily.
Avec une seule nuance : Emmy. C'est vrai. Je
l'aimais passionnément. Elle était ma muse, mon
désir, mon Église. Je ne pouvais pas vivre sans
elle, je ne le peux toujours pas. Où est-elle
partie ? Où a-t-elle disparu ?

Lily se redressa. Il y avait quelque chose dans
le ton de Milo, dans son attitude qui n'avait rien
à voir avec la drogue ou sa condition de
clochard.

— Quel monde vouliez-vous détruire, Milo ?
chuchota-t-elle. Le mien ?

Il rit.

— Tu n'es que du menu fretin. Je visais plus
gros que toi.

— Il faut que j'aille à l'hôpital. Regardez, vous

---

1. Serge Netchaïev, extrait de l'*Histoire de l'anarchisme* de
Jean Préposiet aux éditions Tallandier. *(N.d.T.)*

m'avez fendu la lèvre, je saigne et mon sang ne coagule plus. Je suis malade.

— Que tu le croies ou pas, je n'ai rien contre toi.

— Si je ne vais pas à l'hôpital, vous n'aurez plus de monnaie d'échange.

— Allons d'abord voir ton frère. Peut-être pourra-t-il nous dire où Emmy se trouve.

— Il l'ignore.

Milo laissa échapper un rire creux.

— Et s'il le sait, il ne vous le dira pas. Il l'aimait...

Milo émit un grognement si horrible que Lily s'arrêta net et recula de terreur. C'était trop tard. Les yeux écarquillés d'horreur, elle vit Milo se ruer sur elle. Il plaqua ses mains ignobles sur sa gorge et la secoua de toutes ses forces.

— Arrête de mentir, Lily. Ils ne s'aimaient pas ! hurla-t-il. Elle ne l'aimait pas ! C'était moi qu'elle aimait, tu m'entends ? C'était moi !

— Ou... ou... oui...

— Dis que tu comprends !

— J... je comprends... lâchez-moi...

— Elle ne l'aimait pas, répéta-t-il en approchant son visage et Lily s'aperçut avec horreur, malgré la faible lumière, qu'il avait la langue coupée.

Elle poussa un cri qui resta bloqué dans sa gorge.

— Elle ne l'aimait pas, répéta Milo dans un sifflement. Elle allait le tuer.

72

La danse du peyotl

— Que s'est-il passé pendant la danse du peyotl, Jerry ?

— Milo n'arrêtait pas de nous dire que nous n'en prenions pas assez. Je ne sais pas quelle quantité nous avons absorbée. La dose habituelle en Oklahoma était infime, à peine quelques microgrammes. Mais nous avons pris... je préfère ne pas y penser, pas maintenant, plus jamais, pas après ce qui s'est passé. Oui, j'ai besoin de croire que nos visions horribles et nos excès qui ont suivi étaient dus à l'abus de peyotl.

— C'est certainement la vérité. Quelles visions avez-vous eues ?

— Eh bien, moi qui étais petit et trapu, je me suis tout à coup imaginé que j'étais grand et mince, que j'avais des ailes et que je pouvais voler. Encore maintenant il m'arrive d'entendre cette voix qui me disait : « Tu peux voler, Hobbit ? Imaginais-tu cela possible ? »

— Qui disait ça, Hobbit ?

— Milo.

Spencer se laissa lourdement tomber sur le lit. Gabe vint s'asseoir près de lui.

— Je me demande maintenant s'il n'a pas

cherché à nous éliminer par overdose de mescaline...

— Pourquoi aurait-il fait ça ? Vous étiez ses amis...

— Peut-être craignait-il qu'on aille raconter qu'il avait enlevé le chaman, qu'on révèle tout ce qu'on voulait faire ? Il voulait retourner à New York avec Emmy. Peut-être préférait-il ne pas nous laisser courir le pays avec ce que nous savions sur lui ? Je ne sais pas. Mais le résultat est là. Petra s'est ouvert les veines. Nous l'avons tous regardée se vider de son sang, persuadés que c'était bien. Elle dansait en riant... nous aussi. Simon s'est frappé à coups de calebasse et de rocher avant de se pendre dans un mesquite mort. Il se balançait si doucement au bout de sa corde, on aurait dit un enfant sur une balançoire, c'était agréable à voir. Il y avait juste une petite brise et nous continuions à absorber du peyotl.

— Qui étaient ce Simon et cette Petra ?

— C'était un couple que nous avions rencontré en Californie. Il venait d'Angleterre, elle d'Allemagne.

— Qu'est-il arrivé à Emmy ?

— Je ne sais pas. Dans mon souvenir, elle allait bien. Elle n'avait pas dû prendre autant de peyotl que nous. Elle n'avait pas l'air d'avoir perdu la tête.

— Et Milo ?

— Milo ? Oh, non ! Je ne peux pas, je ne peux pas...

Jerry tomba soudain de sa chaise et se tordit

627

sur le sol, ses moignons agités de soubresauts, ses mains plaquées sur son visage, la tête secouée de tremblements, le corps tordu de spasmes.

— Je ne peux pas. Je ne peux pas en parler... je vous en supplie.

Spencer s'agenouilla à côté de lui.

— Je vous en prie, dites-moi ce qui s'est passé. Ce sera la dernière fois, mais dites-moi ce qui est arrivé.

— M-milo a pris le cou-couteau de chasse avec lequel Petra s'était ouvert les veines et il s'est cou-coupé la langue, bredouilla-t-il, les mains toujours plaquées sur son visage, si bien que Spencer crut avoir mal entendu. Mais il ne s'est pas arrêté là. Ensuite, il a baissé son pantalon et il s'est coupé le pénis.

Spencer tourna un regard effaré vers Gabe.

— On... on s'est tous arrêtés de rire. Je m'en souviens. Oui, d'un coup. Et il y a eu des hurlements. J'ai reconnu la voix d'Emmy. Milo ne criait pas, un jet de sang noir jaillissait de sa bouche et j'ai cru voir sa langue s'envoler dans les airs. Et Emmy, je ne sais pas ce qu'elle essayait de faire, si elle voulait le prendre dans ses bras, l'aider, arrêter le saignement... Je me souviens de l'avoir regardée mettre ce qui restait de peyotl sur l'entrejambe de Milo en pensant que c'était une bonne idée. Le peyotl n'était-il pas censé tout guérir ? Elle avait retiré son chemisier et le pressait sur sa plaie. Milo était allongé par terre, elle était penchée sur lui. Nous lui avons demandé si la danse était finie, et je

628

l'ai entendue hurler à travers un brouillard qu'il fallait emmener Milo. Je pense que c'est elle qui nous a ramenés par la piste jusqu'à la grande route. Elle conduisait très bien, Emmy. Et puis elle est descendue avec Milo, elle nous a laissés Lindsey et moi avec le camping-car, quelque part sur la 88. Nous sommes partis tous les deux, toujours dans les vapes. Nous nous sommes retrouvés dans les virages de l'Apache Trail, je ne sais comment, nous avons dû nous perdre. Et je ne me croyais plus dans un camping-car mais dans un avion, nous étions si haut dans les montagnes, l'oxygène m'est monté au cerveau. Oui, je croyais qu'on volait, Lindsey et moi. Et quand j'ai sauté du haut du précipice, je n'ai pas éprouvé la moindre peur, seulement une joie intense. Nous volions ! Jusqu'à ce qu'on atterrisse au fond du ravin... Et voilà où ça m'a mené, ajouta-t-il, les mains toujours plaquées sur son visage.

Spencer n'arrivait pas à croire ce qu'il venait d'entendre.

— Vous êtes certain que Milo s'est coupé le sexe ? demanda-t-il d'une voix sourde.

— Je le revois le jeter dans le feu et danser autour avant de s'effondrer. Je revois son sexe tomber dans les flammes et je sens encore cette odeur forte et âcre de chair humaine grillée, une odeur insupportable. Je ne peux plus manger de viande depuis ce jour-là. Et je me souviens d'Emmy qui a essayé en vain de le sortir du feu, et qui s'est mise à pleurer. « Ben... oh, Ben... »

629

— Vous étiez sous l'effet d'une drogue hallucinogène puissante. Vous avez pu l'imaginer.

— Peut-être mais je n'avais jamais senti l'odeur de la chair humaine grillée, je n'ai pas pu l'inventer. Et j'ai bien sauté dans le précipice, je ne l'ai pas imaginé.

Le bipeur de Spencer sonna. C'était un appel du commissariat. Il disait que c'était urgent.

73

Les leçons du tsar russe

Comment ça, vous voulez le tuer ? aurait-elle voulu crier. Mais elle était pliée en deux par une quinte de toux due autant à la peur qu'à la douleur. Elle s'essuya la bouche sur sa manche, se sentant à chaque seconde plus faible, plus détachée de lui, comme si son sang était aspiré par des sangsues. Andrew ! Elle ne savait plus où elle en était.

— Je ne comprends pas. Emmy et lui...

— Ils n'étaient rien ! Rien du tout, je te dis ! Elle lui a couru après pour une seule raison.

— Emmy ne s'intéressait pas à la politique. Elle n'y connaissait rien. Qu'est-ce que vous racontez !

— Lily, l'univers est si vaste et tu es si minuscule, et tu ne connais rien sur les gens qui t'entourent. Emmy était très impliquée dans la politique. Elle l'était au lycée et ensuite à Hunter, elle vivait ce que je vivais, elle croyait en tout ce que je croyais. Elle m'était d'une loyauté totale. Ses études artistiques n'étaient qu'un camouflage, Lily. Un camouflage excellent, de surcroît ! La preuve, tu n'as même pas remarqué qu'elle ne savait pas dessiner !

Le monde n'avait plus de sens dans le sous-sol inondé. Son existence avait basculé et Lily ne savait pas comment la redresser.

Depuis un an, la vie s'était chargée de détruire tout ce en quoi elle croyait. Vous meniez votre petite vie tranquille, avec ses hauts et ses bas, et soudain vous gagniez au loto. Puis Emmy disparaissait et vous aviez le cancer. Puis Spencer vous apprenait qu'il souffrait d'une dépendance à l'alcool que vous ne soupçonniez même pas. Ensuite votre mère sombrait dans l'enfer, et les séismes se succédaient et vous engloutissaient chaque fois un peu plus sous les décombres.

— Mais qu'est-ce que je viens faire dans cette histoire ? Pourquoi m'a-t-elle choisie comme colocataire ?

Milo fit une grimace.

— Tu étais sa bouée de sauvetage, Lily, son alibi. Elle ne pouvait pas savoir comment les choses tourneraient et elle voulait t'avoir de son côté. Et regarde comme elle avait raison. Tu es mon dernier recours, c'est grâce à toi si je vais pouvoir atteindre ton frère.

— Mais pourquoi ne pas l'avoir fait plus tôt ? Qu'est-ce que vous attendiez ?

— Qu'est-ce que tu crois ? Nous avons essayé de l'atteindre, de lui montrer l'effet que ça faisait d'avoir sa vie détruite par un autre être humain, comme il a détruit la nôtre. Hélas, nous avons échoué lamentablement. Ensuite, j'ai été mis hors circuit pendant deux ans. Mais on allait s'attaquer à nouveau à lui quand Emmy a disparu.

— Vous êtes malade, Milo.

— Non, Lily, c'est toi qui es malade.

— Vous avez passé deux ans en prison. Pourquoi Emmy n'en a-t-elle pas profité pour se débarrasser de mon frère ?

— Elle attendait que je revienne. Nous devions le faire ensemble.

— Alors, pourquoi a-t-elle rompu avec lui si elle voulait le tuer ?

— C'était une décision stupide de sa part. Oh, je sais à quel petit jeu tu joues, Lily. Tu veux semer le doute en moi. Mais c'était juste une petite erreur de sa part.

Lily secoua la tête.

— Ce n'était pas une erreur, Milo. Non, c'était délibéré.

— Je ne vois pas ce que tu veux insinuer.

— Milo, pendant que vous étiez en prison, Emmy et mon frère ont eu tout le temps de tomber amoureux, non ? Peut-être que, tant qu'elle était avec vous, elle partageait vos convictions, mais, au fil du temps, sa loyauté s'est émoussée. Et elle ne voulait plus le tuer. Et quand vous êtes réapparu, elle a rompu avec lui pour le protéger. Vous ne croyez pas que ce serait une possibilité ?

— Non, c'est un mensonge. UN MENSONGE !

Lily se souvint brusquement d'un autre détail que lui avait révélé Spencer.

— Non seulement elle a rompu avec lui, mais c'est elle qui m'a poussée à partir à Maui, l'an dernier.

— Oui, elle ne voulait pas t'avoir dans les pattes.

— Exactement, Milo. Elle n'avait plus besoin d'alibi. Sans crime, pas besoin de défense. Elle m'a mise à l'abri. J'étais en sécurité à Maui.

— Elle ne voulait pas te mettre à l'abri ! Elle se foutait complètement de toi !

— Ce n'est pas vrai, hoqueta Lily. Ce n'est pas vrai.

Le temps semblait s'être arrêté dans le sous-sol de cet immeuble de la 9e Rue, où Lily, adossée à son mur de ciment, essayait de ne pas s'évanouir, pendant que Milo la regardait s'éteindre à petit feu.

— Il faut que j'aille à l'hôpital, Milo. Je ne suis ni un alibi, ni un otage, ni responsable de quoi que ce soit. Je suis malade et bientôt je ne vous servirai plus à rien. Il faut que j'aille tout de suite à l'hôpital.

— Tu ne bougeras pas d'ici.

Il y avait quelque chose qui clochait chez lui, en dehors de sa langue coupée. Lily aurait voulu avoir la force de se lever et de le frapper, pourquoi pas avec cet extincteur qui était accroché à deux mètres de là, puis de prendre la fuite en appelant au secours.

— Mon frère est armé, il a des gardes du corps, il ne sort jamais sans eux. Vous ne pourrez jamais l'avoir. Jamais. Jamais personne ne laissera un type comme vous s'approcher de lui à moins de cinq cents mètres.

Milo éclata de rire, elle entraperçut à nouveau le vide noir dans sa bouche.

— Lily, tu ne t'es jamais intéressée à l'Histoire quand tu étais au lycée ? As-tu entendu parler d'Alexandre II, tsar de Russie ? Son assassinat est un exemple de persévérance, la preuve flagrante que l'on peut tuer absolument n'importe qui, si on le veut vraiment.

— Pou... pourquoi me parlez-vous d'Alexandre II ?

— Parce qu'il a donné naissance aux révolutionnaires modernes, à l'anarchisme, à des idéaux plus justes, à une idéologie plus noble, plus visible, plus permanente que le simple humanisme.

— Cela existe-t-il ?

— C'est tout autour de toi, réveille-toi ! Tu ne vois donc rien ? L'anarchisme a façonné le monde moderne et c'est le tsar russe qui en est l'origine. Hélas, comment pourrais-tu le savoir, toi qui perds ta vie dans ton trou à rat à peindre des gens qui s'embrassent ? Mais tu le découvriras bientôt !

— Je crois que je commence déjà à comprendre, dit Lily en se déplaçant de quelques centimètres vers l'extincteur, les jambes d'abord, puis le buste.

Encore dix centimètres... Dix autres... Milo ne semblait rien remarquer. Encore une dizaine de déplacements et elle serait sous l'appareil. Elle n'était déjà plus du tout en face de Milo. Il finirait par s'en apercevoir et il fallait qu'elle soit prête à agir. Mais comment ? Elle s'allongea sur le sol détrempé. Puis se releva, gagnant encore quelques précieux centimètres.

— En 1879, la première tentative d'assassinat contre Alexandre II a été perpétrée par un professeur. Il fut capturé et exécuté avec seize autres conspirateurs. Quelques mois, plus tard, un groupe d'anarchistes, qui s'était baptisé « la Volonté du peuple », voulut faire sauter son train à la nitroglycérine mais ils se trompèrent de train. Puis ils tentèrent de faire sauter un pont au moment où le train du tsar passait et échouèrent une fois de plus.

— Plutôt maladroits vos terroristes !

— Ce n'étaient pas des terroristes mais des révolutionnaires ! Des radicaux ! C'étaient des savants, des érudits, des ingénieurs qui se battaient pour un nouvel ordre politique.

— Un nouvel ordre politique qui terrorisait des innocents ?

— Ton frère n'a rien d'un innocent.

— Bien sûr que si, Milo ! Qu'a-t-il à se reprocher ?

— Il a volé son siège de député.

— Il ne l'a pas volé, il l'a gagné. Il a peut-être battu son adversaire d'une courte tête, je vous l'accorde, mais il l'a battu.

Milo poussa un grognement à peine humain.

— Reprenons. Ensuite un charpentier a réussi à cacher, pendant la construction du palais d'Hiver, de la dynamite sous le plancher de la salle à manger. La charge fut déclenchée à l'heure où le tsar était censé être à table mais, une fois de plus, raté : le dîner avait été retardé, et le tsar n'était pas là. Une soixantaine de personnes furent tuées ou grièvement blessées dans l'explosion.

— De simples petits dommages collatéraux, sans doute...

— Ça ne compte pas. Personne ne se souvient d'eux. En revanche, tout le monde connaît le charpentier Soloviev. Un membre de la Volonté du peuple, capturé à cette époque, a déclaré que rien ne pourrait sauver la vie du tsar. Et c'est ça que je veux te faire comprendre, Lily. Tu ne peux rien faire pour sauver la vie de ton frère. Emmy ne pouvait rien faire non plus.

Lily dut se rallonger, épuisée par cette conversation, l'adrénaline, la peur... Elle en profita pour ramper encore quelques centimètres. Milo, plongé dans ses pensées, se décala machinalement pour rester face à elle, qu'elle l'entende correctement.

— Le 1er mars 1881, continua-t-il, Alexandre circulait dans Saint-Pétersbourg lorsqu'une bombe fut lancée sur le coupé impérial et le manqua.

— Ils n'étaient vraiment pas doués, marmonna Lily qui en profita pour se déplacer encore.

— Doués ou pas, leur bombe avait fait des morts parmi les cosaques et le tsar est descendu de sa voiture pour inspecter les dégâts. Et c'est là qu'un révolutionnaire a jeté une deuxième bombe qui, cette fois, ma chère Lily, ne l'a pas raté. Le tsar a été tué sur le coup et l'explosion fut si forte qu'elle pulvérisa aussi son assassin.

Lily s'immobilisa.

— C'est ça que vous voulez ? C'est le prix que vous êtes prêt à payer pour vos convictions ? Vous êtes prêt à donner votre vie pour prendre celle de mon frère ?

Milo cogna sa tête contre le mur.

— Je donnerais n'importe quoi !

Lily était arrivée sous l'extincteur.

— Il n'y a pas de justice dans la politique américaine, continua Milo. Tu ne l'as pas remarqué ? Quand un député emporte son siège avec à peine cinquante-deux votes qu'il a volés, où est la justice dans tout ça ?

— Si vous vouliez que plus de gens votent contre mon frère, vous n'aviez qu'à militer contre lui.

— Il a volé cette élection !

— Oh, je vous en prie, arrêtez ! Et qu'est-ce que ça peut vous faire ? Hein ? Depuis quand le triste Edward Abrams inspire-t-il une telle passion chez les lycéens...

Elle s'arrêta net et le dévisagea, bouche bée.

— Depuis que sa femme Bernadette Abrams s'est suicidée, parce qu'on lui reprochait sa défaite !

— Oh, mon Dieu ! gémit Lily. Oh, mon Dieu ! Vous êtes...

— Ben Abrams. Bravo, Lily Quinn. Enchanté de faire votre connaissance.

Lily n'écoutait plus. Milo était Ben Abrams ! Emmy était la petite amie du fils de l'adversaire d'Andrew ! Elle se souvenait de sa mère, car après le recomptage des voix et la victoire d'Andrew, on l'avait en effet rendue responsable de la défaite de son mari. On lui avait reproché de ne pas être aussi gracieuse que Miera Quinn. Miera en avait profité pour s'attribuer une partie de la victoire d'Andrew, ce qui l'avait rendue encore plus détestable. Mais Bernadette Abrams, déjà dépressive et sous tranquillisants, avait fini par se suicider trois ou quatre mois plus tard d'une overdose de médicaments.

Ensuite son fils avait plongé dans une spirale infernale. Et il avait entraîné Emmy à sa suite.

Dans un horrible sourire, Milo révéla sa mâchoire édentée.

— Je l'aurai. Même sans Emmy. Je lui ai dit qu'avec ou sans elle, Andrew Quinn finirait comme Alexandre II. Oh ! gémit-il en blêmissant. Elle était si déterminée quand nous sommes revenus de Phoenix. Même plus que moi. La retraite forcée de ton frère était le seul but de notre existence. Elle donnait un sens à notre vie, c'était notre beauté et notre joie.

— Comploter la mort de mon frère vous donnait de la joie ? Les Égyptiens anciens ne seraient pas contents de vous, Milo.

Toute son attention était concentrée sur l'extincteur, à portée de ses mains. Mais il fallait qu'elle se lève d'un bond, qu'elle l'attrape, le braque sur Milo, coure vers lui peut-être et le foudroie. Y arriverait-elle ?

— Comploter la mort d'un frère, d'un mari, d'un fils, d'un père de deux enfants donnait de la beauté à votre vie ?

— Oh, oui ! Tous mes malheurs sont venus de lui. Tous !

Lily s'accroupit. Il ne bougea pas. Elle se leva. Toujours pas de réaction. L'extincteur était juste à sa droite. Serait-il facile à décrocher ? Devrait-elle tirer, le secouer ? Son cœur battait à deux cents pulsations à la minute. Elle ne tiendrait pas longtemps. Ses jambes vacillaient déjà. Et sa lèvre continuait à saigner. Mais Milo ne lui faisait plus peur.

— Vous ne vivez que pour tuer mon frère ?

— Nous rejetons l'autorité car elle nous force à mesurer nos paroles, à les vider de leur sens. Nous voulons le changement, un changement radical, monumental, sans compromis. Et nos convictions nous dictent nos actions. Pour vivre une vie sans mesure, nous devons agir sans mesure.

Lily se tourna et souleva l'extincteur de son support, puis elle pivota vers Milo, abruti par l'héroïne. Mais quand elle voulut braquer l'appareil sur lui, elle bascula en avant, emportée par son poids et s'étala de tout son long. Sa première stupeur passée, Milo ouvrit la bouche et éclata de rire.

74

Agir sans mesure

Pendant qu'il continuait à ricaner, inconscient du danger, elle s'agenouilla tout en cherchant à tâtons la gâchette, puis elle l'inclina vers elle de manière que le jet soit orienté sur Milo quand elle se retournerait. Lily dégagea la sécurité, enfonça la gâchette et pivota... en priant le ciel que l'appareil ne contienne pas que de l'eau.

Ce n'était pas de l'eau mais une poudre chimique qui jaillit directement dans la gorge de Milo à une vitesse sidérante. Sous la force du jet, il fut projeté en arrière, sa tête heurta violemment le mur et il s'effondra, inerte. Lily lâcha l'extincteur qui rebondit sur le sol dans un bruit d'enfer, se releva, enjamba le corps de Milo et s'enfuit en courant, ou du moins aussi vite que ses jambes chancelantes le permettaient. Elle remonta le long couloir en hurlant et en hoquetant, et essaya les portes les unes après les autres avant d'en trouver une, enfin, qui menait de la salle des chaudières à la buanderie. De là, elle sortit sous la pluie, juste devant le capot de trois voitures de police arrêtées en bas de son immeuble, les gyrophares allumés, et s'évanouit sur la chaussée mouillée.

Quand elle revint à elle, elle était allongée dans la chambre d'hôpital qu'elle connaissait bien, inondée de soleil. Spencer était à son chevet, ainsi que le docteur DiAngelo, sa grand-mère et Gabe McGill, et les draps sentaient bon l'eau de Javel et l'hôpital. Et quand elle réussit enfin à parler, ce fut pour dire :

— Mais houquoi hai-t-on des étinteurs si hourds ?

— Eh bien, il faudra demander des modèles réduits pour toi, répondit en souriant Spencer.

Lily sourit et se rendormit.

La nuit, Spencer profita d'un de ses moments de lucidité pour lui raconter l'histoire de la danse du peyotl. Elle voulut savoir si l'on avait retrouvé le corps de Milo, il répondit que non. Pourtant elle était sûre de l'avoir tué.

— J'ai peur pour mon frère.

— Ne t'inquiète pas, Lil. Il vit dans une véritable forteresse.

Comme Alexandre II, faillit-elle lui répondre.

Elle rouvrit soudain les yeux, l'esprit plus clair.

— Spencer, m'a-t-on trouvé un donneur ?

— Pas encore, Lily.

— Mon frère ? Mes sœurs ?

— On cherche toujours...

Lily se rendormit sans poser à Spencer la seule question qui restait sans réponse.

Si Milo ignorait où Emmy se trouvait, alors où était-elle ?

Marcie qui sentait toujours le Milky Way (mais plus la nicotine, elle avait dû arrêter de fumer) venait ouvrir ses fenêtres afin que Lily profite de l'air sec de l'été.

Joy venait s'asseoir près d'elle et tricotait.

— Je ne vous connaissais pas ce talent, Joy, dit Lily.

— Il fera bientôt froid. Et j'ai décidé de m'entraîner sur vous. Vous avez besoin d'un pull.

Un matin, Joy fit entrer un vieux monsieur fort élégant, en disant à Lily qu'elle le connaissait, mais elle ne se souvenait pas de lui. Qui était-ce ? Il se présenta : David Lake, de la Lake Gallery, à Soho. C'était lui qui lui avait acheté les peintures des *Mains autour d'un whisky*.

— Je suis venu trois samedis d'affilée sur la 8e Rue sans vous voir et c'est un employé de l'épicerie à côté qui m'a dit que vous étiez malade. J'ai pensé que vous étiez peut-être hospitalisée au Mount Sinai et c'est comme ça que j'ai eu la chance de vous retrouver.

Il lui annonça qu'il avait vendu ses sept petites peintures soixante-dix-huit mille dollars dans sa galerie.

— Et vous savez quoi ? C'était la dix-huitième offre qu'on me faisait pour le lot. J'ai fini par accepter. Vous devez toucher une corde sensible avec ces mains autour d'un verre. Elles vont droit au cœur des gens.

David Lake lui fit alors une proposition. Si elle pouvait fournir une trentaine de toiles, il lui organiserait une exposition dans sa galerie et ils partageraient les bénéfices moitié-moitié.

Derrière lui, Joy hochait la tête avec vigueur.

Lily ne savait pas quoi répondre.

— J'ai rangé mes pinceaux, finit-elle par lui dire.

— Pourquoi ?

— Je n'en ai plus besoin.

75

Le facteur

Lily entendit sa grand-mère s'asseoir près d'elle.

Elle ne bougea pas et garda les yeux clos. Mais elle vit en pensée les cheveux gris, le pantalon confortable en Elastiss, les tennis bien propres qui n'avaient jamais rien connu d'autre que l'immeuble de Brooklyn, la petite croix en or autour de son cou.

Sa grand-mère l'embrassa sur le front.

— Tiens bon, mon bébé, DiAngelo travaille pour toi. Il va te remettre sur pied, tu verras. C'est un tenace, ce médecin, il ne supporte pas l'échec. Et souviens-toi de ce que je t'ai raconté quand j'ai caché ta mère sous le plancher, à Ravensbrück.

Lily s'en souvenait. Elle avait d'abord dissimulé la fillette sous ses jupes pour que les gardes ne la voient pas. Puis elle la cachait sous le plancher du baraquement avec une autre enfant, quand elle partait travailler. Ravensbrück était la première et unique prison des camps nazis réservée aux femmes et comme elle se trouvait en Allemagne, sa grand-mère espérait bien tenir jusqu'à l'arrivée des Américains. Ou des Russes.

En mars 1945, les Soviétiques devaient être très près car le camp avait été évacué et on avait fait traverser l'Allemagne aux prisonnières à pied, sans chaussures, sans nourriture, sans vêtements chauds. Et les Allemands leur jetaient des pierres au passage.

— J'ai protégé ta mère de mon corps, je l'ai portée parce que je l'aimais, parce qu'elle était à moi, et, toi aussi, je t'aime parce que tu es à moi... Lil, je n'ai personne d'autre.

Des petites larmes roulèrent sur les joues de Lily et sa grand-mère se pencha pour lui embrasser les paupières.

— Ah, mon ange, mon enfant, tu m'as entendue ! DiAngelo m'avait dit que ce n'était pas parce que tu semblais inconsciente que tu n'entendais rien et il avait raison. Décidément, je le respecte de plus en plus.

Sa grand-mère lui raconta une autre histoire en pleurant. Une histoire que Lily n'avait jamais entendue, où il était question de Tomas. Au début Lily crut avoir mal compris car elle se passait à Montague Street, à Brooklyn, en 1992.

Claudia faisait ses courses un samedi matin quand quelqu'un l'avait hélée.

— Klavdia !

Personne ne l'appelait plus ainsi depuis Skalka. Elle s'était retournée et avait reconnu le facteur qu'elle avait guetté chaque matin, après le départ de son Tomas à la guerre.

Ils avaient parlé longuement. C'était une belle journée d'octobre et il faisait très bon.

— Klavdia, je dois t'avouer quelque chose, avait-il fini par lui dire.

Et avant qu'elle ait pu l'arrêter, il lui avait raconté que Tomas lui avait demandé, si jamais un télégramme annonçant sa mort était adressé à sa jeune femme et à sa mère, de ne pas le leur remettre car elles n'y survivraient pas. Oui, si lui ou l'un de ses trois frères venait à mourir, il voulait que le facteur passe joyeusement devant chez lui comme si de rien n'était.

— Et c'est ce que j'ai fait, Klavdia. J'ai jeté quatre télégrammes, et je ne vous ai rien dit.

Claudia avait pâli, à moitié suffoquée.

— Ne m'en veux pas, avait continué le facteur. Ça remonte à quarante-trois ans. Et je ne l'ai fait que parce que ton Tomas me l'avait demandé.

Claudia avait voulu savoir s'il avait lu les télégrammes.

— Oui. Ils disaient tous « mort de ses blessures au combat ».

Voilà pourquoi elle n'avait plus voulu sortir de chez elle. Dieu seul savait quelles mauvaises rencontres elle pouvait encore faire. Elle était trop vieille pour de telles surprises.

Sa grand-mère toussa et Lily ouvrit les yeux. Elle était sous respirateur. Elle ne pouvait pas parler. Seuls ses yeux bougeaient. Elle dévisagea sa grand-mère à l'affût d'un geste, d'un signe, de quelque chose, le regard suppliant, interrogateur, rempli d'espoir.

Claudia déglutit, leva la main et l'agita en souriant.

76

La dernière chance

DiAngelo, lassé d'attendre un miracle du registre des donneurs, finit par se résigner à appeler la mère de Lily. Spencer lui avait donné le numéro sans cacher ses réticences. Mais Lily arrivait à un stade où les transfusions de plaquettes ne suffisaient plus. La dialyse ne donnait plus de résultat, ses niveaux de sels étaient anormalement élevés, ce qui la faisait gonfler, et son sang ne circulait plus. Lily était de moins en moins souvent consciente, passait ses journées à dormir d'un sommeil profond ou plongée dans une stupeur dont on n'arrivait pas à la sortir. Pendant quatre semaines, le Registre international des donneurs de moelle n'avait pu trouver de moelle avec une compatibilité supérieure à quatre marqueurs sur six alors qu'il en fallait au moins cinq.

DiAngelo ne voulait pas appeler Allison Quinn mais il n'avait plus le choix.

Elle décrocha au bout de plusieurs sonneries. Il se présenta, expliqua qui il était, et depuis combien de temps il soignait sa fille. Il la mit au courant de la gravité de son état, et lui expliqua tout ce qui avait été tenté sans succès pour tuer les cellules cancéreuses. Les traitements expérimentaux, la thérapie à l'ATRA, l'Alkeran, et même l'arsenic. Et maintenant sa seule chance, c'était la transplantation de moelle, ce qui signifiait remplacer la moelle atteinte par la moelle saine d'un donneur compatible.

— Et c'est là que nous rencontrons un problème, madame Quinn. Nous ne pouvons pas prendre n'importe quelle moelle. Il existe un Registre international des donneurs mais, actuellement, il ne s'y trouve aucun donneur compatible avec Lily...

— Vous savez, je n'y comprends pas grand-chose à toutes ces histoires de médecine, docteur. J'ai eu une occlusion intestinale et une ablation de la vésicule biliaire. Et je ne sais pas si vous êtes au courant, j'ai eu une infection au pied si terrible qu'il a fallu m'amputer ! Mais je ne comprends rien à ces affaires de cancer et de moelle. Franchement, je n'en ai jamais entendu parler. Vous feriez mieux de vous adresser à mon mari. Il s'y connaît plus que moi, il était journaliste. Je vais vous le chercher...

— Non, madame Quinn ! C'est à vous que je veux parler. Et je n'ai pas terminé. Écoutez-moi.

— Très bien, soupira Allison. Mais je ne comprends rien...

— J'essayais simplement de vous expliquer que nous avions testé son frère et ses sœurs, et que, bizarrement, aucun d'eux n'est compatible avec Lily.

Allison resta muette à l'autre bout du fil. Certes, elle n'y connaissait peut-être rien en médecine mais elle devait savoir pourquoi la moelle de ses autres enfants n'était pas compatible avec celle de Lily.

— Je ne comprends pas pourquoi vous m'appelez jusqu'ici, rétorqua-t-elle, les dents serrées. Qui êtes-vous ? J'ignorais que Lily était si malade, je croyais qu'elle était rétablie. Elle est venue il n'y a pas longtemps et elle semblait se porter comme un charme. Vous cherchez à m'attirer des ennuis ou quoi ?

— Votre fille ne va pas bien du tout. Vous n'avez pas eu de ses nouvelles par votre mère ? Vos autres enfants ? Son état s'est aggravé. Et je cherche seulement à lui sauver la vie. La moelle de ses frères et sœurs n'est pas compatible. Et ajouta-t-il, après une pause, je ne pense pas que celle de votre mari le soit non plus.

Allison ne pipa mot.

— Vous représentez sa dernière chance, madame Quinn. Tout ce que je vous demande, c'est de venir à New York afin de vous prélever un échantillon de moelle. Et en cas de compatibilité, procéder à la greffe.

— Vous avez perdu la tête ? siffla Allison dans le téléphone.

— Je vous en prie, madame Quinn. Je vous en supplie. Vous êtes la seule à pouvoir l'aider. Vous êtes son unique espoir. S'il vous plaît. Aidez-la.

— Je ne suis peut-être pas compatible non plus, murmura-t-elle. Vous y avez pensé ?

— Vous l'avez adoptée ?

— Mon Dieu, non ! C'est ma fille.

— Alors venez. Prenez le premier avion pour New York.

— Vous rendez-vous compte de ce que vous me demandez ? Je ne peux pas. J'ai perdu un pied. Je suis invalide, vous m'entendez ? J'arrive à peine à me déplacer chez moi.

— Demandez à votre mari de vous accompagner. Il y a des fauteuils roulants à l'aéroport et Lily paiera tout.

— Je croyais qu'elle était inconsciente, en réanimation.

DiAngelo se frotta le front.

— Je croyais que vous n'étiez pas au courant de son état, madame Quinn... Peu importe. Faites-moi confiance, je m'occupe de tout. Vous voyagerez en première classe, vous descendrez dans un cinq étoiles, et vous aurez tout ce dont vous aurez besoin.

— Je ne peux pas venir. C'est impossible. Il faut que j'y réfléchisse.

— Vous y réfléchirez dans l'avion. Votre fille n'a plus que quelques jours à vivre. Ce n'est pas dans cinq jours ni dans une semaine ni même demain qu'elle aura besoin de vous. Non, c'était hier. Je vous en prie, venez.

DiAngelo réfléchit, cherchant ce qu'il pourrait ajouter pour la convaincre.

— Je sais que vous êtes malade. Que la vie ne vous a pas fait de cadeau. Que vous êtes dépressive, malheureuse, et que vous avez beaucoup de mal à vous déplacer. Mais vous êtes le seul espoir qu'il reste à votre fille. Si j'avais eu le choix, je ne vous aurais pas dérangée, je sais que

651

vous avez déjà suffisamment de problèmes de votre côté...

— Que voulez-vous insinuer ? Je vais très bien, je suis juste un peu gênée par mon pied...

— Bien sûr. Excusez-moi.

— Donnez-moi votre numéro. Je vous rappelle dans dix minutes.

Elle rappela une heure plus tard. DiAngelo n'avait pas quitté son bureau.

— Je viendrai, mais à une condition, annonça-t-elle.

— Je vous écoute.

Il était prêt à lui promettre la moitié de l'argent de Lily si elle l'avait demandé.

— Pas un mot sur cette conversation à qui que ce soit.

— Je vous le promets.

— Leur moelle était incompatible, point final. La mienne le sera peut-être aussi. C'est simple.

— Très simple.

Il l'entendait à peine, tellement elle parlait bas.

— Jusqu'à votre coup de fil, j'ignorais que Lily n'était pas de mon mari. Elle aurait très bien pu l'être, non ?

— Absolument ! Vous avez quatre merveilleux enfants. Vous pouvez être fière.

— Ils n'aiment pas leur mère, mais je suis fière d'eux. Et je les aime *tous*.

— Le temps nous est compté, madame Quinn. Votre billet et celui de votre mari vous attendront au comptoir d'United Airlines, pour le vol de vingt heures, ce soir. Je vous réserve également une chambre au *Pierre*, sur la Cinquième

Avenue. C'est un excellent hôtel, situé à quelques blocs à peine de l'hôpital. Demandez-moi quand vous serez à la réception et n'hésitez pas à réclamer un fauteuil roulant.

— Je vous en prie, docteur. Je suis amputée d'un pied, pas handicapée.

DiAngelo régla toutes ces questions avec l'aide de Spencer qui utilisa la carte American Express de Lily pour payer les billets d'avion et l'hôtel.

— Pourtant je croyais que c'était avec les frères et sœurs qu'on avait le plus de chances de compatibilité, remarqua ce dernier, avec sa perspicacité habituelle.

Pris au dépourvu, DiAngelo détourna les yeux.

— Pas cette fois-ci.

Spencer comprit en un éclair et se laissa tomber sur un siège.

— Sainte Vierge ! Il ne manquait plus que ça ! Elle survivra peut-être à la greffe mais ça, ça risque de l'achever !

— Ne vous inquiétez pas, inspecteur. Vous n'imaginez pas ce que l'être humain peut encaisser.

— Docteur, promettez-moi que cela ne sortira pas de cette pièce.

— Je vous le promets.

— Je n'ai pas eu à vous pousser beaucoup pour vous faire cracher le morceau.

— Inspecteur, ce n'est pas tous les jours que je subis l'interrogatoire d'un fin limier.

— Vous appelez ça un interrogatoire ! dit Spencer avec un sourire. Pas un mot à quiconque.

— Ne vous inquiétez pas.

Ils se serrèrent la main.

— La mère le savait, j'imagine ?

— Vous croyez qu'on devrait lui casser la figure après la greffe ?

— Vous, non. Mais moi je n'ai pas prêté le serment d'Hippocrate. Je mettrai peut-être quelque chose dans son verre. Pourquoi pas de l'arsenic ?

Lily aurait pu peindre ce tableau. Le mari et la femme arrivant à l'aéroport. Elle avait refusé le fauteuil roulant et se tenait à la rampe du tapis roulant. Son mari lui avait passé un bras autour de la taille pour l'aider à l'arrivée. Et de l'autre côté des bagages, leurs deux filles et leur fils les attendaient, serrés les uns contre les autres, pour les conduire à l'hôpital où leur benjamine se mourait.

77

Woolman Rink

Un médecin venait régulièrement débrancher l'assistance respiratoire quelques minutes, afin de voir si Lily pouvait respirer seule. Elle en profitait pour parler à Spencer.

— Tu sais ce que je crois pour Emmy ?

— Non.

— Je crois qu'elle a fui les deux.

— Vraiment ?

— Oui, elle en avait assez ! Ras le bol ! Et elle ne savait pas comment s'en sortir. Elle ne voyait pas comment ménager Andrew ni comment se débarrasser de Milo. Il était tellement dépendant d'elle, surtout après ce qui s'était passé. Et elle ne voulait plus en entendre parler. Elle ne voulait pas faire de mal à Andrew. Je pense qu'elle l'aimait. Je sais que tu en doutes mais j'en suis convaincue. Et je suis sûre qu'elle est partie pour le sauver, parce qu'elle ne voyait pas d'autre solution. Elle a disparu de la même manière que Hobbit. Elle a pris une nouvelle identité et recommencé sa vie ailleurs. Et peut-être espère-t-elle que mon frère la retrouvera un jour.

Spencer ne dit rien.

— Qu'en penses-tu ?

Il lui pressa la main.

— Tu as peut-être raison.

— Tu te souviens d'Oliver et de Jenny ?

— Oui.

— Qui te fait le plus de peine ? Lui assis devant la patinoire ou elle.

— Elle, Arlequin. J'ai seulement de la peine pour elle.

— Moi, c'est pour lui, murmura-t-elle sans lui lâcher la main.

DiAngelo dut lui faire des transfusions massives puis lui injecter d'énormes quantités de médicaments pour faire de la place à la nouvelle moelle.

La moelle d'Allison présentait une compatibilité tissulaire de cinq marqueurs sur six. Il lui avait donc prélevé sous anesthésie la quantité nécessaire et l'avait injectée à Lily, par sa perfusion, sans même l'endormir.

Ensuite ils attendirent.

Son corps allait-il rejeter cette greffe ? L'accepter ? Allait-il se régénérer à l'instar d'une étoile de mer ?

Ses signes vitaux faiblissaient, son sang, épais comme de la mélasse, circulait de moins en moins vite, son cœur ralentissait, il ne battait plus qu'à quarante pulsations par minute.

Trente...

Vingt...

Dix-neuf...

Dix-huit...

Dix-sept...

Seize...

Quinze...

Quatorze...

Treize...

Douze...

Onze...

Dix...

On lui fit un choc électrique à dix.

Vingt...

Quinze...

Nouveau choc électrique.

Sept...

Six...

Autre choc électrique.

Cinq...

Quatre... Un battement toutes les quinze secondes.

Toutes les vingt secondes...

Toutes les trente secondes...

Encore un.

Je n'ai pas assez peint, je n'ai pas assez dansé, je n'ai pas assez aimé.

Spencer !

Elle crut entendre chanter, tout près d'elle, une voix si familière, si aimée, si désespérément désirée. Lily crut ouvrir les yeux et vit sa mère assise sur son lit qui lui tenait les mains. Sa mère habillée, coiffée, maquillée et sobre. Ses yeux brillaient mais elle semblait aussi forte et belle que dans sa jeunesse et elle souriait.

— Chut, chut, ma Lily, mon bébé, ma petite fille chérie, tout va bien aller maintenant. Tout va bien aller.

Lily sourit et les yeux clos, elle entendit sa mère chanter une douce berceuse de son enfance.

> *... When you wake, you shall have*
> *All the Pretty Little Horses* [1] *...*

---

1. ... Quand tu te réveilleras, tu auras
   Tous les jolis petits chevaux... *(N.d.T.)*

78

Non à l'acharnement thérapeutique

— Nous n'arrivons pas à la stabiliser, annonça DiAngelo, à la famille de Lily qui se trouvait dans la salle d'attente.

Il y avait ses parents, sa grand-mère Anne et Amanda. Et dans un coin, à l'écart, Spencer. Andrew n'était pas venu.

Anne s'avança. DiAngelo se raidit.

— Que va-t-il se passer ?

— Elle fait un arrêt cardiaque presque toutes les heures. Son pouls est descendu en dessous de vingt. Il faut constamment la ranimer. Elle est sous oxygène, sous perfusion et sous antibiotiques. Son organisme semble avoir bien accepté la greffe, mais ses organes ne réagissent pas correctement, de sorte qu'elle ne fabrique ni nouvelles plaquettes ni globules blancs. Il lui faut des transfusions toutes les quatre heures. Son foie fonctionne au ralenti, ses poumons nécessitent une assistance, son cœur aussi. Nous n'arrivons à la stabiliser que par la dialyse, les transfusions et les chocs électriques.

— J'ai plutôt l'impression que vous la déstabilisez, dit Anne.

Allison s'avança à son tour, les poings crispés. Malgré sa peau prématurément flétrie par l'alcool, ses yeux injectés de sang et son visage bouffi, on voyait qu'elle avait été une très jolie femme. Le prélèvement de moelle avait fini de l'épuiser. Il la trouva très courageuse de rester debout.

— Que faut-il faire, à votre avis, docteur ?

— Continuer. Je voulais juste vous tenir informés.

— Quel est son pronostic ? demanda Allison en s'accrochant au bras de George.

DiAngelo jeta un regard vers Spencer.

— Sombre.

Anne lui tapota doucement le dos.

— Vous avez fait tout ce que vous pouviez, docteur. Vraiment. Ça fait maintenant deux semaines qu'elle est dans le coma.

— Oui.

— Vous ne croyez pas qu'elle a suffisamment souffert ?

— Non.

Anne soupira. Allison fronça les sourcils. Claudia leva les yeux au ciel. Amanda passa un bras autour des épaules de sa grand-mère et ne s'en mêla pas. George, fidèle à lui-même, ne s'en mêla pas non plus.

— Je vous tiendrai au courant de ses progrès, déclara DiAngelo d'un ton sec.

— Il n'y aura pas de progrès ! Deux semaines de coma ! C'est un légume, nous ne savons même pas si son cerveau est encore actif.

DiAngelo était prêt au combat, il le souhaitait même.

— Si, je vous rassure. On lui a fait un EEG hier. Elle tient le coup.

— Son cœur cesserait de battre si vous arrêtiez de lui faire ces horribles chocs électriques !

— Serait-ce ce que vous souhaitez ?

— J'aimerais qu'elle trouve enfin la paix, pour l'amour du ciel !

— Chut ! tentèrent de la calmer ses parents.

— Que voulez-vous insinuer exactement, madame Ramen ?

— J'affirme, je n'insinue pas, que ça fait un an que nous supportons ce calvaire ! Un an que vous vous battez contre l'inévitable. Et le seul à en tirer bénéfice, c'est vous ! Sa famille vit dans la douleur depuis des mois, elle souffre depuis des mois, alors que son combat est perdu d'avance.

DiAngelo prit la fiche de Lily.

— Regardez, il est écrit ici de sa main qu'elle souhaite être maintenue en vie par tous les moyens possibles. Et c'est signé Lily Quinn. Et elle était majeure et saine d'esprit quand elle a apposé sa signature.

Anne s'approcha, lui arracha la feuille et, avant qu'il n'ait pu faire un geste, la déchira.

— Voilà ce que je fais de votre papier, cria-t-elle en lui jetant les morceaux à la figure. Vous auriez dû nous avertir dès le début que c'était un cancer incurable. Je me suis renseignée, personne n'en réchappe. Cette greffe de moelle, c'est la goutte d'eau qui fait déborder le vase ! Lily était dans le coma avant même la transfusion. Son corps a abandonné. J'irai jusqu'au procès, si nécessaire, avec le soutien total de ma famille, pour qu'on lui accorde le repos qu'elle mérite.

— Pour qu'elle meure, voulez-vous dire ?

— Pour qu'elle arrête de souffrir ! Mais vous ne comprenez donc rien, bon sang !

— Calme-toi, Annie, je t'en prie, tenta d'intervenir Allison.

— Maman, dis-lui, toi. Tu es sa mère. Elle n'a pas de mari pour veiller sur elle. Dis-lui que tu ne veux pas qu'on la garde artificiellement en vie, dis-lui que tu veux qu'on la laisse tranquille, qu'elle arrête de souffrir, dis-lui, maman !

— Je n'ai pas fait onze mille kilomètres ni donné ma moelle pour qu'on débranche son respirateur ! se rebiffa Allison.

Spencer sortit alors de sa réserve.

— Madame Ramen, il ne s'agit pas d'alléger les souffrances de sa famille. Il s'agit de Lily. Elle a voulu qu'on la garde en vie et on la gardera en vie.

— Oh, vous, fermez-la ! Personne ne vous a rien demandé. Comment pouvez-vous avoir le culot de vous présenter ici ?

— Il m'arrive souvent d'aller dans des endroits où ma présence n'est pas souhaitée.

— Et votre présence est ardemment souhaitée par Lily, renchérit DiAngelo. Vous êtes le premier qu'elle réclame chaque fois qu'elle reprend conscience.

— Eh bien, il pourrait avoir la décence d'attendre ailleurs, lâcha à son tour Amanda, révélant ainsi l'estime en laquelle elle le tenait.

Claudia, tête basse, ne dit rien.

— Il a parfaitement le droit d'être ici, déclara DiAngelo. Et je me demande pourquoi vous êtes venue, madame Ramen. Vous seriez bien mieux chez vous.

— Je ne partirai que lorsque vous aurez accordé à ma sœur le repos qu'elle mérite.

— Votre sœur a bien insisté afin que tout soit tenté pour la maintenir en vie. Allez dépenser votre argent en procès contre l'hôpital si vous le souhaitez. Vous serez ruinée avant nous.

— Évidemment, avec les millions de dollars que vous gagnez sur le dos de ma sœur !

— Pour la garder en vie.

— Des millions de dollars ! hurla Anne. Alors que vous savez qu'elle n'a aucune chance de s'en tirer ! Elle peut survivre vingt ans avec votre foutue dialyse, pendant que vous irez jouer au golf, que vous boirez le champagne et que vous paierez les traites de votre luxueuse demeure avec son fric. Je vous poursuivrai en justice, salaud, et je gagnerai...

— Anne, calme-toi, tu ne gagneras pas, intervint alors son père. Il s'agit de ta sœur, pour l'amour du ciel !

Mais en disant cela, c'est DiAngelo qu'il regardait, comme si c'était lui qu'il suppliait d'arrêter.

DiAngelo se dirigeait déjà vers la porte lorsqu'il se ravisa.

— Il y a un détail que j'ai complètement oublié de vous préciser, et qui vous aidera peut-être...

Il jeta un regard à Spencer qui, derrière la

famille de Lily, secoua la tête avec véhémence. Mais rien ne put arrêter le bon docteur.

— Votre sollicitude pour votre sœur est admirable. Et vous êtes si proche d'elle, vous devez sans doute savoir qu'en cas de décès, si jamais nous laissions son cœur s'arrêter comme vous le souhaitez, la totalité de l'argent qui lui reste irait à l'inspecteur O'Malley.

Le silence de plomb qui tomba sur la pièce dépassa tout ce qu'il espérait.

— C'est impossible, murmura Anne d'une voix atone.

— Ah bon ? Il se trouve que Lily a rédigé un testament, madame Raven, par lequel elle lègue tout à l'inspecteur. N'est-ce pas, monsieur l'inspecteur ?

Spencer hocha la tête en se raclant la gorge.

— Voilà, vous savez tout, conclut DiAngelo en repartant vers les doubles portes de l'unité de soins intensifs. Si nous laissons Lily mourir, ce sera cet homme que vous détestez qui empochera son argent. Quelle ironie ! Enfin, s'il s'agit d'abréger les souffrances de votre sœur, nous pourrons en reparler après ma visite du soir... En attendant, je vous souhaite une bonne journée.

Spencer, encore sous le choc, décida de sortir fumer une cigarette. C'était un moment idéal pour se mettre à fumer. C'était ça ou...

Il entendit Anne l'appeler.

Il se retourna à regret.

— Espèce de salaud ! Ça ne vous suffit pas d'avoir ruiné la vie de mon frère, il faut en plus que vous nous priviez de l'argent de notre sœur !

664

Vous croyez que nous allons vous laisser faire ? Vous n'êtes pas marié avec elle, vous ne vivez même pas avec elle, vous n'avez aucun droit à cet argent !

— Certainement, répondit-il d'une voix lasse.

— Vous allez passer le reste de vos jours en prison, je vous le garantis. Je vous poursuivrai, sale escroc, jusqu'à mon dernier souffle. Et je vous reprendrai jusqu'au dernier *cent*, quitte à y laisser ma vie !

— Inutile de me menacer. Votre sœur n'est pas morte. (Il se retint d'ajouter « encore ».)

Il se rua dehors, remonta la 66e Rue jusqu'à Central Park, marcha jusqu'au Woolman Rink et monta s'asseoir sur les gradins bleus. Il faisait chaud en ce jour humide de septembre. Il retira sa veste et regarda sans la voir la patinoire sans glace.

Lily, pria-t-il. J'ai perdu ma jeune femme enceinte à vingt-trois ans et je ne m'en suis jamais complètement remis. À trente ans, je suis tombé amoureux d'une autre jeune femme qui est morte, elle aussi, assassinée. Et maintenant c'est toi. On dirait que je n'ai vraiment pas de chance avec les femmes que j'aime. Je t'en prie. Ne meurs pas, ne m'abandonne pas toi aussi, Lily.

Il resta assis un long moment. Il pensa revenir. Peut-être y avait-il du nouveau. Mais DiAngelo connaissait son numéro de bipeur. Il l'aurait appelé.

Son téléphone sonna au même moment. Il décrocha.

C'était Gabe.

— O'Malley ! Ramène-toi vite fait au Réservoir. Putain, tu vas pas le croire ! On l'a retrouvée.

Spencer mit quelques secondes à comprendre de qui il parlait.

— Un type vient de nous appeler. Son chien aurait déterré des restes humains. Je suis prêt à parier un mois de salaire que c'est la fille McFadden. Grouille-toi. C'est au niveau de la 87ᵉ Rue, au bord de l'allée cavalière.

79

Emmy

Le chien avait déterré le cadavre dans l'une des parties les plus denses et les plus reculées de Central Park, à quelques mètres de la piste cavalière, très peu fréquentée par les piétons ou les joggeurs. Il pleuvait depuis plusieurs jours, les os étaient remontés à la surface et c'était un pur hasard si le maître du chien s'était aventuré dans ces parages. On découvrit, outre le squelette, un jogging, un soutien-gorge, des tennis et une paire de boucles d'oreilles en diamants.

L'équipe médico-légale mit huit heures à établir avec certitude que les dents correspondaient au dossier dentaire d'Emmy McFadden.

Sa mère pleura comme si Emmy était morte la veille ; sa disparition remontait déjà à seize mois.

Andrew avait donné rendez-vous à Miera au 57/57. Il était installé dans le fond, près d'une fenêtre, le dos au bar, un verre à la main. Sa femme, assise en face de lui, en tailleur strict, bien coiffée mais plus décolorée, avait refusé de boire quoi que ce soit. Ils se taisaient.

— Comment vont les filles ? finit par demander Andrew.

— Très bien.

— Pas de problèmes ?

— Non, tout va bien. Ne t'inquiète pas, il ne viendra pas chez nous, Andrew. C'est un clochard et un drogué sans le sou. Comment pourrait-il se payer le train jusqu'à Port Jefferson ?

— Il finira par trouver un moyen. Ne laisse jamais la maison sans surveillance, Miera, ajouta-t-il avec un regard vers leurs gardes du corps qui attendaient debout, près du bar, sans les quitter des yeux.

— Nous vivons sous une garde prétorienne. Et pourquoi viendrait-il chez nous alors que tu es ici ?

— Justement, c'est pour le détourner de la maison que je suis parti.

— Ne raconte pas d'histoires. Ça fait déjà un mois. Tu ne reviendras pas, n'est-ce pas ?

Andrew laissa passer un long moment pendant lequel on n'entendit que les bruits du bar et les allées et venues des serveurs.

— Non, Miera.

— Andrew...

— Je t'en prie. Je ne peux pas. Pas pour le moment. C'est plus fort que moi.

Elle fit mine de se lever, comme si elle en avait assez entendu puis se laissa retomber sur son fauteuil. Le serveur se précipita.

— Non ! Merci. Je ne veux rien.

Elle se pencha vers Andrew.

— Tu ne veux pas revenir ? Très bien. Alors

veux-tu que j'appelle notre avocat ? Qu'on fasse les papiers ?

— Ce serait parfait, répondit-il du même ton qu'il aurait dit : « Oui, je prendrais volontiers une olive dans mon martini. »

— Je n'arrive pas à croire que tu aies démissionné du Congrès.

— Eh si !

Elle tripota nerveusement son sac, les boutons de sa veste de tailleur, ses cheveux. Andrew, assis de profil, ne s'était pas tourné une seule fois vers elle.

— On a retrouvé la fille, reprit-elle.

Il resta muet.

— Andrew...

— Je t'en prie.

— Une fois que je serai partie d'ici, tout sera terminé entre nous, mais, avant, je voudrais te poser une dernière question. Je ne te demanderai plus rien...

Elle dut faire un effort pour continuer.

— Il y a un an, un vendredi soir, je n'arrivais pas à dormir, je suis descendue te chercher. Et quand j'ai poussé la porte de ton bureau, tu ne m'as pas entendue. Tu étais assis dans ton fauteuil, et tu sanglotais si fort que tes épaules tremblaient... J'ai cru qu'un malheur était arrivé à quelqu'un de la famille. Je t'ai appelé, tu n'as pas entendu et soudain... Je me suis sentie de trop, indiscrète même. Je suis repartie sur la pointe des pieds et j'ai refermé doucement la porte en me disant que tu m'en parlerais le lendemain.

Mais tu ne m'as rien dit ni le lendemain ni les jours qui ont suivi.

Miera se tut et attendit. Andrew ne répondit pas.

— Tu veux bien me dire pourquoi tu pleurais maintenant ? insista-t-elle, les mains crispées sur son sac.

— Je pleurais pour elle, Miera.

— C'était la nuit du 14 mai 1999, n'est-ce pas ? continua Miera d'une voix à peine audible. Le jour de sa disparition...

Sur ces mots, elle se leva, et s'éloigna en titubant sur ses hauts talons. Un garde du corps la suivit. Les deux autres restèrent avec Andrew.

Quelques heures après le départ de Miera, Spencer se présenta à son tour au *57/57*. Il ne savait pas pourquoi il n'avait pas amené Gabe avec lui, ni pourquoi il tenait à parler à Andrew Quinn seul à seul.

Il gardait sur lui depuis trois semaines une lettre reçue de Liz Monroe. *Suite à l'enquête approfondie menée par les Affaires internes concernant les allégations portées contre Spencer Patrick O'Malley, aucun élément n'a pu être retenu contre lui, que ce soit dans le cadre de sa vie privée ou l'exercice de sa profession. La plainte pour faute professionnelle grave a donc été rejetée sans appel.*

Spencer s'approcha du bar. L'un des gardes du corps lui dit que le député n'avait pas bougé de cette table de la journée, comme s'il attendait quelqu'un.

— Merci, je vais aller lui parler.

— Voulez-vous boire quelque chose, inspecteur ?

— Oui, un Coca.

Avec son verre à la main, Spencer alla s'asseoir en face d'Andrew.

— Vous voilà enfin, inspecteur. Je suis surpris qu'il vous ait fallu si longtemps.

Spencer but une gorgée sans rien dire. Il serra le verre entre ses deux mains.

— Voulez-vous boire quelque chose ?

— Non, j'ai déjà assez bu. Comment va ma sœur ?

— Toujours pareil.

Andrew poussa un soupir de tristesse.

— J'ai réfléchi à certaines choses, reprit Spencer. À nos conversations, à ce que je sais, ce que je devine, j'essaie d'assembler les pièces du puzzle et j'ai l'impression qu'il m'en manque toujours...

— Et où vous ont mené toutes ces réflexions ?

— Certaines choses que vous m'avez dites me sont revenues sous un jour différent depuis notre dernière entrevue. Par exemple, quand je vous ai demandé si vous connaissiez Emmy en 1992, vous m'avez répondu, non, moi, je ne la connaissais pas, comme si vous saviez qu'elle, elle vous connaissait. Et ce n'est qu'après que je l'ai compris.

— Je me présentais au Congrès. Bien sûr qu'elle me connaissait !

Spencer s'éclaircit la voix.

— Bill Bryant vous a appelé ? Il vous a dit que nous avions rencontré sa femme, Lily et moi ?

— Oui, il m'a prévenu. C'est une des raisons pour lesquelles je suis parti de chez moi. Et je vous attends depuis ce jour-là. Je pensais vous voir plus tôt.

— Votre sœur n'allait pas très bien. J'étais très pris.

— Oui.

— J'ai pensé que cela vous intéresserait sans doute de connaître les premières conclusions du coroner.

— Je vous écoute, dit Andrew d'une voix éteinte.

— Le coroner a trouvé à l'arrière de son crâne la marque d'un choc violent comme si on l'avait cognée contre un objet résistant. Peut-être a-t-elle été assommée contre l'arbre sous lequel elle a été enterrée... Il n'y a pas d'autre blessure. Peut-être a-t-elle été étouffée. Ses vertèbres cervicales et son cou sont intacts. Son crâne, en dehors de la fracture de sept centimètres dans la zone du traumatisme, est intact. Et le reste de son squelette est intact.

Spencer se tut, comme pour laisser à Andrew une occasion de parler, mais devant son expression fermée, il poursuivit.

— Comme il ne reste plus de chair sur les os, le coroner ne peut que supputer les causes de sa mort. Savez-vous ce qui est le plus angoissant ? Il ne rejette pas l'éventualité qu'elle ait été enterrée vivante. Oui, elle pourrait avoir été

672

assommée puis enterrée vivante sous le chêne. On ne le saura jamais.

Andrew redressa les épaules comme s'il faisait un effort pour se reprendre.

— Elle ne peut pas avoir été enterrée vivante.

— Non ? dit Spencer, d'un ton détaché, avant de boire une gorgée de Coca.

— Monsieur l'inspecteur...

— Monsieur le député...

— Plus maintenant. Juste M. Quinn. Ou Andrew.

— Andrew, pourquoi aviez-vous besoin d'un alibi ? Vous avez de la chance d'avoir un ami comme le conseiller. Ils sont rares. Mais pourquoi vous fallait-il un alibi pour ces heures-là. Vous étiez avec elle, n'est-ce pas ?

— Elle n'a pas été enterrée vivante, vous m'entendez ?

— Je vous entends.

— Elle m'a appelé le jeudi 13 mai. Je n'avais plus aucunes nouvelles d'elle depuis quatre semaines. Elle m'a demandé de la retrouver. Pas ici, comme d'habitude, mais dans Central Park, dans les bois, derrière la piste cavalière. J'étais perdu sans elle. Je me suis rendu là-bas comme un homme qui revient à la vie, ajouta-t-il sans regarder Spencer. J'étais si heureux de la revoir. Je lui ai demandé pourquoi elle me donnait rendez-vous là-bas et pas à notre hôtel, et elle m'a dit qu'elle voulait me dire certaines choses qui risquaient de me fâcher et qu'elle ne voulait pas que je m'énerve en public. Et vous savez ce que j'ai répondu ? « Rien de ce que tu me diras ne pourra jamais me fâcher, Emmy. Je suis si content que tu m'appelles. Si content de te voir. Tu ne peux pas imaginer à quel point tu m'as manqué. »

« Et c'est là, dans les bois, le lendemain, qu'Emmy m'a annoncé qu'elle avait voté contre moi en 1992. Dans ces bois qu'elle m'a parlé d'elle et de Benjamin Abrams, d'elle et de Milo. Elle l'aimait. Et elle n'était entrée dans ma vie que pour l'aider à me tuer. Et savez-vous comment j'ai réagi ? Je ne l'ai pas crue ! J'ai crié : « C'est absurde, Emmy ! Si c'est une manœuvre pour te débarrasser de moi, c'est raté. » Mais elle m'a répondu que ce n'était pas une manœuvre. Qu'elle n'avait jamais eu l'intention de me le dire mais que Milo était sorti de prison et la poussait à passer à l'action et qu'elle ne voulait plus. Elle m'avouait tout cela pour me mettre en garde. Milo était bien décidé, cette fois, à ne pas me rater.

Andrew prit une profonde inspiration et se tut.

— Savez-vous ce qui m'a fait tiquer, inspecteur ? reprit-il enfin. Ce qui m'a poussé à la croire ? C'est quand elle a dit « cette fois ». Comment ça, cette fois ? me suis-je écrié.

« Elle m'a alors avoué que c'était Milo qui avait tiré sur ma voiture et manqué de peu ma femme et mes filles. Et c'est cette volonté de faire du mal à ma famille qui m'a révolté. Emmy savait que nous sortions ce soir-là. Elle l'avait donc répété à Milo. Et c'est ce qui m'a fait comprendre qu'elle disait la vérité.

Spencer ne réagit pas. Andrew continua.

— Inspecteur, toute ma famille se trouvait en danger ! Je n'avais pas de secrets pour elle ! Depuis des années, je lui confiais les secrets les plus intimes sur ma femme, mes filles, ma sœur. Et pendant ce temps, eux nous traquaient. J'ai hurlé « Emmy, Emmy, tu ne sais donc pas que je t'aime ? » Elle a dit qu'elle le savait. Que c'était pour ça qu'elle était venue me prévenir... J'ai perdu la tête. J'aurais compris qu'ils s'en prennent à moi. Mais pas à ma famille. « Ma femme, mes enfants, Lily, qu'est-ce que c'était pour eux, des dommages collatéraux ? » ai-je demandé. Et vous savez ce qu'elle a répondu ? « Même pas. Juste un moyen de t'atteindre, Andrew. La mère de Ben est morte, Milo est un mort-vivant. Mais ta femme, tes enfants, Lily, sont vivants, eux. » Andrew baissa la tête. J'ai dû me jeter sur elle. Je ne me souviens plus très bien. J'ai perdu la tête. Et je l'ai secouée, martelée, cognée contre l'arbre derrière elle, c'est comme ça que j'ai dû lui briser le crâne. Et quand elle s'est effondrée sur le sol, je l'ai recouverte à la hâte de feuilles et je suis parti. Je ne l'ai pas enterrée, je n'ai pas vérifié si elle respirait. Elle est juste tombée, et j'ai jeté sur elle ce que j'ai trouvé, des feuilles, de la terre... et je suis parti. C'est tout. Je me suis lavé les mains dans le lac de Central Park, je me suis époussété, j'ai enlevé les feuilles mortes collées à mes chaussures. Il pleuvait depuis plusieurs jours, la terre était détrempée. J'avais les semelles pleines de boue, je les ai rincées aussi dans le lac, ensuite j'ai suivi l'allée goudronnée jusqu'à la 57e Rue, et je suis resté assis dans ce bar pendant quatre heures avant de rentrer enfin chez moi.

Le verre de Spencer était vide depuis longtemps. Il mourait de soif.

— Ce qu'elle m'avait dit était diabolique. Pendant que je rêvais d'elle, elle rêvait de tuer mes enfants, de me faire payer des choses dont je n'étais pas directement responsable. Tout ça pour je ne sais quelle idéologie de merde ! Elle m'avait séduit par sa drôlerie, sa gentillesse. J'avais trompé ma femme pour un leurre, et elle, pendant ce temps-là, me trahissait. Elle m'a juré qu'elle avait changé, que ses sentiments envers moi avaient changé, mais elle avait tout détruit en me révélant quelle perfidie et quelle cruauté se cachaient derrière son visage d'ange.

Spencer commanda un autre Coca et le vida d'une traite. Il tripota les menottes dans sa poche, tâta son revolver, son enregistreur qui tournait.

Ils restèrent assis un long moment côte à côte. La nuit tomba. La cassette s'était depuis longtemps arrêtée.

— L'instruction débutera dans dix jours, murmura Spencer en se levant. Le coroner a décidé qu'il s'agissait d'un homicide volontaire en raison du traumatisme crânien. Vous serez sans doute interrogé.

— Je ne comprends pas.

— Je dois rentrer maintenant. Je vous suggère d'en faire autant.

— La justice est lancée ? demanda Andrew en levant la tête vers lui.

Spencer sortit son enregistreur, en retira la cassette et la lui tendit.

— Oui, mais pas par moi. Moi, je vous absous. À cause de Lily. Vous comprenez pourquoi...

80

Sur l'autre rive

Le concierge dit plus tard qu'il avait cru que cette odeur fétide venait d'un rat crevé. Puis quand c'était devenu irrespirable dans l'entrée de l'immeuble, il avait fini par ouvrir les portes coupe-feu pour aller jusqu'au petit réduit, au bout du couloir. Et là l'odeur était si forte qu'il avait vomi avant de pouvoir appeler la police. Une puanteur telle qu'on se serait cru dans un charnier. Les policiers équipés de masques à gaz avaient découvert qu'elle provenait d'un corps en décomposition. Milo devait avoir trouvé juste la force de se terrer dans ce placard avant de mourir et de se faire dévorer par les rats.

Deux voitures de police, trois ambulances et un camion de pompiers étaient arrêtés sur Palissade Parkway, au nord du pont Washington en direction de Bear Mountain. Ce côté de l'autoroute avait été fermé à la circulation. Spencer se gara. Gabe et lui descendirent et s'approchèrent avec prudence du bord de la falaise qui surplombait l'Hudson. Ils s'arrêtèrent à une vingtaine de pas de l'épave qui venait d'être sortie de l'eau, le temps que leurs yeux s'accoutument à l'obscurité. Puis ils s'approchèrent en essayant de voir l'état de la voiture et si quelqu'un se trouvait à l'intérieur.

Spencer, après des années passées à patrouiller sur le Long Island Expressway le samedi soir, pouvait dire à la seule vue d'une voiture accidentée non seulement dans quel état devaient se trouver ses occupants mais aussi quelles blessures ils avaient. Gabe, qui n'avait jamais quitté New York, ne lui serait d'aucune aide dans ce domaine, comme il le confirma par un sifflement de stupéfaction suivi d'un « Merde alors ! ».

Spencer reconnut la voiture. Une décapotable Mercedes 500 SL. Il détestait les décapotables. Il aurait aimé pouvoir donner un cours de physique à tous les idiots qui trouvaient sympa de foncer à cent cinquante kilomètres-heure, les cheveux au vent. Et celle-là devait largement dépasser cette vitesse quand elle avait percuté le rail de béton central, rebondi d'un côté à l'autre de la voie avant de faire un tonneau, deux tonneaux, et de glisser sur le toit jusqu'au bord de la falaise d'où elle avait piqué dans l'eau. On avait du mal à imaginer qu'une carrosserie avait entouré les sièges en cuir, et qu'il y avait eu un pare-brise ou même un tableau de bord. Si le pare-brise protégeait efficacement le conducteur du vent, il n'offrait guère de résistance contre les lois de la physique. Le plus souvent le conducteur était un homme. Les femmes avaient tendance à préférer des tanks comme les Volvo, et à conduire plus lentement, comme si elles n'oubliaient jamais les enfants qu'elles avaient laissés à la maison, même lorsque le délicieux air de la nuit soulevait leurs cheveux.

Spencer et Gabe contemplèrent l'épave en silence comme s'ils essayaient d'assimiler ce qu'ils voyaient. Tout inexpérimenté qu'il était, Gabe remarquerait peut-être une anomalie.

— Hé ! s'écria-t-il. Il n'y a pas de conducteur. Tu crois qu'il y avait des occupants ?

— Gabe ! Ce n'est pas une voiture téléguidée. Bien sûr qu'il y en avait.

C'était un cabriolet deux places. Et elles étaient vides.

— Alors où sont-ils ?

Spencer regarda autour de lui. Il faisait nuit noire en dehors des gyrophares des voitures de police, des projecteurs qui illuminaient l'épave, et des phares des voitures qui passaient au-dessus d'eux, sur l'autre voie de l'autoroute.

Mais une chose était claire : il n'y avait pas de conducteur et la voiture était irrécupérable.

— Pourquoi m'as-tu amené ici ? bougonna Gabe. Pourquoi t'intéresses-tu à cette voiture ?

— Tout simplement, monsieur l'inspecteur de la criminelle, parce qu'il s'agit de la Mercedes d'Andrew Quinn.

On ne retrouva pas Andrew.

Le passé en prologue

— Vous avez vu ça, Spencer ?

— Oui, Katie.

— Ses investissements sont montés en flèche. C'est incroyable ! Son capital s'est accru de trente-quatre pour cent en un an.

— Joy, si nous allions déjeuner ?

— Arrête de me regarder comme ça, Larry. Je sais ce que tu entends par déjeuner. Je n'ai pas le temps. Je tricote.

— Vous avez lu le journal ce matin ? En Éthiopie, on a jeté une grenade sur un mariage. La mariée et trois autres personnes ont été tuées.

— Maman, je t'en prie !

— Quoi ! Il paraît que c'est une coutume là-bas de tirer des coups de feu aux mariages, en signe de joie. Mais les grenades, c'est plus rare.

— Il faut excuser ma mère, inspecteur O'Malley.

— Non, je la trouve plutôt amusante, madame Quinn.

— Madame Quinn, comment vous sentez-vous ?

— Ça pourrait aller mieux, docteur DiAngelo. Je suis épuisée. Et je voulais vous montrer ça.

Un silence. Un bruit de semelles qui crissent sur le lino.

— Qu'en pensez-vous ? C'est bizarre, non, cette rougeur ?

— Allie, tu ne pourrais pas te dispenser de montrer tes maladies alors que la police est dans la pièce.

— L'inspecteur O'Malley en a vu d'autres, maman. N'est-ce pas, inspecteur ?

— J'ai vu bien pire. Et je vous en prie, appelez-moi Spencer.

— Oh, Allie, tu exagères ! Ce n'est rien du tout.

— Alors, toi, tu as le droit de parler de tes mariées qui explosent, mais moi je ne peux pas montrer mon petit problème au médecin ? Il est là, autant que j'en profite, n'est-ce pas, docteur DiAngelo ?

— Absolument, madame Quinn. Montrez-moi donc ça.

Un soupir, un froissement de tissu, un silence, puis un raclement de gorge.

— Qu'est-ce que c'est, docteur ?

— J'ai bien peur que ce ne soit très grave, madame Quinn.

— Oh, non, qu'est-ce que c'est, docteur ?

— Je ne suis pas certain... mais je crains que ce ne soit un furoncle de Bagdad.

Un silence, un gloussement familier.

— Un quoi ?

— C'est provoqué par une minuscule mouche des sables qui vous inocule un parasite sous la

peau. Et ça provoque des infections très douloureuses qui peuvent durer des mois, voire des
années.

Un cri horrifié.

— Docteur, qu'est-ce que vous racontez ?
Comment une mouche du Moyen-Orient serait-
elle arrivée à New York ? C'est juste de l'irri-
tation. Rien de plus.

— Larry !

— Oui, Joy ?

— Arrête de torturer cette pauvre Allison. Et
dis-lui que tu n'es pas dermato. Allison, ne
croyez pas un mot de ce qu'il raconte. En dehors
du cancer, il n'y connaît rien. Il vous met en
boîte.

— Oh ! Vous exagérez, docteur !

Nouveaux rires.

Personne ne remarqua Lily qui venait d'ouvrir
les yeux. Elle regarda les rideaux beiges, les murs
couverts de ses tableaux, les bouquets de lys
blancs disséminés un peu partout. La fenêtre
ouverte sur le ciel bleu, sa mère et sa grand-
mère, assises d'un côté, et de l'autre, à sa gauche,
Spencer. Derrière lui, Katie, qui lisait les relevés
de compte par-dessus son épaule. À sa droite,
Joy qui tricotait un pull jaune, le docteur
DiAngelo tout près d'elle. Ce fut Spencer qui vit
le premier qu'elle était réveillée.

— Lily, je pense que ta courtière en bourse
mérite une augmentation. Pendant que tu te
refaisais une santé, elle t'a fait gagner sept cent
cinquante mille dollars !

— La Belle au bois dormant est réveillée ! s'exclama sa mère.

— Lily, enfin ! Toi qui as toujours aimé dormir, en ce moment tu te surpasses, dit sa grand-mère.

— Il était temps que tu te réveilles, tu as failli rater ton anniversaire, ajouta sa mère.

La mère et la fille se dévisagèrent un long moment.

— Tu as vu le tableau que je t'ai fait ? demanda Lily avec un geste vers la peinture à l'huile qui représentait une petite fille blonde sur les genoux d'une jeune femme brune, sur le banc d'un village.

— Oui, mais je ne vois pas qui ça peut être. Elle ne me ressemble pas du tout.

— Lily, dit Joy. Maintenant que vous êtes sortie de la chambre stérile, vous allez vite reprendre une vie normale.

— Oui, et il faut te dépêcher de te remettre sur pied parce qu'il y a deux nouveaux films de Keanu qui viennent de sortir. *Les Remplaçants* et *The Watcher*, ajouta Spencer.

— Vous pouvez nous laisser tous les deux cinq minutes, demanda Lily ?

Tout le monde s'empressa de quitter la chambre. Spencer s'assit près d'elle et posa sa tête sur son épaule pour ne pas qu'elle voie les larmes qui lui montaient aux yeux. Elle caressa ses cheveux qui repoussaient.

— Dis-moi, est-ce que j'ai raté quelque chose ?

— Non, rien, répondit-il, en caressant son visage. Tout est resté comme tu l'as laissé.

En octobre, Lily n'eut plus besoin du respirateur. Et à Thanksgiving, elle put quitter l'hôpital. Elle ne retourna jamais dans le deux-pièces qu'elle avait partagé avec Emmy. Elle alla vivre chez Spencer, le temps de trouver un appartement qui occupait tout le trente-neuvième étage d'un immeuble flambant neuf de Battery Park, tout en bas de Manhattan, au bord de l'Hudson. Il avait des plafonds de quatre mètres de haut, deux chambres, deux salles de bains, des grands placards, et une immense salle de séjour idéale pour une jeune artiste préparant sa première exposition, avec vue, à l'est, sur le soleil levant et, à l'ouest, sur le couchant. Et ce somptueux logement ne coûtait pas onze millions de dollars.

— Sans doute parce qu'il n'y a pas de moulures aux plafonds, avait plaisanté Spencer.

Un jour, Lily lui avait demandé ce qu'il aurait fait si elle était morte. Il avait éludé la question par une plaisanterie, mais plus tard, alors qu'ils étaient couchés, il était revenu sur le sujet.

— J'aurais pris ton argent, j'en aurais donné un quart à ta famille, un quart à la Fondation pour la leucémie et j'aurais pris ma retraite de la police. Je serais parti vivre en Floride, j'aurais ouvert une agence de détectives sur les côtes de Key Biscayne. Il aurait fait chaud tout le temps, j'aurais peut-être construit une maison moderne espagnole. J'aurais ainsi vécu là où tu rêvais de vivre, dans une maison qui t'aurait plu. Et j'aurais planté des palmiers pour toi, j'aurais fait du bateau pour toi, et j'aurais pensé à toi comme à ma dernière rose de l'été.

Spencer buvait moins. Ses crises s'espaçaient et il réussit même à tenir quatre mois d'affilée.

— Que demander de plus à la vie qu'une petite femme qui me fait oublier le whisky ? dit-il à Lily.

— Ça, quand on a une Lily sur les bras, on n'a plus le temps de rien faire, gloussa-t-elle.

Lily continua à se faire coiffer par Paul mais Spencer continua à lui couper les cheveux.

Pour rester avec Gabe, Spencer demanda sa mutation à la brigade criminelle. Au déjeuner de célébration, chez *McCluskey's*, Gabe assura à Lily que c'était uniquement pour avoir le plaisir de dire : « Je suis l'inspecteur O'Malley de la brigade criminelle. »

Sa grand-mère venait déjeuner tous les jeudis à midi avec elle. Ensuite, elles allaient au cinéma puis Lily la raccompagnait à Brooklyn, où Spencer passait la prendre après son travail.

Et, parfois, Lily et Spencer retournaient se garer à l'extrémité de Greenpoint pour admirer les lumières de Manhattan tout en écoutant Bruce Springsteen à la radio.

Anne avait quitté KnightRidder et trouvé un nouvel emploi comme analyste financière chez Cantor Fitzgerald. Elle avait un bureau situé dans la tour sud du World Trade Center, au cent huitième étage et, par beau temps, elle avait l'impression de voir jusqu'à Atlantic City. Le port de New York, Ellis Island, la statue de la Liberté, le pont Verrazano et l'océan s'étalaient à ses pieds.

Elle avait disposé son bureau de manière à boire son café tous les matins à huit heures et demie devant cette vue. Elle claironnait qu'elle avait commencé une nouvelle vie. Ses sœurs déjeunaient chaque lundi avec elle ; peu à peu, leurs liens se resserraient. Et un mardi sur deux, Anne conduisait Lily au Mount Sinai pour ses analyses.

George et Allison avaient vendu leur appartement de Maui. Ils étaient revenus s'installer sur le continent, en Caroline du Nord, près des Blue Ridge Mountains. Leur maison se trouvait au bord d'un lac, George avait un petit embarcadère et un bateau à rames pour aller pêcher. Il cultivait un jardin potager dix fois trop grand pour eux et distribuait ses légumes à ses voisins qui venaient l'été. Il avait acheté une télévision et une parabole qui lui permettaient de voir autant de sport et de films qu'il le souhaitait, quand il ne surfait pas sur Internet ou ne cuisinait pas pour Allison et son frère et sa belle-sœur qui habitaient non loin de chez eux. Il avait une vie bien remplie. Il ne sortait pas beaucoup. Allison non plus : elle avait découvert comment commander son gin par Internet et se le faisait livrer à domicile.

George souffrait de ne pas partager ses activités avec sa femme. Mais les tomates étaient très bonnes l'été. Et il y avait la pêche...

Larry DiAngelo avait épousé Joy. Ils avaient adopté une petite fille de Corée du Sud qu'ils avaient baptisée Lily. Joy ne travaillait plus et s'occupait de son bébé, comblée.

Jim McFadden avait quitté Jan ; elle n'avait eu d'autre choix que de se reprendre et de s'occuper de ses jumeaux. Chaque samedi, elle se rendait au cimetière de Port Jefferson et s'asseyait devant la tombe de sa fille, repérable de loin à la profusion de fleurs qui la recouvraient.

Quand Lily parlait d'Emmy, elle disait : « Elle est partie » ou « Elle a disparu. »

Quand elle avait le courage de parler d'Andrew, elle disait : « Il est parti » ou « Il a disparu. »

Début septembre 2001, Lily avait retrouvé, au fond de son placard, la petite plaque sur laquelle Emmy avait calligraphié « Quand la haine insensée mènera le monde, où résidera la rédemption ? » et l'avait offerte à Anne qui l'aimait tellement qu'elle l'avait suspendue dans son bureau, au cent huitième étage de la tour sud.

Par un de ces splendides matins new-yorkais où il faisait si beau qu'on se serait cru à Maui, Lily, au lieu de faire la grasse matinée, décida d'accompagner à pied Spencer au commissariat, avec l'intention de pousser ensuite jusqu'au Madison Square Park et profiter de cette belle lumière pour peindre le Flatiron[1]. Elle l'attendit au soleil pendant qu'il allait acheter deux cafés à

1. L'un des premiers gratte-ciel de New York, spectaculaire par sa forme triangulaire, et baptisé ainsi car il repose sur une structure en acier, une technique très moderne pour 1902, date de sa construction. *(N.d.T.)*

emporter dans un snack. Il fallait absolum(
qu'ils s'offrent une machine à café.

Ses analyses de sang étaient si bonnes que
DiAngelo les avait enfin autorisés à partir en
vacances. Lily avait réussi à convaincre Spencer,
qui n'avait jamais quitté ses pénates, de faire un
grand voyage. Ils n'iraient ni à Maui, ni à Cabo
San Lucas, ni en Arizona mais à Key Biscayne.
Ils partaient dans quinze jours et fêteraient là-
bas son anniversaire.

Une décapotable klaxonna dans la rue calme.
Le regard de Lily embrassait tout le bas de
Manhattan du nord au sud. Un homme du parti
démocrate collait des prospectus pour les pro-
chaines élections primaires sur le poteau à côté
d'elle et elle eut un pincement au cœur en songeant à d'autres affichettes, une autre décapotable, et à ceux qui avaient disparu.

Elle baissa la tête puis se redressa et inspira
profondément. La journée était trop belle !

Spencer sortit du magasin et lui fit signe de
traverser la rue avec un grand sourire, l'air de
dire « je n'ai pas que ça à faire ». Elle agita joyeusement le bras, sans bouger, le visage tendu vers
le soleil, son carnet de croquis sous le bras.

Elle savait que Spencer, toujours prêt à voir le
bon côté des choses, avait remercié le ciel qu'elle
soit dans le coma quand on avait découvert le
squelette d'Emmy. Ainsi elle pouvait garder
Emmy intacte dans son souvenir. Et elle pouvait
espérer que son frère Andrew et son amie Emmy
s'étaient retrouvés de l'autre côté, loin de leurs

anciennes attaches, de la politique, et des futilités de la vie. Ou rêver qu'Emmy avait attendu Andrew, et qu'il avait jeté sa voiture dans l'Hudson, un dimanche après la messe, tandis qu'elle le guettait sur l'autre rive, à bord d'une petite Honda de location. Il était monté à côté d'elle et ils étaient partis dans un endroit où ils étaient sûrs que personne ne les retrouverait. Un monde sans impasses, sans exigences, sans alcool, sans protocole. Un endroit à l'abri de la douleur, des monocytes, des blastocytes, du whisky, de la guerre, avec seulement un peu de miséricorde, du soleil, et ce qui restait de leur pauvre cœur si fragile.

Remerciements

Merci du fond du cœur à Joy Chamberlain pour son dévouement et son calme réconfortant.

À Paula Salacova, sans qui mes adorables enfants seraient des gamins des rues.

À Kevin, ange gardien, époux, homme universel.

*Composition et mise en pages réalisées
par ÉTIANNE COMPOSITION
à Montrouge.*

Achevé d'imprimer par N.I.I.A.G.
en juillet 2006
pour le compte de France Loisirs, Paris